Languedoc-Roussillon

Dans ce guide, les pictos mettent en lumière ce que nous vous recommandons tout spécialement :

À ne pas manquer
À voir absolument – ne repartez pas sans y être allé.

Des experts locaux révèlent leurs coups de cœur et lieux secrets.

Vaut le détour
Des sites un peu moins connus qui méritent une visite.

Si vous aimez...
Un choix de visites ou d'activités complémentaires selon vos envies.

Édition écrite et actualisée par

Emmanuel Dautant, Carole Huon
et Rodolphe Bacquet

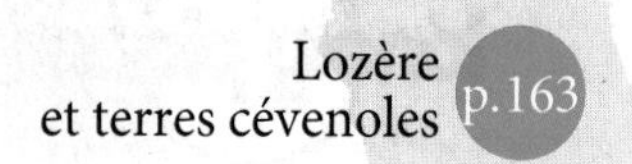

Sommaire

Avant le départ

Sur la route

Sommaire

Sur la route

Catalogne française 257

En savoir plus

Carnet pratique

Quelques mots sur le Languedoc Roussillon

Amphithéâtre naturel au climat doux et ensoleillé, le Languedoc-Roussillon impressionne d'abord par la richesse de son patrimoine historique et naturel.

La région arrive en tête pour le nombre de sites inscrits au patrimoine mondial de l'Unesco. Qui ne connaît pas le pont du Gard, le canal du Midi ou la cité fortifiée de Carcassonne ? Les chemins de Saint-Jacques-de-Compostelle, les paysages des Causses et des Cévennes, ou les forteresses de Vauban complètent cette liste prestigieuse.

Découverte du patrimoine certes, mais aussi activités nature. On peut tout aussi bien sillonner la région à pied ou avec un âne sur les pas de Stevenson, en bateau le long du canal du Midi, en kayak dans les gorges du Tarn, voire à bord de trains pittoresques, dans les Cévennes ou dans les hauts plateaux catalans.

Un long ruban de sable s'étire entre le delta du Rhône et la plaine du Roussillon. De longue date, c'est le terrain des plaisirs balnéaires. Plus intime, la Côte Vermeille fut la terre d'élection des peintres fauvistes. Son littoral découpé fait alterner villages préservés et criques isolées.

Voie de passage depuis l'Antiquité, le Languedoc-Roussillon est tiraillé entre plusieurs influences culturelles. Si Montpellier est sa capitale incontestée, Carcassonne regarde vers Toulouse ; le Roussillon s'agrippe à sa grande sœur catalane ; Nîmes, Uzès et la vallée de la Cèze respirent encore un peu la Provence ; quant à l'Aubrac et la Margeride, ils annoncent la rudesse de l'Auvergne.

Enfin, tous les bons vivants adorent cette terre généreuse pour la chaleur de ses villes, la ferveur de ses fêtes et sa gastronomie de terroir.

> “Le Languedoc-Roussillon combine à merveille découverte du patrimoine et activités nature.”

Rue de Collioure (p. 280)

Languedoc-Roussillon

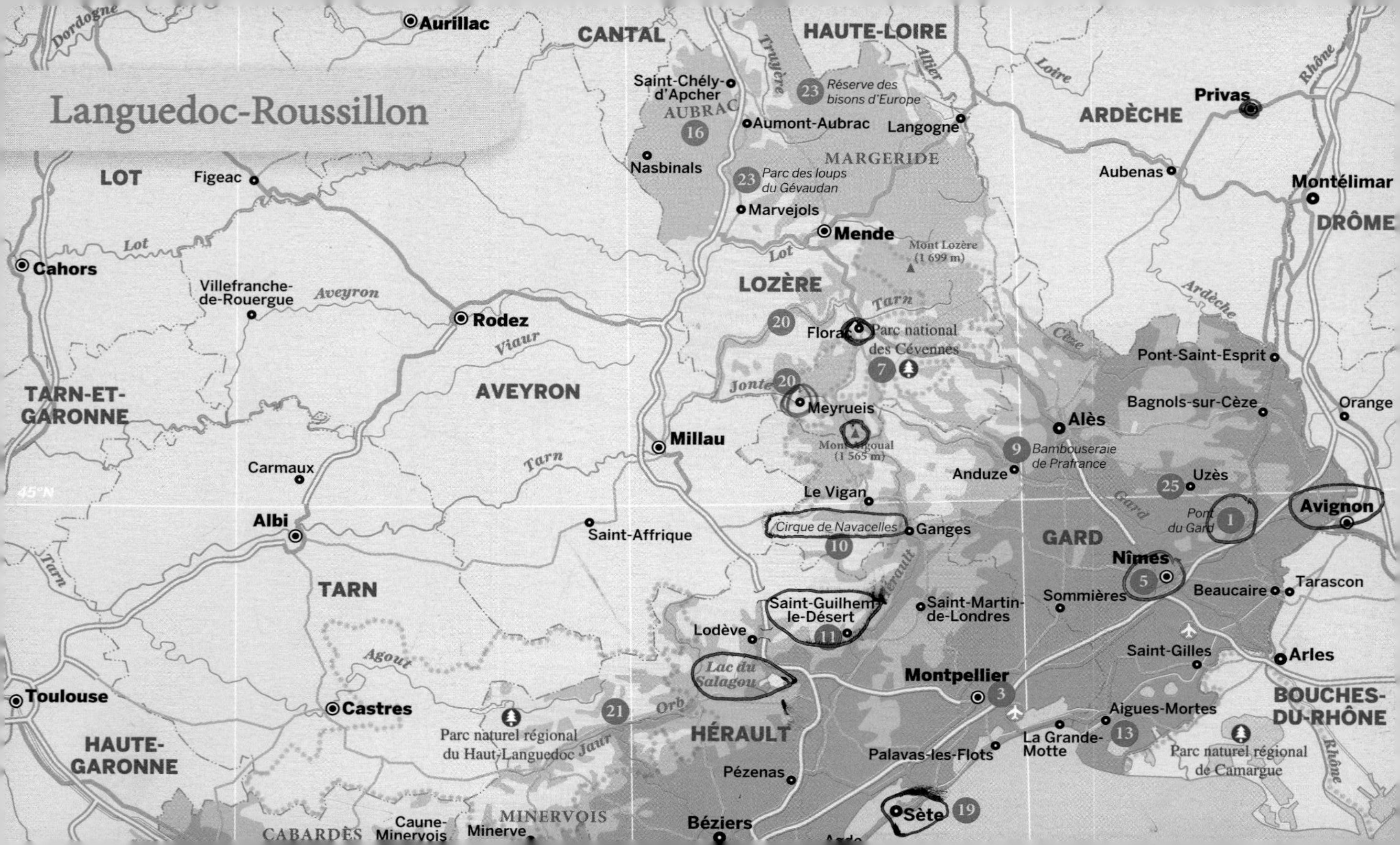

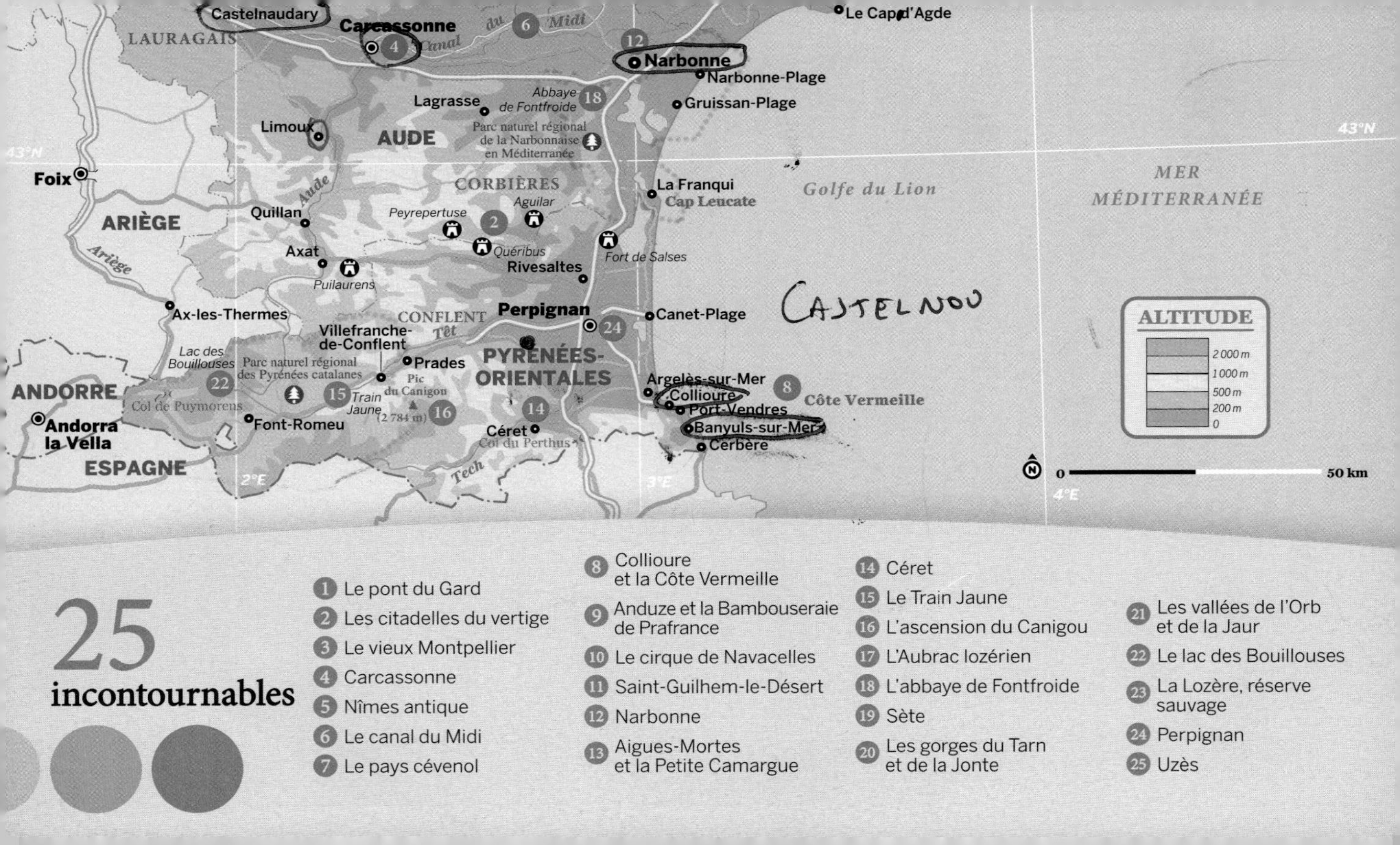
Castelnaudary
Carcassonne
LAURAGAIS
Canal du Midi
Le Cap d'Agde
Narbonne
Narbonne-Plage
Gruissan-Plage
Lagrasse
Abbaye de Fontfroide
Parc naturel régional de la Narbonnaise en Méditerranée
Limoux
AUDE
Foix
43°N
ARIÈGE
Ariège
Aude
Quillan
CORBIÈRES
Aguilar
Peyrepertuse
Quéribus
Axat
Puilaurens
Rivesaltes
La Franqui
Cap Leucate
Fort de Salses
Golfe du Lion
MER MÉDITERRANÉE
Ax-les-Thermes
CONFLENT
Têt
Perpignan
Canet-Plage
Villefranche-de-Conflent
Prades
Lac des Bouillouses
Parc naturel régional des Pyrénées catalanes
PYRÉNÉES-ORIENTALES
Pic du Canigou (2 784 m)
Train Jaune
ANDORRE
Col de Puymorens
Andorra la Vella
Font-Romeu
Céret
Col du Perthus
Tech
ESPAGNE
Argelès-sur-Mer
Collioure
Port-Vendres
Banyuls-sur-Mer
Cerbère
Côte Vermeille
2°E
3°E
4°E
ALTITUDE
2 000 m
1 000 m
500 m
200 m
0
0
50 km
25 incontournables
1 Le pont du Gard
2 Les citadelles du vertige
3 Le vieux Montpellier
4 Carcassonne
5 Nîmes antique
6 Le canal du Midi
7 Le pays cévenol
8 Collioure et la Côte Vermeille
9 Anduze et la Bambouseraie de Prafrance
10 Le cirque de Navacelles
11 Saint-Guilhem-le-Désert
12 Narbonne
13 Aigues-Mortes et la Petite Camargue
14 Céret
15 Le Train Jaune
16 L'ascension du Canigou
17 L'Aubrac lozérien
18 L'abbaye de Fontfroide
19 Sète
20 Les gorges du Tarn et de la Jonte
21 Les vallées de l'Orb et de la Jaur
22 Le lac des Bouillouses
23 La Lozère, réserve sauvage
24 Perpignan
25 Uzès

25 incontournables

Le pont du Gard

Site antique classé au patrimoine mondial de l'Unesco, le pont du Gard (p. 138) est le plus haut aqueduc connu de l'Empire romain. Dominant le Gardon du haut de ses 47 m, composé de trois étages indépendants aux arches remarquables, il est le principal vestige de l'aqueduc de Nîmes construit par les Romains au Ier siècle. C'est aujourd'hui un site touristique majeur (1,3 million de visiteurs par an) adossé à un superbe espace muséographique, mais aussi un lieu de détente et de loisirs le long de berges aménagées.

1

2

Les citadelles du vertige

Perchés sur les pitons rocheux du massif des Corbières, ces châteaux ont servi de refuge aux derniers cathares avant de devenir les pièces maîtresse de la surveillance des frontières du royaume de France. Les châteaux de Puilaurens (p. 246), de Peyrepertuse (p. 244) et de Quéribus (p. 241) sont les plus impressionnants. Leur visite combine passionnante plongée dans l'histoire et panoramas vertigineux. Château de Peyrepertuse

Le vieux Montpellier

Ruelles médiévales truffées de boutiques et de galeries d'art, terrasses à l'ombre d'une église ou d'une placette de charme, spectacles de rue animant joyeusement ses allées... À chaque recoin du centre ancien de Montpellier, l'histoire se mêle à un art de vivre sans pareil. Fontaine des Trois Grâces, place de la Comédie

3

Les meilleurs...
...Musées d'art

MUSÉE FABRE, MONTPELLIER
De Rubens à Soulages, le musée Fabre déploie un riche panorama de l'histoire de l'art européen. (p. 57)

MUSÉE RÉGIONAL D'ART CONTEMPORAIN-SÉRIGNAN
À dix kilomètres de Béziers, sa collection d'envergure internationale offre l'occasion d'une plongée dans la création contemporaine. (p. 95)

CARRÉ D'ART DE NÎMES
Le superbe édifice construit par Norman Foster rassemble une riche collection d'œuvres contemporaines. (p. 126)

MUSÉE D'ART MODERNE DE CÉRET
Sa collection illustre le passage à Céret des plus grands artistes du XXe siècle : Picasso, Chagall ou Soutine. (p. 293)

Les meilleurs... ...Sites inscrits au patrimoine mondial

CIRQUE DE NAVACELLES
Une merveille géologique au panorama vertigineux. (p. 107)

PONT DU GARD
Ses arches majestueuses n'ont pas d'équivalent. (p. 138)

CITÉ DE CARCASSONNE
Lices, tours et remparts y forment un ensemble exceptionnel. (p. 216)

CANAL DU MIDI
Son tracé longiligne révèle d'étonnants ouvrages d'art. (p. 94 et 252)

CAUSSES ET CÉVENNES
Des paysages millénaires forgés par l'agro-pastoralisme. (p. 185)

MONT-LOUIS ET VILLEFRANCHE-DE-CONFLENT
Pour l'architecture militaire de Vauban. (p. 306 et 308)

EMMANUEL DAUTANT ©

4 Carcassonne

Joyau architectural, classée au patrimoine mondial de l'Unesco, la plus grande cité médiévale d'Europe attire chaque année des millions de visiteurs. Ses deux rangées de remparts crénelés, ses 52 tours dressées vers le ciel, son château Comtal et la basilique Saint-Nazaire, célèbre pour la beauté de ses rosaces, n'auront aucun mal à vous transporter au Moyen Âge. (p. 216)

O. MAYNARD/OFFICE DU TOURISME DE NÎMES ©

5 Nîmes antique

C'est au Ier siècle av. J.-C. que cette colonie romaine se pare de monuments prestigieux. Son amphithéâtre (p. 126), où se tenaient autrefois des combats de gladiateurs, est l'un des mieux conservés du monde romain. La ville abrite deux autres vestiges majeurs : la Maison carrée (p. 127) et la tour Magne, vestige de l'ancienne enceinte de 6 km qui entourait la ville. Arènes de Nîmes

Le canal du Midi

6

Tracé par l'ingénieur Paul Riquet sous le règne de Louis XIV, le canal du Midi relie Toulouse à Sète sur près de 240 km. Sa navigation, ouverte de mars à novembre, emprunte un parcours ponctué de nombreux ouvrages d'art. Les écluses de Fonséranes (p. 96) à Béziers, le pont-canal de Répudre (p. 252), ou le village du Sommail (p. 252), dans l'Aude, vivent au rythme des promenades fluviales. Sallèle d'Aude

7

Le pays cévenol

Cette région isolée (p. 163), traversée par l'Écossais Robert Louis Stevenson lors d'une mythique épopée, conserve la mémoire des camisards, ces insurgés huguenots qui défièrent l'autorité royale au tournant du XVIIIe siècle. En arpentant les anciennes pistes de transhumance, vous découvrirez de vastes horizons de plateaux et de vallées profondes et des hameaux en pierre de schiste, cernés de terrasses, de mûriers et de châtaigniers. En 2011, ces paysages ont été inscrits sur la liste du patrimoine mondial de l'Unesco, au titre de leur tradition agropastorale millénaire. Mas Camargues, mont Lozère

Collioure et la Côte Vermeille

Le port de Collioure (p. 281) et ses barques catalanes, les remparts de l'ancienne résidence d'été des rois de Majorque, le clocher à coupole de l'église Notre-Dame-des-Anges... Vous entrez dans un décor qui fut l'atelier du fauvisme avec Matisse et Derain. Plus au sud, criques et calanques sauvages, ports de pêche comme Port-Vendres et vignes à flanc de coteau se succèdent jusqu'à la frontière espagnole, avec toujours la mer en toile de fond. Plage de Collioure et église Notre-Dame-des-Anges

8

Les meilleures...
...Plages

PLAGE DU PETIT ET DU GRAND TRAVERS
L'une des rares étendues de sable préservée sur la côte héraultaise. (p. 74)

PLAGE DE L'ESPIGUETTE
Ses imposantes dunes de sable et son atmosphère sauvage lui donne des airs de Sahara. (p. 161)

PLAGE DE LA FRANQUI
Pour goûter au charme de la plus ancienne station balnéaire de l'Aude. (p. 254)

PLAGE DU RACOU
Familiale et intemporelle avec ses cabanons de pêcheurs, la plage du Racou est de loin la plus agréable d'Argelès-sur-Mer. (p. 278)

PLAGES DE COLLIOURE
En plein centre-ville, au pied de l'église Notre-Dame-des-Anges ou du château royal. (p. 282)

Anduze et la Bambouseraie

Créée en 1856, classée jardin remarquable et monument historique, la Bambouseraie de Prafrance (p. 175) impressionne par sa riche collection de bambous. Plus de 200 variétés, dont certaines atteignent 25 m de hauteur, s'y côtoient à côté d'espèces exotiques du monde entier. À quelques kilomètres de là, Anduze (p. 172), porte d'entrée des Cévennes, est aussi le point de départ du train à vapeur des Cévennes.

9

Les meilleures... ...Chambres d'hôtes

LES SARDINES AUX YEUX BLEUS
Halte reposante en perspective dans cette ferme du XVIIe siècle bordée par les vignes et la garrigue, à quelques kilomètres d'Uzès. (p. 145)

LE PRESBYTÈRE
Au pied du pic de Burgarach, un ancien presbytère transformé en maison d'hôtes. (p. 240)

LA BORIE DE L'AUBRAC
Une ancienne grange admirablement restaurée perdue au beau milieu de l'Aubrac. (p. 204)

MAISON MAURO
Une adresse confortable, au pied des Pyrénées, à Prats-de-Mollo. (p. 298)

LE 225
Elégance et confort sont au rendez-vous dans cette maison de maître du centre de Prades. (p. 302)

10 Le cirque de Navacelles

Merveille de la nature semblable à un cratère géant, le vertigineux cirque de Navacelles (p. 107) dépasse l'entendement. Entre sa vallée verdoyante et ses sentiers montagneux, les possibilités de randonnée sont innombrables, mais vous pourrez aussi profiter depuis ses rebords, et sans le moindre effort, de la magie du spectacle.

Saint-Guilhem-le-Désert 11

Niché le long des gorges de l'Hérault, Saint-Guilhem-le-Désert (p. 108) se targue d'être le deuxième village préféré des Français. Sa pépite romane, ses bonnes tables et ses ruelles de charme en font l'étape idéale pour partir au-devant des merveilles naturelles qui le cernent, pont du Diable et gorges de l'Hérault en tête.

CAROLE HUON ©

12

Narbonne

Avec son palais des Archevêques presque aussi vaste que le palais des Papes d'Avignon, sa cathédrale Saints-Just-et-Pasteur inachevée, ses halles de style Baltard et les quais du canal de la Robine bordés de platanes, Narbonne (p. 247) envoûte par son atmosphère méditerranéenne. Au sud de la ville, les étangs de Bages et de Sigean et quelques stations balnéaires posées entre mer et étang, comme Gruissan, rappellent que Narbonne fut aussi de tout temps tournée vers le large. Toits de Narbonne depuis le donjon du palais des Archevêques

13

Aigues-Mortes et la Petite Camargue

Les remparts d'Aigues-Mortes (p. 156) émergent au milieu de salines, d'étangs et de canaux. Cité fortifiée due à Saint Louis, Aigues-Mortes présente aujourd'hui un tempérament animé, au fil de ses ruelles où se concentrent terrasses de cafés et de restaurants. Depuis ses longs remparts, on prend la mesure des étendues sauvages et marécageuses de la Petite Camargue où se perpétue l'élevage des chevaux et des taureaux. Remparts d'Aigues-Mortes

Céret

Le vieux bourg de Céret (p. 293), tortueux, escarpé, ombragé par des platanes centenaires, reçoit une eau qui jaillit dans ses fontaines après avoir dévalé les versants pyrénéens. La capitale du Vallespir fut le laboratoire du cubisme avant 1914. Si Picasso, Braque et Juan Gris y prenaient alors pension, d'autres peintres, comme Chagall et Soutine, l'ont aussi fréquentée par la suite. Une visite s'impose donc au très beau musée d'Art moderne.

14

Les meilleures...

...Cuisines du terroir

LA TABLE D'AURORE
La cuisine tout en finesse d'Aurore à Saint-Guilhem-le-Désert. (p. 110)

BURON DE BORN
On y déguste truffade et aligot au milieu du plateau de l'Aubrac. (p. 204)

LES SAVEURS DU TERROIR
Envie d'un gibier tourné à la broche dans la cheminée ? Direction Bugarach et ce restaurant qui fait honneur à son terroir. (p. 241)

HOSTELLERIE ÉTIENNE
L'établissement a fait du cassoulet sa marque de fabrique : tant mieux ! Tous les clients viennent ici pour s'attabler autour d'une cassole. (p. 231)

HENRI ET CIE
Peut-être le plus petit restaurant de France... où l'on découvre les saveurs catalanes avec Henri à la baguette. (p. 269)

Les meilleures... ...Ascensions à pied

MONT CAROUX
Dépourvu de toute construction, son plateau dévoile de superbes paysages méditerranéens. (p. 101)

MASSIF DE L'AIGOUAL
Par le fameux sentier des 4 000 marches. (p. 183)

PIC DE FINIELS
Une randonnée facile depuis la station de ski du Bleymard sur le mont Lozère. (p. 196)

LE CANIGOU
La montagne mythique des Catalans à gravir en deux jours. (p. 305)

PIC DE CARLIT
Le point culminant des Pyrénées-Orientales se découvre après une randonnée qui serpente entre les lacs du site des Bouillouses.(p. 317)

EMMANUEL DAUTANT ©

15

Le Train Jaune

Symbole de la Catalogne française, le Train Jaune (p. 307) relie Villefranche-de-Conflent (427 m) à Latour-de-Carol (1 232 m) sur un parcours de 63 km. Créé au début du XXe siècle pour désenclaver les hauts plateaux catalans du reste du département, il chemine le long de vertigineux ouvrages d'art dans la haute vallée de la Têt et sur le plateau cerdan. Fonctionnant été comme hiver, le train dessert 22 gares et des sites classés au patrimoine mondial de l'Unesco (Villefranche-de-Conflent ou Mont-Louis).

L'ascension du Canigou

16

Montagne sacrée des Catalans culminant à 2 784 m, le Canigou porte sur ses flancs deux merveilles, l'abbaye Saint-Martin-du-Canigou (p. 305) et celle de Saint-Michel-de-Cuxa (p. 303). Son ascension peut s'effectuer l'été depuis le refuge des Cortalets ou le refuge de Mariailles (p. 305). Au sommet, la vue sur la plaine du Roussillon et la Grande Bleue est magnifique. La ferveur catalane y est entretenue lors de la nuit de la Saint-Jean, où des centaines de marcheurs gravissent le sommet munis de torches.

EMMANUEL DAUTANT ©

L'Aubrac lozérien

17

Paysage plat et pelé où paissent tranquillement des vaches accoutumées à son climat extrême, l'Aubrac dévoile sa partie la plus sauvage en Lozère. Autour de Nasbinals (p. 203), cette terre de basalte, parsemée de burons aux toits de lauze, s'offre aux randonneurs et aux pèlerins lancés sur le chemin de Saint-Jacques-de-Compostelle. C'est aussi l'endroit idéal pour goûter à une cuisine revigorante à base de tomme (truffade, aligot).

L'abbaye de Fontfroide

Cachée dans les collines boisées des Corbières, cette abbaye cistercienne (p. 251) aux épais murs de grès rose se visite dans une atmosphère de recueillement. À son apogée (XIIIe et XIVe siècles), près de 300 frères convers y exploitaient les dizaines de fermes de l'abbaye disséminées dans tout le Languedoc. Le bâtiment des frères frappe par ses dimensions imposantes et son austérité, de même que par son abbatiale du XIIe siècle à la nef en berceau brisé, haute d'une vingtaine de mètres.

18

Les plus belles... ...Abbayes

VALMAGNE
La "cathédrale des Vignes" enchante par la grâce de ses lignes et sa pierre rosée. (p. 89)

SAINT-GILLES
Son portail sculpté servait autrefois de "livre de pierre" aux pèlerins venus de toute l'Europe. (p. 154)

SAINT-HILAIRE
Des moines y inventèrent la blanquette de Limoux. (p. 237)

FONTFROIDE
Cet ensemble du XIIe siècle a su garder son atmosphère envoûtante. (p. 251)

SAINT-MICHEL-DE-CUXA
Joyau d'art roman, elle émerge au milieu de vergers. (p. 303)

SAINT-MARTIN-DU-CANIGOU
Accroché aux premiers reliefs du Canigou, elle se rejoint après une courte marche. (p. 304)

Les meilleures...
...Escapades en voiture

VALLÉE DE LA CÈZE
Une succession de villages de caractère entre Bagnols-sur-Cèze et les contreforts des Cévennes. (p. 150)

LA CORNICHE DES CÉVENNES
Cet ancien chemin de transhumance offre des panoramas mémorables sur les Cévennes. (p. 179)

LE POINT SUBLIME
Pour découvrir les gorges du Tarn depuis le causse de Sauveterre. (p. 192)

LA ROUTE DES LACS
Depuis Nasbinals, l'itinéraire arpente les paysages désertiques de l'Aubrac. (p. 203)

LA ROUTE DES CRÊTES
Un itinéraire bis entre Collioure et Banyuls pour de magnifiques panoramas sur les vignobles de la Côte Vermeille et la Grande Bleue. (p. 289)

Sète

19

Sète (p. 74) dénote sur les côtes de l'Hérault. C'est que la petite Venise du Languedoc se targue de l'historique faisant défaut à bon nombre des stations balnéaires du golfe du Lion. À mi-chemin entre tourisme balnéaire et culturel, ses canaux, son vieux port, le va-et-vient de ses bateaux et le faste de ses joutes nautiques laissent place, à ses confins, à des plages festives et à de vastes panoramas sur l'étang de Thau qui finiront de vous conquérir. Canal Royal de Sète

FRED/FOTOLIA ©

EMMANUEL DAUTANT ©

20 Les gorges du Tarn et de la Jonte

Ces deux rivières, qui entaillent en profondeur le calcaire tendre des grands causses, ont une notoriété qui dépasse depuis longtemps les frontières de l'Hexagone. Entre Florac et Rozier, les gorges qui encadrent le Tarn dévoilent de magnifiques villages accrochés aux falaises des causses. Entre Meyrueis et Rozier, les gorges de la Jonte proposent un décor verdoyant bien moins fréquenté. Batelier de La Malène

Les vallées de l'Orb et de la Jaur

21

Au cœur du parc régional du Haut-Languedoc, les vallées de l'Orb et de la Jaur (p. 98) sont émaillées de petits villages médiévaux propices à la contemplation. Kayak sur le cours de l'Orb, vélo le long de sa voie verte ou randonnée sur le mont Caroux, sont les meilleurs moyens de partir à leur découverte.

22

Le lac des Bouillouses

Site naturel classé (p. 316), ce chapelet de lacs est un terrain de jeu idéal pour le randonneur au pied du massif du Carlit. On y croise sans peine des marmottes dans les pelouses qui bordent les lacs, des chevaux en estive ou l'isard et le mouflon vers les sommets. Depuis le barrage du lac des Bouillouses, les plus téméraires se lanceront à l'assaut du pic de Carlit (2 921 m), point culminant du département des Pyrénées-Orientales.

La Lozère, réserve sauvage

Terre des grands espaces, la Lozère est le refuge de nombreuses espèces animales réintroduites par l'homme. Sa mosaïque de territoire est une terre d'accueil pour la faune sauvage, qui se laisse approcher dans le parc des loups du Gévaudan (p. 205), à la maison des vautours au bord de la Jonte (p. 184), dans la réserve des bisons d'Europe en Margeride (p. 204) et sur le causse Méjean pour les chevaux de Przewalski (p. 187).

23

Les meilleures...
...Visites et activités en famille

GROTTE DES DEMOISELLES
Les formes féeriques de cette cathédrale souterraine enchanteront petits et grands. (p. 114)

RÉSERVE DES BISONS D'EUROPE
Ces imposants ruminants se laissent approcher en calèche, grâce à la présence du cheval. (p. 204)

PARC DES LOUPS DU GÉVAUDAN
Entre Margeride et Aubrac, des meutes de loups en semi-liberté s'observent le long de sentiers aménagés. (p. 205)

VALLON DU VILLARET
Un parc de loisirs ludique et artistique. (p. 202)

RÉSERVE AFRICAINE DE SIGEAN
Sur les bords de l'étang de Sigean, la faune africaine a traversé la Méditerranée. (p. 253)

Perpignan

L'ancienne capitale du royaume de Majorque (p. 264) annonce déjà la Catalogne voisine avec ses noms de rues inscrits en deux langues, ses drapeaux sang et or flottant dans l'air et l'omniprésence de la brique, à l'image de la tour du Castillet. Argelès-sur-Mer, Saint-Cyprien ou le Canet-en-Roussillon (p. 280) offrent une dose de farniente à seulement quelques kilomètres de Perpignan.

24

Les meilleures...
...Tables gastronomiques

LE JARDIN DES SENS
La table étoilée des frères Pourcel est l'adresse de référence de Montpellier. (p. 69)

HOSTELLERIE LE CASTELLAS
La générosité d'un grand chef dans le cadre somptueux d'une propriété du XVIIe siècle sur les bords du Gardon. (p. 142)

LA SAFRANIÈRE
Un ancien corps de ferme rénové à quelques kilomètres de Mende. Une table incontournable en Lozère. (p. 200)

LE PUITS DU TRÉSOR
Au pied des châteaux de Lastours, Jean-Marc Boyer propose une cuisine inventive. (p. 231)

LA RENCONTRE
À Perpignan, un jeune chef qui monte et une cuisine catalane revisitée. (p. 269)

25

Uzès

Cossue et animée, Uzès (p. 142), ville d'art et d'histoire, se découvre à travers ses ruelles où se succèdent les façades des XVIe, XVIIe et XVIIIe siècles et autour de la place aux Herbes, lieu parfait pour prendre l'apéritif. Avec un nom qui sonne comme une invitation aux fragrances, cette place est aussi le lieu d'un marché hebdomadaire haut en couleur. Place aux Herbes

Les meilleurs itinéraires du Languedoc-Roussillon

De Nîmes à Mende
L'appel de la nature

5 JOURS

Un itinéraire qui relie Nîmes et la plaine du Languedoc aux étendues farouches du mont Lozère, le long des vallées cévenoles dont les paysages sont classés au patrimoine mondial de l'Unesco.

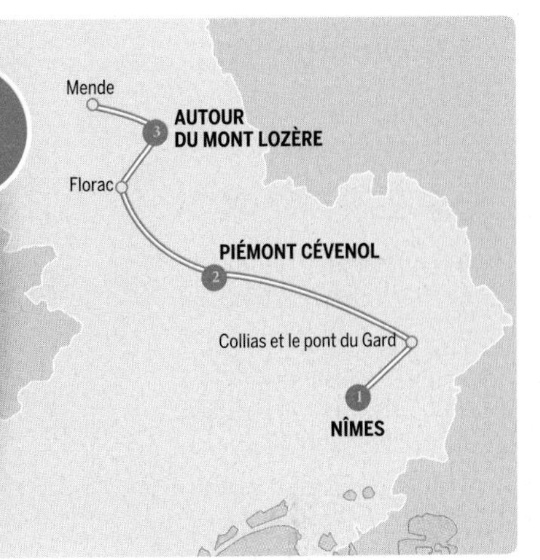

1 Nîmes (p. 124)

En guise d'introduction, transportez-vous à l'époque romaine avec la visite des **arènes**, de la **Maison carrée** et de la **tour Magne**, qui domine la ville, pour découvrir le visage antique de Nîmes. Découvrez ensuite l'architecture contemporaine de la préfecture du Gard avec le **Carré d'art** et son musée d'art contemporain que l'on doit à Norman Foster et les réalisations d'architectes et de designers prestigieux (Nouvel, Wilmotte, Starck). Enfin, pour goûter aux fragrances de la garrigue, offrez-vous une escapade d'une journée autour de **Collias** pour découvrir les majestueuses arches du **pont du Gard** en kayak.

COLLIAS-ALÈS

50 minutes via la D981

2 Piémont cévenol (p. 170)

Plongez sous terre à la **mine témoin d'Alès** pour revivre le quotidien des gueules noires. Découvrez ensuite les charmantes ruelles d'**Anduze**, souvent envahies par la foule aux beaux jours. À proximité, la **Bambouseraie de Prafrance** mérite une halte d'une demi-journée que l'on peut compléter par la **grotte du Trabuc** à Mialet. Que diriez-vous ensuite d'une traversée des Cévennes par la **corniche des Cévennes** ? Cette ancienne piste de transhumance permet d'admirer des paysages exceptionnels classés au patrimoine mondial de l'Unesco. Faites enfin escale à **Florac**, au pied du causse Méjean, ou dans le charmant village de **Cocurès**, sur la route du mont Lozère, qui abrite un très bon hôtel-restaurant.

Marché de Mende
EMMANUEL DAUTANT ©

FLORAC-LE PONT-DE-MONTVERT

20 minutes via la D998

3 Autour du mont Lozère (p. 195)

Le village du **Pont-de-Monvert**, escale nature par excellence, vous offre l'embarras du choix : baignade dans les vasques du Tarn ou randonnée sur les sentiers du parc national des Cévennes. Faites un détour par le site du **Cham des Bondons**, puis prenez la route qui grimpe sur les versants du **mont Lozère** jusqu'à la **station du Bleymard**, où vous pourrez vous lancer à l'assaut du **pic de Finiels**. Redescendez par le versant nord du mont Lozère et offrez vous une pause bien-être dans la station thermale de **Bagnols-les-Bains** avant de filer sur **Mende**, préfecture de poche du département, à la superbe cathédrale.

De Montpellier à Nîmes Entre villes et garrigue

7 JOURS

Cet itinéraire combine les plaisirs urbains et la découverte des sites emblématiques de l'arrière-pays, aux confins des Cévennes et de la plaine du Languedoc.

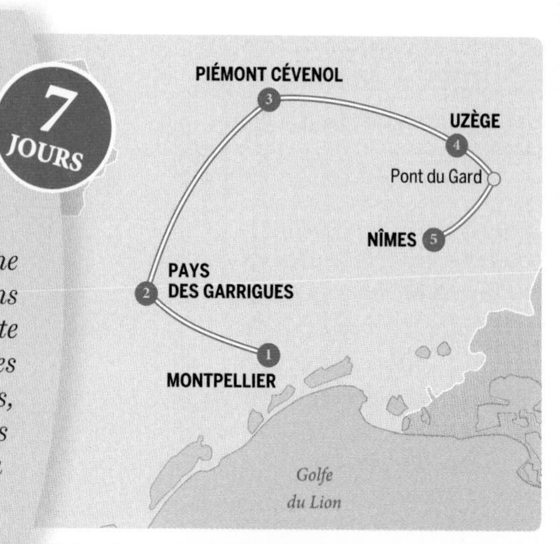

1 Montpellier (p. 56)

Commencez par une promenade dans le **vieux Montpellier**, au départ de la **place de la Comédie**, que vous pourrez prolonger par la visite du **musée Fabre**. Consacrez une soirée à une virée nocturne autour de la **place Saint-Roch** pour prendre un verre. En manque de nature ? Dirigez-vous vers les allées du **jardin des Plantes** ou dans la **serre amazonienne**.

MONTPELLIER-SAINT-GUILHEM-LE-DÉSERT

45 minutes via l'A75

2 Pays des garrigues (p. 108)

Après avoir pris le temps d'arpenter le **pont du Diable** à l'entrée des gorges de l'Hérault, visitez la **grotte de Clamouse**. Incontournable pour son patrimoine médiéval, dont ce joyau d'art roman qu'est l'**abbaye de Gellone**, **Saint-Guilhem-le-désert** saura vous retenir. De nombreux sentiers de randonnée partent également de ce village dominé par les falaises calcaires du cirque de l'Infernet. Peu avant Ganges, optez pour un deuxième voyage dans les entrailles de la terre en explorant la spectaculaire **grotte des Demoiselles**.

GANGES-ANDUZE

40 minutes via D999 et D982

3 Piémont cévenol (p. 170)

À **Anduze**, porte d'entrée des Cévennes, offrez-vous un périple en train à vapeur pour visiter la **Bambouseraie de Prafrance**. Au retour, arrêtez-vous sur une jolie placette pour savourer un verre en terrasse en fin de journée. Consacrez une autre journée à la **vallée des Camisards**, à la fois écrin naturel, avec la **grotte du Trabuc** à Mialet, et sanctuaire du protestantisme avec le **musée du Désert** du Mas Soubeyran. Rejoignez ensuite **Alès** pour explorer sa **mine témoin**.

ALÈS-UZÈS

40 minutes via la D981

4 Uzège et pont du Gard (p. 142 et 138)

Accordez-vous une halte dans les ruelles cossues d'**Uzès**, où les boutiques chics côtoient les hôtels de charme. Profitez-en pour prendre un verre ou déjeuner autour de la **place aux Herbes** aux belles arcades. Prolongez la visite de l'Uzège avec le village coloré de **Saint-Quentin-la-Poterie** et son **musée de la Poterie méditerranéenne**. Le lendemain explorez le site antique du **pont du Gard**, son musée et ses sentiers odorants.

PONT-DU-GARD-NÎMES

30 minutes via la D6086

5 Nîmes (p. 124)

Dans les ruelles de Nîmes, l'Espagne pousse un peu sa corne, surtout pendant la feria de Pentecôte, durant laquelle les bodegas envahissent ses rues. Ne manquez pas de flâner dans l'Écusson en quête des splendides hôtels particuliers des XVIIe, XVIIIe et XIXe siècles. Incontournables, la **Maison carrée** et les **arènes** honorent la cité nîmoise de monuments romains parmi les mieux conservés dans le monde.

Train à vapeur des Cévennes
GILLE PAIRE/FOTOLIA ©

Du Rhône à la frontière espagnole

10 JOURS

Entre mer et étangs

Adepte du farniente et des stations balnéaires ? Cet itinéraire littoral, entre la Camargue et la frontière espagnole, répond à vos envies de plage tout en proposant quelques excursions culturelles autour du canal du Midi et dans des cités de caractère.

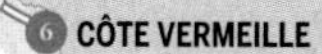

① Aigues-Mortes (p. 156)

Cette bastide du XIIIe siècle possède un patrimoine architectural remarquable, à l'image de ses remparts ou de la **tour de Constance**. En déambulant dans ses ruelles bordées de jolies boutiques, vous n'aurez aucun mal à dénicher une table à votre convenance. Non loin, le **Grau-du-Roi** présente moins de charme mais un port actif et de belles plages sauvages autour de la **pointe de l'Espiguette**. Le chapelet de stations balnéaires se poursuit avec **La Grande-Motte**, dont l'architecture des années 1960 a ses amateurs fervents, et **Palavas-les-Flots**.

PALAVAS-LES-FLOTS-SÈTE

30 minutes via la D185 et la D612

② Sète (p. 74)

La silhouette ronde du **mont Saint-Clair** fait le charme de la cité, de même que ses canaux bordés de façades anciennes et de restaurants. Une atmosphère entre terre et mer qui se poursuit le long de l'**étang de Thau**, qui mène à **Agde** et au **Cap d'Agde**. Pour ajouter un peu de culture à votre séjour, faites une halte au **musée régional d'Art contemporain** de Sérignan.

SÉRIGNAN-BÉZIERS

15 minutes via la D64

③ Béziers et le canal du Midi (p. 90)

Laissez-vous tenter par une promenade le long des **allées Paul-Riquet**, puis partez sur la piste des ouvrages d'art du **canal du Midi** : le **pont-canal de l'Orb** ou les **écluses de Fonséranes**. Une découverte que l'on peut poursuivre dans l'Aude voisine, autour du **Somail**, en s'offrant une virée en VTT sur les anciens chemins de halage du canal.

Plage de La Franqui

EMMANUEL DAUTANT ©

LE SOMAIL-NARBONNE

20 minutes via la D607

④ Narbonne (p. 247)

Réveillez vos papilles dans une des tables créatives de Narbonne, autour du **canal de la Robine** et des **halles**, avant de faire une promenade autour du **palais des Archevêques** et de la **cathédrale Saint-Just-et-Saint-Pasteur**. Quittez la ville par la D105, qui longe l'**étang de Bages**, et ses villages de pêcheurs, jusqu'à la **réserve africaine de Sigean**. Faites ensuite escale au pied des plages de **La Franqui** envahies par les voiles des kitesurfeurs.

LA FRANQUI-PERPIGNAN

30 minutes via l'A9

⑤ Perpignan (p. 264)

Le centre piéton est l'occasion de faire un peu de shopping. Côté culture, découvrez un riche patrimoine historique : le **Castillet**, la **cathédrale Saint-Jean-Baptiste** et le **palais des rois de Majorque**. Non loin de Perpignan, vous pourrez étaler votre serviette sur une des plages d'**Argelès-sur-Mer**, avant de vous poser autour d'une bonne table dans l'ancien quartier des pêcheurs du Racou.

ARGELÈS-SUR-MER-COLLIOURE

10 minutes par la D114

⑥ Côte Vermeille (p. 278)

À **Collioure**, visitez l'**église Notre-Dame-des-Anges** et laissez-vous tenter par les boutiques et les galeries d'art. Prenez une journée pour faire une randonnée le long du littoral de la Côte Vermeille autour de l'**anse de Paulilles** et du **cap Béar**. Parcourez enfin la route qui sinue entre les caps et les criques entre **Banyuls** et **Cerbère**.

Des terres catalanes au Narbonnais
Mer, montagne et patrimoine

15 JOURS

Un itinéraire qui rassemble l'essentiel du sud de la région Languedoc-Roussillon : trois villes marquées par l'épisode moyenâgeux au patrimoine historique exceptionnel, les prémices de la Côte Vermeille et les richesses culturelles et naturelles des premiers reliefs des Pyrénées.

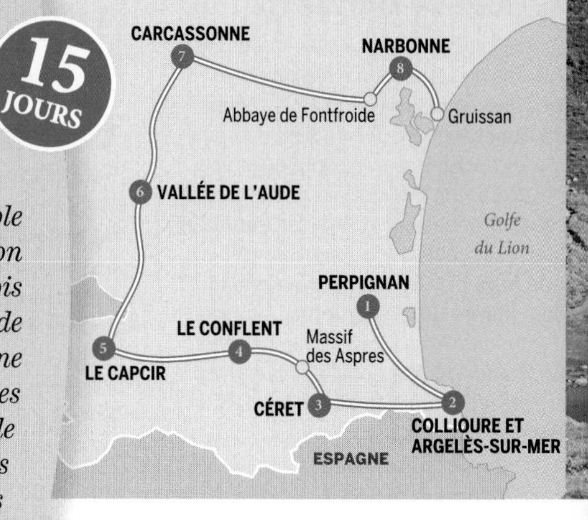

1 Perpignan (p. 264)

Engouffrez-vous dans ses ruelles chatoyantes depuis le **Castillet**, emblème de la cité catalane, jusqu'à la **cathédrale Saint-Jean-Baptiste** et le **Campo Santo**. Après une pause pour siroter un verre sur l'une des terrasses de la **place de la République**, ne manquez l'imposant **palais des rois de Majorque** et son somptueux panorama. Prenez ensuite la direction d'Elne pour déambuler dans le cloître richement sculpté de la **cathédrale Sainte-Eulalie-et-Sainte-Julie**.

ELNE-ARGELÈS-SUR-MER

10 minutes via la D914

2 Collioure et Argelès-sur-Mer (p. 281)

Argelès-sur-Mer, avec ses campings et ses 7 km de plages de sable, est le lieu idéal pour étendre votre serviette avant de rejoindre **Collioure**. Visitez une fabrique d'anchois et offrez-vous un dîner sur une terrasse avec vue sur la silhouette gracieuse de l'**église Notre-Dame-des-Anges**, qui s'illumine au coucher du soleil.

Le lendemain, partez à la découverte des ruelles du **quartier du Mouré** et de son **château royal**.

COLLIOURE-CÉRET

40 minutes via la D115

3 Céret (p. 293)

Entrez dans Céret, foyer de la culture catalane, en longeant le **pont du Diable**. Le meilleur moment pour se rendre dans cette jolie cité est le samedi, jour où les stands du marché se déploient dans les ruelles ombragées et sur la **place des Neuf-Jets**. Ne manquez pas de visiter le **musée d'Art moderne**, dont la riche collection a été léguée par plusieurs artistes majeurs du XXe siècle, avant de prendre un dernier verre sous les allées de platanes.

CÉRET-THUIR

30 minutes via la D615

4 Massif des Aspres et Conflent (p. 273 et 300)

Arrêtez-vous aux caves des apéritifs Byrrh, à **Thuir**, où se dresse la plus grande cuve en chêne du monde, puis rejoignez le pittoresque village de **Castelnou**, niché

Randonneur au lac des Bouillouses
EMMANUEL DAUTANT ©

au cœur du massif des Aspres. À **Prades**, conjuguez halte culturelle avec la visite des abbayes **Saint-Michel-de-Cuxa** et **Saint-Martin-du-Canigou** et défi sportif avec l'**ascension du Canigou** sur deux jours. Prolongez votre exploration du Conflent par les cités de **Villefranche-de-Conflent** et de **Mont-Louis**, fortifiées par Vauban au XVIIe siècle et classées au patrimoine mondial de l'Unesco.

MONT-LOUIS-AXAT

55 minutes via la D 118

5 Le Capcir (p. 314)

Passez une journée à randonner autour du **site des Bouillouses**, au pied du **pic de Carlit**, dans des paysages rappelant le Canada. Longez ensuite le **lac de Matemale** et la **station des Angles**, où vous découvrirez un aperçu de la faune pyrénéenne dans un joli parc animalier. La route se poursuit dans le défilé des gorges de l'Aude jusqu'au village d'**Axat**. De là, faites un crochet par le **château de Puilaurens**, citadelle du vertige du pays cathare.

AXAT-RENNES-LE-CHÂTEAU

35 minutes via la D117 et la D118

6 La vallée de l'Aude (p. 216)

Longez le ruban de l'Aude en vous accordant une halte dans l'étonnant **musée des Dinosaures d'Espéraza**. Visitez **Rennes-le-Château** et le **domaine de l'abbé Saunière**, sur les traces de son mystérieux trésor. Rejoignez ensuite le village médiéval d'**Alet-les-Bains,** puis **Limoux**, cité à découvrir en priorité l'hiver à la faveur de son carnaval. Dernière escale, l'**abbaye de Saint-Hilaire**, où fut inventée la célèbre **blanquette de Limoux**.

SAINT-HILAIRE-CARCASSONNE

20 minutes via la D 118

7 Carcassonne (p. 216)

Laissez de côté votre véhicule et consacrez au moins une journée à la visite de la célèbrissime **Cité médiévale**. Tentez d'échapper à la foule de visiteurs pour dénicher quelque recoin où prendre le meilleur cliché des remparts de la Cité. Rejoignez ensuite le quartier de la **bastide** par le **pont Vieux** et offrez-vous une pause sur les terrasses avenantes de la **place Carnot**. Le lendemain, prenez la direction de l'**abbaye cistercienne de Fontfroide** nichée au creux d'un vallon verdoyant.

ABBAYE DE FONTFROIDE-NARBONNE

15 minutes via D613

8 Narbonne (p. 247)

Pour prendre le pouls de Narbonne, découvrez les **halles** le matin, plaisir que l'on peut prolonger par un déjeuner sur le zinc. Partez ensuite à la rencontre du patrimoine historique de la cité, avec le **palais des Archevêques** ou la **cathédrale gothique Saint-Just-et-Saint-Pasteur**. Si vous avez encore un peu de temps, poussez jusqu'à **Gruissan** pour vous offrir un dernier bain sur la mythique **plage des Chalets**, représentée dans le film *37,2°C le matin*.

Idées week-end
Escapades entre villes, mer et montagne

2-3 JOURS

Avec sa grande diversité de paysages et son patrimoine historique exceptionnel, le Languedoc-Roussillon se prête à des escapades courtes de 2 ou 3 jours. Vous aurez alors le temps de flâner et de respirer sans pour autant avaler trop de kilomètres.

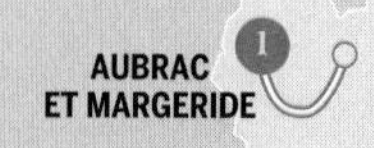

1 Aubrac et Margeride (p. 201)

Facilement accessibles par l'A75, les paysages vallonnés et boisés de **Margeride** pourront se découvrir depuis **Saint-Chély-d'Apcher** ou **Marvejols**. Cette région hors des sentiers battus recèle deux réserves animalières d'exception : la **réserve des bisons d'Europe** et le **parc des loups du Gévaudan**. Consacrez au moins une journée aux paysages désertiques de l'**Aubrac** autour de **Nasbinals**, longez la **route des lacs** et dégustez un aligot dans un buron. Terminez votre escapade en terre sauvage par une séance de remise en forme à la **station thermale de la Chaldette**.

2 Perpignan et la Côte Vermeille (p. 264 et 278)

Passez la journée dans les ruelles typiques de la cité catalane et succombez aux fastes du **palais des rois de Majorque**. Le long de la côte, le vignoble surplombe la mer la mer autour de la superbe **Collioure**, de **Port-Vendres** et de ses quais animés, et de **Banyuls**, où vous ne manquerez pas de visiter une cave viticole. Pour observer la richesse des fonds de la Côte Vermeille, nagez le long du **sentier sous-marin de la réserve marine**.

3 Carcassonne et pays cathare (p. 216 et 241)

Comptez une journée pour profiter de l'atmosphère médiévale de la **Cité de Carcassonne**, où vous trouverez pléthore de restaurants et de boutiques en tout genre. Ne limitez pas la visite de Carcassonne à son écrin et perdez-vous dans les ruelles à angle droit du quartier de la **bastide**. Dans la vallée de l'Aude, cernée de vignes, offrez-vous une dégustation de blanquette autour de **Limoux**. Partez ensuite à l'assaut des citadelles du vertige en grimpant sur les remparts des **châteaux de Peyrepertuse** et de **Quéribus** depuis **Cucugnan** et **Dulhac-sur-Peyrepertuse**.

Train à vapeur des Cévennes
GILLE PAIRE/FOTOLIA ©

4 Montpellier et les gorges de l'Hérault (p. 56 et 111)

Débutez votre visite aux abords de la **place de la Comédie** et prolongez-la autour d'une des belles tables du **vieux Montpellier**. Prenez ensuite la direction du **lac de Salagou** et baignez-vous dans ses eaux limpides. Depuis le **pont du Diable**, découvrez les **gorges de l'Hérault** et leur caractère sauvage avant d'explorer la **grotte de Clamouse** et **Saint-Guilhem-le-Désert**, un des plus beaux villages de France.

5 Nîmes et l'Uzège (p. 124)

Connu sous le nom d'Écusson, le vieux **Nîmes** est bordé de splendides hôtels particuliers des XVIIe, XVIIIe et XIXe siècles. Si la ville brille pour son patrimoine antique elle fait preuve d'un vrai dynamisme culturel avec son **Carré d'art**. Dominée par la **tour Fenestrelle**, **Uzès** révèle de très beaux hôtels particuliers. Sa vieille ville piétonne, ordonnée autour de la **place aux Herbes**, accueille boutiques, galeries, cafés et restaurants. Plusieurs élégantes chambres d'hôtes sont disséminées au milieu des garrigues de l'Uzège.

6 Narbonne et les étangs (p. 247)

La cathédrale de Narbonne, son **palais des archevêques**, de même que l'ambiance animée de ses halles, vous retiendront une journée. Depuis Narbonne, visitez l'abbaye cistercienne de Fontfroide et sillonnez le massif de la Clape et ses vignobles. Rejoignez **Gruissan** et son vieux village perché, sans oublier de poser votre serviette sur la **plage des Chalets**. Filez ensuite vers l'ouest et les villages de pêcheurs de **Bages** et de **Peyriac-sur-mer**, avant de visiter la **réserve africaine de Sigean.**

L'agenda

Les grands rendez-vous

- **Procession de la Sanch**, avril
- **Feria de Pentecôte**, mai
- **Feux de la Saint-Jean**, juillet
- **Fête de la Saint-Louis**, août
- **Cinemed**, octobre

Janvier

Feux d'hiver

Pont du Gard (début janvier). Feux d'artifice et interventions artistiques célèbrent la nouvelle année toute une journée.

Carnaval de Limoux

(tous les week-ends janvier-mars). Célébré depuis 1604, le "plus long carnaval du monde" dure pas moins de 10 semaines. Le samedi et le dimanche, les "fécos" (carnavaliers) sortent déguisés dans les rues de Limoux. Le carnaval se termine par la Nuit de la blanquette de Limoux.

Février

Fête de l'Ours

Prats-de-Mollo (mi-février). Cette fête traditionnelle met en scène le réveil de l'ours au printemps. Le plantigrade, symbolisé par un homme déguisé en ours, descend de sa montagne pour se frotter aux villageois, en les enduisant de suie. Suivent des joutes avec les chasseurs d'ours, dans une ambiance festive ponctuée de sardanes.

Mars

Semaine cévenole

Alès. Pendant une semaine, Alès honore la mémoire des camisards : reconstitution historique, expositions, animations.

Carnaval de Limoux
MAIRIE DE LIMOUX ©

Avril

Les Grands Jeux romains

Nîmes (un week-end en avril ou en mai). Une reconstitution grandiose des jeux romains est mise en scène aux arènes de la cité.

Procession de la Sanch

Perpignan (vendredi précédant le dimanche de Pâques). Ce défilé de pénitents cagoulés symbolisant la Passion du Christ est l'un des temps forts de la culture catalane (voir aussi p. 338).

Salon du livre ancien et de collection

Montolieu (week-end de Pâques). Grande foire aux livres, expositions et rencontres avec les auteurs. C'est le rendez-vous incontournable des bibliophiles.

Mai

Feria de l'Ascension

Alès (week-end de l'Ascension). Chaque année, 300 000 personnes envahissent les rues de la ville et les arènes. Bodegas, concerts et spectacles tauromachiques.

Feria de Pentecôte

Nîmes (week-end de Pentecôte). Très animée, elle rassemble depuis 1952 les aficionados du monde entier : corrida dans les arènes, mais aussi bodegas, sangria et flamenco animent la ville. Nîmes compte deux autres ferias : celle de Primavera en février et celle des Vendanges, en septembre.

Fête de la Cerise

Céret (fin mai ou début juin). Le temps d'un week-end les cartes des restaurants font honneur à la cerise, les *bandas* envahissent les rues de Céret et des compétitions loufoques sont organisées.

Juin

Festival de Carcassonne

(mi-juin-début août). Pendant un mois et demi, les spectacles se succèdent dans le Grand Théâtre en plein air, mais aussi sur une dizaine d'autres scènes installées dans la Cité et dans la bastide. Au programme : opéra, danse, théâtre, cirque, orchestre symphonique ou musique du monde. Précision d'importance : plus de la moitié des concerts sont gratuits.

Festival Uzès danse

(fin juin). Cinq journées consacrées à la danse, avec un programme varié dans différents lieux de la ville.

Fête de la Sculpture et du Marbre

Caunes-Minervois (juin). Pendant 2 jours, les sculpteurs s'attaquent aux blocs de marbre de Caunes où présentent leurs œuvres. Atelier d'initiation, repas et ambiance champêtre.

Printemps des comédiens

Montpellier (juin). Lancé en 1987, ce festival de spectacle vivant, organisé dans le cadre majestueux du château d'O, est devenu un rendez-vous incontournable.

Fête de la Transhumance

L'Espérou, mont Aigoual (mi-juin). Il sera difficile de vous frayer un chemin au milieu des troupeaux colorés qui rejoignent leur estive mais l'ambiance vaut le détour. À 28 km au nord du Vigan, en direction de l'observatoire météorologique.

Feux de la Saint-Jean

Catalogne (23 juin). La nuit du solstice d'été, des centaines de porteurs de torches gravissent le Canigou pour y entretenir un feu, avant d'en porter les braises dans toute la Catalogne.

Festival national de théâtre amateur

Narbonne (fin juin, début juillet). La ville devient, pendant 10 jours, la capitale estivale du théâtre amateur.

Montpellier Danse

(fin juin-début juillet). Ce festival international de danse met à l'honneur des compagnies venues du monde entier.

Juillet

Les Déferlantes

Argelès-sur-Mer (début juillet). Tous les ans, les grandes pointures du rock et de la variété internationale déferlent au parc Valmy pour quelques jours de concerts.

Céret de Toros

Céret (2e week-end de juillet). L'Espagne pousse un peu sa corne pour ce rendez-vous tauromachique qui rassemble les aficionados céretans dans les arènes.

Lives au Pont

Pont du Gard (mi-juillet). Festival de musiques actuelles (pop, rock, électro) sur le site enchanteur du pont du Gard.

Fête nationale

Carcassonne (14 juillet). Un feu d'artifice le 14 juillet ? Rien d'étonnant, oui. Mais celui de Carcassonne est l'un des plus fériques – et accessoirement l'un des plus courus avec ses 700 000 visiteurs.

Nuits musicales d'Uzès

(fin juillet). Ce festival de musique baroque compte parmi les plus importants en France.

Estivales de Beaucaire

(fin juillet). Beaucaire perpétue l'esprit de la foire qui l'a rendue célèbre. Clou du programme, l'*encierro*, au cours duquel une centaine de taureaux sont lâchés dans les rues de la ville. Également, *abrivados* (accompagnement des taureaux jusqu'aux arènes par les gardians à cheval), courses camarguaises, concerts, bodegas...

Festival de sardane

Céret (fin juillet). Trois jours de fête avec des concours de sardanes qui réunissent des groupes venus de toute la Catalogne.

Festival Pablo-Casals

Prades (juillet-août). Le violoncelliste catalan Pablo Casals avait fait de Prades sa seconde patrie après la victoire de Franco. Ce festival qu'il a lancé en 1950 illumine les soirées de Prades et des environs. Nombre de concerts ont lieu dans l'abbaye Saint-Michel-de-Cuxa à l'acoustique exceptionnelle.

Août

Les Médiévales de Peyrepertuse

(mi-août). Au pied du château, des troupes de spectacles médiévaux vous plongent au cœur de l'époque médiévale.

Festival de céramique

Anduze (mi-août). La tradition du vase d'Anduze se prolonge à travers ce festival dédié à la création céramique contemporaine (expositions, ateliers).

Feria de Béziers

(6 jours autour de la mi-août). Haut lieu de la tauromachie, Béziers accueille tous les ans une feria qui rassemble pas moins d'un million de personnes autour de son arène. Concerts et spectacles divers y sont programmés.

Fête du Cassoulet

Castelnaudary (mi-août). La capitale du cassoulet s'enflamme pendant 5 jours avec concerts, animations et cassoulet à gogo.

Feria de Carcassonne

(fin août, début septembre). Une fête à l'accent espagnol avec spectacles musicaux et *bandas*. Le square André-Chénier se transforme en bodega géante. Bière et sangria coulent à flots !

Festival Trenet

Narbonne (fin août). Festival de chansons francophones avec des spectacles gratuits dans la cour de la Madeleine. Bodegas et concours de chanson française avec la remise du prix Trenet de la Sacem.

Fête de la Saint-Louis

Sète (fin août). Une semaine de festivités rythmée par les spectacles de rue et les joutes nautiques. Gradins installés sur les quais du Canal Royal.

Septembre

Visa pour l'image

Perpignan (début septembre). Le plus grand festival de photojournalisme français investit chaque année la cité avec une multitude d'expositions, de rencontres et des soirées-projections en plein air dans le cloître du Campo Santo.

Foire de la Saint-Michel

Meyrueis (29 septembre). Fêtée depuis près de 800 ans, la Saint-Michel est aujourd'hui l'occasion de célébrer les produits lozériens.

Octobre

Fête votive

Aigues-Mortes (début octobre). Une dizaine de jours de festivités marquées par des *abrivados*, des *bandidos* et des courses camarguaises à l'atmosphère insolite. Les arènes sont faites pour l'occasion de "théâtres" de bois appartenant aux familles aigues-mortaises.

Cinemed

Montpellier (fin octobre). Deuxième festival de cinéma en France après celui de Cannes, ce festival international du cinéma méditerranéen s'étend sur 10 jours et assure plus d'une centaine de projections entrecoupées de débats, de conférences et de soirées thématiques.

À gauche : Fête de l'Ours à Prats-de-Mollo
À droite : Torero lors d'une corrida de la feria de Nîmes

En avant-goût

Livres

- **Les Fous de Dieu** (Jean-Pierre Chabrol, Folio-Gallimard, 1972). Une plongée dans l'histoire des camisards racontée par le grand écrivain cévenol.
- **Histoire des Cathares** (Michel Roquebert, Perrin, 2002). Pour savoir qui étaient les cathares et comment s'est déroulée la croisade des albigeois.
- **Labyrinthe** (Kate Mosse, Jean-Claude Lattès, 2006). À la fois fresque historique et thriller ésotérique, ce roman se déroule en grande partie dans la Cité de Carcassonne.

Films

- **L'homme qui aimait les femmes** (François Truffaut, 1977). "Les jambes de femmes sont des compas qui arpentent le globe terrestre en tous sens, lui donnant son équilibre et son harmonie" y devise le séducteur montpelliérain incarné par Charles Denner.
- **37°2 le matin** (Jean-Jacques Beineix, 1986). Au détour des scènes de ce film culte, on peut reconnaître la plage des Chalets, à Gruissan, mais aussi Narbonne, Marvejols ou Nasbinals.
- **La Graine et le Mulet** (Abdellatif Kechiche, 2007). Le césar du meilleur film 2008 a été tourné sur le port de Sète.

Musique

- **Carcassonne** (Stephan Eicher, 1993). Le chanteur suisse a collaboré avec l'écrivain Philippe Djian pour ce disque enregistré à Carcassonne.
- **Georges Brassens** L'enfant de Sète évoque sa ville dans sa chanson *Supplique pour être enterré sur la plage de Sète.*
- **Manitas de Platas** Né à Sète en 1921, le guitariste a grandement contribué à faire connaître la musique gitane camarguaise.

Sites Internet

- **Vent Sud** (www.ventsud.com). Pour faire le plein de bonnes adresses et d'idées de sorties.
- **Languedoc Wines** (www.languedoc-wines.com). Pour être incollable sur les AOC et les vignobles de la région.
- **Midi Libre** (www.midilibre.fr). Le principal quotidien de la région.

Sur le départ ?

Si vous deviez n'en choisir qu'un...

Un livre *Voyage avec un âne dans les Cévennes* (Robert Louis Stevenson, Flammarion, 1991). Le périple de l'écrivain écossais dans les Cévennes en 1879.

Un film *Le Président* (Yves Jeuland, 2010). Les coulisses de la dernière campagne d'une figure politique marquante de la région, Georges Frêche.

Un disque *Vernet-les-Bains* (Cali, 2013). Le chanteur catalan a grandi dans ce village au pied du Canigou.

Un site Internet www.sunfrance.com). Le site officiel du comité régional du tourisme.

Pour d'autres livres, films et musiques, voir le chapitre Culture et patrimoine *p. 336*

Ci-dessus : Bambouseraie de Prafrance ; **Ci-contre :** Retour de pêche à Narbonne-Plage

CASINO

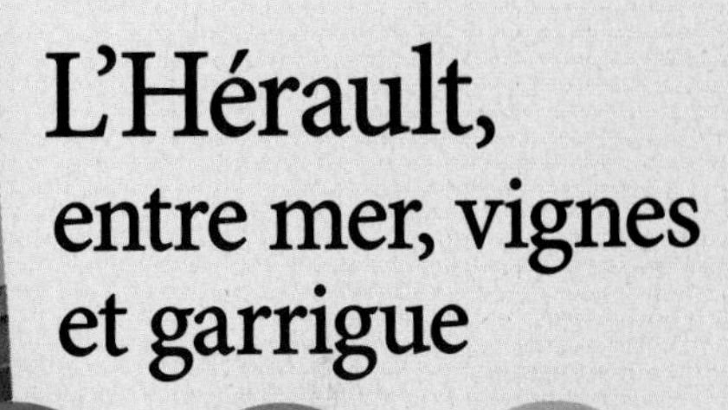

L'Hérault, entre mer, vignes et garrigue

La première ambassadrice de l'Hérault est sans nul doute Montpellier, capitale régionale énergique dont l'art de vivre dépasse les frontières de son centre historique, l'Écusson.

En dehors d'elle, le département, trop souvent résumé à son littoral malmené, réserve pourtant des merveilles naturelles et architecturales que ses plages ne sauraient faire oublier. Du cirque de Navacelles aux gorges de l'Hérault, de ses villages médiévaux de charme à ses cathédrales souterraines en passant par le canal du Midi fendant ses plaines, l'Hérault est une pépite globalement méconnue, dont les chemins de traverse réservent pourtant de grandioses surprises. Randonneurs, kayakistes, vététistes autant qu'amateurs de sports nautiques ou de farniente trouveront là, au gré de sites reconnus comme certains des plus beaux de France, matière à s'enthousiasmer.

Port de Palavas (p. 72)
CAROLE HUON ©

L'Hérault entre mer, vignes et garrigue

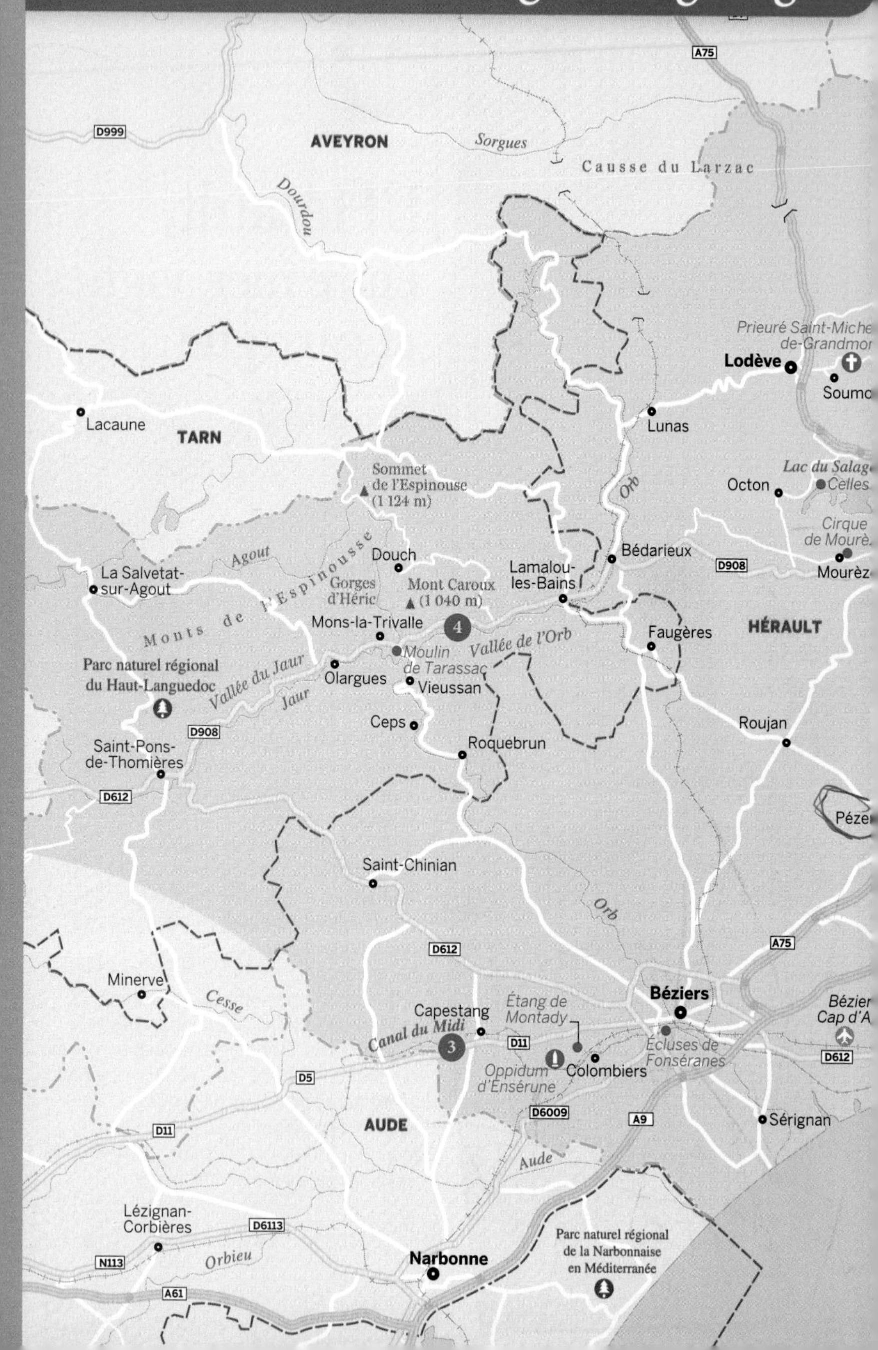

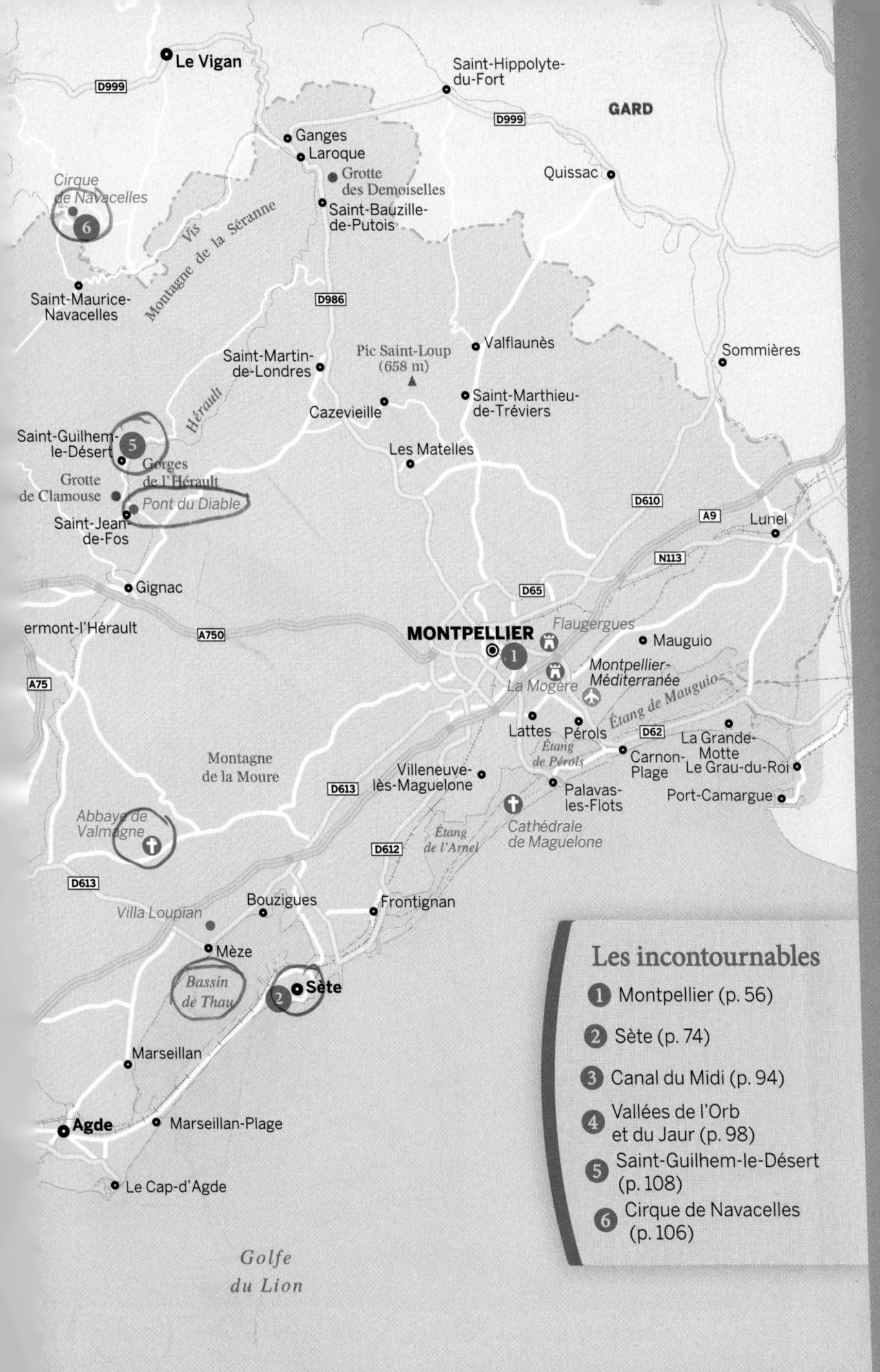

Le Vigan
D999
Saint-Hippolyte-du-Fort
GARD
D999
Ganges
Laroque
Grotte des Demoiselles
Quissac
Cirque de Navacelles
6
Vis
Montagne de la Séranne
Saint-Bauzille-de-Putois
Saint-Maurice-Navacelles
D986
Valflaunès
Sommières
Saint-Martin-de-Londres
Pic Saint-Loup (658 m)
Hérault
Saint-Marthieu-de-Tréviers
Cazevieille
Saint-Guilhem-le-Désert
5
Les Matelles
Gorges de l'Hérault
Grotte de Clamouse
Pont du Diable
D610
A9
Lunel
Saint-Jean-de-Fos
N113
Gignac
D65
ermont-l'Hérault
A750
MONTPELLIER
1
Flaugergues
Mauguio
A75
Montpellier-Méditerranée
La Mogère
Étang de Mauguio
Lattes
Pérols
D62
La Grande-Motte
Étang de Pérols
Carnon-Plage
Le Grau-du-Roi
Montagne de la Moure
Villeneuve-lès-Maguelone
D613
Palavas-les-Flots
Port-Camargue
Abbaye de Valmagne
Cathédrale de Maguelone
Étang de l'Arnel
D612
D613
Bouzigues
Frontignan
Villa Loupian
Mèze
Bassin de Thau
Sète
2
Marseillan
Agde
Marseillan-Plage
Le Cap-d'Agde
Golfe du Lion
0
20 km
Les incontournables
1 Montpellier (p. 56)
2 Sète (p. 74)
3 Canal du Midi (p. 94)
4 Vallées de l'Orb et du Jaur (p. 98)
5 Saint-Guilhem-le-Désert (p. 108)
6 Cirque de Navacelles (p. 106)

Montpellier
Paroles d'expert

Ci-dessus : Trompe-l'œil de la place Saint-Roch (p. 62). **Ci-contre en haut :** Jardin des Plantes (p. 61) **Ci-contre en bas :** Carré Sainte-Anne (p. 63

Ma sélection

Montpellier par Chloé Étienne

ÉTUDIANTE EN VALORISATION
ET MÉDIATION DES PATRIMOINES

1 LE ROCKSTORE

Cette salle de concert et bar nocturne mythique du centre-ville (20 rue de Verdun) est un incontournable des noctambules montpelliérains ! Une cadillac rouge est encastrée dans la façade du bâtiment qui, du haut de ses 800 ans d'âge, peut se vanter d'avoir été successivement une église, un temple protestant, un garage et un cinéma ! Ambiance rock, rock indé et électro ; l'entrée est gratuite hors concerts. L'établissement se refait actuellement une beauté ; réouverture (très) attendue pour septembre 2013.

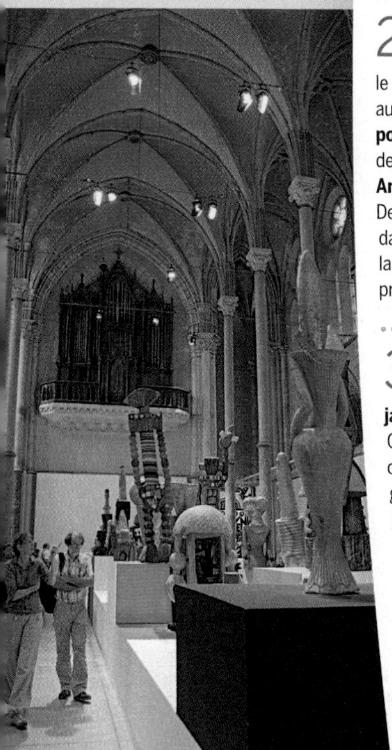

2 L'ART CONTEMPORAIN EN TROIS LIEUX

Gérés par la ville et gratuits, Le Pavillon populaire, le Carré Sainte-Anne et La Panacée, sont des espaces dédiés aux expositions temporaires dans l'Écusson. Le **Pavillon populaire** (p. 63), construit en 1891, propose depuis la fin des années 1990 des expositions photos. Le **Carré Sainte-Anne** (p. 63) est une église néogothique du XIXe siècle. Des expositions de peinture et de sculpture prennent place dans la nef. La **Panacée**, lieu d'échange sur les arts visuels et la vidéo notamment, devrait quant à elle ouvrir ses portes au printemps 2013.

3 LE JARDIN DES PLANTES

Seul espace vert digne de ce nom en centre-ville, le **jardin des Plantes** (p. 61) est relativement peu fréquenté. On peut y passer du bon temps, surtout l'été quand il fait chaud, et on y trouve de l'ombre facilement. Espèces en tout genre, jardin anglais, statues et autres serres composent un joli cadre, auquel on a refait une beauté récemment !

4 LE ZOO

À deux pas des halles Laissac, le **Zoo** (p. 69) est un bar nocturne qui donne carte blanche à un DJ local chaque jour de la semaine (dimanche et lundi exceptés). Le Zoo se situe en rez-de-chaussée, sous une voûte de pierre, et se dote d'une salle annexe à la déco vintage. Outre ses bières, on y boit de très bons cocktails à des tarifs raisonnables.

Suggestions d'itinéraires

En dehors de Montpellier et de sa frange littorale, l'Hérault recèle des pépites naturelles et architecturales auxquelles il doit sa grandeur. Du canal du Midi au cours de l'Hérault et de ses gorges encaissées, voici deux itinéraires pour partir à la découverte de certains de ces sites phares.

3 JOURS

DE SÈTE À BÉZIERS

Le long du canal du Midi

Cap sur **(1) Sète**, majestueux débouché du canal sur la mer. Entre tourisme balnéaire et culturel, profitez le temps d'une journée de ses canaux animés, de ses grandes étendues de sable, de ses musées de qualité et des splendides panoramas qu'elle ménage sur l'étang de Thau et ses parcs conchylicoles. Le deuxième jour, **(2) Agde** la grecque, avec sa cathédrale et ses constructions en pierre de lave posées au bord de l'Hérault, saura vous émerveiller, d'autant que les plages ne sont qu'à une encablure de là. Rejoignez en fin de journée **(3) Béziers** pour profiter de ses bonnes tables, après vous être délecté du spectacle offert par les **(4) écluses de Fonséranes** et leur escalier d'eau. Levez-vous tôt le matin du troisième jour pour fouler le tunnel du Malpas lors d'une randonnée sur le pourtour d'**(5) Ensérune**, avant de gagner l'oppidum qui en marque le sommet. L'après-midi, cap sur **(6) Capestang**, au cœur du Grand Bief, pour une fin de séjour en apothéose : une jolie balade à même les eaux du canal.

D'AGDE À LA GROTTE DES DEMOISELLES

Le long du fleuve Hérault

Commencez votre périple par **(1) Agde**, cité antique inscrite dans la pierre de lave et dotée d'une cathédrale aux allures de forteresse médiévale. L'après-midi, louez un vélo et longez les berges de l'Hérault jusqu'au **(2) Grau d'Agde**, pour profiter de sa plage familiale. Le lendemain, cap sur **(3) Pézenas**, au centre ancien magnifiquement préservé et truffé d'artisans d'art. Le Scénovision Molière fera le bonheur des enfants l'après-midi, à moins que vous ne lui préfériez la majestueuse **(4) abbaye de Valmagne**, pour laquelle il vous faudra alors bifurquer. Le troisième jour, rejoignez le **(5) pont du Diable**, qui marque aussi l'entrée des gorges de l'Hérault. Profitez du beau panorama qu'il dévoile avant de vous baigner et de pique-niquer en contrebas, sur une plage aménagée. L'après-midi, faites une incursion en kayak au cœur des gorges, puis rejoignez **(6) Saint-Guilhem-le-Désert**. Consacrez une journée entière aux ruelles de ce petit bijou. Le cinquième jour, bifurquez en direction du **(7) pic Saint-Loup** et optez pour l'une des nombreuses randonnées au cœur de la garrigue, avant de rejoindre la cathédrale souterraine de la **(8) grotte des Demoiselles**, aux confins du département.

Ci-dessus : Mèze, étang de Thau (p. 81)

Découvrir l'Hérault

MONTPELLIER

La capitale régionale du Languedoc-Roussillon en est aussi sa meilleure ambassadrice. En perpétuel mouvement, la huitième ville de France, forte de 245 000 habitants et jouissant d'un rôle économique et culturel de premier plan, s'ancre dans son temps sans renier son passé. Établie sur une colline en 985, à seulement quelques kilomètres de la mer, la seigneurie de Montpellier est acquise aux rois d'Aragon puis aux rois de Majorque au XIIIe siècle avant d'intégrer le royaume de France en 1349. À cette période, la cité s'épanouit sous l'impulsion de sa faculté de médecine ; pôle intellectuel majeur, sa vitalité universitaire ne s'est depuis jamais démentie. Les XVIIe et XVIIIe siècles apportent à ce fief protestant, devenu capitale administrative du Haut-Languedoc sous Louis XIV, une prospérité qui s'inscrit sur les murs de ses hôtels particuliers. Au "magasin de belles demeures", cher à Mme de Staël, répondent les constructions nées de la politique de grands travaux initiée au XIXe, et les folies architecturales du XXe, grandioses extensions qui continuent de la modeler : l'architecture néoclassique du quartier Antigone pensé par Ricardo Bofill et l'hôtel de ville indissociable de la figure de Jean Nouvel, pour ne citer qu'elles.

La place de la Comédie, cœur battant de Montpellier
CAROLE HUON ©

À voir

Centre historique

Communément appelé "l'Écusson" en raison de sa forme, le centre historique de Montpellier suit les contours des anciens remparts qui protégeaient la ville depuis le XIIIe siècle et dont il ne subsiste que deux tours, celle des Pins et celle de la Babotte. L'enchevêtrement des ruelles médiévales qui dévalent sa colline demeure, de même que les romantiques placettes et esplanades postérieures, écrins de majestueux hôtels particuliers érigés aux XVIIe et XVIIIe siècles. L'actuel centre névralgique de ce bijou plein de vie, entièrement piéton et bordé par les lignes de tramway, est la grandiose et très animée place de la Comédie (p. 62), point de jonction entre les quartiers modernes et anciens. La marche est le meilleur moyen d'en prendre toute la mesure (voir la promenade décrite p. 62).

Musées

MUSÉE FABRE Beaux-Arts

(**04 67 14 83 00 ; www.museefabre.fr ; 39 bd Bonne-Nouvelle ; expositions temporaire et permanente tarif plein/réduit 8/6 €, hôtel Sabatier d'Espeyran 4/2,50 €, possibilité de billets combinés Fabre/Espeyran ; musée Fabre mar-dim 10h-18h, Sabatierd'Espeyran mar-dim 14h-18h**). C'est la visite phare de la ville. L'histoire du musée, créé en 1828 suite à la donation, en 1825, de François-Xavier Fabre, est intimement liée à celle de ses donateurs, au nombre desquels Bruyas, Valedau et Bazille, initiateur de l'impressionnisme et enfant de Montpellier. Initialement installé dans l'hôtel de Massilian (XVe-XVIIIe siècle) autour duquel il s'est agrandi, l'ancien collège de Jésuites (XVIIe siècle) est aujourd'hui précédé d'une mosaïque de Buren, "La Portée", qui lui confère une entrée magistrale.

Le musée Fabre présente, sur un espace de plus de 9 000 m^2 combinant à merveille architecture moderne et ancienne, l'une des plus importantes collections de Beaux-Arts de France. Les œuvres d'artistes célèbres comme Rubens, Ribera, Ingres, Delaunay, Courbet et Viallat, Delacroix, Degas ou Matisse, s'y relaient pour retracer toute la richesse d'une histoire de l'art filant de la Renaissance italienne à nos jours – ne manquez pas le magnifique espace consacré à Soulages, le plus important fonds d'œuvres de l'artiste.

Les 800 peintures, 900 gravures et 3 500 dessins exposés, oserait-on dire accumulés, pâtissent cependant d'une scénographie parfois complexe et chargée, où le regard peine à se fixer. Attention, le musée est également labyrinthique, et il vous faudra vous munir d'un plan à l'entrée, au risque de perdre patience, malgré le personnel, nombreux et enclin à vous renseigner.

Le musée organise des ateliers pour enfants, des cycles de conférences et des expositions temporaires de qualité.

À une encablure, l'**hôtel de Cabrières-Sabatier d'Espeyran**, construit fin XIXe et arborant des décors Napoléon III, accueille le département

La rue de l'Ancien-Courrier, fief des commerces de luxe et des galeries d'art

Montpellier

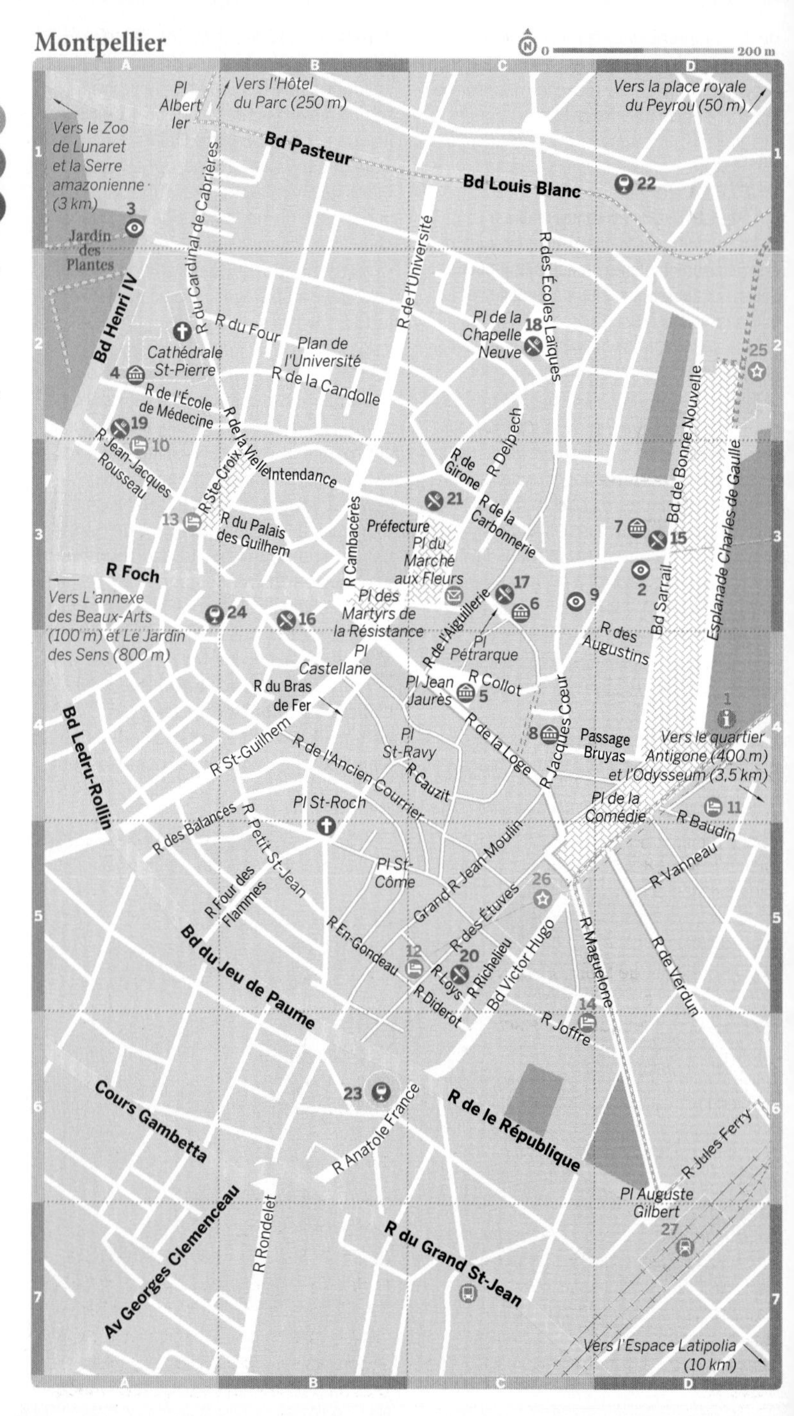

Montpellier

Renseignements
1 Office de tourisme D4

À voir
2 Hôtel de Cabrières-Sabatier d'Espeyran D3
3 Jardin des Plantes A1
4 Musée Atger et musée d'Anatomie..... A2
5 Musée de l'histoire de Montpellier C4
6 Musée du Vieux Montpellier C3
7 Musée Fabre D3
8 Musée Languedocien C4
9 Pharmacie et chapelle de la Miséricorde C3

Où se loger
10 Hôtel Best Western A3
11 Hôtel de la Comédie D4
12 Hôtel des Étuves A5
13 Hôtel du Palais A3
14 Royal Hôtel C6

Où se restaurer
15 Insensé D3
16 L'atelier Wine Flowers B3
17 La Diligence C3
18 Le Duo C2
19 Le Petit Jardin A2
20 Les Bains de Montpellier C5
21 Tamarillos C3

Où prendre un verre
22 Black Sheep D1
23 Le Zoo B6
24 Papa Doble A3

Où sortir
25 Opéra Berlioz D2
26 Opéra Comédie C5

Transports
27 Gare ferroviaire D7

des Arts décoratifs du musée Fabre. Il retrace, à travers un magnifique fonds d'objets et de mobilier d'époque replacés dans leur contexte, les modes de vie de la haute bourgeoisie des XVIIIe-XIXe siècles.

MUSÉE LANGUEDOCIEN Art, histoire et archéologie
(**☎ 04 67 52 93 03 ; www.musee-languedocien.com ; 7 rue Jacques-Cœur ; tarif plein/réduit 7/4 € ; fermé dim et jours fériés, mi-juin à mi-sept 15h-18h, mi-sept à mi-juin 14hh30-17h30**). Ce musée d'art, d'histoire et d'archéologie qui appartient à la société archéologique de Montpellier vaut surtout le détour pour ses collections d'antiquités grecques et de sculptures romanes, ainsi que pour le bâtiment qui l'abrite : l'**hôtel de Jacques Cœur et des Trésoriers de France**, datant du XVe siècle. Le plus vieil hôtel particulier de Montpellier recèle au 2e étage de splendides plafonds à la française et arbore sur son patio une magnifique façade à colonnade, plus tardive, dont le fronton s'orne d'un soleil à l'effigie de Louis XIV. Au moment de notre passage, un nouvel espace, dévolus aux conférences et aux expositions temporaires, allait ouvrir après 6 ans de travaux.

GRATUIT **MUSÉE ATGER** Dessins et estampes
(**☎ 04 34 43 35 81 ; faculté de Médecine, 2 rue École-de-Médecine ; gratuit ; lun, mer et ven 13h30-17h45, fermé vacances de Noël, jours fériés et août**). Dans l'enceinte de la faculté (voir p. 63), une belle collection de dessins des écoles flamande, italienne, française et hollandaise, léguée par le collectionneur Xavier Atger.

Notez également la présence d'un musée d'Anatomie (voir l'encadré p. 61).

Les trois musées suivants s'inscrivent dans un parcours muséographique (visites guidées prévues en 2013, renseignez-vous auprès des musées) qui, dans un rayon de 300 m, a pour objectif de faire découvrir l'histoire de Montpellier. D'envergure modeste et malgré quelques précieuses pièces, les musées sont surtout le prétexte à la découverte d'édifices majeurs de la ville.

PHARMACIE ET CHAPELLE DE LA MISÉRICORDE Histoire
(**☎ 04 67 67 93 32 ; 1 rue de la Monnaie ; billet combiné 3 € ; mar-dim 10h30-12h30 et 13h30-18h**). Élément clé du patrimoine médical local, la **pharmacie** du XVIIIe siècle, dernière apothicairerie montpelliéraine, présente près de 300 faïences, quand la **chapelle**

adjacente, établie en 1830 dans les anciens ateliers de la Monnaie, s'orne de peintures illustrant l'histoire de la charité montpelliéraine (notamment *La Charité de saint Vincent de Paul* d'Eugène Devéria, l'un des célèbres représentants du mouvement romantique français, et *Les Dames de la Miséricorde* d'Auguste Glaize, son élève).

MUSÉE DU VIEUX MONTPELLIER Histoire

(**04 67 66 02 94 ; 2 pl. Pétrarque ; billet combiné 3 € ; mar-dim 10h30-12h30 et 13h30-18h**). Dépourvu de toute recherche scénographique, ce capharnaüm d'objets relatifs à l'histoire de Montpellier du Moyen Âge à nos jours se prévaut néanmoins de quelques belles pièces, comme cette statue de Vierge à l'Enfant du XIIIe siècle. Indéniablement, l'intérêt est ailleurs, et il vous suffira de lever les yeux pour admirer de majestueux plafonds à la française. C'est que le musée est installé dans un appartement du magnifique **hôtel de Varennes**, dont le porche et la cour de l'entrée affichent de splendides croisées d'ogives, qui se retrouvent dans la salle Pétrarque, du XIVe siècle, utilisée comme salle de réception par la ville.

MUSÉE DE L'HISTOIRE DE MONTPELLIER Histoire

(**04 67 54 33 16 ; pl. Jean-Jaurès ; billet combiné 3 € ; mar-dim 10h30-12h30 et 13h30-18h**). Le musée de l'Histoire de Montpellier, colonne vertébrale du parcours muséographique, était fermé au moment de notre passage et ne devrait rouvrir, au mieux, qu'en septembre 2013. Situé sous la place Jean-Jaurès, dans les soubassements de l'ancienne église Notre-Dame-des-Tables – centre religieux, politique, économique et intellectuel de Montpellier au Moyen Âge avant d'être détruite à la Révolution –, le musée laisse augurer une passionnante plongée au cœur de l'époque médiévale.

Place royale du Peyrou et jardin des Plantes

À la lisière de l'Écusson, sur son flanc ouest, la **place Royale du Peyrou** (**juin-août 7h-minuit, mars-mai et sept-oct 7h-21h30, nov-fév 7h-20h**), symbole du grand urbanisme des XVIIe et XVIIIe siècles, est aussi un lieu de promenade apprécié des Montpelliérains, qui investissent les pelouses qui encadrent sa vaste allée aux beaux jours. L'espace, tout en perspective, abrite en son cœur la monumentale statue équestre de Louis XIV. À son entrée, dans l'alignement des 2 monuments qui la composent et à l'emplacement de l'ancienne porte du Peyrou, se dresse l'arc de triomphe, construction de l'architecte Charles-Augustin Daviler, commencé en 1691. À son autre extrémité, le château d'eau, dont la construction en surplomb du réservoir d'eau commença en 1766 sous l'égide de J.-A. Giral (architecte phare de l'époque qui finalisa la promenade dans les années 1770), est un précieux promontoire dont la vue dégagée fut favorisée par les édits royaux de 1775

Hôtel de Varennes
CAROLE HUON ©

Insolite Le musée d'Anatomie

Âmes sensibles s'abstenir ! Le musée d'Anatomie, rattaché à la faculté de médecine, recèle en effet une collection complexe et rare : cires, plâtres, squelettes, préparations de dissection et une vitrine de tératologie... autrement dit, des spécimens de fœtus anormaux, de malformations congénitales et autres difformités conservées dans des bocaux. En contraste de ces summums de monstruosité, le musée, construit en 1851, bénéficie d'un cadre exceptionnel, avec colonnades, murs et plafonds aux somptueux décors peints. L'occasion de se replonger dans l'histoire de la médecine, intimement liée à la ville de Montpellier depuis le XIIIe siècle.

Accessible seulement dans le cadre de visites guidées organisées par l'office du tourisme (www.ot-montpellier.fr ; voir p. 69), le musée est interdit aux enfants de moins de 12 ans, aux femmes enceintes et aux personnes allergiques.

et 1779, qui limitèrent la hauteur des constructions alentour. Derrière, filent les 880 m de long de l'aqueduc Saint-Clément, construit en 1754 par Henri Pitot de Launay, et inspiré du pont du Gard.

Au nord, le **jardin des Plantes** (**mar-dim, juin-sept 12h-20h, oct-mai 12h-18h**), qui s'étendait à l'origine jusqu'au Peyrou, est le plus ancien jardin botanique de France. Propriété de l'université Montpellier-I, classé Monument historique et Site protégé, il a été voulu en 1593 par Henri IV, et établi par celui que l'on considère comme le père fondateur de la botanique, Pierre Richer de Belleval. Au centre des innovations en botanique tout au long de ses 4 siècles d'existence, il s'étend aujourd'hui sur 4,5 ha et recense plus de 2 000 espèces végétales cultivées en plein air, au sein d'une mosaïque de biotopes qui constituent autant de sites de promenades agréables.

Si la "Montagne" de Richer de Belleval, l'orangerie et l'école systématique constituent le cœur historique du jardin, c'est bien le jardin anglais (1860) et son étang bordé par la serre Saint-Martin (1861), qui remportent tous les suffrages des visiteurs.

Odysseum

Aux portes de Montpellier, l'Odysseum (terminus de la ligne 1 du tramway) est un complexe moderne à ciel ouvert, entièrement dédié aux loisirs et aux commerces, au sein duquel s'érigent les statues de la très polémique place des Grands Hommes (Lénine et Mao y côtoient notamment Gandhi et Mandela...). Vous y trouverez, outre ses restaurants et ses boutiques, un espace dédié à l'escalade en salle, une patinoire, un cinéma et un bowling, l'**aquarium Mare Nostrum** (**04 67 13 05 50 ; www.aquariummarenostrum.fr ; allée Ulysse, Odysseum ; +12 ans/5-12 ans 15,50/10,50 €, gratuit -5 ans ; tlj juil-août 10h-20h, sept-juin 10h-19h**), fort de 400 espèces présentées au gré de ses 2 300 m² de surface, ainsi que le **planétarium Galilée** (**04 67 13 26 26 ; http://planetarium-galilee.montpellier-agglo.com ; 100 allée Ulysse; +12 ans/-12 ans 6,30/5,30 € ; horaires très variables, consulter le site Internet**), pour une immersion dans l'espace, bienvenue les jours où le ciel se voile.

Au nord de Montpellier

GRATUIT **ZOO DE LUNARET ET SERRE AMAZONIENNE** Parc zoologique

(**04 67 13 05 50 ; http://zoo.montpellier.fr ; 50 av. Agropolis ; adulte/6-18 ans 6,50/3 €, gratuit -6 ans ; mar-dim, mars-oct 10h-18h30, oct-mars 9h-17h**). Ses 80 ha et 1 500 animaux venus du monde entier font du zoo de Lunaret le deuxième parc zoologique de France. Il est aussi,

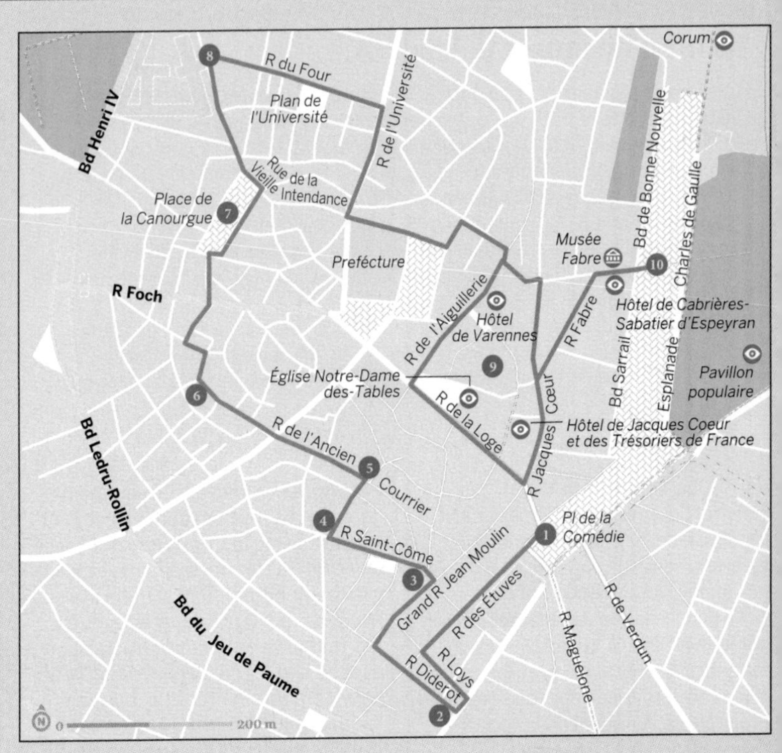

Promenade dans le vieux Montpellier

Faites de jolies rencontres avec l'histoire en arpentant l'Écusson, ses placettes de charme, ses ruelles médiévales et ses majestueux hôtels particuliers.

1 Place de la Comédie

On la surnomme l'Œuf, en vertu de l'ovale originel figurant au sol, autour duquel les voitures circulaient autrefois. Née au XVIIIe siècle, elle déploie une grandiose architecture haussmannienne, dont le théâtre devenu opéra (1888) et la fontaine des Trois Grâces.

2 Tour de la Babotte

Vestige des remparts du XIVe siècle, elle accueillit au milieu du XVIIIe siècle l'Académie des sciences puis le siège de la Société royale des sciences.

3 Ancien amphithéâtre Saint-Côme

Élevé en 1757, il est l'œuvre de Jean-Antoine Giral. Percez ses arrières, où se niche la petite place animée éponyme. C'est l'une des plus anciennes de la ville.

4 Église Saint-Roch

De style néogothique, datant du XIXe siècle et restée inachevée, elle porte le nom du saint protecteur de la ville. Prenez place sur ses marches pour disposer du recul nécessaire sur le magnifique trompe-l'œil qui lui fait face, avant de vous fondre dans le décor, attablé à une terrasse.

INFOS PRATIQUES

- **Départ :** Place de la Comédie
- **Arrivée :** Esplanade Charles-de-Gaulle
- **Distance :** 3 km
- **Durée :** 2 heures

5 Rue de l'Ancien-Courrier

Cette artère médiévale est l'une des plus anciennes de la ville. Celle qui abrita longtemps une poste était appelée route de l'Anellerie, en référence aux anciens modes de circulation. Aujourd'hui rue des enseignes de luxe et des galeries d'art, elle abrite la **galerie de l'Ancien Courrier** (04 67 60 71 88 ; www.galerieanciencourrier.com ; 3 rue de l'Ancien-Courrier ; lun 15h-19h ; mar-sam 10h-12h et 15h-19h).

6 Église Sainte-Anne

Cette autre perle du XIXe siècle est dotée d'une flèche culminant à près de 70 m. Elle renferme le **Carré Sainte-Anne** (04 67 60 88 21 ; 2 rue Philippy ; gratuit ; tlj sauf lun, été 11h-13h et 14h-19h, hiver 10h-13h et 14h-18h), un espace d'art contemporain. La place en pente, qui structure ses extérieurs, accueille d'agréables terrasses de café.

7 Place de la Canourgue

C'est l'une des places les plus belles de Montpellier. Elle est bordée de majestueuses façades, dont celle d'un hôtel particulier du XVIIe siècle, aujourd'hui annexe du tribunal mais qui longtemps abrita l'hôtel de ville. Le jardin à la française qui se déploie en son sein est dominé par la fontaine de la Licorne, en hommage au maréchal de Castries. Elle offre un joli point de vue sur la **cathédrale Saint-Pierre**, aux allures de forteresse médiévale, érigée en contrebas.

8 Cathédrale Saint-Pierre et faculté de médecine

Commanditée par le pape Urbain V en 1364, d'abord église rattachée à l'abbaye Saint-Benoît dont les murs abritent aujourd'hui la faculté de médecine, Saint-Pierre ne devient cathédrale qu'en 1536. La **faculté de médecine**, née au XIIIe siècle là où la présence d'écoles était attestée depuis le XIIe, est la plus ancienne du monde toujours en activité. De là, vous pourrez faire une pause au vert au **jardin des Plantes** (voir p. 61), et admirer la **tour des Pins**, ultime vestige avec la tour de la Babotte de l'enceinte fortifiée.

9 Musées et belles demeures

La **pharmacie et la chapelle de la Miséricorde** font partie d'un ensemble muséographique (voir p. 59) réparti dans un rayon de 300 m, permettant de découvrir l'**hôtel de Varennes** et la crypte de l'ancienne **église Notre-Dame-des-Tables**. En poursuivant dans la rue de la Monnaie, vous déboucherez dans la rue Jacques-Cœur, du nom de l'illustre marchand et argentier du roi Charles VII, instigateur d'un commerce florissant pour la ville, et sur le Musée languedocien, logé dans le magnifique **hôtel de Jacques Cœur et des Trésoriers de France** (voir p. 59). Revenez sur vos pas et empruntez la rue Fabre, qui débouche sur l'**hôtel de Cabrières-Sabatier d'Espeyran** (voir p. 57) adjacent au **musée Fabre** (voir p. 57), et recelant le département des Arts décoratifs de ce dernier.

10 Esplanade Charles-de-Gaulle

L'esplanade Charles-de-Gaulle est un espace de verdure cerné au nord par le **Corum**, vaste complexe comprenant l'Opéra Berlioz, et dont la terrasse offre un beau panorama. À l'autre extrémité de ce parc et de ses aires de jeux, ne manquez pas les expositions gratuites du **Pavillon populaire** (04 67 66 13 46 ; esplanade Charles-de-Gaulle ; gratuit ; mar-dim mi nov-juin 10h-13h et 14h-18h, juil à mi-nov 11h-13h et 14h-19h), galerie d'art photographique de la ville.

avec sa réserve naturelle et ses 11 km de sentiers, l'espace vert le plus grand de Montpellier. Il comprend également le centre de ressources Darwin, dédié aux ateliers, aux journées à thème et aux formations naturalistes, ainsi que la serre amazonienne, plus grande de France consacré à cet écosystème, pourvue d'une remarquable scénographie (audioguide 1 €). Pour rejoindre le site, empruntez la ligne 1 du tram jusqu'à l'arrêt Saint-Éloi, puis "La Navette" direction Agropolis Lavalette, arrêt "Zoo".

Où se loger

Tous les hôtels ci-dessous se situent dans ou en bordure de l'Écusson. Nombre d'entre eux jouissent de tarifs préférentiels avec des parkings, notamment ceux aux abords de la place de la Comédie.

HÔTEL DES ÉTUVES Économique **€**
(**04 67 60 78 19 ; www.hoteldesetuves.fr ; 24 rue des Étuves ; ch 40-54 € ;**). Derrière l'Opéra et à seulement 100 m de la place de la Comédie, cette adresse centrale se prévaut de 15 chambres aux tarifs imbattables. La décoration n'est pas le point fort des lieux, mais les murs, invariablement blancs, confèrent un peu de fraîcheur à l'ensemble. Réception au 1er étage, chambres à partir du second. Accueil sympathique.

HÔTEL DE LA COMÉDIE Excellent rapport qualité/prix **€**
(**04 67 58 43 64 ; hotel-montpellier-comedie.com ; 1bis rue Baudin ; s/d 49/69 € ;**). À 20 m en contrebas de la place de la Comédie, ce petit hôtel est l'un des meilleurs

À gauche : Château d'eau dans le jardin du Peyrou (p. 60) ;
Ci-dessous : Serre du jardin des Plantes (p. 61)
(À GAUCHE ET CI-DESSOUS) CAROLE HUON ©

rapports qualité/prix de la ville. Les chambres, épurées, sont claires et confortables, et d'une propreté impeccable. Les chambres pour une personne, particulièrement sombres et exiguës, ne sont généralement pas ouvertes à la réservation par téléphone, pour éviter toute déconvenue.

HÔTEL DU PARC Coup de cœur **€€**
(**04 67 41 16 49 ; www.hotelduparc-montpellier.com ; 8 rue Achille-Bège ; s/d/tr 52-89/59-105/115 € ; ;**). Un grand coup de cœur ! Au nord du centre historique et à seulement 2 minutes à pied de ce dernier, l'hôtel du Parc se situe dans un quartier à échelle humaine, calme tout en étant très commerçant. Installé dans un hôtel particulier du XVIIIe siècle, coloré et revisité avec beaucoup de raffinement, ce deux-étoiles qui voisine avec un trois-étoiles, dispose de 19 chambres. Les plus chères, vastes et lumineuses, sont assorties d'un petit balcon, les moins chères, sous les toits, plus exiguës et dépourvues de sanitaires, se prévalent néanmoins d'un excellent rapport qualité/prix. Très belle salle de petit-déjeuner et terrasse aux beaux jours. Accueil très chaleureux. À tout point de vue, une excellente adresse.

HÔTEL DU PALAIS Bien placé **€€**
(**04 67 60 47 38 ; www.hoteldupalais-montpellier.fr ; 3 rue du Palais-des-Guilhem ; s/d/lits jum/tr 72/80-95/85-95/130 € ;**). Adjacent à la magnifique place de la Canourgue et à deux pas de la promenade du Peyrou, l'hôtel du Palais jouit d'un emplacement idéal, au cœur d'un des quartiers les plus charmants

Si vous aimez... Les châteaux

Si vous aimez les belles demeures de Montpellier, ne manquez pas non plus les majestueux domaines qui parsèment ses alentours, résidences d'été des notables aux allures de villas vénitiennes érigées entre les XIIe et XVIIIe siècle et qualifiées à posteriori de "folies".

1 CHÂTEAU DE FLAUGERGUES

Construit au XVIIe-XVIIIe siècle sur un domaine de 4 ha, ce **château** (04 99 52 66 37 ; www.flaugergues.com ; 1744 av. Albert-Einstein ; visite guidée château 9/6,50 €, visite jardin 6,50/4 € ; château juin juil et sept mar-dim 14h30-18h30, sur rdv le reste de l'année sauf dim, jardin 9h30-12h30 et 14h30-19h, sauf dim et jours fériés) servira de modèle à de nombreuses autres "folies". À l'intérieur, un escalier monumental et un bel ensemble de tapisseries flamandes. À 4 km à l'est de l'Écusson.

2 CHÂTEAU D'Ô

Entièrement dévolu à la culture, ce château forme notamment un magnifique écrin au **Printemps des Comédiens** (juin ; www.printempsdescomediens.com), festival de théâtre et de spectacle vivant existant depuis 1987. Le parc de 23 ha est public. À 4,5 km au nord-ouest de l'Écusson. Ligne 1 du tramway arrêt Chateau d'O ou Malbosc.

3 CHÂTEAU DE LA MOGÈRE

Dessinée par l'architecte Jean Giral en 1715, la façade austère de ce **château** (06 61 14 72 01 ; www.lamogere.fr ; 2235 route de Vauguières ; château et jardin +18 ans/-18 ans 6/3 €, jardin seul 3 € ; juin-sept tlj 14h30-18h30, sam-dim et jours fériés 14h30-18h30, les autres jours sur rdv) se dresse au cœur d'un jardin ponctué d'essences méditerranéennes. Magnifique buffet d'eau classé monument historique. À 5 km au sud-est de l'Écusson.

du vieux Montpellier. Et c'est bien là son seul atout. Passé la pimpante façade, les chambres affichent une déco colorée certes, mais aux finitions douteuses. Ajoutez à cela un accueil très moyen, et vous obtenez une adresse aux tarifs surévalués, dont le seul emplacement ne justifie pas les prix.

ROYAL HÔTEL Proche Comédie €€
(04 67 92 13 36 ; www.royalhotelmontpellier.com ; 8 rue Maguelone ; s/d standard 65-105/70-115 €, s/d supérieure 75-115/80-125 € ;). Situé entre la place de la Comédie et la gare, cet hôtel offre des prestations inégales. Les chambres standards affichent des tarifs surévalués et celles donnant sur le patio, au calme, pâtissent d'un manque de luminosité. Les chambres supérieures, très cosy, sont dignes d'un trois-étoiles.

HÔTEL BEST WESTERN Cher et confortable €€€
(04 67 52 90 90 ; www.leguilhem.com ; 18 rue Jean-Jacques-Rousseau ; s et standard/d confort/d grand confort/ch avec jardin privatif 86-119/129-151/160-195/189-210 € ;). Idéalement situé entre la place de la Canourgue, le jardin des Plantes et la promenade du Peyrou : privilégiez les chambres de l'annexe, où la vue se fait de plus en plus belle à mesure que l'on gravit les étages. Le jardin où sont servis les petits-déjeuners aux beaux jours ménage une jolie vue sur la cathédrale. Les chambres confort et grand confort offrent de magnifiques volumes, les standards, franchement petites, sont à privilégier pour 1 personne. Seul petit bémol : certaines chambres s'inscrivent dans des thématiques douteuses (évitez la Safari) ; précisez bien vos attentes au moment de la réservation.

LE JARDIN DES SENS Luxueux €€€
(04 99 58 38 38 ; www.jardindessens.com ; 11 av. Saint-Lazare ; ch et ste 175-485 € ;). Le quatre-étoiles par excellence de Montpellier affiche des tarifs exorbitants et justifiés : luxe, élégance, design et

piscine, parfois même privée ! Une institution qui se double de l'adresse gastronomique de référence de la ville (voir p. 69).

Où se restaurer

Les bars à vins-restaurants à tapas ont explosé ces dernières années à Montpellier. À ce titre, **L'annexe des Beaux-Arts** (**09 52 04 08 24 ; 16-18 Rue Bernard-Délicieux, ligne 2 du tram arrêt Beaux-Arts ou ligne 1 arrêt Corum ; mar-sam 18h-1h**), au nord du centre historique, présente un excellent rapport qualité/prix, là où le très tendance et prisé **L'atelier Wine Flowers** (**04 67 57 47 23 ; 4 rue Rebuffy ; lun-sam 9h-1h, jusqu'à 2h en été**), au centre de l'Écusson, en offre une version plus haut de gamme (plus de 50 crus de vins régionaux et 20 de champagnes).

LE DUO Traditionnel **€**
(**04 67 66 39 44 ; 1-2 pl. de la Chapelle-Neuve ; plat du jour 9,80 €, menus du jour 14,90-17,30 €, menus 24-36 € ; fermé dim de sept à mai**). En haut de la rue des Écoles-Laïques, dominant une jolie place triangulaire ombragée et emplie de terrasses plus avenantes les unes que les autres, cette adresse se distingue en alliant qualité et prix mini à l'heure du déjeuner. Au moment de notre passage, le tajine de volaille était un régal, mais les portions peu copieuses ; optez pour le menu à 3 plats. Carte plus élaborée le soir. La jolie terrasse extérieure, qui doit beaucoup au charme de la place en elle-même, contraste avec son intérieur lounge, un brin sombre.

LES BAINS DE MONTPELLIER Espace de respiration **€€**
(**04 67 60 70 87 ; 6 rue Richelieu ; plats 15-25 €, menu 25,90 €, menu enfant 10 € ; fermé dim**). À deux pas de la place de la Comédie, derrière l'Opéra, l'adresse est sise dans le cadre majestueux des anciens bains du XVIIIe siècle. Espace de fraîcheur au cœur de la ville, son patio verdoyant agrémenté de fontaines se prête à merveille à un déjeuner. Côté assiette, les plats les plus classiques, type brasserie améliorée, côtoient des compositions plus élaborées : pavé de lieu jaune rôti à la crème de noix de Saint-Jacques, tranche de foie de veau sautée au beurre persillé, etc.

INSENSÉ Brasserie améliorée **€€**
(**04 67 58 97 78 ; 39 bd Bonne-Nouvelle ; plats 19 €, menus 24-29 € ; fermé dim soir et lun soir**). Sur l'esplanade du musée Fabre, le jardins des Sens des frères Pourcel version brasserie se veut dans la lignée du prestigieux restaurant, tout en affichant des tarifs plus abordables. Pari réussi côté prix, moins côté cuisine.

Placette dans l'Écusson

Malgré une belle inventivité (magret de canard aux épices, pressé de pommes de terre au comté, réduction de framboises acidulées, par ex.), on ressort avec l'impression fâcheuse que chaque plat, préalablement préparé, a été sorti du congélateur. Décor lounge, dépourvu de charme par ailleurs. Pour le côté pratique inhérent à son emplacement, un snack y est ouvert tous les jours (10h-17h30), hormis le lundi, jour de fermeture du musée.

LE PETIT JARDIN Bistrot gastronomique **€€**
(**04 67 60 78 78 ; 20 rue Jean-Jacques-Rousseau ; plat du jour 20 €, formule midi 29 €, plats 21-32 €, menu 36 €, menu enfant 12 € ; fermé lun de mi-oct à mi-mai**). Le point fort du petit jardin : son élégante et pimpante terrasse arborée, en surplomb de la cathédrale. L'espace, intime et romantique à souhait avec ses tables rondes drapées de blanc, laisse place à une cuisine fine à base de produits frais. Ceviche de cabillaud aux agrumes, encornets à la plancha et salsa de tomate et coriandre, cochon Capelin confit, sauce cidre et chou frisé, tarte aux poires Bourdaloue et sorbet poire... Alléchant, on vous l'accorde, mais sans le cadre, les tarifs nous seraient apparus un peu excessifs.

LA DILIGENCE Perle rare **€€€**
(**04 67 66 12 21 ; 2 pl. Pétrarque ; menu midi 18/23 €, menus 38/65 € ; fermé sam midi, dim et lun midi**). Sur la place Pétrarque et adjacent au prestigieux hôtel de Varennes, La Diligence s'enorgueillit d'officier dans un site classé du XIVe siècle auquel les magnifiques salles voûtées, ouvertes sur un patio baigné de lumière, font écho. Grands lustres, bougies, tables rondes drapées de blanc, chaises violine, le cadre, magnifique et romantique, s'agrémente d'une cuisine de qualité, qui se teinte ici et là de saveurs sucré-salé. Millefeuille de crevettes grillées, avocat aux épices, gelée de pamplemousse rose et tartare de petits légumes, filet de saumon mariné façon hareng et pommes à l'huile, mignon de porc à la tapenade, pailles de poireaux et risotto aux olives, jus d'échalotes confites... Une excellente adresse.

Restaurant Le Petit Jardin

CAROLE HUON ©

TAMARILLOS Gastronomie et nouvelles saveurs **€€€**

(☎04 67 60 06 00 ; 2 pl. du Marché-aux-Fleurs ; plat du jour 11,90 €, menu du jour 18 €, menus 38-90 € ; 🕐tlj). Place du Marché-aux-Fleurs oblige, c'est à une cuisine de haute volée flirtant avec le royaume des fleurs que vous aurez droit ici. C'est que Philippe Chapon, breton d'origine, humble chef-propriétaire, atypique et passionné, a du génie dans les yeux et dans les mains. Il est double champion de France des desserts, mais sa virtuosité ne s'y limite cependant pas, tout en étant un gage de nouvelles saveurs. Foie gras à la vanille quand il ne le poêle pas au chocolat, noix de Saint-Jacques aux pistaches, côte de veau, purée aux fines herbes et sauce mandarine, croustillant praliné et chocolat... En somme : inventif, raffiné et beau, avec toute la maîtrise requise d'un grand chef et artiste. Courez-y !

LE JARDIN DES SENS Haut de gamme **€€€**

(voir p. 66 ; menu déj 49 €, menus 87-179 € ; 🕐fermé dim, lun midi et mer midi, fermé début jan). Cube de verre niché dans un jardin aux essences méditerranéennes : vos cinq sens seront ici en éveil. La meilleure table de Montpellier, orchestrée par les frères Pourcel, peut se prévaloir d'une étoile au Michelin (deux perdues en l'espace de 6 ans) et d'une cuisine de haute volée. Tarifs élevés et amplement justifiés.

Où prendre un verre et sortir

Pour organiser vos sorties et avoir connaissance des programmations de cinéma, théâtre, concerts, etc., consultez **La Gazette de Montpellier** (www.lagazettedemontpellier.fr) et le magazine **Sortir à Montpellier** (www.sortiramontpellier.fr).

Avec un grand choix de bars-restaurants, de bars de nuit et de terrasses, la **place Jean-Jaurès** est l'épicentre des nuits montpelliéraines, et un repaire particulièrement prisé des étudiants.

En contrebas de l'**église Saint-Roch** et de la place éponyme, sur un espace au carrefour de charmantes ruelles, la population se fait plus éclectique. Repaire de quartier propice aux discussions arrosées jusqu'à plus d'heure, vous y dénicherez un pub anglais avec *ship & ships*, un resto servant à tout heure, et un bar rock à la musique discrète... Excellente ambiance.

Parmi les nombreux bars de nuit, retenez le très branché **Le Zoo** (☎04 67 56 38 50 ; 8 pl. Alexandre-Laissac ; 🕐mar-sam 19h-2h), face à la tour de la Babotte, pour ses DJ rock-électro, ses cocktails et son décor en voûte, ainsi que le renommé **Papa Doble** (☎04 67 55 66 66 ; 6 rue du Petit-Scel ; 🕐lun-sam 18h-1h), aménagé en partie en sous-sol en plein cœur de Montpellier. Pour une version plus rock, le **Black Sheep** (☎04 67 58 08 65 ; 21 bd Louis-Blanc ; 🕐tlj 18h-1h), est à la fois un bar à bière et une salle de concert qui monte en flèche. Belle programmation musicale qui s'ajoute au bon esprit et à l'excellente ambiance du lieu.

L'**Espace Latipolia**, à 10 km de Montpellier en direction de Palavas (voir p. 71 pour les bus de nuit), est le quartier emblématique des boîtes de nuit. Les férus de house et de techno privilégieront **La Nitro** (☎04 67 22 45 82), la plus connue d'entre elles, là où les avides de son rétro investiront **Le Matchico** (☎04 67 64 19 20).

Les amateurs de musique classique noteront que **Le Corum/Opéra Berlioz** (☎04 67 61 67 61 ; esplanade Charles-de-Gaulle) et l'**Opéra Comédie** (☎04 67 60 19 80 ; pl. de la Comédie) permettent, entre autres, de découvrir l'orchestre national de Montpellier.

Renseignements

Office du tourisme (☎04 67 60 60 60 ; www.ot-montpellier.fr ; 30 allée Jean-de-Lattre-de-Tassigny). Point de jonction entre la place de la Comédie et l'esplanade Charles-de-Gaulle, l'office du tourisme s'enorgueillit de tout un panel de visites guidées pour partir à la découverte de Montpellier et de sa périphérie (notamment les châteaux ou le musée d'Anatomie, voir p. 66 et p. 61), que vous pourrez réserver directement sur le site Internet. On ne saurait trop vous conseiller de prendre part à la visite ouvrant les portes d'une pépite méconnue : le **Mikvé (2 rue de la Barralerie)**, l'un des plus anciens bains rituels juifs d'Europe, datant du XIIe siècle.

La **City Card** permet d'obtenir tout un panel de réductions et de gratuités (transports, musées, etc.) pour des cartes valables 24/48/72 heures aux tarifs de 13-19/21-27/27-33 €. Les tarifs sont fonction des options relatives au musée Fabre retenues.

Depuis/vers Montpellier

AVION

L'**aéroport international de Montpellier-Méditerranée** (**04 67 20 85 00 ; www.montpellier.aeroport.fr**) se situe à 8 km au sud-est de la ville. En vol direct, il dessert plusieurs villes en France (Nantes, Paris, Lyon, Strasbourg, Deauville, Rennes, ainsi qu'Ajaccio et Lille en 2013). Le low cost Volotea assure les liaisons avec Nantes et Strasbourg. Un système de navette (1,50 €) permet de rejoindre le centre-ville.

BUS

La **gare routière**, située au sud-ouest de Montpellier à l'arrêt Sabines, est accessible via la ligne 2 du tram. **Hérault Transport** (**04 34 88 89 99 ; www.herault.fr ; ticket 1,50 €**) peut se prévaloir d'un réseau étendu de 68 lignes qui permettent, en différents points, et via de nombreuses correspondances, de rejoindre les sites majeurs du département. Depuis Montpellier, on peut notamment rejoindre Sète via la ligne 102 au départ de la gare routière, ou Carnon et La Grande-Motte via la ligne 106 au départ de la station de tramway Port-Marianne, ainsi que Palavas-les-Flots par la ligne 131.

TRAIN

La **gare Montpellier-Saint-Roch** (**36 35 ; pl. Auguste Gibert**), située en plein centre-ville, à seulement 200 m de la place de la Comédie, fait actuellement l'objet de travaux de modernisation et accueillera dans l'avenir des commerces, sur un espace total de 2 700 m². Elle fait office de point de jonction des 4 lignes de tramway et est desservie par les lignes de bus 6,7,8,11,12 et 16. Des loueurs de voitures sont installés sur place.

Le TGV relie Montpellier à Paris en 3 heures 20, et le TER (**0800 88 60 91**) permet de rejoindre de nombreuses villes du Languedoc-Roussillon : Sète (20 min), Nîmes (35 min), Béziers (45 min), Narbonne (1 heure), Avignon (1 heure 05), Carcassonne (1 heure 30), Perpignan (1 heure 40), Collioure (2 heures 10).

Comment circuler

Bus, tramway, vélos et parkings sont gérés par la **Tam** (**04 67 22 87 87 ; www.montpellier-agglo.com ; 6 rue Jules-Ferry ; lun-sam 7h-19h**), Transports de l'agglomération de Montpellier, qui offre de multiples possibilités de billets combinés. Les lignes de tramway et de bus Tam se combinent notamment pour un tarif unique de 1,40 € le ticket.

Un conseil : garez votre voiture en périphérie, car le centre de Montpellier est largement piéton et circuler en voiture relève du casse-tête.

Soirée en terrasse dans le vieux Montpellier
CAROLE HUON ©

BUS

Les 29 lignes de bus circulant de jour de la Tam, sont relayées le soir par l'**Amigo** (**jeu-sam minuit-5h**).

TRAM

Le tram, véritable institution à Montpellier, qui arbore des lignes harmonieuses, dispose de 4 lignes (une cinquième est à l'étude) organisées en étoile, la gare faisant office de point de jonction.

Ligne 1 : Mosson-Odysseum

Ligne 2 : Saint-Jean-de-Védas Centre-Jacou

ligne 3 : Juvignac-Montpellier-Lattes et Pérols

ligne 4 : Saint-Denis-Place Albert 1er

VÉLO

150 km de pistes cyclables sur l'ensemble de l'agglomération et un système de vélo en libre-service, le **Vélomagg** (**0,50 €/heure**), doté de 49 stations, la plupart équipées de lecteurs de CB.

CÔTE DU GOLFE DU LION

Parsemée d'étangs et de cordons lagunaires, la côte du golfe du Lion n'est trop souvent considérée qu'au prisme de son histoire récente.

Elle a été pensée pour le tourisme et totalement aménagée dans les années 1960-1970 après une vague de démoustication et d'assèchement des marais. Son littoral et ses stations balnéaires affichent une façade bétonnée qui semble ne jamais vouloir s'arrêter. Plages de sable fin propices au farniente, panel d'activités nautiques inégalé, parcs d'attractions géants... Il va sans dire que la région se prête à merveille aux bains de soleil. Contre toute attente, elle ne s'y résume pourtant pas. Sète, ses canaux et ses joutes languedociennes, l'étang de Thau, un écosystème d'une grande richesse, de petits ports de pêche, Agde la Grecque... autant de pépites aux origines plus lointaines, qui gratifient d'un riche volet culturel cette portion de côte, admettons-le, quelque peu malmenée.

La Grande-Motte

Inscrite au patrimoine du XXe siècle en 2010 et première ville à s'être vu décerner le prestigieux label dans son intégralité, La Grande-Motte, ville nouvelle et station balnéaire créée ex nihilo à l'instar de ses consœurs, se distingue cependant de ces dernières. Car elle est aussi une ville globale qui s'appréhende comme telle, œuvre de l'architecte Jean Balladur qui y consacra pas moins de 30 ans. Partant du principe que "toute verticale poignarde le ciel et le sol", les pyramides qu'il édifia en 1968 sont devenues l'emblème de la ville, qui ne s'y résume cependant pas. Certes, on l'aime ou on la déteste, mais personne ne peut lui enlever son caractère avant-gardiste, et il vous faudra dépasser les préjugés pour découvrir un environnement végétal savamment pensé. Ville-jardin, La Grande-Motte, ses 70% d'espaces verts et ses 7 km de plages, mérite donc, au-delà de ses infrastructures touristiques et de ses activités nautiques, une visite en soi. À ce titre, les **visites guidées** (**5 €, gratuit -16 ans**) proposées par l'office du tourisme en offrent une excellente clé de lecture.

Activités

CENTRE NAUTIQUE Voile

(**04 67 56 62 64 ; http://centrenautique.lagrandemotte.fr ; esplanade Jean-Baumel**). Voile, aviron et paddle sur deux bases, côté mer ou côté étang du Ponant, plan d'eau dédié au nautisme et creusé artificiellement dès 1966.

DÉCOUVERTE DU VIVANT Sortie naturaliste

(**06 10 57 17 11 ; info@decouverteduvivant.fr ; quai Charles-de-Gaulle ; +18 ans/12-18 ans/5-12 ans 70/65/55 € ; sept-juin**). En partenariat avec l'office du tourisme, Découverte du Vivant organise des sorties en mer à bord d'un catamaran. Au programme : découverte des

RÉGIS MORTIER ©

oiseaux de mer et, éventuellement, observation des dauphins.

ESPACE GRAND BLEU Sortie naturaliste

(**04 67 56 28 23 ; La Plaine des Jeux ; tte l'année**). Un parc aquatique s'étendant sur près de 2 ha, en extérieur et en intérieur pour une ouverture à l'année.

Renseignements

Office du tourisme (**04 67 56 42 00; www.ot-lagrandemotte.fr/ ; pl. du 1er-Octobre-1974**)

Palavas-les-Flots et ses environs

À seulement 10 km de Montpellier, cette station balnéaire prisée des citadins pour ses 7 km de plages, tire également son épingle du jeu grâce à son port, qui adjoint la pêche à la plaisance, et à son étonnant musée, consacré au caricaturiste Albert Dubout. Bordée d'étangs, elle est aussi connue pour ses richesses ornithologiques. Des tableaux d'orientation vous aiguilleront tout le long de l'étang en direction de Carnon, là où les flamants roses se donnent en spectacle.

À voir et à faire

PHARE DE LA MÉDITERRANÉE Panorama

(**04 67 07 72 56 ; pl. de la Méditerranée ; tlj 10h-minuit**). Symbole de Palavas, cet ancien château d'eau réhabilité en phare n'est pas une merveille architecturale en soi, mais offre la possibilité, à travers son ascenseur vitré puis de son pont-promenade s'élevant à 34 m de hauteur, d'embrasser du regard tous les environs, du golfe du Lion à l'arrière-pays. Restaurant panoramique au dernier étage.

MUSÉE ALBERT-DUBOUT Caricatures

(**04 67 68 56 41 ; Redoute de Ballestras ; adulte/étudiant/-18 ans 5/3,50/2,30 € ; juil-août tlj 10h-12h et 16h-21h, avr-juin et sept mar-dim 14h-19h, mars et oct-nov mar-dim 14h-18h, déc-fév sam-dim, jours fériés et pendant les vacances scolaires sauf lun 14h-18h**). Dans un fortin élevé en 1743 et reconstruit sur l'île du Levant, au cœur de l'étang éponyme, ce musée est consacré à Albert Dubout (1905-1976), célèbre caricaturiste et croqueur invétéré de saynètes du quotidien, pour lequel les habitants de

Palavas furent une prolifique source d'inspiration. Tous les ans, une nouvelle exposition thématique est proposée au printemps. Adjacent au musée Albert-Dubout, sur le parc du Levant, le **musée du Train** présente l'épopée de la ligne de chemin de fer qui existait entre Palavas et Montpellier de 1872 à 1968, soutenue par des dessins de Dubout immortalisant le petit train de Palavas (qui, dans les faits, porte haut les couleurs du caricaturiste). On rejoint les deux musées par une navette gratuite depuis l'embarcadère quai Paul-Cunq, d'avril à septembre. Un parking gratuit au parc du Levant permet également d'accéder ensuite au fortin via une passerelle.

CATHÉDRALE DE MAGUELONE Art roman

(**04 67 50 63 63 ; audioguide 3 € ; point accueil visiteurs tlj 10h-18h**). À 4 km de Palavas, aux confins d'une langue de terre bordée de plages et de marais, la cathédrale de Maguelone, bijou de l'art roman érigé au XIe siècle sur un îlot de verdure, se dresse au milieu des pins parasols et des vignes. Conçue comme une véritable forteresse, robuste et dépouillée, ses murs atteignent par endroit 2 m d'épaisseur. Succédant à une première cathédrale détruite par les Francs, elle fut le siège des évêques du VIe au VIIIe siècle et du XIe au XVIe siècle, et le refuge de plusieurs papes à ses heures. L'ensemble du site s'étend sur 30 ha, mais le visiteur, épaulé par un précieux audioguide, ne pourra en découvrir qu'une infime partie, circonscrite à la cathédrale. Les Compagnons de Maguelone, établissement d'aide par le travail, gèrent en effet le site et en exploitent notamment les vignes. Vous trouverez un magasin de vente directe aux particuliers sur la route en direction de la cathédrale, depuis Palavas. Tous les ans au mois de juin, la cathédrale accueille un festival de musiques anciennes. En saison, impossible de rallier directement la cathédrale en voiture ; vous devrez la laisser au parking (4 €), 2 km en amont, et emprunter la navette gratuite mise en place.

Activités

CENTRE NAUTIQUE MUNICIPAL PIERRE LIGNEUIL Voile

(**04 67 07 73 33 ; 1 bd Joffre ; tte l'année**). Centre multisports, en initiation ou en perfectionnement, à partir de 6 ans. Catamaran, Optimist, planche à voile, joute, jeux de plage, etc.

Où se loger

LA PLAGE GÉDÉON Bon plan à Carnon-Plage €

(**04 67 68 10 05 ; www.plagedugedeon.com ; 159 av. Grassion-Cibrand, Carnon Plage Est ; d/tr 45-59/55-69 € selon saison ; tte l'année ;**). Un petit-hôtel restaurant à Carnon Plage, à seulement 5 minutes de Palavas, face à une venelle débouchant sur la plage et ménageant une petite vue sur la mer depuis certaines chambres. Ces dernières sont simples mais claires et de bon goût, tout en étant très lumineuses et spacieuses. Seul petit bémol : l'insonorisation entre les chambres, mais à ce prix et compte tenu du cadre, on réitère l'expérience sans aucune hésitation (et on investit dans des bouchons d'oreilles !). Également restaurant-bar à vins.

LE BRASILIA Chic et central €€

(**04 67 68 00 68 ; www.brasilia-palavas.com ; 9 bd Joffre ; d basse/moyenne/haute saison 55-79/65-97/76-116 € selon vue, tr 74-96/85-114/96-130 € selon vue, f 103/121/147 € ; tte l'année ; @**). Une adresse élégante et centrale, face à la plage de l'Hôtel-de-Ville, aux chambres sobres et épurées, d'un blanc immaculé, toutes avec balcon. Une verrière sur l'avant aménagée en coin salon participe à l'ambiance cosy des lieux. Accueil exceptionnel. La vue sur la mer s'entend depuis la chambre et la terrasse, ou seulement depuis cette dernière ; les moins chères donnent sur le phare. Une valeur sûre.

La plage du Petit et du Grand Travers

À l'est de Palavas, Carnon-Plage, station balnéaire de moindre envergure, est le point de départ de ce qu'il reste de cordon dunaire à cette côte allègrement bétonnée. L'immense étendue de sable bute sur La Grande-Motte, et s'il vaut mieux avoir des œillères pour l'apprécier pleinement, la plage du Petit et du Grand Travers demeure incontestablement en soi un magnifique spot. Elle est dépourvue de toute construction ; ses dunes et sa profondeur la préservent également de la route du littoral qui la frange. Une piste cyclable reliant Carnon à La Grande-Motte permet de la rallier, mais vous trouverez des parkings tout du long.

L'AMÉRIQUE Piscine et spa **€€€**
(**04 67 68 04 39 ; www.hotelamerique.com ; 7 av. Frédéric-Fabrège ; d basse/haute saison 75-90/95-115 € selon ch, f 125/178 € ; tte l'année ;**). De l'hôtel au "motel" annexe, face à la rue, les chambres diffèrent peu, si ce n'est que dans le second, aux allures de village de vacances, certaines s'ouvrent sur la très petite piscine ouverte à tous les résidents (43 chambres). Les chambres rénovées il y a 3 ans ont conservé une déco désuète, et bien qu'elles soient spacieuses et lumineuses et qu'il y ait une piscine-spa, cela ne suffit pas à justifier les prix. Une option de repli. Personnel sympathique et adresse excentrée juste ce qu'il faut cependant.

Où se restaurer

LE PETIT LÉZARD Brasserie améliorée **€€**
(**02 96 39 03 36 ; 63 av. de l'Étang-du-Grec ; plats 14-26 €, menus midi/soir 12 et 14/24 € ; tte l'année tlj**). Excellent rapport/qualité prix que ce restaurant à l'ambiance lounge, doté d'une grande terrasse couverte et chauffée. Côté cuisine, une carte de brasserie assez classique qui laisse place le soir à un menu "découverte" plus élaboré, type gambas à la plancha et tiramisu maison à l'ananas et aux spéculos. On vous conseille chaudement ce dernier. Fruits de mer également (onéreux).

LA BANANE Bonne table vue mer **€€€**
(**04 67 50 73 93 ; www.restaurantlabanane.com ; 37 bd Sarrail ; plats 18-35 € ; mar-dim tte l'année**). Une adresse à la fois chic et décontractée, les pieds dans l'eau et à l'écart de l'agitation du centre, pour une clientèle d'habitués venus déguster un carpaccio de dorade aux fraises, un pavé de thon au foie gras et à la mangue ou d'autres poissons de la pêche du jour que l'on vous présente crus sur un plateau, avant une cuisson à la plancha. Déco design et chaleureuse, personnel attentif et souriant, et jolie terrasse sur l'avant. Pas de menu proposé.

Renseignements

Office du tourisme (**04 67 07 73 34 ; http://palavaslesflots.com ; pl. de la Méditerranée**). Situé au phare de la Méditerranée, il propose des visites guidées sur le thème "Entre canal et étangs" d'avril à fin septembre (+12 ans/-12 ans 5/3 €, gratuit -7 ans).

Sète

L'"île singulière" chère à Paul Valéry et à d'autres enfants du pays comme Georges Brassens ou Jean Vilar, qui à leur tour la célébrèrent à travers leur art, fait figure de perle rare dans l'océan de béton qui caractérise les côtes de l'Hérault. C'est que la petite Venise du Languedoc, née en 1666 de la volonté de Louis XIV d'offrir un débouché maritime au canal du Midi, conserve le charme immuable de ses origines : des canaux bordés de façades anciennes, des ponts propices

Plage du Petit et du Grand Travers (p. 74)

CAROLE HUON ©

aux enjambées d'île en île, un vieux port rythmé par le va-et-vient des bateaux, des joutes nautiques ancestrales... Bordée sur son flanc sud par de grandes étendues de sable, son lot de plages privées et de paillotes festives, au nord par l'étang de Thau, ses ports de pêche traditionnels et ses parcs conchylicoles, Sète, à mi-chemin entre tourisme balnéaire et culturel, est une étape de charme sur cette portion de côte.

À voir

Canal Royal et vieux port

Sète s'est construite autour du Canal Royal, et ses quais, bordés de cafés et de restaurants aux terrasses bondées à la belle saison, font toujours aujourd'hui office de cœur de ville. Au total, six ponts permettent de sauter d'une rive à l'autre et de prendre toute la mesure de ce paysage de carte postale, qui ne se révèle jamais mieux que sous la lumière du soir, quand les couleurs chatoyantes de ses édifices anciens et de ses bateaux amarrés semblent peu à peu plonger et s'éteindre à leur tour dans les eaux. Au va-et-vient des plaisanciers et des barques de joutes font écho, à son extrémité sud, le vieux port et le ballet savamment orchestré des pêcheurs, entre ses phares et sa halle. À son extrémité nord, la Pointe Courte, petit port typique s'avançant sur l'étang de Thau, vaut également un détour.

MIAM Arts modestes

(**☎ 04 99 04 76 44 ; 23 quai Maréchal-de-Lattre-de-Tassigny ; www.miam.org ; tarif adulte/10-18 ans 5/2 € ; ⏲ avr-sept tlj 9h30-19h, oct-mars mar-dim 10h-12h et 14h-18h, fermé 1er jan, 1er mai, 1er nov et 25 déc**). Parce qu'il met en exergue la mémoire intime du quotidien, le musée international des Arts modestes, fondé par Hervé Di Rosa et Bernard Belluc, n'a de cesse d'interroger la notion d'art et ses frontières. Les Arts modestes, ce sont tous ces objets simples, bon marché et non-intellectualisés, produits manufacturés accumulés par souci esthétique, ou objet unique qu'un faiseur de sens anonyme façonne comme tel. En l'absence de panneaux explicatifs, on ne saurait trop vous conseiller de prendre part aux **visites guidées** (**⏲ tlj du mar au sam à 14h30**), essentielles à la vulgarisation de la démarche. Sinon, les enfants seront certes très amusés, mais

les parents, en simples nostalgiques, ressortiront avec une étrange sensation de vide. Le musée organise également 3 expositions temporaires par an (Groland au moment de notre passage). La **Petite Épicerie** propose quant à elle des ateliers (mer, week-end et pendant les vacances scolaires) pour les enfants ou les familles, assurés par des professeurs des Beaux-Arts de Sète. Très ludiques, ils remportent, depuis leur création il y a un an, un joli succès ; inscrivez-vous le plus tôt possible. Fonctionnement sous forme de ticket (1 ticket d'une heure adulte/enfant 4/2,50 €).

GRATUIT CRAC Art contemporain

(04 67 74 94 37 ; crac.languedocroussillon.fr ; 26 quai Aspirant-Herber ; gratuit ; lun, mer-ven 12h30-19h, sam-dim 14h-19h, 15h-20h en été). Installé dans un ancien entrepôt frigorifique de poisson, la typologie industrielle du Centre régional d'art contemporain du Languedoc-Roussillon offre un cadre privilégié aux 4 expositions qu'il propose par an. Visites guidées fortement recommandées (sam-dim 16h). Lieu de production et d'échange également.

VIEUX PORT ET MÔLE SAINT-LOUIS Criée et halles

Au sein du premier port français de pêche de la Méditerranée, il va sans dire que la **criée (accessible au public seulement via la visite guidée de 1 heure de l'office du tourisme, de mars à nov ; +12 ans/3-12 ans 6/3 € ; ouverture des halles tlj 16h, sauf lun 15h30)** est un rendez-vous quotidien incontournable. Mais la magie opère avant même l'ouverture des halles, quand les bateaux de pêche chargés de poisson rentrent au port, escortés par une nuée de mouettes. À partir de 15h, baladez-vous sur le **môle**, premier ouvrage construit lors de la fondation de la ville et dont la jetée s'enfonce sur 650 m dans la mer jusqu'à son phare (34 m), et admirez le spectacle. À l'autre extrémité du môle, le fort Saint-Pierre (saint patron des pêcheurs), devenu le **Théâtre de la Mer**, a été construit après l'invasion anglaise de 1710.

À gauche : Canal Royal, Sète ; **Ci-dessous :** Cimetière marin, Sète (p. 78)
(À GAUCHE) FRED27/FOTOLIA © (CI-DESSOUS) CAROLE HUON ©

Mont Saint-Clair et Quartier haut

Le **mont Saint-Clair** domine la ville du haut de ses 183 m et offre, depuis le **belvédère** éponyme, une vue imprenable sur les alentours, notamment l'étang de Thau et ses parcs à huîtres. L'ensemble a été aménagé, et vous trouverez une table d'orientation sur le toit du presbytère. Vous pourrez également pénétrer dans la **chapelle Notre-Dame-de-la-Salette** (1861), dont les murs sont couverts d'étonnantes fresques dédiées au monde de la mer et à ses pêcheurs. Le belvédère est accessible en voiture (parking sur place), mais rien ne vaut la découverte du panorama après une rude montée de 30 minutes au gré des venelles et des escaliers qui serpentent sur le mont. À l'ouest du belvédère, les **Pierres Blanches**, bois de pins de 20 ha parcouru de sentiers, sont l'occasion d'une agréable promenade le soir venu et d'un coucher de soleil magistral. Depuis la table d'orientation, la vue, quelque peu obstruée par la végétation, est moins spectaculaire que depuis le belvédère du mont.

Le **Quartier haut**, sur le flanc du mont Saint-Clair et en surplomb du port, est dominé par l'église Saint-Louis, la plus ancienne de la ville (1702). Celui que l'on surnomme "le petit Naples", quartier des ouvriers œuvrant à la construction du port à l'époque de Riquet, est aujourd'hui celui des pêcheurs autant que des artistes, séduits par son côté bohème, et dont bon nombre d'ateliers ont pignon sur rue. À son extrémité sud, au-dessus du cimetière marin, vous trouverez un excellent musée dédié à l'enfant du pays, Paul Valéry.

MUSÉE PAUL-VALÉRY Musée d'art
(**☎04 99 04 76 16 ; www.museepaulvalery-sete.fr ; rue François-Desnoyer ; tarif plein/réduit 7/3 € ; ⏲avr-oct tlj 9h30-19h, nov-mars mar-dim 10h-18h, fermé 1er jan, 1er mai, 1er nov et 25 déc**). Les collections Beaux-Arts, Arts et Traditions populaires et Paul Valéry se répartissent les 4 000 œuvres du fonds

Sète, le vieux port et le môle Saint-Louis depuis le mont Saint-Clair

de cet excellent musée. Essentiellement composé d'œuvres allant du XIXe siècle à nos jours, son important fonds graphique (Degas, Matisse, Cézanne, etc.) et son fonds faisant la part belle aux influentes écoles sétoises valent incontestablement le détour. Le **fonds Paul Valéry**, circonscrit à une pièce d'exposition unique à laquelle s'ajoute un modeste espace de projection, est particulièrement émouvant, et contrebalance l'image d'intellectuel austère et inaccessible de celui qu'elle honore. Paul Valéry (1871-1945) disait des hommes qu'ils "se distinguent par ce qu'ils montrent mais se ressemblent par ce qu'ils cachent". Son intérêt pour les arts plastiques mis en exergue à travers esquisses, gouaches et aquarelles, sa relation épistolaire avec Jeanne Loviton et ses premiers manuscrits aux envolées lyriques, qui couvrent la pièce de son écriture graphique, réhabilitent l'homme tel qu'il était. Deux expositions temporaires, portées par une remarquable scénographie, sont également programmées annuellement, ainsi que des manifestations culturelles (théâtre, concert, conférence, etc.), la plupart gratuites, qui se prolongent jusque dans le jardin. Cafétéria sur place, agrémentée d'une jolie terrasse.

CIMETIÈRE MARIN Mémoire et panorama

À l'origine cimetière Saint-Charles, créé aux alentours de 1680 pour accueillir les ouvriers morts pour la construction du môle, il ne prendra le nom de cimetière marin qu'en 1946, en référence au poème le plus célèbre de Paul Valéry, *Le Cimetière marin*, monument de la littérature moderne publié en 1922. "*Le Cimetière marin* est ma pièce personnelle. Je n'y ai mis que ce que je suis. Ses obscurités sont les miennes. La lumière qu'il peut contenir est celle même que j'ai vue en naissant". De nombreux Sétois célèbres, dont Paul Valéry et Jean Vilar, y demeurent au milieu d'anonymes. Magnifique panorama sur le vieux port.

Georges Brassens, autre enfant du pays à qui l'on doit une *Supplique pour être enterré sur la plage de Sète*, repose quant à lui au cimetière le Py, dit cimetière des pauvres, au bord de l'étang de Thau. Les inconditionnels de l'artiste pourront également rejoindre l'**Espace**

Georges Brassens (☎04 99 04 76 26 ; 67 bd Camille-Blanc ; adulte/10-18 ans 5/2 €, gratuit -10 ans ; ⏲juin-sept tlj 10h-18h, oct-mai mar-dim 10h-12h et 14h-18h).

Activités

Plage et sports nautiques, balades sur la promenade de la Corniche en direction de la plage éponyme, sur le mont Saint-Clair au gré de ses venelles et sur ses quais animés rythment la vie des Sétois et des touristes de passage. La ville en elle-même peut se découvrir à bord du **petit train** (tarif plein/réduit 6/3 €, départ sur le quai du Général-Durand en contrebas de l'office du tourisme). Mais pour un tarif sensiblement identique, vous pourrez l'appréhender depuis la mer et ses canaux, sans les désagréments liés à la circulation.

AZUR CROISIÈRE ET SÈTE CROISIÈRE Sorties en mer

Azur Croisière (☎06 10 65 40 22, 06 27 54 26 15 ; www.popeye3.com ; tarif plein/réduit 3-6/6-12 € ; ⏲vacances de fév à mi-nov) et **Sète Croisières** (☎04 67 46 00 46 ; www.sete-croisieres.com ; tarif plein/réduit 3-6/7-12 € ; ⏲avr-nov) proposent sensiblement les mêmes circuits, certains en bateau électrique. Circuit des canaux, canaux et étang de Thau, circuit découverte Aqua-Popeye avec vision sous-marine pour le premier ; canaux et Pointe Courte, étang de Thau, port et sortie en mer avec vision sous-marine pour le second.

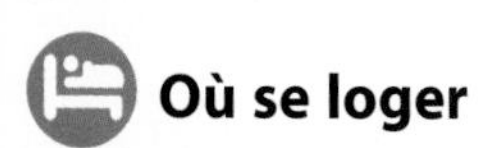

Où se loger

VENEZIA Côté plage €

(☎ 04 67 51 39 38 ; www.hotel-sete.com ; 20 La Corniche de Neuburg ; s/d/tr/qua 46-74/52-83/62-102/74-120 € selon saison ; ⏲ tte l'année ; 📶 🅿). Très excentré mais en bordure de plage, le Venezia offre le meilleur rapport qualité/prix de Sète. Ce deux-étoiles familial dispose de 18 chambres au confort simple mais impeccables, et surtout, toutes dotées de terrasses.

Les joutes de Sète

L'événement de l'année, pour les Sétois, est incontestablement la **fête de la Saint-Louis**, à la fin du mois d'août. Durant six jours, fanfare, spectacles de rue, *bodegas* et joutes nautiques investissent rues et canaux. Le lundi qui suit est tout simplement décrété férié ! Chaque été, depuis 1666, ces festivités transforment le Canal Royal en terrain d'un tournoi passionnel dont le vainqueur verra sa mémoire longtemps célébrée. Debout sur la tintaine (saillie à la proue) d'une barque propulsée par 10 rameurs, les jouteurs, protégés d'un pavois et armés d'une épure (lance en bois de 2,8 m de long), s'affrontent au son des hautbois et des tambours. Des gradins sont installés le long des quais pour assister aux combats, et les soirées se prolongent jusque tard dans la nuit.

L'ORQUE BLEUE Sur le canal €€

(☎04 67 74 72 73 ; www.hotel-orquebleue-sete.com ; 10 quai Aspirant-Herber ; d vue patio/port 70-98/95-130 € selon saison ; ⏲tte l'année ; 📶 🅿). Un hall d'entrée royal pour cet hôtel idéalement placé et offrant pour certaines de ses 30 chambres de superbes vues sur le canal. Ces dernières sont plus lumineuses que les autres, donnant sur le patio. Quelques chambres très petites ; sachez que les plus chères de chaque catégorie sont aussi les plus spacieuses. Bel hôtel dans l'ensemble, mais les chambres en elles-mêmes mériteraient un petit coup de jeune. Parking payant (9 €).

HÔTEL DE PARIS Hôtel arty €€€

(☎04 67 18 00 18 ; www.hoteldeparis-sete.com ; 2 rue Frédéric-Mistral ; d 109/149 € selon ch et saison, suite 149/259 € selon ch et saison, menu midi 16-20 €, menu soir à partir de 29 € ; ⏲tte l'année ; 📶 🅿). Le meilleur hôtel de Sète, résolument contemporain et tourné vers l'art. Idéalement placé au bord du canal. Préférez néanmoins les chambres orientées sur le patio andalou pour plus de calme. Également Spa (20 € de supplément), bar et restaurant qui remporte de bons échos (le menu du midi est une affaire).

LE GRAND HÔTEL Ambiance Belle Époque **€€€**
(**02 96 81 05 27 ; 23 bd Duponchel ; d 109/149 € selon ch et saison, ste 149/259 € selon ch et saison, menu midi 16-20 €, menu soir à partir de 29 € ; tte l'année ; P**). Un hôtel magnifique doté d'un splendide patio étagé sous verrière, autour et au-dessus duquel s'ordonnent les chambres. Décor classieux et très XIXe, en harmonie avec les canaux. Chambres lumineuses et spacieuses. Un excellent choix.

Où se restaurer

Le meilleur côtoie le pire sur les quais du Canal Royal, qui concentrent l'essentiel des bars et des restaurants de Sète. Autre option en saison, les restaurants de plage, leurs transats en journée et leurs soirées festives, qui prolifèrent sur la route des plages. De ce point de vue, **La Ola** (**06 86 74 12 34 ; www.laola.fr ; plage de la Fontaine ; en été**), sur la plage de la Corniche, est considérée comme le meilleur rapport qualité/prix de la catégorie, quand l'**A.C.D.** (**04 67 43 56 99 ; plage de la Baleine ; en été**) en offre une version plus haut de gamme.

HIPPY MARKET Bonne table tendance **€€€**
(**09 81 48 09 93, 04 67 74 37 96 ; 31 quai Général-Durant ; plats 19-28 € ; tlj en saison, fermé dim soir, lun et mar hors saison ;**). Un nouveau venu à Sète, posé au bord du canal, autant plébiscité par les Sétois pour son cadre, tenant de la paillote lounge et haut de gamme, que pour sa cuisine de qualité. Les plats les plus classiques y côtoient des compositions plus élaborées, qui se teintent parfois d'accents asiatiques ; essayez "le Tigre qui pleure", un filet de bœuf mariné à la thaïe et juste poêlé, et son tartare d'huîtres Tarbouriech à l'exotique. Copieux et tendance. Également tapas et concerts le soir.

Le restaurant Paris-Méditerrannée (p. 81)

CAROLE HUON ©

LE BISTROT DU PORT Menu compétitif €
(☎04 67 74 95 13 ; 31 quai Général-Durant ; menu 16 €, menu enfant 9 €, plats 13-24 € ; ⏲tlj tte l'année). Juste à côté du Hippy Market et donc idéalement placé face au canal, Le Bistrot du Port est une brasserie au cadre rétro, dont l'ambiance doit beaucoup à son propriétaire, ultra-souriant et, semble-t-il, très populaire. Le menu, servi midi et soir, est une affaire : entrée, plat, dessert et verre de vin en prime. Ce n'est certes pas de la cuisine de haute voltige, mais on en a pour son argent, tout en passant un agréable moment. Un conseil cependant : cantonnez-vous au menu du jour (un seul plat de résistance proposé) au risque de voir l'addition grimper rapidement.

PARIS-MÉDITERRANÉE Institution sétoise €€
(☎04 67 74 97 73 ; 47 rue Pierre-Semard ; menus 25/30 €, menu dégustation 45 € ; ⏲fermé dim et lun). Dans une rue au calme, un peu à l'écart du canal, ce petit restaurant tout en longueur est une institution à Sète. Parquet, murs blancs, banquettes rouges, tableaux accrochés aux murs pour un résultat à la fois tendance, chic, décontracté et un brin bohème. La carte, qui se limite à trois propositions par jour et par plats, laisse libre cours à une cuisine fraîche, inventive et succulente. Lors de notre passage, nous nous sommes régalés d'un croustillant de chèvre au pamplemousse, d'une pastilla de volaille agrémentée d'une purée de potimarron, et d'un minestrone de fruits rouges, accompagné d'un sorbet maison.

Renseignements

Office du tourisme (☎04 99 04 71 71 ; www.ot-sete.fr ; 60 Grand-Rue Mario-Roustan). Propose des visites avec audioguide. Accès Wi-Fi gratuit.

Étang de Thau

Il est le plus grand des lagons de la côte languedocienne. Cette petite mer intérieure, longue de 19 km et large de 4,5 km relie le canal du Midi à celui du Rhône à Sète. Ses 7 500 ha sécurisés sont propices à l'apprentissage de la voile, et vous verrez ici et là des kitesurfeurs à l'œuvre. Mais la magie des lieux est bien ailleurs. Sur son versant nord parsemé de vignes, la viticulture est à l'honneur quand, au sein même de son bassin, la conchyliculture se fait reine. L'élevage des moules, des coquillages et des huîtres, dont les parcs affleurent à perte de vue depuis 1908, mobilise 800 exploitations familiales et des milliers de jardiniers de l'eau qui animent les petits ports pittoresques jalonnant les berges.

Marseillan et Marseillan-Plage

Au joli et typique petit port du village de Marseillan, posé sur l'étang de Thau, s'adjoint une extension balnéaire ouverte sur la mer, Marseillan-Plage, conférant à l'ensemble une physionomie comparable à celle d'Agde et du Cap d'Agde. En quête de sports nautiques et de farniente ? Direction Marseillan-Plage, qui déroule jusqu'à Sète 6 km de plages de sable fin et possède toutes les infrastructures touristiques requises. Côté ville, le port, terre d'accueil d'embarcations de pêcheurs et de plaisanciers. Ses quais sont jalonnés de petits restaurants et abritent le siège de l'usine de vermouth **Noilly Prat** (☎04 67 77 20 15 ; www.noillyprat.com ; 1 rue Noilly ; visite 4,10 €, visite avec le maître des chais 12-25 € ; ⏲visites mai-sept tlj 10h-11h et 14h30-18h, mars-avr et oct-nov tlj 10h-11h et 14h30-16h30), qui a fêté ses 200 ans d'existence en 2013. La visite de ses chais vaut le détour, ne serait-ce que pour découvrir ses 200 barriques alignées en extérieur, dans l'optique d'une oxydation naturelle.

Bouzigues

Emblématique des petits villages de pêcheurs qui bordent l'étang de Thau et célèbre pour son huître, Bouzigues mérite une halte pour son **musée de l'Étang de Thau** (☎04 67 78 33 57 ; www.bouzigues.fr/musee ; quai du Port-de-Pêche ; +12 ans/7-12 ans 4/3 €, gratuit -7 ans ; ⏲tlj juil-août 10h-12h30 et 14h30-19h, mars-juin et sept-oct 10h-12h et 14h-18h, nov-fév 10h-12h et 14h-17h), humble introduction aux métiers de la pêche et de la conchyliculture

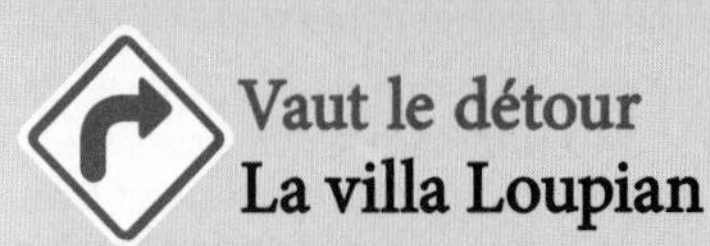

Vaut le détour
La villa Loupian

(☎ 04 67 18 68 18 ; www.loupian.fr ; tarif plein/réduit 4,60/3,05 €, gratuit -6 ans ; juil-août tlj sauf mar 13h30-19h visite guidée mosaïque, 11h visite guidée musée et mosaïque, sept-juin mer-lun 13h30-18h visite guidée mosaïque, sam-dim 11h visite guidée musée et mosaïque, fermé jan). Une plongée passionnante dans l'histoire des grandes exploitations agricoles de l'époque romaine. La visite complète, fortement recommandée, s'attarde dans un modeste espace muséographique qui permet d'aborder l'histoire de la villa et son rôle économique, avant de gagner le site archéologique, correspondant à la partie résidentielle de la villa du Ve siècle, et les magnifiques mosaïques polychromes de l'Antiquité tardive mises au jour en 1930. Elles sont présentées sur leur emplacement d'origine, mais 60 m plus haut. Les mosaïques colorées, dont le travail témoigne de la richesse du propriétaire, abordent le thème récurrent des quatre saisons, entremêlent les motifs figuratifs et géométriques témoignant de l'influence syrienne, représentent un jardin luxuriant... Une très belle visite. Depuis Mèze prendre la D603 en direction de Bouzigues puis bifurquez sur la D158E4 en direction de Loupian. La villa Loupian se situe à mi-chemin.

voulue par les différentes communes composant le territoire. Présentation historique, introduction aux nouvelles technologies (passage du filet en coton au synthétique), aux modes de pêche oubliés et aux oiseaux de l'étang, sensibilisation à un écosystème exceptionnel et fragile, sont autant de thématiques abordées au fil des salles, aquarium, maquette, reconstitution et vidéo (consacrée à l'huître de Bouzigues) à l'appui. Au moment de notre passage, se tenait également une très belle exposition photo consacrée aux ouvriers de la mer, en particulier aux femmes.

Mèze

Mèze est un autre de ces jolis petit port, prisé des touristes pour ses quais, ses ruelles et les effluves de son marché du dimanche matin. Vous y débusquerez la **chapelle des Pénitents**, édifiée à partir du XIIe siècle et inscrite à l'inventaire des monuments historiques, dont on prend toute la mesure depuis la rive. Sur la D613 en direction de Montagnac, le **musée-parc des Dinosaures** (☎ 04 67 43 02 80, 06 89 72 16 78 ; www.musee-parc-dinosaures.com ; +12 ans/5-12 ans 8,70/7,20 €, gratuit -5 ans ; tlj, juil-août 10h-19h, fév-juin et sept-oct 14h-18h, nov-jan 14h-17h), implanté sur l'un des plus grands gisements paléontologiques d'Europe, vous permettra quant à lui, sur un parcours de 5 ha à la Jurassic Park, de découvrir squelettes et reconstitutions en situation. Sur le même site, le **musée-parc Origines et Évolution de l'homme** retrace l'histoire de l'évolution humaine. Une bonne sortie en famille.

Agde et son cap

On réduit trop souvent le territoire à son célèbre cap. Construite au pied du mont Saint-Loup, un ancien volcan réservant un beau panorama (accessible seulement à pied ou à vélo), la région d'Agde s'inscrit dans la pierre de lave. C'est à la fois une cité d'origine grecque forte de son patrimoine, une station balnéaire, Le Cap d'Agde, aux infrastructures modernes, le Grau d'Agde et La Tamarissière, village de pêcheurs traditionnel pour l'un, écrin de verdure préservé propice à la baignade pour l'autre.

Agde

On la surnomme la Perle Noire de la Méditerranée. C'est qu'Agde, cité d'origine grecque implantée en bordure de l'Hérault, s'est également construite au pied d'un ancien volcan, et a su tirer parti de sa pierre de basalte. Façonnée par le commerce maritime au point de devenir, de l'Antiquité au XVIIIe siècle, l'un des plus grands ports de commerce de Méditerranée, cette ville pleine de charme, aux ruelles et aux berges teintées d'histoire, constitue une étape agréable.

À voir

CATHÉDRALE SAINT-ÉTIENNE Art roman

Massive et dépouillée, cette cathédrale romane culminant à 35 m de hauteur et construite en pierre de lave fut édifiée à partir du XIIe siècle. Le donjon, qui date pour sa part du XIVe siècle, lui confère une allure de forteresse médiévale dont l'austérité se retrouve à l'intérieur.

À une encablure, ne manquez pas les tons pastel qu'arbore le magnifique trompe-l'œil du square Picheïre.

MUSÉE AGATHOIS Patrimoine local

(**04 67 94 82 51 ; 5 rue de la Fraternité ; +18 ans/11-18 ans 4,70/1,80 €, gratuit -11 ans, audioguide 2 € ; juil-août tlj 10h-18h, lun-ven 10h-12h et 14h-18h, sam-dim 9h-12h et 14h-17h le reste de l'année**). Au moment de notre passage, le musée Agathois venait de rouvrir ses portes après 1 an de fermeture. Ce vaste capharnaüm de 26 salles vaut surtout le coup d'œil pour l'édifice en lui-même, un hôtel particulier agathois du XVIIe siècle typique de l'époque, et pour ses ultimes pièces : des tableaux des frères Azéma, originaires de la cité agathoise.

Activités

Baladez-vous, à pied ou à vélo, le long des rives de l'Hérault, et rejoignez en 9 km le Grau d'Agde et La Tamarissière (voir p. 86), point de fuite sur la mer. Pour louer des vélos, adressez-vous à **Cycles Agath'Pur** (**06 18 14 81 73 ; rond-point des Vignerons**).

Où se loger et se restaurer

LA PINÈDE Chambres d'hôtes de charme **€€€**

(**04 99 43 75 86 ; www.demeurelapinede.com/fr/ ; 74 av. de Saint-Vincent ; ch 90-150 € selon ch et saison ;**). Idéalement située entre Agde et le Grau d'Agde, La Pinède, son ancienne bâtisse et sa chapelle attenante, accueillaient à l'origine les pèlerins. Au moment de notre passage, l'adresse, qui venait d'être reprise, offrait une très belle prestation héritée de ses prédécesseurs, avec piscine et intérieur

Trompe-l'œil du square Picheïre, Agde

CAROLE HUON ©

Port de plaisance, Cap d'Agde

CAROLE HUON ©

arty. Cinq chambres au total, dont deux spacieuses se partageant le 1er étage, avec terrasse et vue sur la piscine.

LA CASA PEPE Resto-bar traditionnel **€** (**04 67 21 17 67 ; 29 rue Jean-Roger ; menus 15/25 € ; tlj**). Le bar ne paie pas de mine sur l'avant, pas plus que le restaurant niché sur l'arrière, auquel on accède après avoir passé le porche attenant. L'adresse est pourtant une institution à Agde, prisée des habitants depuis près de 30 ans. Dans un intérieur sombre et exigu, mais pittoresque, vous dégusterez une délicieuse et roborative cuisine à prix doux. Ici, point de viande, poissons et crustacés de première fraîcheur sont les seuls résidents : moules farcies, bouillabaisse, cassoulet de seiche, soupe de poisson et toute une panoplie de desserts maison (gratin de citron, crumble aux petits-Lu, crème brûlée, etc.). Ambiance chaleureuse qui doit beaucoup au service, convivial et efficace.

Renseignements

Office du tourisme (**04 67 62 91 99 ; www.capdagde.com ; pl. de la Belle-Agathoise**). Organise des visites guidées de la cathédrale et du centre historique de la cité (5 €/pers).

Le Cap d'Agde

Station balnéaire typique de la côte languedocienne, créée ex nihilo dans les années 1970, Le Cap d'Agde et ses huit ports de plaisance se dédient entièrement au tourisme et aux plaisirs de la plage, en prenant ici et là des allures de parc d'attractions géant. Constituée en différents quartiers, la station est surtout connue pour abriter le plus grand site de naturisme au monde, une ville dans la ville.

À voir

MUSÉE DE L'ÉPHÈBE Monde sous-marin (**04 67 94 69 60 ; Mas de la Clape ; +18 ans/11-18 ans 4,70/1,80 €, gratuit -11 ans ; juil-août tlj 10h-18h, lun-ven 10h-12h et 14h-18h, sam-dim 9h-12h et 14h-17h le reste de l'année**). Consacré à l'archéologie sous-marine, le musée vaut surtout le détour pour sa splendide collection de bronzes antiques, au nombre desquelles les célèbres statues de l'Éphèbe, de Cupidon et de l'enfant romain, représentation supposée de Césarion, fils de Cléopâtre et de César.

AQUARIUM Vie sous-marine
(04 67 94 69 60 ; www.aquarium-agde.com ; 11 rue des 2 Frères ; +12 ans/6-12 ans 7,40/5,30 €, gratuit -12 ans ; tlj juil-août 10h-23h, juin-sept 10h-19h, oct-mai 14h-18h). Au Vieux Cap, non loin de la plage volcanique de la Grande Conque, cet aquarium est une bonne option pour pallier les journées d'intempéries.

Activités

Les 14 km de plages du Cap d'Agde ont le mérite d'être préservées du brouhaha de la route, mais on ne saurait trop vous conseiller de rejoindre celles du Grau d'Agde, plus familiales, ou de La Tamarissière, préservées (p. 86). Au Cap d'Agde, une plage de moindre envergure se démarque néanmoins, celle de la **Grande Conque**, bordée de falaises d'essence volcanique et dont les eaux translucides contrastent admirablement avec son sable teinté de noir.

Vous trouverez par ailleurs au Cap d'Agde un concentré d'animations, dont l'**île des Loisirs**, avec son casino, ses cinémas, les dinosaures de son Dinopark et les manèges du Luna-Park est la meilleure ambassadrice. Toutes les activités sont envisageables au Cap d'Agde (golf, accrobranche, karting, spa, squash, tir à l'arc, marche nordique, équitation...), mais ce sont les plaisirs nautiques qui tiennent le haut du pavé (voile, ski nautique, parachute ascensionnel, aviron, pêche en mer, kitesurf, canoë-kayak, plongée...). Un immanquable : le **sentier sous-marin** (06 10 97 04 22, www.adena-bagnas.com ; stand du sentier sous-marin, La Plagette, avant-Port ; tlj en juil-août à partir de 12 €/pers), géré par l'ADENA, balisé en mer et qui permet de découvrir les fonds marins d'origine volcanique, sa faune et sa flore, sur 200 m et jusqu'à 5 m de profondeur. Une approche accessible, ouverte aux enfants dès 8 ans. Comptez 1 heure 30 à 2 heures de balade.

AQUALAND Parc de loisirs nautiques
(04 67 26 85 94 ; www.aqualand.fr ; av. des Îles-d'Amérique ; +12 ans/-12 ans 25/18,50 €, gratuit -1 mètre ; mi-juin à début sept). Un parc de loisirs géant, avec son lot de piscines à vagues et autres toboggans, ainsi qu'un nouvel espace entièrement dédié aux enfants.

CENTRE NAUTIQUE DU CAP D'AGDE Sorties en mer
(04 67 01 46 46 ; www.centrenautique-capdagde.com ; av. du Passeur-Challiès ; mi-jan à début déc). Basé sur la plage Richelieu est, il propose des cours de voile et de kitesurf, ainsi que la location de matériel (catamaran, planche à voile, canoë, etc.).

Digue du Grau d'Agde

Où se loger et se restaurer

Le Cap d'Agde ne brille pas par la qualité de ses tables. Une bonne option, qui permet aussi de sortir de l'agitation : les cabanons de pêcheurs qui se regroupent tous les matins face à la capitainerie de l'Avant-Port. Ces baraques de dégustation vous permettront d'acheter du poisson frais et de consommer sur place des coquillages assortis d'un verre de vin.

CAMPING DE LA CLAPE Camping **€**
(**04 67 26 41 32 ; www.camping-laclape.com ; 2 rue Gouverneur ; emplacement 2 pers + véhicule 16,70-33,50 € selon emplacement et saison ; avr-sept ;**). Parmi les nombreux campings que se partage la station, ce quatre-étoiles a l'avantage de se situer en plein cœur du Cap et en bordure de plage. Sur ses 450 emplacements, la moitié seulement sont ombragés. Toutes les prestations habituelles : piscine, animations estivales, jeux pour enfants, tennis de table, alimentation, bar-restaurant, etc. Location de mobil-homes et de chalets également. À éviter si vous recherchez le calme ; mais on ne vient pas au Cap d'Agde dans cette optique.

LES GRENADINES Hôtel en bord de plage **€€**
(**04 67 26 27 40 ; www.hotelgrenadines.com ; 6 impasse Marie-Céleste ; s/d/tr/qua 60-120/65-145/78-145/95-160 € selon ch et saison ;** P). Un trois-étoiles à seulement 150 m de la plage de Richelieu ouest, doté de 20 chambres à la déco un peu passe-partout mais tout confort, d'une piscine et d'un Jacuzzi.

L'AMI LOUIS Restaurant familial **€€**
(**04 67 26 25 48 ; www.ami-louis.com ; quai Di Dominico, 11 rue de la Gabelle ; menus 22,50-38,90 €, menu enfant 10 € ; fermé lundi, mer et jeu midi hors saison**). Sur le port, cette affaire familiale fondée en 1931 et qui s'installa au Cap d'Agde dans les années 1970, jouit d'une belle réputation. La déception est donc d'autant plus grande que l'adresse nous a été recommandée par nombre d'habitants. Le décor, sombre et froid, laisse place à une cuisine juste correcte, et manquant cruellement de finesse. Spécialités de poissons et de crustacés.

Renseignements

Office du tourisme (04 67 01 04 04 ; www.capdagde.com ; rond-point du Bon Accueil)

Le Grau d'Agde et La Tamarissière

À l'embouchure de l'Hérault, sur sa rive gauche, Le Grau d'Agde conserve le charme d'un authentique village de pêcheurs, frangé d'une jolie plage familiale, et d'une digue appréciée des promeneurs. Sur la rive opposée, qu'un système de passeurs vous permet de rallier, La Tamarissière vous permettra de vous baigner à l'ombre d'une pinède.

Renseignements

Office du tourisme (04 67 94 33 41 ; bd du Front-de-Mer)

PLAINE LANGUEDOCIENNE ET PARC RÉGIONAL DU HAUT-LANGUEDOC

Aux champs de vignes à l'horizon sans fin et aux paysages de garrigue et de pinède de la plaine languedocienne, percée d'un emblématique canal, succèdent au loin les majestueuses envolées montagneuses sculptées par l'eau de son parc régional. Et la sublime carte postale méridionale ne s'arrête pas là. Au bijou antique d'Ensérune répondent les médiévales Olargues, Pézenas et Valmagne, le canal du Midi et ses ouvrages, et l'architecture héritée d'une activité viticole prospère. Balades fluviales sur le canal, kayak en rivière, randonnées en montagne et baignade au cœur de gorges escarpées complètent cette destination de choix.

Pézenas

Petit bijou d'histoire niché dans les plaines viticoles, Pézenas est indissociable de l'image de Molière, au risque de s'y perdre un peu parfois. C'est que la ville, portée par le prince de Conti et sa Cour, fut, entre 1647 et 1657, la scène de prédilection du génialissime homme de théâtre et de sa petite troupe nomade. Ville de foires depuis le XIIIe siècle, siège des états généraux à partir de 1456, résidence de gouverneurs et autoproclamée "Versailles du Languedoc" depuis le XVIIe siècle, Pézenas n'était pourtant pas en mal d'héritage ni d'arguments touristiques. Et c'est bien au gré de ses ruelles médiévales, truffées de boutiques artisanales, et au-devant de ses majestueux hôtels particuliers des XVIIe et XVIIIe siècles, que se lisent les fruits de son histoire, et que la magie opère le mieux.

À voir

Pézenas s'appréhende au gré de sa ville ancienne classée et des majestueux hôtels particuliers qui parsèment sa ville moderne, laquelle s'est développée au sud de la place de la République aux XVIIe et XVIIIe siècles. Ne manquez pas la très animée **place Gambetta** dominée par la **Maison consulaire** (p. 88), dont la façade baignée de soleil en fin de matinée invite à investir l'une des terrasses pour le déjeuner. La **porte Faugères** (XIVe siècle, remaniée au XVIe siècle) est l'un des derniers vestiges de l'enceinte médiévale. Elle mène aux rues Émile-Zola, de la Foire et de la Triperie, bordées d'ateliers d'artistes et de petites boutiques avenantes. Dans la ville moderne, l'**hôtel Alfonce** (32 rue Conti ; se visite en été, 1 €) signale à même sa façade qu'"ici Molière joua la comédie pendant la session des États généraux du Languedoc, nov 1655-fév 1656", tandis que l'**hôtel de Malibran** (47 rue Denfert-Rochereau) déploie une remarquable façade ornée de macarons. L'office du tourisme propose une promenade très détaillée de la ville à travers un plan (voir p. 90).

Façade de l'hôtel de Malibran, Pézenas

CAROLE HUON ©

SCÉNOVISION MOLIÈRE Parcours-spectacle

(☎ 04 67 98 35 39 ; www.scenovisionmolière.com ; tarif plein/réduit 7/6 € ; 🕓 départs toutes les 15 min, juil-août tlj 9h-19h, sauf dim à partir de 10h, dernier départ à 17h45, nocturnes mer et ven jusqu'à 20h, dernier départ à 18h45, sept-juin tlj 9h-12h avec dernier départ à 10h45, et 14h-18h avec dernier départ à 16h45, sauf dim à partir de 10h). Considéré comme la visite phare de la ville, ce parcours-spectacle sur la vie de Molière émerveillera les enfants. Images en 3D, son et décors s'accordent, à travers cinq salles, pour recréer l'atmosphère de l'époque et partir à la rencontre de ses personnages illustres. Dans l'enceinte de l'hôtel de Peyrat, qui abrite aussi l'office du tourisme.

MUSÉE VULLIOD-SAINT-GERMAIN Arts décoratifs

(☎ 04 67 98 90 59 ; 3 rue Albert-Paul-Alliés ; 1 €, gratuit -18 ans, visite guidée sur demande ; 🕓 mar-dim juin-sept 10h-12h et 15h-19h, juil-août nocturnes mer et ven jusqu'à 21h, mi-fév à fin mai et début oct à mi-nov 10h-12h et 14h-17h30). Exposés dans le très bel hôtel Saint-Germain, demeure aristocratique du XIXe siècle, les macarons, sculptures et autres médaillons concentrent, avec les tapisseries d'Aubusson à l'étage, l'essentiel de l'intérêt du musée. C'est pourtant autour de Molière, auquel trois salles sont consacrées, que le musée fait sa publicité. Il exhibe en effet "l'autre fauteuil", qui serait, selon la légende, celui de Molière chez son barbier et ami Gély. Toujours selon la légende, l'emplacement de sa boutique se situerait à deux pas, au n°1 de la jolie place Gambetta. Vous trouverez par ailleurs toute une collection de faïences et de mobilier, ainsi que les reconstitutions de rigueur dans ce type de musée. Expositions temporaires.

GRATUIT **MAISON CONSULAIRE** Artisanat

(☎ 04 67 98 16 12 ; pl. Gambetta ; gratuit ; 🕓 juil-août tlj 10h-19h, nocturnes mer et ven jusqu'à 23h, mar-sam 10h-12h et 14h-18h le reste de l'année). Cette bâtisse, dont la façade massive domine la place Gambetta, résulte de trois phases de constructions, du début du XVIe à la fin du XVIIIe siècle. Si elle abrite les vestiges de la chapelle Saint-Roch (1652), la Maison consulaire, devenue Maison des métiers d'arts, fait surtout écho à la tradition artisanale de Pézenas. Associée depuis peu aux Ateliers d'arts de France, celle qui s'attachait à promouvoir jusqu'ici l'artisanat local devrait présenter à l'avenir des expositions de plus grande envergure (des travaux d'agrandissement étaient à l'étude lors de notre passage). Au moment de notre passage, l'exposition "pâtes blanches" et le cadre, magnifique, nous avaient déjà conquis.

Maison consulaire, Pézenas
CAROLE HUON ©

Vaut le détour
L'abbaye de Valmagne

(☎ 04 67 78 47 32 ; www.valmagne.com ; Villevayrac ; visite libre ou guidée tarif plein/réduit 7,80/5,50 € ; ⏲ mi-juin à fin-sept tlj 10h-18h, Pâques à mi-juin lun-ven 14h-18h, sam-dim 10h-18h, oct-Pâques tlj 14h-18h). Inscrite dans les vignobles et surnommée à juste titre "Cathédrale des Vignes" eu égard à l'excellent vin qu'elle produit, l'abbaye cistercienne de Valmagne, édifiée entre les XIIe et XIVe siècles qui furent aussi ceux de toutes ses richesses, est considérée comme l'une des plus belles de France. Admirablement préservée, sa pierre rosée, sublimée par le soleil couchant, conserve encore quelques stigmates de la Révolution et des guerres qui l'ébranlèrent. L'église gothique du XIIIe siècle (83 m de long sur 24 m de haut), inspirée des cathédrales du Nord, signe le début de la visite, suivie d'un cloître épuré et de sa splendide fontaine-lavabo (l'une des deux seules classées en France avec celle de Nîmes), de sa salle capitulaire, et, à sa sortie, d'un jardin médiéval reconstitué où il fait bon flâner. Possibilité de déjeuner sur place dans la **Ferme Auberge** (☎ 04 67 78 13 64 ; menu midi 17-25 €, menus 25/35 € ; ⏲ mi-juin à mi-sept tlj, sur réservation hors saison), qui propose aussi des dégustations de vin tous les jours en saison de 14h à 18h. Une magnifique visite, en dehors du temps.

Achats

Antiquaires et brocanteurs

Le **boulevard de Verdun** et la **rue Montagne** sont jalonnés d'antiquaires et de brocanteurs de qualité, propices à d'excellentes affaires.

Artisanat

Mosaïstes, ferronniers, potiers… le vieux Pézenas est émaillé de boutiques-ateliers d'artisans perpétuant un savoir-faire ancestral. À noter également l'atelier/showroom de la **Savonnerie Pézénas** (☎ 04 67 37 97 48, 06 28 38 48 48 ; www.savonnerie-pezenas.fr ; 8 pl. des États-du-Languedoc ; ⏲ mar-sam 10h-12h et 14h-18h, dim 14h-18h) en visite libre et gratuite.

Dans la tradition des foires médiévales, tous les mercredis et vendredis soir en saison, les artisans du centre-ville ouvrent leur boutique en nocturne jusqu'à minuit, donnant lieu à des démonstrations et des spectacles de rue.

Gourmandises

Outre son Coteaux du Languedoc réputé issu des meilleures vignes entourant la ville et, accessoirement, son berlingot, la grande vedette des lieux est incontestablement le **petit pâté de Pézenas** (ou bobine), dont on doit la recette sucrée-salée aux cuisiniers indiens du vice-roi des Indes, Lord Clive, venu ici en villégiature au milieu du XVIIIe siècle. Viande d'agneau, graisse de rognon, zeste de citron, muscade, cannelle, sucre… À Pézenas, chaque pâtisserie y va de son dosage pour confectionner les bobines et gagner le titre des meilleures.

Où se loger

DAUBINELLE Chambres d'hôtes €
(☎ 04 67 90 34 81 ; 9 rue des Litanies ; s/d/tr/qua 50-60/55-65/70-80/85-95 € selon ch et saison, gîte 299-439 € selon gîte et saison, menus midi 16-20 €, table d'hôtes 25 € ; ⏲ tte l'année ; wifi). Cette demeure du XIVe siècle, au calme d'une ruelle piétonne du vieux Pézenas, propose des chambres d'un excellent rapport qualité/prix, simples mais confortables, auxquelles les vieilles pierres confèrent un charme certain. Celle mansardée a tout du petit cocon. Également trois gîtes dans une maison

du XVe siècle fraîchement rénovée dans un esprit similaire (location à la semaine en saison, forfait week-end possible hors saison). Cave de dégustation voûtée et table d'hôtes assortie de produits du terroir (petits pâtés de Pézenas, huîtres de Bouzigues, etc.).

LE GRAND HÔTEL MOLIÈRE Hôtel central **€€**
(**04 67 98 14 00 ; www.hotel-le-moliere.com ; pl. 14-Juillet ; s/d/lits jum et tr/qua 69-79/79-89/99/109 € selon ch ; tte l'année**). Unique hôtel en plein centre de Pézenas, situé dans un hôtel haussmannien de la fin du XIXe siècle, ce trois-étoiles n'a pas résisté à la déferlante Molière. Le raffinement de l'entrée-salon, pas plus que le patio, ne parviennent à compenser une prestation par ailleurs globalement sombre. Internet dans les chambres.

HÔTEL DE VIGNIAMONT Chambres d'hôtes haut de gamme **€€€**
(**04 67 35 14 88 ; http://chambresdhoteslanguedoc.fr/ ; 5 rue Massillon ; d 95-140 € selon ch, petit-déj 9 € ; tte l'année ;**). Au raffinement apporté à la façade de cet hôtel particulier du XVIIe siècle couvert de lierre et autoproclamé à juste titre chambre d'hôtes de luxe, font écho de non moins splendides espaces intérieurs : patio avec fontaine, escalier classé monument historique, et chambres à la décoration d'antan justement dosée, pour un résultat coloré et tout en fraîcheur. Une dégustation de vin est proposée en fin de journée, pour échanger avec les charmants propriétaires et s'initier à quelques délices du terroir. Minimum de 2 nuits exigé ; petit-déjeuner maison et copieux. Une adresse très haut de gamme.

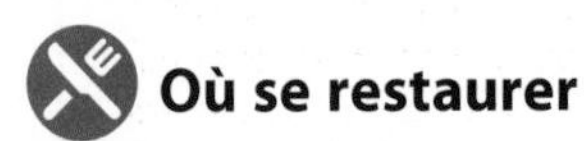

Où se restaurer

LE POISSON VERRE Menu compétitif **€€€**
(**04 67 90 29 26 ; 5 rue de la Foire ; plats 15-18 €, menu midi 15 €, menu enfant 8 € ; avr-sept tlj**). Une adresse pratique et sympathique, blottie au fond d'un porche de la ville ancienne, qui vaut surtout pour son cadre : une charmante petite cour intérieure haute en couleur et une salle dans le même ton. La cuisine aux accents méditerranéens, à base de poisson et de viande est correcte, le foie gras maison une bonne surprise, et l'ensemble vous fera passer un agréable moment à l'heure du déjeuner. Un petit bémol : le qualificatif maison accolé à certains desserts pose parfois question. CB non acceptée.

L'ENTRE-POTS Cuisine moderne **€**
(**04 67 90 00 00 ; 8 av. Louis-Montagne ; plat du jour 12 €, menus 22/27 € ; fermé dim et lun**). La salle lounge, tout en longueur et un peu sombre, laisse place à une très belle terrasse ombragée sur l'arrière, prise d'assaut aux beaux jours ; pensez à réserver. On travaille ici une cuisine du terroir moderne : dorade rôtie aux figues fraîches, faux-filet de bœuf de l'Aubrac, raviolis de ricotta aux herbes... Le plat du jour, qui avait le mérite d'être copieux, nous a un peu déçus, là où l'adresse a part ailleurs très bonne réputation.

Renseignements

Office du tourisme (**04 67 98 36 40 ; www.pezenas-tourisme.fr ; pl. des États-du-Languedoc**). L'office délivre un plan de la ville gratuitement, mais optez pour l'**audioguide** (5 €) ou le **plan détaillé** (2 €), très complet. L'office du tourisme organise des **visites guidées thématiques** (+12 ans 6 € ; tlj 17h en saison sauf sam 11h, seulement mer hors saison), des **jeux de piste** (adulte/8-14 ans 6/2,50 € ; mer) à réaliser en famille et auxquels toute la ville se prête joyeusement, ainsi que des **visites théâtralisées** (adulte/-12 ans 12/5 €, mar soir).

Béziers

Construite sur un promontoire en surplomb de l'Orb, bordée par le canal du Midi et berceau de son génial inventeur Paul Riquet, la capitale du Languedoc viticole conserve un faible héritage de son histoire ancienne (elle fut saccagée pendant la croisade des albigeois en 1209). À la fin du XIXe siècle, la prospérité née de l'essor de la culture de la vigne

FRED 34560/FOTOLIA ©

se concrétise par des aménagements prestigieux portant la marque de grands noms comme Injalbert. Mais la crise viticole de 1907, dont Béziers est l'épicentre, annonce un déclin dont la ville ne semble pas encore complètement remise, si l'on en juge par l'insalubrité des logements du centre ancien. Aujourd'hui, les nouveaux quartiers dominés par le Polygone, centre commercial flambant neuf, semblent avoir accaparé toutes les attentions.

Béziers, avec d'excellentes tables, un hôtel de qualité et quelques musées dignes d'intérêt, fera cependant une halte très pratique pour partir à la découverte du formidable musée de Sérignan (voir p. 95), de la vallée de l'Orb (voir p. 98) et du canal du Midi (p. 94), dont elle abrite d'ailleurs certains des plus beaux ouvrages.

À voir

Les **allées Paul-Riquet**, promenade créée en 1827 filant sur 600 m, bordée de platanes et abritant en son cœur la statue de celui dont elle prend le nom, constituent le centre névralgique de la ville. L'endroit a un peu perdu de sa superbe, mais le marché aux fleurs qui s'y tient tous les vendredis de 7h à 18h tend à le réhabiliter. Au Théâtre (1844) de son extrémité nord, répond le **plateau des Poètes** (1870) sur son flanc sud, agréable jardin public à l'anglaise conçu par les frères Bühler, et orchestré par la fontaine du Titan d'Injalbert.

Au sud-ouest des allées Paul-Riquet, se déploie le centre ancien, son dédale de ruelles, ses musées (un pass vendu 6 € donne accès à l'ensemble des musées) et ses principaux monuments. Le **quartier des arènes romaines** (**rue du Moulin-à-l'huile**), datant du Ier siècle après J.-C. et seul témoin de l'époque antique, vient d'être réhabilité et s'est ouvert au public. Il ne demeure que peu de vestiges, mais le quartier médiéval restauré sur son pourtour semble inaugurer une reconquête devenue urgente des quartiers anciens.

CATHÉDRALE SAINT-NAZAIRE Art gothique

(**cathédrale juil-août 9h-17h30, 9h-12h et 14h30-17h30 le reste de l'année ; jardin et cloître avr à mi-oct 10h-19h, mi-oct à mars 10h-12h**

et 14h-17h30). Siège épiscopal à partir du VIIIe siècle, cet édifice bâti dans le style roman fut endommagé pendant le sac de Béziers en 1209. Aux XIIIe et au XVe siècles, des travaux lui donnèrent son allure de forteresse gothique, symbole du triomphe sur les cathares. À l'entrée, une vidéo de 6 minutes et un plan détaillé vous en faciliteront la lecture : phases de construction, historique et éléments clés de son intérieur (rosace monumentale, orgue de Guillaume Ponchet, scènes de la vie de saint Étienne, voûte gothique de la sacristie, etc.). On accède au cloître situé au sud de l'église par une entrée indépendante. Inachevé, il date du XIVe siècle et permet de rejoindre le jardin des Évêques (XVIIIe siècle), jardin à la française offrant une jolie vue en surplomb de la vallée de l'Orb. Cet ensemble, très mal entretenu au moment de notre passage, avait tout l'air d'avoir été laissé à l'abandon.

MUSÉE DES BEAUX-ARTS — Beaux-Arts

(tarif plein/réduit 2,90/1,95 € ; mar-dim juil-août 10h-18h, avr-juin et sept-oct 9h-12h et 14h-18h, nov-mars 9h-12h et 14h-17h). Le musée des Beaux-Arts de Béziers se compose de deux entités, distantes de moins de 100 m. L'**hôtel Fabrégat (04 67 28 38 78 ; pl. de la Révolution)**, qui subissait des travaux visant à réaménager son entrée au moment de notre passage, présente une belle collection de peintures allant du XVe au XIXe siècle, ainsi qu'un incroyable fonds d'art contemporain, recelant rien de moins qu'un Dufy, un Chirico et des Kisling. Issu en grande partie de la collection de peintures moderne de Jean Moulin (autre natif célèbre de Béziers) léguée par sa sœur en 1975, le fonds dévoile également les dessins satiriques du grand résistant, dont la facette artistique demeure méconnue.

L'**hôtel Fayet (04 67 49 04 66 ; rue du Capus)** consacre quant à lui l'œuvre du grand sculpteur de la ville et enfant du pays Jean-Antoine Injalbert (voir p. 93), au sein d'un très bel hôtel particulier du XIXe siècle. Ses sculptures sont présentées au milieu de salons du XVIIIe siècle et d'œuvres picturales de la fin du XIXe siècle. Agréable jardin intérieur dévolu à des représentations culturelles.

MUSÉE DU BITERROIS — Histoire locale

(04 67 36 81 61 ; rampe du 96e ; tarif plein/réduit 2,90/1,95 € ; mar-dim juil-août 10h-18h, avr-juin et sept-oct 9h-12h et 14h-18h, nov-mars 9h-12h et 14h-17h). Installé dans l'ancienne caserne Saint-Jacques, ce musée présente sur un vaste espace de 3 000 m² l'histoire du pays biterrois, de la préhistoire à nos jours. Les collections ont le mérite d'être épaulées par de nombreux panneaux explicatifs très bien pensés, là où les musées du genre en pâtissent souvent cruellement. L'épisode cathare y est abordé et une salle "Béziers et le canal du Midi" permet une humble mais intéressante introduction au canal, notamment aux neuf écluses (voir p. 94). Avec ses sarcophages en marbre blanc, ses chapiteaux,

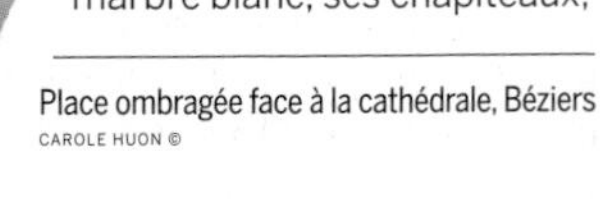

Place ombragée face à la cathédrale, Béziers
CAROLE HUON ©

Injalbert, le maître sculpteur

Jean-Antoine Injalbert (1845-1933), né à Béziers et fils d'un tailleur de pierre, fut l'un des sculpteurs les plus prolifiques et les plus connus de sa génération. Il fut gratifié du prix de Rome en 1874, puis membre de l'académie des Beaux-Arts. Béziers demeure sa plus grande vitrine. En plus des collections de l'hôtel Fayet, le **Cimetière Vieux** (av. du Cimetière-Vieux, 8h-17h45), le plateau des Poètes et, par-dessus tout, les **jardins publics de la villa Antonine** (pl. Injalbert ; mai-sept 10h-19h, oct-avr 10h-17h30), sa résidence d'été, offrent au regard et à ciel ouvert une belle concentration des sculptures classiques du maître.

ses bas-reliefs et ses vases d'Ensérune, la première partie de la chronologie est la plus intéressante. Le Trésor de Béziers, trois plateaux d'argent mis au jour au cœur des vignes au nord de Béziers, devrait retrouver son emplacement en 2013. Expositions temporaires.

Notez également la présence d'un Muséum d'histoire naturelle.

ESPACE PAUL-RIQUET Expositions temporaires
(☎04 67 28 44 18 ; 7 rue Massol ; tarif plein/réduit 2,90/1,95 € ; ⏲juin-sept mar-dim 10h-18h, juil-août nocturne le jeu jusqu'à 21h, oct-mai mar-ven 10h-17h, sam-dim 10h-18h). Situé dans l'ancien couvent des Dominicains, l'espace Paul-Riquet se consacre entièrement aux expositions temporaires, sans fil directeur. Au moment de notre passage, l'exposition sur la franc-maçonnerie était sans intérêt.

Activités

Pour goûter aux plaisirs balnéaires, cap sur **Valras-Plage**, à seulement une quinzaine de kilomètres au sud de Béziers, port de pêche devenu port de plaisance et station propice aux échappées des Biterrois. Vous y trouverez tout un panel d'activités, dont une école de voile. Outre ses 4 km de plages, le **site protégé des Orpellières**, sur l'autre rive de l'Orb (passeur en juillet-août), déploie, sur les communes de Valras et de Sérignan, ses 150 ha de cordon dunaire et sa plage préservée.

LES BATEAUX DU MIDI Canal du Midi
(☎04 67 36 51 24 ; www.lesbateauxdumidi.com ; 14 rue des Écluses ; adulte/enfant 9/5 €). Pour une excursion sur le canal du Midi jusqu'au tunnel de Malpas (voir p. 97), et le passage des écluses de Fonséranes (voir p. 96 ; descente départ à 14h30, montée départ à 16h15).

Où se loger

HÔTEL DES POÈTES Hôtel de charme €
(☎04 67 76 38 66 ; www.hoteldespoetes.net ; 80 allées Paul-Riquet ; s éco/s et d/tr/qua 40/45-70/68-78/90 € ; wifi P). De loin le meilleur rapport qualité/prix de Béziers. Idéalement placé dans une impasse en surplomb du plateau des Poètes et de l'écrin de verdure qu'il forme, cet hôtel pimpant et plein de charme, entièrement sur parquet et sur quatre étages, propose des chambres lumineuses et immaculées, certaines ouvrant sur le parc. Celles du dernier comportent les petites chambres éco ; l'absence d'ascenseur explique les prix. Rare dans un hôtel : un petit-déjeuner qui s'accompagne de quelques produits maison. Accueil très chaleureux, semblable à celui recherché dans une chambre d'hôtes.

HÔTEL IMPERATOR Hôtel confort €€
(☎04 67 49 02 25 ; 28 allées Paul-Riquet ; s/d/tr/qua/supérieure 68-78/78-88/72-92/99/125 € ; wifi P). Un autre hôtel très central sur les allées Paul-Riquet. Il dissimule derrière une majestueuse façade, 45 chambres

tout confort et bien proportionnées mais à la décoration un brin passée pour certaines, ainsi qu'un agréable patio intérieur, contrebalançant des espaces communs parfois un peu sombres.

Où se restaurer et prendre un verre

LE CHAMEAU IVRE Bar à vins et tapas **€**
(**04 67 80 20 20 ; 15 pl. Jean-Jaurès ; tapas 3,50-7 €, plats 9-18 € ; fermé dim et lun**). Logé sur une place cernée d'habitations aux tons pastel, ce bar à vins est idéal pour déguster un verre agrémenté d'excellentes tapas à l'heure de l'apéro. Anchoïade ou tapenade en dégustation, assiettes de fromage, de charcuterie ou plats plus élaborés s'apprécient autant en terrasse sur des chaises hautes qu'à l'intérieur tout en boiseries.

L'AUTREMENT Perle rare **€€**
(**04 67 80 35 10 ; 15 pl. Jean-Jaurès ; formule midi/soir 12-22/22 €, plats 18-30 €, menu enfant 12 €; fermé dim et lun**). Juste à côté du Chameau Ivre, une tout autre ambiance pour ce restaurant, nouveau venu sur Béziers, au cadre lounge et, disons-le simplement, l'une des meilleures tables de tous les environs. Avec en prime un menu unique à 22 €, le rapport qualité/prix est imbattable ! Nous nous sommes régalés, au moment de notre passage, de côtes d'agneau grillées agrémentées d'artichauts et de *piquillos* farcis de haricots cocos sur un jus tranché au pesto. Inventif et fin. Allez-y les yeux fermés !

LE PETIT MONTMARTRE Pépite sans prétention **€€**
(**04 67 80 35 10 ; 2 pl. de la Madeleine ; 1 cours Winston-Churchill, plat du jour 12 €, menus 20/24 €; fermé sam midi et lun**). Adjacent à la magnifique église de la Madeleine (XIe-XIVe siècle), un petit restaurant sans prétention à l'intérieur couvert de rouge, distillant une cuisine très raffinée. Poêlée de saint-jacques au poivre de Java, tiramisu à la framboise... une autre excellente adresse à prix doux. Service chaleureux ; clientèle d'habitués.

OCTOPUS Gastronomique **€€€**
(**04 67 49 90 00 ; 12 rue Boieldieu ; plat du jour 14 €, menus midi 22-30 €, menus 30-75 €, menu enfant 13 € ; fermé dim et lun**). L'adresse gastronomique de Béziers a son lot d'inconditionnels. Dans des salles intimes et feutrées ou sur la terrasse ensoleillée, vous dégusterez des plats inventifs et joliment présentés, assortis d'une superbe carte des vins. Au menu, salade de cocos de Paimpol, filet de chinchard de pays juste voilé, encornets de petit bateau et thon rouge du Pays basque, granité d'ananas, etc. Les menus du midi incluent un verre de vin et un café. Une excellente adresse, au service impeccable et très chaleureux.

Achats

LES HALLES Marché couvert
(**pl. Pierre-Semard ; mar-dim 6h-13h**). Construites entre 1889 et 1891, ces halles Art déco directement inspirées des halles Baltard abritent un marché couvert faisant la part belle aux produits du terroir.

Renseignements

Office du tourisme (**04 67 76 20 20 ; www.beziers-mediterranee.com ; 1 av. du Président-Wilson**). La Maison du tourisme et des vins, située à deux pas du plateau des Poètes, borde les allées Paul-Riquet. Elle organise des visites guidées et divulgue un plan succinct mais pratique de la ville, suggérant quatre promenades patrimoniales. Wi-Fi.

Le canal du Midi, de Béziers aux confins de l'Hérault

Les 240 km du canal du Midi reliant Toulouse à Sète (voir p. 74) sont émaillés de 328 ouvrages d'art qui portent en eux le génie de Riquet, Biterrois d'origine et instructeur génial du canal. Portion la plus grande sans écluses, le Grand Bief coule entre les écluses de Fonséranes, prouesse architecturale en amont de Béziers, et Argents-Minervois, dans l'Aude, sur

CAROLE HUON ©

À ne pas manquer Le musée régional d'Art contemporain de Sérignan

La petite ville de Sérignan dissimule un insoupçonnable musée. Au cœur de 2 700 m² d'espace d'exposition se déploie une collection d'art contemporain d'envergure internationale auxquelles font écho des expositions temporaires de haute volée, programmées tous les quatre mois. Ses extérieurs donnent le ton : la *Rotation* de Buren (crée en 2006 pour l'ouverture du musée) encercle le musée et distille à travers ses vitrages un jeu de lumière évolutif qui se propage à même ses intérieurs, quand les *Femmes fatales*, fresque narrative d'Erró, emprunte à l'univers des comics pour colorer tout un pan de sa façade. Au moment de notre passage, l'exposition "Marcher dans la Couleur" présentait l'installation monumentale *Red Eye* du génialissime James Turrell, artiste américain de renommée mondiale, et il était question de pérenniser l'œuvre tout en perspective de l'artiste suisse Felice Varini, s'appropriant l'entrée du musée. Le fonds permanent, fort d'environ 400 œuvres, tourne tous les ans selon une scénographie très accessible et savamment pensée, *La Cabane* de Buren en guise de chef d'orchestre perpétuel. L'espace comprend également un atelier d'arts graphiques, trésor d'œuvres qui se détachent sur un fond lumineux et que l'on contemple à mesure que l'on perce ses tiroirs. On ne saurait trop vous conseiller de prendre part aux passionnantes visites guidées (mer 11h et dim 15h en saison, seulement le dim hors saison) qui y sont organisées, ou de faire en sorte que vos enfants puissent participer à ses nombreux stages et ateliers (3 €, mer hors vacances scolaires) ; réservez bien à l'avance. Espace bibliothèque ; programmation de performances et de concerts.

Pour prolonger le rêve, gagnez à la nuit tombée la salle de spectacle La Cigalière pour admirer, sur son pourtour, la douce symphonie de lumière que composent les colonnes du *Rayonnant* de Buren.

INFOS PRATIQUES

04 67 32 33 05 ; http://mrac.languedocroussillon.fr ; 146 av. de la Plage ; 5 €, gratuit -18 ans ; mar-ven 10h-18h, sam-dim 13h-18h

54 km. Outre ses écluses, tunnels et autres ponts propices à des balades fluviales de charme et ménageant des paysages de carte postale, ses berges, bordées de peupliers et de platanes en enfilade, de vigne, de garrigue et de pinède, invitent à d'autres activités et à d'autres percées, historiques cette fois.

À voir

Écluses de Fonséranes

Le troisième site le plus visité du Languedoc-Roussillon est une attraction en soi. Sa prouesse architecturale le consacre comme l'un des ouvrages les plus spectaculaires du canal. Pensé par Riquet pour pallier un dénivelé séparant le site de l'Orb, le projet donna naissance à cet hypnotique escalier d'eau, dont les portes, actionnées manuellement, s'ouvrent et se referment manuellement au gré d'un ballet de bateaux savamment orchestré par les éclusiers. S'étirant sur près de 300 m, ce sont à l'origine 9 écluses et 8 bassins qui opéraient pour gagner un dénivelé de plus de 21 m, là où 6 écluses sont aujourd'hui à l'œuvre sur un dénivelé de presque 14 m.

Du centre de Béziers, prendre la direction de Narbonne et, le pont Neuf passé, emprunter les rues du Canal puis des Écluses. Du Polygone ou de la gare, la ligne 9 des bus urbains permet de rallier les écluses de Fonséranes.

Pont-canal de l'Orb

Immédiatement à l'ouest de Béziers, cette œuvre monumentale et classique d'Urbain Magues, inaugurée en 1857, fut pensée a posteriori pour permettre aux bateaux naviguant sur le canal de franchir l'Orb plutôt que d'en emprunter le cours, à un endroit jusqu'alors réputé périlleux. Large de 15 m, ses arches se succèdent sur près de 200 m de longueur.

Du Polygone ou de la gare, la ligne 9 des bus urbains permet de rallier le pont-canal (à 800 m des 9 écluses en suivant le canal du Midi en direction de Béziers).

Oppidum d'Ensérune et ses alentours

Depuis l'oppidum d'Ensérune, de magnifiques vues se dégagent sur la voie Domitienne, axe politique et commercial datant de la conquête par Rome de la Gaule méridionale, ainsi que sur le découpage géométrique, semblable à une immense roue, de l'ancien étang de Montady (voir p. 97).

Il est également possible de faire le tour d'Ensérune à pied, avant de prendre toute la mesure du site depuis les hauteurs de l'oppidum. Au gré de 8,5 km de sentier (balisage jaune) et de 3 heures de marche facile, vous longerez la voie Domitienne, le canal, l'étang de Montady et le tunnel de Malpas (voir p. 97). Renseignez-vous à La Maison du Malpas (voir p. 98).

Le site se situe à 15 km au sud-ouest de Béziers, en empruntant la D11. En saison, vous devrez garer votre voiture sur des parkings aménagés en contrebas de l'oppidum, avant de le rejoindre à pied.

OPPIDUM D'ENSÉRUNE Site archéologique

(☎ 04 67 37 01 23 ; http://enserune.monuments-nationaux.fr/ ; Nissan-lez-Ensérune ; tarif réduit/plein 4,50/7,50 € ; ⏲ mai-août 10h-19h, avr et sept 10h-12h30 et 14h-18h, oct-mar 9h30-12h30 et 14h-17h30).
L'oppidum d'Ensérune est l'un des sites archéologiques les plus importants de la région. Perché sur une colline, il fut habité dès le VIe siècle av. J.-C. avant d'être délaissé au profit d'un habitat de plaine au Ier siècle de notre ère. L'ensemble du site permet de découvrir les différentes phases d'habitat, d'un bâti dispersé à l'élaboration d'une véritable ville dotée de sa nécropole. L'ensemble du site est jalonné de panneaux explicatifs. Une visite audioguidée est possible, mais n'hésitez pas à prendre part à la remarquable visite guidée. Toutes les fabuleuses découvertes archéologiques, leur lot de monnaies et de céramiques réalisées sur le site, ont été rassemblées dans le musée, qui s'agrémente d'une excellente vidéo diffusée à l'étage.

ÉTANG DE MONTADY Site naturel

Dans la vague d'assèchement des étangs que connut la France au XIIIe siècle, celle de l'étang de Montady (la RD162E1 mène au village éponyme) intervint dans l'optique qu'il soit exploité en culture entre 1250 et 1270. Aux confins de ses 430 ha de terre, des fossés de drainage permettent de ramener l'eau jusqu'à un fossé central, le Redondel. Un aqueduc souterrain représentant 10 km de canalisation œuvre ensuite à l'écoulement des eaux. Ce système confère un découpage géométrique à l'ensemble du site, dont on ne peut prendre toute la mesure que depuis les hauteurs de l'oppidum (voir p. 96) ou le village de Montady.

TUNNEL DU MALPAS Ouvrage d'art

Ouvrage unique sur le canal du Midi, situé au pied de l'oppidum d'Ensérune, le tunnel du Malpas (accessible par la RD162E3 depuis Colombiers) perce une montagne, celle d'Ensérune, caractéristique qui lui a valu son nom (Malpas signifie mauvais passage). À l'époque, Riquet, passant outre les interdictions de Colbert, fit venir des ouvriers pour assurer une percée à même le roc de près de 200 m. Le tunnel sera achevé en 1680. Aujourd'hui, trois tunnels s'y rejoignent : au point le plus haut, celui du canal du Midi, au milieu, la voie de chemin de fer (1854-1856) et, au niveau le plus bas, les canalisations œuvrant à l'évacuation des eaux de l'étang de Montady.

Activités

Pour partir à la découverte du canal, à même ses eaux ou depuis ses berges, cap sur **Capestang**, centre névralgique des activités qui lui sont liées. Vous trouverez d'ailleurs un excellent office du tourisme entièrement consacré au canal, à même son charmant port de plaisance.

Bateau

Le Grand Bief se prête idéalement à une première navigation, puisqu'il évite les frayeurs habituelles liées au passage des écluses. Deux prestataires situés sur le port de Capestang, **France Fluviale** (04 67 39 21 66 ; www.francefluviale.com ; quai Élie-Amouroux ; avr-oct) et **Hapimag**

Canal du Midi

CAROLE HUON ©

(☎04 67 39 21 66 ; www.francefluviale.com ; quai Élie-Amouroux ; avr-oct), louent des bateaux sans permis, à la semaine ou sur un week-end.

La **capitainerie** (☎04 67 00 31 04 ; quai Élie-Amouroux ; avr-oct) loue quant à elle des bateaux électriques sans permis pour 1 heure (28-35 €), une demi-journée (75-90 €) ou une journée (140 €) de navigation (4 à 7 pers/bateau).

Pour des croisières thématiques commentées, adressez-vous aux Bateaux du Midi à Béziers (voir p. 93).

Vélo

Les 240 km de chemins de halage qui bordent le canal sont accessibles aux vélos. Vous pourrez en louer à la capitainerie (voir ci-dessus).

Renseignements

Office du tourisme du canal du Midi (☎04 67 37 85 29 ; www.tourismecanaldumidi.fr ; quai Élie-Amouroux). Situé à Capestang dans la maison cantonnière, un ancien relais de poste, cet excellent office du tourisme met à disposition de nombreuses cartes et dépliants à la découverte du canal et de ses berges. Personnel accueillant, efficace et très informé.

La Maison du Malpas (☎04 67 32 88 77 ; www.ladominitienne.com ; rte de l'Oppidum, Colombiers), en amont de l'oppidum d'Ensérune, organise des visites guidées, fournit un plan du site et saura vous aiguiller sur le sentier de randonnée. Expositions, manifestations, visites guidées et conférences.

Vallées de l'Orb et du Jaur

Au nord-ouest de Béziers, au cœur du parc régional du Haut-Languedoc, les vallées de l'Orb et de la Jaur sont des étapes de charme, propices aux activités sportives et baignées d'histoire. Aux paysages montagneux exceptionnels et façonnés par l'eau qui les caractérisent, répondent de typiques villages médiévaux fleuris aux ruelles tortueuses, bordés de vignes et étagés sur ses berges. En toile de fond, omniprésent, le plateau du mont Caroux, arborant la forme d'une femme

À gauche et ci-dessous : Village médiéval d'Olargues
(À GAUCHE ET CI-DESSOUS) CAROLE HUON ©

allongée, semble toiser les vallées, tout en les teintant de sa légende, celle de la déesse Cébenna, condamnée par Zeus, et venue y mourir par amour.

À voir

Roquebrun, dont les maisons typiques s'étagent en bordure de l'Orb, se targue d'un microclimat qui favorisa l'émergence d'un vignoble d'exception, autant que l'implantation d'un charmant **Jardin méditerranéen (** **04 67 89 55 29 ; www.jardin-mediterraneen.fr ; rue de la Tour ; juil-août tlj 9h-19h, mai-juin et sept tlj 9h-12h et 13h30-17h30 sauf sam matin, mi-fév à fin avr et début oct à mi-nov tlj 9h-12h et 13h30-17h30 sauf sam et dim matin)** faisant la part belle aux mimosas, au pied de sa tour médiévale (X^e^-XIe siècle). Empruntez la D14 qui suit le cours de l'Orb et ménage d'extraordinaires points de vue sur la vallée (possibilité d'y garer sa voiture). Au fil de la route, vous longerez le pittoresque hameau de **Ceps**, puis l'immanquable village de **Vieussan**. Étagé sur un promontoire à la manière d'un amphithéâtre, il fait face à la vallée et surplombe les vignes. Le village conserve de nombreux vestiges médiévaux des XIIe et XIIIe siècles, dont une tour, visible depuis la route, qui ménage de splendides points de vue sur le mont Caroux. Vous ne pourrez y accéder qu'à pied, au gré de ses ruelles tortueuses agrémentées d'anciennes variétés de roses.

Vous parviendrez au Moulin de Tarassac après avoir franchi le pont éponyme (1870), point de jonction avec les gorges escarpées d'Héric (p. 101), en face, auxquelles on accède via Mons-la-Trivalle, et avec la vallée de la Jaur, filant en direction d'Olargues.

Olargues est une pépite médiévale magnifiquement préservée, perchée sur un promontoire au sud des monts de l'Espinouse, et qui, en plus d'être classée parmi les plus beaux villages de France, se targue d'abriter une table remarquable (voir ci-dessous). Cernée sur trois de ses flancs par la Jaur, le pont du Diable (XIIe siècle) consacre la plus belle des entrées, et vous vous plairez à gravir ses ruelles, égayées de pimpants abricotiers, jusqu'à sa tour-clocher du XIIIe siècle et les ruines de son ancien château. Vue magistrale sur le Caroux. En redescendant, vous pourrez visiter le petit **musée des Arts et Traditions** (**04 67 97 71 26 ; escalier de la Commanderie ; gratuit ; juin-sept tlj sauf lun 15h-18h**).

En prolongeant votre incursion le long de l'Orb depuis Tarassac, vous rejoindrez **Lamalou-les-Bains**, riche et animée ville thermale, dépourvue du cachet historique de ses voisines. Elle abrite néanmoins, à 200 m en amont de l'entrée de la ville, l'église de Rhèdes, joyau de l'art roman toujours en place, construit sur les fondations d'un sanctuaire chrétien du IVe siècle. L'office du tourisme vous en remettra les clés contre une pièce d'identité. Ce dernier est un excellent point d'information pour effectuer la randonnée jusqu'au sommet du Caroux via le hameau de Douch (voir l'encadré ci-contre).

Activités

Baignade

Les berges aménagées aux abords de Ceps et de Roquebrun permettent de se baigner dans l'Orb. Les gorges d'Héric (voir p. 101) sont un autre site prisé, mais vous devrez vous acquitter d'une bonne marche avant d'accéder à un spot de choix.

Kayak

La vallée de l'Orb ne se découvre jamais mieux qu'en kayak. Deux prestataires proposent des parcours adaptés, à la journée ou en bivouac, **Canoë-Tarassac** (**04 67 97 74 64 ; www.canoe-tarassac.com ; Moulin de Tarassac, Mons-La-Trivalle**), dans le moulin éponyme, à Mons-la-Trivalle, et **Grandeur Nature** (**04 67 89 52 90 ; www.canoeroquebrun.com ; chemin de la Roque**), à Roquebrun.

Vélo

La portion de la vallée de l'Orb, filant de Roquebrun à Taransac, le long de la très vallonnée D14, se prête parfaitement au vélo.

La voie verte Passa Païs est également une excellente option. Aménagée sur l'ancienne voie ferrée reliant Bédarieux à Mazamet (Tarn), elle offre en tout 60 km de promenade équestre, cycliste ou pédestre, notamment le long de la Jaur, et permet de rejoindre le magnifique village d'Olargues. Entre Mons-la-Trivalle et Bédarieux, 20 km supplémentaires sont en cours d'aménagement.

Pour louer des vélos, adressez-vous à **Vélo Caroux Haut-Languedoc Nature** (**06 45 12 52 50 ; www.velo-haut-languedoc.fr ; Loungaïrou ; RD 908**) à Mons-la-Trivalle, proposant également des randonnées encadrées, ou à **Oxygène** (**04.67. 97 87 00 ; chemin de Coulayro**), à Olargues.

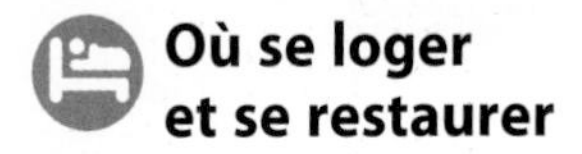

Où se loger et se restaurer

FLEURS D'OLARGUES Restaurant et chambres d'hôtes **€€**
(**04 67 97 27 04 ; www.fleurs-de-olargues.com/index_fre.html ; pont du Diable ; plat du jour 14 €, menu midi 22 €, menus 29/35 € ; ch basse saison/haute saison 70-90/80-100 €** ;). Cette adresse familiale, tenue par des Danois et marquant, de part et d'autre, l'entrée du pont du Diable, est sans conteste l'une des meilleures escales gastronomiques du département. Face à ce qui constitue la plus belle vue sur Olargues, à l'ombre d'une pergola couverte de chèvrefeuille, on vous sert sans chichis de fines partitions sucrées-salées faisant écho à des énoncés plus poétiques les uns que les autres. De l'autre côté du pont, une ancienne auberge de relais transformée en maison d'hôtes au charme très british. Certaines chambres ont vue sur la rivière. En contrebas de la bâtisse, des hamacs sont suspendus à l'ombre, en bordure de rivière, au pied du pont.

Randonnées au mont Caroux

Très réputé auprès des randonneurs, le plateau du mont Caroux, culminant à 1 091 m, dévoile des paysages montagnards typiquement méditerranéens. À condition d'être matinal, vous y observerez peut-être des mouflons, l'animal emblématique des lieux, évoluant au cœur de sa tourbière. La vue, superbe depuis la table d'orientation, s'étend, lorsque le ciel est dégagé, du mont Ventoux aux Pyrénées. Évitez de vous y rendre en cas de brouillard, et munissez-vous de tout le matériel nécessaire, notamment de bonnes chaussures, le terrain étant rocailleux (surtout depuis les gorges d'Héric).

PAR LE HAMEAU DE DOUCH

Dernier village avant le sommet, le hameau de Douch paraît abandonné, n'était une boîte aux lettres suspendue à la vieille pierre. Faites-y un détour pour admirer l'église Sainte-Marie (Xe-XIe siècle). Ce point de départ permet un circuit en boucle, totalisant 3 heures de marche et un dénivelé de 310 m. C'est le moyen le plus simple d'arpenter le plateau et d'en atteindre le sommet. Garez-vous sur le parking (obligatoire), précédant l'entrée du village, et suivez le balisage jaune.

Pour rejoindre Douch, prenez la direction d'Olargues, bifurquez sur la droite à l'embranchement de Poujol-sur-Orb, traversez Combes puis gagnez Rosis et Douch.

PAR LES GORGES D'HÉRIC

Le balisage jaune du sentier suit les gorges d'Héric, lesquelles façonnent l'Espinouse sur 4 km avant de se jeter dans l'Orb au niveau de Mons-la-Trivalle. Le chemin, pentu et cahoteux, est jalonné de gouffres et de cascades, formant ici et là des piscines naturelles appréciées des baigneurs, en particulier le gouffre du Cerisier : 5 km, 315 m de dénivelé et 1 heure 30 à 2 heures de marche à un rythme normal séparent le début du sentier du hameau d'Héric. De là, vous pourrez gagner le sommet du mont Caroux, au terme d'une ascension difficile de 3 km. Pour l'ensemble de la randonnée, aller-retour, comptez 5 heures 30 à 6 heures de marche.

Entre Olargues et Lamalou-les-Bains, prendre la direction de Mons-la-Trivalle et suivre le fléchage jusqu'aux gorges d'Héric. Un parking payant en été (3 €) et une buvette vous y attendent. Vous trouverez un point info à Mons-la-Trivalle.

Renseignements

Office du tourisme du Caroux en Haut-Languedoc (www.ot-caroux.fr) Roquebrun (☎ 04 67 97 79 97 ; av. des Mimosas) ; Olargues (☎ 04 67 97 71 26 ; av. de la Gare) ; Mons-la-Trivalle (☎ 04 67 97 78 22 ; av. de la Gare)

Office du tourisme de Lamalou-les-Bains (☎ 04 67 95 70 91 ; www.ot-lamaloulesbains.fr ; 1 av. Capus)

LODÉVOIS ET CONFINS DU LARZAC

Partie la plus au nord du département, à mi-chemin entre ses plaines viticoles et le haut plateau du Larzac, le Lodévois et ses confins affichent une géographie et une géologie singulière qui honorent les amoureux de la nature. Des eaux du lac du Salagou à la roche rouge qui les enserre, des parois vertigineuses et calcaires des cirques de Mourèze et de

Navacelles aux oasis de verdure qu'ils renferment, randonneurs, cyclistes, amateurs de sports nautiques autant que contemplatifs se délecteront. Relativement préservée des aléas de l'histoire, la petite cité de Lodève, qui se dote aussi d'un excellent musée et, non loin, d'un bijou d'art roman, en est l'étape tout indiquée.

Lodève

Classée ville d'art et d'histoire depuis 2006, Lodève, ancienne cité épiscopale influente jusqu'à la Révolution puis capitale avérée du textile, se targue d'une imposante **cathédrale** (l'essentiel des volumes d'aujourd'hui date du XIVe siècle) toujours en place, d'un excellent musée (voir ci-contre) et, depuis 1966, elle abrite la **Manufacture nationale de la savonnerie** (voir p. 103), unique annexe en France de la Manufacture nationale de tapis. La ville, posée au fond d'une vallée au confluent de la Lergue et de la Soulondres, constitue une étape agréable pour partir à la découverte des merveilles naturelles et patrimoniales qui l'entourent.

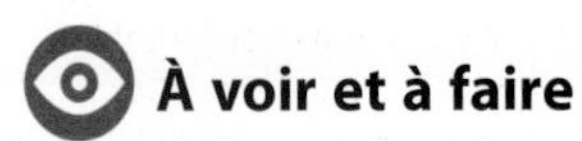

À voir et à faire

MUSÉE DE LODÈVE Art et histoire

(**✆ 04 67 88 86 10 ; square Georges-Auric ; tarif plein/réduit 7/5,50 €, gratuit -12 ans, visite commentée 1 € ; ⏲ mar-dim 10h-18h, juil-août nocturnes jusqu'à 22h**). Installé dans le splendide hôtel particulier (XVIe-XVIIe siècle, remanié au XVIIIe siècle) du cardinal Fleury (premier ministre de Louis XV à laquelle la ville doit le début de son expansion dans le textile), le musée de Lodève n'a pas usurpé sa réputation. À son fonds permanent en archéologie, géologie, antiquité et paléontologie, auquel s'ajoutent des œuvres de Paul Dardé (sculpteur né en 1888 et mort à Lodève en 1963, qui gratifia la ville de son génie créatif), s'adjoignent deux expositions temporaires d'envergure par an, l'une en été, l'autre en hiver ; de récurrentes expositions d'art contemporain leur font office de préambule. Au moment de notre passage, le néo-impressionniste Théo Van Rysselberghe était à l'honneur. Une rétrospective du mouvement cubiste lui succédera à compter de fin juin 2013, avec comme têtes d'affiche Albert Gleizes et Jean Metzinger, après des travaux d'agrandissement.

Où se loger et se restaurer

HÔTEL DU NORD Hôtel €

(**✆ 04 67 44 10 08 ; www.hoteldunord-lodeve.fr ; 18 bd de la Liberté ; s/d/lits jum/tr/qua/ste 43-50/50-60/53-60/63-70/76-82/100 € ; ⏲ tte l'année ; 📶**). Ce très grand hôtel à la façade jaune, à deux pas du musée de Lodève, présente le meilleur rapport qualité/prix de Lodève. Les

Restaurant Le Soleil Bleu, Lodève
CAROLE HUON ©

chambres, simples mais confortables et spacieuses, s'organisent autour d'une cour intérieure surélevée, où vous pourrez prendre votre petit-déjeuner. Accueil sympathique. Accès à l'hôtel au 1er étage ; ascenseur.

HÔTEL DE LA PAIX Hôtel-restaurant **€€**
(☎ **04 67 44 07 46 ; www.hotel-dela-paix.com ; 11 bd Montalangue , s/d/lit-jum/tr/qua/ste 45-60/55-80/75-85/70-85/90/70-150 €, pension complète possible, plat 15 €, menus 20/25/50 €, menu enfant 11 € ; resto fermé sam midi et dim soir, également le lun hors saison ;** 📶 🅿). Un hôtel familial très bien placé, en contrebas du centre-ville, doté d'une petite piscine bienvenue, de chambres tout confort, et d'un restaurant réputé être le meilleur de la ville. Bon sans être non plus exceptionnel, il présente une carte épurée et des plats de facture assez simple (magret de canard au porto, pavé de cabillaud à la provençale, filet mignon de porc aux olives, etc.), à déguster dans une salle fraîche et classieuse, ou sur le patio bordant la piscine.

SOLEIL BLEU Restaurant-salon de thé **€**
(☎ **04 67 88 09 86 ; 39 Grand-Rue ; plat 13-14,80 €, dessert 3,90-4,40 € ; mar-ven 11h30-18h30, sam 9h-18h30).** Dans la rue principale du centre ancien, piétonne, ce petit restaurant lumineux privilégiant les produits naturels est aussi un salon de thé, un café littéraire et un espace d'exposition. C'est que les charmants propriétaires, qui tiennent également la boutique Horizons Intérieurs à deux pas, en plus d'être de fins cuisiniers, sont des amateurs d'art avérés. À la carte au moment de notre passage : assiette végétarienne avec galette de seigle, aubergines, et dol de lentilles, tarte aux poireaux et cantal, tartes aux figues fraîches, etc. Un régal ! En été, la salade, proposée tous les jours, laisse place à un plat chaud en hiver ; tarte salée et thé Dammann sont proposés toute l'année. Une excellente adresse à l'heure du déjeuner, qui s'agrémente de quelques tables en extérieur prisées, sur l'avant.

MINUSCULE Restaurant-bar **€**
(☎ **04 67 88 50 35 ; 27 Grand-Rue ; plats 10-15 €, menu 16 € ; lun-sam 10h-15h, jeudi 10h-15h et 19h-23h).** À deux pas de la précédente, cette adresse dans le même ton est aussi un café-concert. Au sein d'un petit cocon coloré et animé à la déco arty, vous dégusterez une cuisine traditionnelle délicieuse élaborée au jour le jour (magret de canard au confit de figues, salades et vaste choix de pâtisseries maison). Terrasse sur l'avant. Expositions temporaires.

Renseignements

Office du tourisme (☎ **04.67.88.86.44 ; www.tourisme-lodevois-larzac.com, www.lodevoisetlarzac.fr ; 7 pl. de la République).** Il organise des visites guidées de la cathédrale en été, des lectures de paysage sur le site de Navacelles, des visites pour les enfants et vend des topoguides et des fiches randos (1 €, téléchargeables gratuitement sur le site Internet). La **Manufacture nationale de la savonnerie** (**tarif plein/réduit 5/3,50 € ; jeu 10h30, 14h et 15h30, ven 10h30 et 14h**) se visite sur réservation auprès de l'office du tourisme.

Prieuré Saint-Michel de Grandmont

(☎ **04 67 44 09 31 ; domaine de Grandmont, Soumont ; tarif plein/réduit 6,20/3,80 € ; tte l'année sauf jan 10h-18h, 19h en saison).** Sur cet immense et prestigieux domaine classé monument historique, le **prieuré roman** (XIIe siècle), conservé dans son intégralité, affiche, de l'église au cloître en passant par la salle capitulaire et celle des moines, un dépouillement extrême, censé refléter la spiritualité exigeante caractéristique de l'ordre grandmontain. Ce monstre d'austérité a pour écrin un splendide **parc sauvage** de 30 ha, où s'ébattent daims, biches, cerfs et autres cygnes, et aux confins duquel, sur un site datant de la fin du néolithique, dolmen, menhirs et sarcophages wisigothiques veillent. La star des lieux est sans conteste le **dolmen de Coste Rouge**, surnommé "la maisonnette des fées", un rare exemple de dolmen avec porte.

La visite, guidée (10h30, 15h, 16h et 17h, selon saison) ou audioguidée, vous prendra 1 heure si vous vous limitez au prieuré, aisément une demi-journée si vous vous enfoncez aux confins du parc, jusqu'à son dolmen phare. Au fond du parc, à 400 m d'altitude, dans un espace propice à la contemplation, vous jouirez d'une des plus belles **vues** des environs, jusqu'à la mer.

Programmation culturelle dont des concerts (récital, opéra, etc.) et des expositions temporaires, avec pour cadre le cloître.

De Lodève, prendre la D153 en direction de Soumont et poursuivre sur la même route en direction de Saint-Privat.

Lac du Salagou

Lunaires et arides, bercés par le chant des oiseaux, les paysages teintés de rouge (la ruffe est une roche chargée d'oxyde de fer) qui encerclent le lac artificiel du Salagou, dévoilent un paysage spectaculaire et tout en contraste. Il est né de la construction d'un barrage en 1969 dans l'optique d'irriguer les plaines et de limiter les crues de l'Hérault. Ses berges accueillent désormais des arbres en abondance, saules, frênes et peupliers puisant à même ses eaux, et vous pourrez même y voir en été fleurir des iris d'eau.

Ses 750 ha et 28 km de périmètre offrent cependant un visage très inégal. Les **rives de Clermont-l'Hérault**, les plus proches du barrage, sont les plus aménagées et concentrent l'essentiel des activités, là où celles courant d'**Octon** à **Celles** en permettent une lecture plus sauvage. À ce titre, Celles est un monde à part. Le village, qui devait être submergé par les eaux à la création du barrage, a vu ses habitants expropriés. Ce n'est qu'en 1981 que Celles redeviendra une commune, mais sans habitants. Celui que l'on surnomme aujourd'hui le village fantôme, est devenu une étape mythique du lac.

Activités

Le lac du Salagou, très animé pendant la saison estivale, est une escapade sportive singulière, dont les berges aménagées témoignent d'une réappropriation de sa vocation première. Le lac est interdit aux bateaux à moteur, et sachez qu'au plus fort de l'été, l'eau peut atteindre 28°C.

Baignade et sports nautiques

Les rives de Clermont-l'Hérault, qui disposent du plus grand panel d'activités, ainsi que de plages surveillées, aménagées en été, sont les plus indiquées. L'endroit correspond aussi à la partie la moins préservée du lac. De l'autre côté, Octon et ses rives sauvages accueillent un centre nautique beaucoup plus modeste, mais sympathique.

Prieuré de Grandmont
CAROLE HUON ©

Pique-nique sur les rives du lac du Salagou

CAROLE HUON ©

BASE DE PLEIN AIR DU SALAGOU Base multiactivités
(04 67 96 05 71 ; www.basedusalagou.fr ; rives de Clermont-l'Hérault ; fermé de début déc à début jan). Centre multiactivité le plus important du lac ; vous pourrez depuis cette base partir en balade en bateau, vous initier au tir à l'arc et louer tout le matériel nautique et assimilé désiré : planche à voile, kayak, catamaran, barque de pêche, pédalo, stand-up-paddle, etc. Snack sur place.

RELAIS NAUTIQUE Sorties en mer
(06 13 13 64 46 ; rte du Salagou, Octon ; mi-juin à mi-sept). Loue des canoës et des Tchip-Tchap (bateaux à pédales). Buvette et petite restauration sur place, ainsi que des soirées très appréciées en bordure de lac en été.

Randonnée pédestre et VTT

Les paysages arides et insolites du lac du Salagou se prêtent idéalement à la randonnée, pédestre ou cycliste, le long de ses 27 km de rives (270 m de dénivelé). Demandez à l'office du tourisme de vous remettre le plan de l'"Espace VTT-FFC du Salagou en Languedoc" qui présente, en tout, 17 circuits à réaliser dans les alentours. Deux circuits pour enfant, l'un en boucle sur la façade nord du lac (5 km, 1 heure 15), l'autre longeant sa façade sud (4 km, 45 minutes), sont également proposés.

S'il existe un document officiel, "Pas à pas", spécifique à la randonnée, celui des VTT permet de mieux visualiser les circuits, quelle que soit l'activité retenue. Demandez-le à l'office du tourisme (voir p. 106), qui vous le délivrera gratuitement.

OZONE VTT CYCLES Location de vélos
(04 67 96 27 17 ; www.ozone-vtt-cycles.com ; 1 rte du lac du Salagou, Clermont-l'Hérault ; tte l'année). Location de vélos et possibilité de randonnées accompagnées (le Salagou au clair de lune, etc.).

Où se restaurer

L'AUBERGE DU SALAGOU Restaurant panoramique €€
(04 67 44 45 40 ; Les Cremades, Le Puech ; plats 16-25 €, menus midi 13/15 €, menus 19,50-39,50 € ; en saison ouvert mar-dim, hors saison

mar-dim midi et ven-sam soir). Un résultat mitigé pour cette table pourtant réputée, qui jouit d'une superbe vue en surplomb du lac. Depuis sa terrasse, ou à même son intérieur design, la magie opère, et on en ressort repu et heureux. Service particulièrement chaleureux et souriant.

 Renseignements

Office du tourisme du Clermontais Clermont l'Hérault (**04 67 96 23 86 ; www.clermontais-tourisme.fr ; pl. Jean-Jaurès)**

Antenne saisonnière d'Octon (**04 67 96 22 79 ; www.clermontais-tourisme.fr ; pl. Pau-Vigné-d'Octon)**. Les guides de randonnées vous y seront délivrés gratuitement.

Cirque de Mourèze

Le cirque de Mourèze est un site dolomitique. Ses roches blanchâtres et fantasmagoriques défiant le ciel, qui se teintent de rose en fin de journée, ménagent un spectacle féerique. Né il y a plus de 170 millions d'années de l'érosion d'un plateau, vestige d'une mer datant de l'ère secondaire, le site continue de se modeler sous l'effet des éléments et du ruissellement de l'eau. L'oasis de verdure en son creux, que forme le **village de Mourèze**, s'y est établie au IXe siècle. Le village conserve les vestiges de son château (ne se visite pas) et son église, Sainte-Marie, surplombant des ruelles fleuries.

Le cirque est dominé par le **mont Liausson** (mont Lumière) au flanc duquel il s'est érodé. Il marque à présent la frontière avec les terres rouges du Salagou (voir p. 104). Pour rejoindre son sommet et profiter d'une vue de toute beauté, il vous faudra vous acquitter de quelques heures de marche (voir p. 107).

Au sein même de Mourèze (50 m avant l'office du tourisme depuis le centre), l'**ancien parc des Courtinals** permet aux moins téméraires d'emprunter un chemin qui, en 20 à 30 minutes de marche aller-retour, mène jusqu'à un belvédère sur le cirque de Mourèze. L'ancien bâtiment d'accueil du parc s'est mué en restaurant (voir p. 108).

Randonnée

À l'inverse du cirque de Navacelles (voir ci-contre), celui de Mourèze ne s'appréhende pas d'emblée depuis ses hauteurs. On accède directement à son cœur. C'est donc en randonnant depuis Mourèze que vous pourrez en prendre toute la mesure.

On évolue ici beaucoup plus en vallée qu'en montagne, contrairement à Navacelles, et le terrain, bien que cahoteux, se prête donc beaucoup mieux aux randonnées en famille.

La végétation n'est pas non plus la même. Genêts et champs de coquelicots s'épanouissent ici au gré des saisons (respectivement au printemps et en avril-mai) là où l'arrêt de l'élevage a permis dans les années 1970 au couvert forestier de reprendre du terrain. Mais attention, la végétation rase, caractéristique du site, ménage peu d'ombrage. Il vous faudra donc vous munir, en plus de bonnes chaussures, d'une protection adéquate.

L'intérieur du cirque accuse une hausse des températures de 5 à 7°C ; évitez les heures les plus chaudes en été.

Le plan des quatre circuits de randonnées (le jaune est le seul sentier viabilisé ; les autres sont communaux), vous sera délivré gratuitement par le point d'information (voir p. 108). Respectez le sens de fléchage, inverse à celui des aiguilles d'une montre. Pour rejoindre le point de départ des sentiers, suivez la direction du cirque indiquée depuis le village.

- **Circuits jaune et rouge** : réclamant chacun respectivement 1 heure et 2 heures 30 de marche, ils permettent d'évoluer dans la partie basse du site, en contrebas du Liausson, et au cœur de son chaos. Le terrain, accidenté, a l'avantage de ne souffrir d'aucun dénivelé.

- **Circuits bleu et vert** : le circuit vert, ses 4 heures de marche et 300 m de dénivelé, est moins prisé que le circuit bleu (3 heures ; 260 m de dénivelé), qui permet de prendre progressivement de la hauteur. Tous deux permettent de découvrir le cirque par les crêtes du Liausson, en évoluant sur un terrain

CAROLE HUON ©

À ne pas manquer Le cirque de Navacelles

Merveille géologique, le site phare de la vallée de la Vis donne le vertige. C'est que ce cratère géant éventrant la terre, enserré par les causses du Larzac et de Blandas, s'appréhende depuis ses rebords, contrairement à celui de Mourèze (voir p. 106). Plus montagneux que ce dernier, il permet aussi des randonnées ardues. Vous pourrez vous contenter de ses **belvédères** accessibles en voiture et des magnifiques panoramas qu'ils ménagent.

Inscrit au fond du cirque, le village de **Saint-Maurice-Navacelles** est rythmé par le tohu-bohu de sa cascade. Vous y trouverez des chambres d'hôtes et de quoi vous sustenter.

Du village démarre une boucle de 10 km qui passe par une **résurgence de la Vis** au niveau des **moulins de la Foux** (abandonnés depuis 1907, suite à une grande crue). Comptez 1 heure 30 de marche depuis le hameau pour rejoindre le site, 3 heures 30 pour réaliser l'ensemble de la boucle. En remontant vers Blandas, vous pourrez aussi stationner sur un parking positionné dans un lacet et indiquant la présence des moulins. Seulement 1,1 km vous en sépare, mais le sentier, très escarpé, réclamera 1 heure 30 de marche aller-retour.

Depuis les moulins, une bifurcation vers **Vissec** permet de rallier une autre boucle passant par **Sorbs**, et de randonner au cœur des paysages désolés formés par les vallées sèches de la Vis, en marchant à même son lit.

BELVÉDÈRE DE BAUME-AURIOL

Depuis Lodève, c'est à ce dernier que vous accéderez. Au sud du cirque, le belvédère nord ménage la vue la plus vertigineuse sur le site. Vous y trouverez un office du tourisme (voir ci-dessous) et un espace de restauration. On accède au village de Saint-Maurice-Navacelles, en empruntant une route en lacet peu rassurante sur 3 km.

BELVÉDÈRE DE BLANDAS

La route entre Saint-Maurice-de-Navacelles et Blandas offre de superbes points de vue sur le cirque et les gorges de la Vis (inondations ponctuelles). Son belvédère a la plus belle vue d'ensemble. Vous trouverez sur place des tables d'orientation, un restaurant et un parking. Un centre d'information devrait y voir le jour prochainement.

INFOS PRATIQUES

Maison du Grand Site de Navacelles-Belvédère de la Baume-Auriol (04 67 88 86 44 ; www.tourisme-lodevois-larzac.com, www.caussesetcevennes.net ; Saint-Maurice-Navacelles ; mars-nov ; rando-fiche du parc en vente à 1 €, en téléchargement gratuit sur le site Internet)

ıaut du mont, sur
ı de hauteur, la
vue imprenable sur
t, les yeux rivés en
usqu'à la mer par beau
ɛ prête à merveille à un

Où se restaurer

LA BUVETTE GOURMANDE Cuisine bio €€
(**04 67 88 77 26 ; parc des Courtinals ; 10-15 € ; mi-juin à mi-sept**). Au début du sentier menant au belvédère de Mourèze sur le cirque, l'adresse est tenue par un(e) maître confiturier de France dont on excuse les horaires aléatoires tant la cuisine est succulente. À base de produits bio et du terroir, des plats simples (salades, tartines, tapas et autres douceurs) mais diablement bons qui s'accompagnent de vins et de thés bio. La patronne des lieux tient également le **Flor de Salagou** au centre du village, où elle vend ses confitures.

Renseignements

L'office du tourisme de Mourèze (**06 67 96 61 48 ; RD 908, entrée du village**) est une antenne saisonnière de celui du Clermontais, dont la base principale se situe à Clermont-l'Hérault (voir p. 104). Ouvert de mars à début novembre ; le plan des randonnées vous y sera délivré gratuitement.

Le parking municipal, adjacent à l'office du tourisme, est payant (2 €) de mars à novembre.

LE PAYS DES GARRIGUES

À mi-chemin entre les plaines du sud et les Cévennes, traversée par des gorges vertigineuses et encaissées ou dominée par le mythique pic Saint-Loup, la garrigue imprègne les lieux de son caractère singulier. Au cœur de ce paysage aride à la végétation arbustive et odorante, petits et grands marcheurs autant que kayakistes trouveront leur bonheur. Les autres pourront y découvrir des grottes et des villages comptant parmi les plus beaux de France.

Saint-Guilhem-le-Désert

Magnifique village médiéval implanté au cœur des gorges de l'Hérault et dominé par les falaises calcaires du cirque de l'Infernet, Saint-Guilhem, riche d'un patrimoine exceptionnel, peut se prévaloir d'être le huitième site a avoir obtenu le prestigieux label Grand Site de France, en 2010. Traversé par le Verdus, qui se jette dans l'Hérault après avoir irrigué les champs d'oliviers, le village, haut lieu spirituel fondé en 804 par Guilhem, se découvre à pied, à travers de jolies ruelles aux maisons imbriquées truffées d'artisans. Face à de modestes plantations de vignes, la pierre blonde de l'abbaye de Gellone (voir p. 108) se dévoile, avant d'atteindre la majestueuse place de la Liberté, flanquée d'un immense platane, qui marque aussi son entrée. De nombreuses et avenantes terrasses s'y déploient. De là, en empruntant la rue du Bout-du-Monde qui file aux confins du village, vous gagnerez les chemins de randonnées (voir p. 109).

Les eaux qui descendent du Larzac isolent parfois le village, alors seulement accessible depuis Ganges, et inondent les parties basses de la grotte de Clamouse, qui ferme alors ses portes.

À voir

ABBAYE DE GELLONE Art roman
(**juil-août 8h-18h30, 8h-18h le reste de l'année**). Joyau d'art roman construit au début du XIe siècle et autour duquel le village s'est développé, l'abbaye de Gellone fut une étape importante sur le chemin de Saint-Jacques-de-Compostelle. Elle abrite les reliquaires de Saint-Guilhem et de la Vraie Croix, relique de la Croix du Christ que l'ancien comte de Toulouse, petit-fils de Charles Martel, emporta dans sa retraite à Gellone, ainsi qu'un exceptionnel autel en marbre (XIIe siècle) et un orgue du XVIIIe siècle. Aux confins du cloître,

CAROLE HUON ©

le **musée de l'Abbaye de Gellone** (tarif plein/réduit 2,50/2 €, gratuit -12 ans ; mai-oct 10h30-13h et 14h-19h, sauf dim 13h-19h, nov-avr week-end et vacances scolaires 11h-13h et 14h-18h), installé dans le réfectoire des bénédictins, retrace à travers une formidable vidéo l'histoire de l'abbaye depuis l'arrivée de saint Guilhem en 804, tout en opérant une réflexion passionnante sur le patrimoine. La technique de l'anastylose, vouée à reconstituer une partie du cloître (des arcades sculptées), y est présentée avec beaucoup de clarté, et le résultat exposé dans le musée. À ses côtés, d'autres merveilles sont présentées, comme les sarcophages de saint Guilhem et de ses deux sœurs. Des tablettes disposées dans l'espace permettent une meilleure lecture des éléments qui le composent.

Activités

Dans le prolongement de la rue du Bout-du-Monde, une très jolie balade familiale permet de découvrir le cirque de l'Infernet en marchant à même le lit de la rivière, au cœur des montagnes. Comptez 1 heure aller-retour.

Pour prendre de la hauteur, attaquez-vous à deux autres randonnées, celles des **Fenestrettes** (dans le cirque du Bout-du-Monde) et de **Notre-Dame-du-Lieu-Plaisant**, réclamant respectivement 3 heures et 3 heures 30 de marche. Elles font 10 km chacune et leurs 700 m de dénivelé cumulé et leur terrain cahoteux réclament un équipement adéquat. Demander le détail de ces randonnées à l'office du tourisme (voir p. 110).

Où se loger et se restaurer

Si vous séjournez à Saint-Guilhem, les parkings adjacents aux hôtels sont gratuits.

LA TAVERNE DE L'ESCUELLE Hôtel-restaurant **€€**
(04 67 57 72 05 ; www.hotel-lataverne.fr ; 11 Grand-Chemin-de-Gellone ; d/lits jum/tr 69/89-99/119 €, demi-pension possible ; tte l'année ; ). Ce petit hôtel idéalement placé sur la très animée place de la Liberté propose six chambres sur lino, confortables, mais sombres et timides

dans les finitions. Le jonc de mer dans les couloirs assure cependant une touche de fraîcheur bienvenue. À envisager comme solution de repli compte tenu des prix, un peu excessifs. Sur place également, un restaurant propose quelques spécialités, des viandes, des salades et des galettes, le tout servi dans un cadre rustique, ou sur la terrasse aux beaux jours.

LE GUILHAUME D'ORANGE Hôtel de charme **€€**
(☎04 67 57 24 53 ; www.guilhaumedorange.com ; 2 av. Guilhaume-d'Orange ; d/tr 69-99/119 €, demi-pension possible ; ⏲tte l'année). En contrebas du village et en surplomb des gorges, ce bel hôtel dispose de 10 chambres immaculées et cosy, sur jonc de mer ou carrelage ancien. Lumineuses, elles offrent une agréable vue sur le village ou sur la rivière, et se dotent de très belles sdb. Si les plus grandes sont particulièrement spacieuses, les plus petites prennent des allures de cocon romantique qui sauront vous séduire pour une escapade à deux. L'adresse abrite aussi une perle de la gastronomie (voir ci-contre).

LA TABLE D'AURORE Gastronomie **€€**
(voir ci-contre ; menu déj 13,90 €, menus 21-55 €, menu enfant 8 € ; ⏲fermé mer hors saison). La table a pris le prénom de la maîtresse des lieux qui y sublime avec passion les produits de son terroir. Figues farcies au parmesan roulées au jambon cru, canette au raisin et croquant du jour poire-caramel nous ont transportés dans le bel univers d'Aurore que pour rien au monde nous n'aurions voulu quitter. Ajoutez à cette cuisine tout en finesse une belle carte des vins (ne manquez pas ceux de Saint-Guilhem), une salle claire et cosy truffée de merveilleux meubles et une magnifique terrasse sur l'avant, et vous obtenez l'une des meilleures adresses du département. Possibilité d'y commander son pique-nique ou un sandwich pour la randonnée ; téléphonez.

L'OUSTAL FONZES Local et panoramique **€**
(☎04 67 57 39 85 ; 1 av. de Saint-Benoît-d'Aniane ; menu déj 15,50 €, plats 12-25 €, menu enfant 8,50 € ; ⏲tlj en saison, variable hors-saison mais invariablement ouvert le week-end). Cet immense restaurant et bar à vins à la décoration brute est une institution locale qui offre une vue panoramique sur les gorges. On s'y presse pour déguster une cuisine traditionnelle roborative qui ne joue pas dans la finesse, mais est excellente dans son genre. Au menu, de la viande grillée et des frites, des pizzas, des salades et des spécialités d'écrevisses prisées.

ℹ Renseignements

Office du tourisme (☎04 67 57 44 33 ; www.saintguilhem-valleeherault.fr ; 2 rue Font-du-Portal). Situé en contrebas de Saint-Guilhem, il organise des visites guidées de la ville, délivre gratuitement un dépliant figurant les différentes randonnées au départ de Saint-Guilhem et dans ses alentours,

Place de la Liberté, Saint-Guilhem-le-Désert
CAROLE HUON ©

Navettes gratuites à la Maison du Grand Site

La **Maison du Grand Site** (04 99 61 73 01 ; www.saintguilhem-valleeherault.fr ; pont du Diable, Aniane ; avr-juin et sept 10h30-18h, oct-nov 10h-17h30, juil-août 10h-19h30), située entre Aniane et le pont du Diable, est un complexe touristique saisonnier qui se dote d'un point information (ouvert d'avril à oct), de boutiques culturelles, d'artisanat et de produits du terroir, d'une brasserie ainsi que d'un espace d'interprétation. En saison, des **navettes gratuites** (juil-août tlj ; avr mai-juin et sept sam-dim,) partent de son parking (400 places, 4 €) et desservent les sites phares que sont le pont du Diable, la grotte de Clamouse et le village de Saint-Guilhem-le-Désert. Envisagez sérieusement cette option au plein cœur de la saison (les places de stationnement sont alors chères).

et vend des topoguides. Pour les fiches-randos détaillées au départ et autour de Saint-Guilhem, comptez 1 €.

Stationnement. Situés aux abords du village, les parkings sont payants en juillet-août, ainsi que les week-ends de mai, juin et septembre (4 €), hormis pour les touristes séjournant sur place.

Pour les **navettes gratuites**, voir l'encadré ci-dessus.

Grotte de Clamouse

(04 67 57 71 05 ; www.clamouse.com ; Saint-Jean-de-Fos ; adulte/15-18 ans/4-15 ans 9,10/7,80/6,50 €, gratuit -4 ans ; juil-août visites de 10h30 à 18h20, juin et sept 10h30-17h20, fév-mai et oct 10h30-16h20, appeler en dehors de ces périodes, fermé fin nov à début jan). Découverte en 1945, cette grotte propose une visite sensiblement plus technique que celle des Demoiselles (voir p. 114) ; avec des enfants en bas âge, préférez-lui cette dernière. Pendant 1 heure 15, vous plongerez dans les entrailles de la terre avant d'opérer une remontée dans les salles les plus anciennes, qui sont aussi les plus belles. Au buffet d'orgue vieux de 450 000 ans et autres draperies est consacré un spectacle son et lumière. On gagne ensuite le joyau des lieux : la galerie de cristaux d'aragonites, suivie d'un passage sous "La Méduse", concrétion la plus extraordinaire de la grotte. Une vidéo de 7-8 minutes aux considérations géologiques plutôt techniques précède la visite.

Dans un souci environnemental, Clamouse est éclairée depuis 2010 avec des lampes LEP. Elle fut la première à inaugurer le mouvement. La grotte se teinte également de l'aura de Michel Siffre qui, en 2000, y mena une plongée hors du temps et de l'espace de 69 jours, favorable aux avancées scientifiques en matière de chronobiologie.

Sur place, vous trouverez un parking, une aire de jeux, un service de restauration rapide, une boutique, et le Wi-Fi.

La grotte de Clamouse se situe sur la route filant le long des gorges, entre le pont du Diable et Saint-Guilhem-le-Désert.

Pont du Diable ☆ et gorges de l'Hérault

Situé en aval de Saint-Guilhem, au niveau des eaux sombres du "gouffre noir" (30 m de profondeur), le pont du Diable, qui marque aussi l'entrée des gorges de l'Hérault, est une merveille d'art roman datant du début du XIe siècle, classé au patrimoine de l'Unesco. Il permet, grâce à ses 50 m de long, de faire se rejoindre les deux rives au niveau le plus étroit des gorges.

La légende dit que face à l'obstination du Diable pour freiner sa construction, Guilhem n'aurait eu d'autre choix que de passer avec lui un pacte : le Diable édifierait le pont lui-même en trois jours en échange de quoi, l'âme de la

première créature qui y poserait le pied lui reviendrait de droit. Le pont achevé, Guilhem eut l'ingéniosité d'y faire passer un chien et le Diable, de désespoir, se jeta dans les gorges en contrebas, devenu le "gouffre noir".

Le site aménagé, accessible depuis le parking de La Maison du Grand Site (voir l'encadré p. 111), permet de rejoindre le pont et d'en fouler les pavés, tout en profitant d'une jolie vue sur les gorges (abstraction faite du pont moderne en amont, dévolu à la circulation).

Activités

Le site se prête à merveille au canoë et au kayak, qui permettent de découvrir des espaces préservés, uniquement accessibles par l'eau – les gorges, particulièrement encaissées, interdisent en effet toute promenade. L'endroit est aussi prisé pour la baignade, au plus chaud de l'été.

Baignade

En aval du pont et face à celui-ci, vous trouverez une plage cahoteuse en forme d'anse, propice à la baignade (surveillée en juil-août). En vous enfonçant dans les gorges en kayak (voir ci-dessous), d'autres plages, plus intimes, se dévoilent.

Kayak

C'est l'activité phare des gorges, et rien de tel que de partir du pont du Diable, là où elles sont les plus étroites, pour découvrir au fur et à mesure toute l'envergure de ce joyau calcaire accidenté et vertigineux.

LES CANOËS DU PONT DU DIABLE
(☎04 67 96 67 70, 06 23 16 78 27 ; La Maison du Grand Site, Aniane ; ⌚mi-juin à mi-sept).
L'équipe vous accueille tous les jours en saison en bordure de la plage du pont du Diable. Comptez 12 € l'heure pour la location d'un canoë.
Pour naviguer en dehors de ces périodes, adressez-vous à **Canoë Kayapuna** (**☎04 67 57 30 25 ; 12 av. Saint-Benoît-d'Aniane ;**

À gauche : Pont du Diable ; **Ci-dessous :** Gorges de l'Hérault
(À GAUCHE ET CI-DESSOUS) CAROLE HUON ©

avr-sept), basé à Saint-Guilhem-le-Désert, qui vous permettra de découvrir la partie des gorges située en amont du village. Comptez 46 à 63 € la location d'un canoë pour la grande descente de 12 km ; 30 € pour un kayak.

Autour du pic Saint-Loup

Ici, les montagnes et les plateaux de garrigues fendent les champs de vignes de la plaine fertile. Dominant le paysage de ses 658 m, le pic Saint-Loup, semblable à un doigt vengeur pointé en direction du ciel, focalise l'attention des randonneurs. Il serait cependant dommage de manquer les charmants petits villages médiévaux qui s'épanouissent dans son ombre, de même que les magnifiques randonnées que recèle son pourtour.

Saint-Martin-de-Londres

Au nord-ouest du pic Saint-Loup, cette bourgade agréable se prévaut de beaux vestiges médiévaux s'épanouissant à l'écart de l'agitation touristique. Elle dévoile un enchevêtrement de ruelles et de maisons anciennes au cœur desquelles se niche un trésor d'art roman.

L'office du tourisme de la ville est une bonne source d'information sur les randonnées alentour.

ÉGLISE ROMANE Art roman
(**tlj sauf mer 10h-12h et 15h-17h, sam 15h-17h**). Le joyau se débusque. Enserrée dans l'enclos de son ancien prieuré, cette magnifique église romane immaculée, sur laquelle l'ombre d'un arbre verdoyant se plaît à se porter, arbore l'harmonieuse forme d'un trèfle. Ce bijou datant de la fin du XIe siècle est l'œuvre des moines de l'abbaye de Gellone.

Les Matelles

Au nord du pic en direction de Montpellier, ce joli petit village médiéval se targue d'abriter un musée préhistorique dédié au pays des garrigues, et gratifié du nom du pic.

CAROLE HUON©

À ne pas manquer La grotte des Demoiselles

C'est la sortie phare des enfants. Une montée en funiculaire, créé dans la perspective de son ouverture au public en 1931, précède une visite de 1 heure 10, aussi féerique qu'hilarante. Vous aurez tout du long, et sans jamais mettre de côté des aspects scientifiques simplifiés, l'impression de déambuler au cœur d'un château de conte de fées, si ce n'est dans l'univers fantastique de *Pirates des Caraïbes*. Dans cette grandiose grotte, percée jusqu'au fond de sa cavité actuelle en 1884 par Édouard-Alfred Martel, des poteries gallo-romaines furent découvertes dans sa partie à ciel ouvert, là où elle aurait également caché des prêtres réfractaires. Au gré de 571 marches qui vous feront flirter avec les concrétions, on fera appel à votre imagination avec beaucoup d'humour : là une sorcière, ici le nez de Dorothée ou de Jacques Chirac, etc. La "cathédrale souterraine" est le point fort des lieux. Richement concrétionné, cette salle de 52 m de hauteur, 120 de longueur et 42 de largeur, vous permettra de vous remettre dans le contexte de sa découverte, et de mieux mesurer l'exploit des spéléologues d'alors. Auparavant, la messe de minuit ainsi que des concerts y étaient organisés. À l'intérieur, vous pourrez voir un magnifique buffet d'orgue. La visite se termine par la "salle de musique", avec la démonstration des vertus sonores de la calcite.

Contrairement à celle de Clamouse, la voûte sèche témoigne ici d'une grotte qui n'est pratiquement plus en activité (seulement 3 %). Le phénomène peut néanmoins se réamorcer.

INFOS PRATIQUES

04 67 73 70 02 ; www.demoiselles.fr ; Saint-Bauzille-de-Putois, Ganges ; adulte/12-17 ans/6-11 ans/3-5 ans 9,50/7,50/6,50/1,50 €, gratuit -3 ans ; juil-août tlj 10h-18h, avr-juin et sept tlj 10h-17h30, mars et oct lun-sam 14h30-16h30, dim et vacances scolaires 10h-11h, jan-fév et nov-déc 14h-16h et 10h-12h

MUSÉE DU PIC SAINT-LOUP Préhistoire (☎ 04 99 63 25 46; village médiéval, Les Matelles ; ⏲ juil-août mer-dim 14h-18h).
Installé au cœur du village dans la maison des Consuls, à deux pas de la porte des Remparts, le musée était fermé au moment de notre passage. Il devrait avoir rouvert quand vous lirez ces lignes, après avoir subi des travaux de rénovation du bâtiment et des collections. Ces dernières, épaulées par des panneaux pédagogiques, présentaient jusque-là des pointes en silex, des pointes de flèches, des parures et autres poteries, sur des périodes allant du paléolithique supérieur au néolithique.

Activités

Les garrigues sont le paradis des marcheurs, et l'ascension du pic Saint-Loup la randonnée majeure. D'autres randonnées, aussi majestueuses ou plus faciles, parsèment également la contrée.

Randonnée

ACENSION DU PIC SAINT-LOUP Difficulté élevée
Partir à l'assaut du pic Saint-Loup réclame de rejoindre Cazevieille, au sud du pic. De là, 2,5 km et 400 m de dénivelé vous séparent du sommet, au gré de chemins difficiles et cahoteux, parfois si pentus que vous devrez y aller de vos mains pour les gravir. Comptez 3 heures de marche sous un soleil ardent (peu d'ombre) ; pensez, en plus de bonnes chaussures, à prévoir suffisamment d'eau. Les trois quarts du sentier empruntent le GR 60, et ce n'est qu'à 2 km du départ, avant que le GR n'entame une descente après un virage à droite, que vous devrez bifurquer sur la gauche. Au sommet, la récompense est de taille : d'un côté une vue magistrale sur Montpellier et la Camargue jusqu'à la mer, de l'autre le mont Hortus et les Cévennes.

LE PIC SAINT-LOUP PAR LE ROCHER DU CAUSSE Difficulté faible
Sur la route filant entre Valflaunès et Pompignan à travers le causse de l'Hortus, un parking aménagé permet de rejoindre le rocher du Causse, face au pic Saint-Loup. Le sentier, quasiment entièrement plat (90 m de dénivelé), y mène après 4,5 km et 45 minutes de marche. Le Rocher, qui s'agrémente d'une table d'orientation bienvenue, ménage, à 408 m d'altitude, une vue à 360°. Tout au long du sentier, vous croiserez des sites préhistoriques ou moyenâgeux ainsi que des panneaux explicatifs dédiés.

LE RAVIN DES ARCS Difficulté élevée
Cette vallée étroite où le Lamalou a creusé, sur près de 3 km, un canyon encerclé de falaises vertigineuses, se situe immédiatement au nord de Saint-Martin-de-Londres, en direction de Ganges. Elle ménage une superbe randonnée, au gré d'un parcours difficile, sachez-le. Il est impératif d'en demander le topoguide à l'office du tourisme : l'endroit est parcouru par de nombreux chemins, et le plus évident d'entre eux ne correspond bien souvent pas au débouché souhaité. Au gré du périple : splendide points de vues, marmites géantes et arches naturelles qui donnèrent son nom au lieu. Comptez 5 km, 130 m de dénivelé et 3 heures de marche en boucle. En cas de fortes pluies, les passages à gué sont infranchissables.

Renseignements

Office du tourisme intercommunal du Grand Pic Saint-Loup (www.tourisme-picsaintloup.fr)

Point info de Saint-Martin-de-Londres (☎ 04 67 55 09 59 ; Maison de Pays, Saint-Martin-de-Londres)

Point info des Matelles (☎ 04 67 55 09 59 ; Le Four à Pain, Les Matelles). L'office du tourisme est ouvert toute l'année, celui des Matelles seulement en saison. Au moment de notre passage, des fiches-randos, très complètes, y étaient délivrées gratuitement.

Pays nîmois et Petite Camargue

Depuis toujours le Gard est une terre d'échange, point de rencontre entre la Provence, le Languedoc, les Cévennes et la Camargue. Le département a su conserver un patrimoine architectural remarquable, à l'image de Nîmes, la "Rome française", aujourd'hui tournée vers l'art et l'architecture contemporaine, du majestueux pont du Gard, ou d'Uzès, la fière cité ducale. La période médiévale a aussi laissé des legs remarquables comme à Aigues-Mortes, Saint-Gilles, Sommières ou Beaucaire. En s'éloignant de la plaine, on découvrira aussi des villages de caractère qui n'ont rien à envier à ceux de la Provence voisine, des rivières et des gorges qui offrent de belles possibilités de baignades et de randonnées. Les plus sportifs se lanceront en kayak au fil de l'eau sur le Gardon ou la Cèze. Quant aux amateurs de farniente, ils se retrouveront en lisière des étangs de Camargue sur les quelques kilomètres de littoral gardois qui présentent de belles plages de sable.

Borie en pierre sèche dans les environs d'Uzès (p. 142)

Village de Goudargues, vallée de la Cèze (p. 152)
EMMANUEL DAUTANT ©

Pays nîmois et Petite Camargue

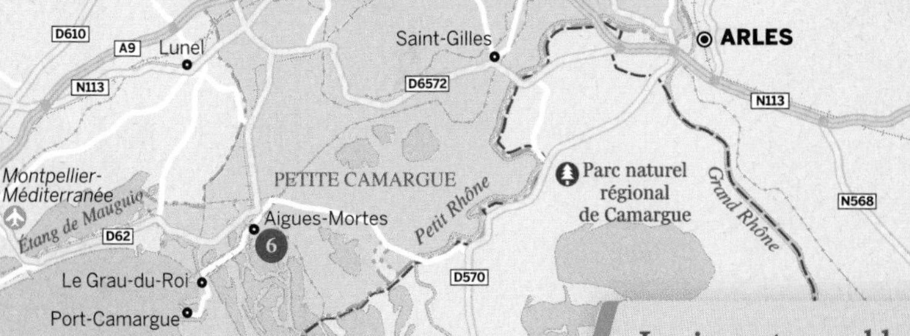

Les incontournables

1 Nîmes (p. 124)

2 Pont du Gard (p. 138)

3 Gorges du Gardon (p. 140)

4 Uzès (p. 142)

5 Vallée de la Cèze (p. 150)

6 Aigues-Mortes (p. 156)

Pays nîmois et Petite Camargue
Paroles d'expert

Ci-dessus : Paseo d'une corrida, arènes de Nîmes (p. 126). **Ci-contre en haut :** Vignoble des Costières (p. 156)
Ci-contre en bas : Gorges du Gardon (p. 140)

Ma sélection

Le pays nîmois et la Petite Camargue par Anne Collard

VIGNERONNE AU CHÂTEAU MOURGUES DU GRÈS (BEAUCAIRE)

1 LE PONT DU GARD

L'été, je conseille de faire la **descente du Gardon** en canoë (p. 141). En plus de vous rafraîchir dans les eaux vivifiantes du Gardon, vous obtiendrez une vue saisissante de l'aqueduc, qui met en valeur son architecture. Pour échapper à la foule, n'hésitez pas à suivre les canalisations romaines de part et d'autre du pont ; cela permet de s'enfoncer un peu dans la garrigue, en quête de vestiges archéologiques.

2 LE TERROIR DES COSTIÈRES

Entre la Provence, le Languedoc et la vallée du Rhône, les **Costières de Nîmes** (p. 156) sont le dernier relief avant la Camargue. Je propose, sur mon domaine du château Mourgues du Grès, un sentier nature et paysage en accès libre. Ponctué de panneaux signalétiques, il permet de découvrir l'alchimie entre vin et paysages. On peut le parcourir à pied, à dos de poney ou en vélo.

3 L'HÉRITAGE ROMAIN DE NÎMES

Pour les **arènes** (p. 126), bien sûr. L'idéal, pour moi, est de les découvrir à l'occasion d'un spectacle : tauromachie, concert, spectacle de gladiateurs... Cet espace circulaire permet une réelle communion entre le spectacle et le public. Les **jardins de la Fontaine** (p. 128), havre de fraîcheur en pleine ville, permettent de rejoindre la tour Magne. Quant à la **Maison carrée** (p. 127), elle n'est jamais aussi belle que depuis les terrasses du Carré d'art, avec les toits du vieux Nîmes en arrière-plan.

4 LE MARCHÉ D'UZÈS

Une institution. Le samedi matin, le marché est un peu victime de son succès. Mais n'hésitez pas à vous y rendre le mercredi matin : ce jour-là se tient un délicieux marché de producteurs, avec saveurs et couleurs, où l'on trouve sur les étals fruits, légumes, fromages de chèvre... Comme il est moins fréquenté que le marché du samedi, on admire d'autant mieux l'architecture de la **place aux Herbes** (p. 143), centrée autour de sa fontaine.

Suggestions d'itinéraires

Avec Nîmes, l'Uzège, Aigues-Mortes ou le pont du Gard, le pays nîmois et la Petite Camargue ne manquent pas d'atouts touristiques. Voici deux itinéraires pour partir à la découverte de ces paysages marqués par la garrigue et les vastes étendues du delta du Rhône.

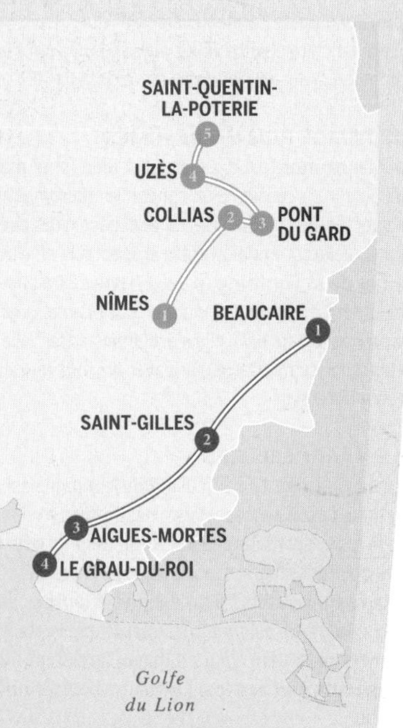

3 JOURS

DE BEAUCAIRE AU GRAU-DU-ROI

Du fleuve au delta

Le premier jour, attachez-vous à découvrir le patrimoine méconnu de la ville de **(1) Beaucaire**, labellisée ville d'art et d'histoire, et hissez-vous jusqu'aux ruines de son château dominant fièrement le Rhône. Prenez ensuite la route de Saint-Gilles et la direction du Mas des Tourelles pour goûter à des vins vinifiés comme à l'époque romaine ! Le lendemain, prenez le temps de découvrir **(2) Saint-Gilles** et surtout la façade de son abbatiale, joyau de l'art roman, avant de partir en immersion dans la Petite Camargue, sur les sentiers de l'étang du Scamandre. Le soir, rejoignez les ruelles animées d' **(3) Aigues-Mortes** pour une escale gastronomique animée. La matinée du troisième jour, visitez les remparts de la cité d'Aigues-Mortes ou les paysages lunaires de ses salins. L'après-midi, éloignez-vous du centre du **(4) Grau-du-Roi** pour profiter des étendues sauvages de la plage de l'Espiguette, à découvrir à pied ou à cheval.

Ci-dessus : Abbaye de Saint-Roman (p. 149)
Ci-contre : Arènes de Nîmes (p. 126)

DE NÎMES À SAINT-QUENTIN LA POTERIE

Les incontournables de la garrigue

Consacrez deux jours à **(1) Nîmes**. Le premier jour, partez à la découverte du patrimoine antique de la cité : les arènes, la Maison carrée et la tour Magne. Le lendemain, attardez-vous dans les ruelles de l'Écusson, admirez ses belles façades et visitez le Carré d'art pour une approche plus contemporaine de la ville. Le troisième jour, prenez la direction de **(2) Collias** pour une virée en kayak dans les gorges du Gardon, avant de dormir dans une chambre d'hôtes autour d'Uzès. Le lendemain, passez la journée sur le site du **(3) pont du Gard**, autour des arches majestueuses de cet aqueduc romain, de son espace muséographique ou sur ses sentiers odorants qui parcourent la garrigue. Consacrez la matinée du dernier jour au centre d' **(4) Uzès**, rempli de boutiques chics et d'hôtels particuliers cossus. À l'heure de l'apéritif, profitez de l'atmosphère reposante de la place aux Herbes. L'après-midi, grimpez au sommet du donjon de la cité ducale pour observer la tour Fenestrelle et un beau panorama sur l'Uzège. Complétez la visite d'Uzès par celle des ateliers de potiers du village coloré de **(5) Saint-Quentin la Poterie**.

vrir le Pays nîmois
la Petite Camargue

NÎMES

À la frontière de la Provence et du Languedoc, la préfecture du Gard est une ville-carrefour, où les différentes traditions régionales se sont panachées avec bonheur. Colonie romaine fondée en 19 av. J.-C., la cité prit son essor grâce à une activité commerciale florissante et devint l'une des principales villes de la Gaule romaine. La *Colonia Augusta Nemausus* donna même naissance à un empereur au IIe siècle, Antonin. Rattachée au royaume de France après la croisade des albigeois, en 1229, Nîmes devient à la Renaissance un des bastions du protestantisme, subissant alors les aléas des guerres de Religion. Des catholiques sont massacrés lors de la "Michelade" du 29 septembre 1567 ; les huguenots se soulèvent contre le roi de 1621 à 1629 ; et la révocation de l'édit de Nantes en 1685 détourne la bourgeoisie nîmoise des charges politiques au profit du commerce du textile (voir p. 333).

Le centre-ville offreaujourd'hui une déambulation à travers les siècles, des superbes arènes antiques aux jardins de la Fontaine et jusqu'au Carré d'art, réalisation contemporaine emblématique du dynamisme culturel nîmois.

Indissociable de son identité, la tauromachie se vit avec passion : février, Pentecôte et septembre scandent l'année au rythme de ferias endiablées.

Place du Marché
EMMANUEL DAUTANT ©

À voir

Surnommé l'"Écusson" en raison de sa forme, le centre historique est délimité par les boulevards Gambetta, Amiral-Courbet et Victor-Hugo, qui furent tracés sur l'emplacement des remparts médiévaux détruits aux XVIIe et XVIIIe siècles. Les jardins de la Fontaine, aménagés sur le versant du mont Cavalier, se trouvent en dehors de l'Écusson, au nord-ouest. Percée au XIXe siècle à l'époque du baron Haussmann, l'avenue Feuchères relie la gare à la grande esplanade, qui s'ouvre à l'ouest des arènes. Reportez-vous p. 130 pour un itinéraire dans les rues du vieux Nîmes.

Nîmes

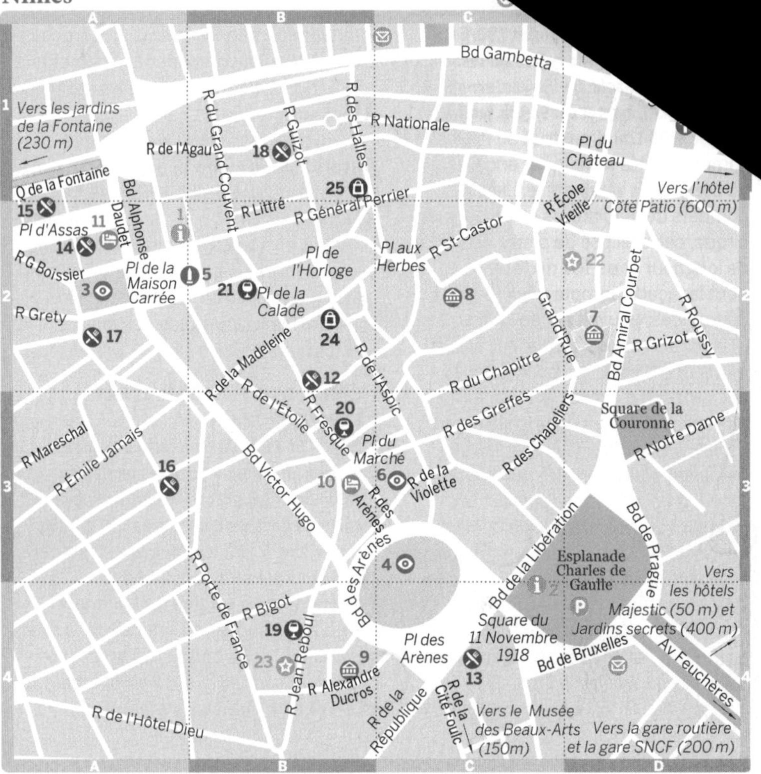

Nîmes

Renseignements
- 1 Office de tourisme A2
- 2 Annexe de l'office du tourisme C4

À voir
- 3 Carré d'art - musée d'Art contemporain A2
- 4 Arènes (entrée) C3
- 5 Maison Carrée A2
- 6 Billetterie des Arènes (feria) C3
- 7 Musée archéologique et Muséum d'histoire naturelle D2
- 8 Musée du Vieux Nîmes C2
- 9 Musée des Cultures taurines B4

Où se loger
- 10 Hôtel de l'Amphithéâtre B3
- 11 Royal Hôtel A2

Où se restaurer
- 12 Casa Blanca B2
- 13 Casa Wine Bar "Le Cheval blanc" C4
- 14 Le Ciel de Nîmes Carré d'art A2
- 15 L'Imprévu A2
- 16 Au Chapon Fin A3
- 17 L'Ancien Théâtre A2
- 18 Aux Plaisirs des Halles B1

Où prendre un verre
- 19 Le Prolé B4
- 20 421 ..... B3
- 21 Le Café Latin B2

Où sortir
- 22 Lulu Club D2
- 23 La Comédie B4

Achats
- 24 Maison Villaret B2
- 25 Marché couvert B1

…nain
…n ;
…vation ;
…nai et
…-fév et
… siècle,
…ore
…eu des
…ues jeux du
…re de 133 m
…ue largeur,
…eux rangées de
60 ar… …cueillir jusqu'à
24 000 pers… …ntérieur est un
labyrinthe d'escaliers et de galeries, qui permettait l'accès et l'évacuation des spectateurs en un temps record. Esclaves, marchands et magistrats prenaient place dans les gradins en fonction de leur classe sociale. Les premiers grands travaux de déblaiement des vestiges romains ne commencèrent qu'en 1809. En 1813 se tint le premier spectacle taurin dans les arènes. Aujourd'hui, elles vibrent chaque été au gré des corridas et, en saison, au son des concerts en plein air. La visite audioguidée, indispensable, aide à s'y retrouver dans ce dédale de pierre massive. Plus ludiques, les espaces multimédias consacrées à la tauromachie et à la corrida complètent ce parcours initiatique, qui oscille entre les mondes romain et taurin.

Au sud des arènes, remarquez la **statue de Nimeño II**, alias Christian Montcouquiol (1954-1991), né à Nîmes, et tenu pour l'un des premiers grands toreros français de renommée internationale. Il fut gravement blessé lors d'une corrida le 10 septembre 1989. Ne pouvant plus combattre, il se suicida en 1991.

CARRÉ D'ART – MUSÉE D'ART CONTEMPORAIN Médiathèque et musée (**☎ 04 66 76 35 70 ; carreartmusee.nimes.fr ; 16 pl. de la Maison-Carrée ; tarif plein/réduit 5/3,70 €, gratuit -10 ans, visite guidée comprise dans le droit d'entrée ; ⏰ 10h-18h tlj sauf lun**). C'est le célèbre architecte britannique sir Norman Foster, également à l'origine du Millenium Bridge à Londres ou encore du viaduc de Millau, qui a conçu le Carré d'art. Inauguré en 1993, sur l'emplacement de l'ancien Opéra, ce magnifique

Les arènes de Nîmes où le torero Nimeño II s'est illustré à de nombreuses reprises

EMMANUEL DAUTANT ©

EMMANUEL DAUTANT ©

À ne pas manquer **La Maison carrée**

Édifice romain construit probablement entre l'an 3 et l'an 5, la Maison carrée impressionne par son exceptionnel état de conservation. Ses colonnes à chapiteaux corinthiens, son fronton et ses murs composent un édifice classique, d'une harmonie presque austère. L'histoire et la reconversion perpétuelle de ce bâtiment unique expliquent qu'il ait traversé les âges sans encombre. Les trous que l'on peut encore observer sur le fronton forment une phrase latine. En la déchiffrant pour la première fois, Jean-François Séguier, homme de science nîmois du XVIIIe siècle, découvrit la vocation de l'édifice : il fut construit à la gloire de Caius et Lucius César, petit-fils et fils adoptif d'Auguste, afin de servir le culte impérial. Il dominait alors le forum, au croisement du *cardo maximus* et du *decumanus maximus*, les deux principales artères de la ville.

Au XIe siècle, le temple devint la maison où se réunissaient les consuls. Au XVIe siècle, il fut racheté par un particulier qui en fit sa maison, avant de la transformer en écuries. En 1670, les Augustins restaurèrent le bâtiment pour le convertir en église. Devenue bien public à la Révolution, elle abrita les archives départementales avant de devenir un temps le musée des Beaux-Arts.

Aujourd'hui, à l'intérieur du bâtiment, outre une peinture antique issue d'une maison gallo-romaine du Ier siècle, la visite comprend un spectacle multimédia : munis de lunettes 3D, on assiste, sur un écran panoramique, à un augure, cérémonie antique, et à un rituel de divination.

INFOS PRATIQUES

(☎ 04 66 21 82 56 ; www.arenes-nimes.com ; pl. de la Maison-Carrée ; tarif plein/réduit 4,60/3,80 € ; 🕑 tlj 10h-20h juil-août, 10h-19h juin, 9h-18h30 avr-mai et sept, 10h-18h30 mars et oct, 10h-18h oct, jan-fév et nov-déc 10h-13h et 14h-16h30)

bâtiment de verre et de fer, dédié à la légèreté et à la lumière, répond de façon contemporaine à l'harmonie classique de la Maison carrée qui lui fait face. À la fois **médiathèque** et **musée d'Art contemporain**, le Carré d'art possède un fonds de 300 œuvres couvrant la période allant de 1960 à nos jours, comprenant des mouvements comme Supports Surfaces, la Figuration libre ou encore BMPT (acronyme des fondateurs Buren, Mosset, Parmentier et Toroni). Vous verrez ainsi des œuvres de Claude Viallat, de Christian Boltanski ou encore d'Annette Messager. Consacré aux avant-gardes, il met en valeur l'art contemporain du sud de l'Europe, avec des artistes italiens de l'*Arte Povera*, de la Trans-Avant-Garde ou des mouvements ibériques. D'intéressantes expositions temporaires finissent d'en faire un lieu incontournable. À noter également, des ateliers réservés aux enfants les mercredis et pendant les vacances scolaires (**5 € ; accueil à l'atelier du musée au premier étage**). De la terrasse du café-restaurant **Le Ciel de Nîmes** (voir p. 134), vous profiterez d'une vue splendide sur les toits nîmois et sur la Maison carrée.

GRATUIT JARDINS DE LA FONTAINE ET TOUR MAGNE

Parc

(**entrée libre ; tlj 7h30-22h avr-15 sept, 7h30-18h30 16 sept-mars**). Havre de fraîcheur et d'élégance, les **jardins de la Fontaine** furent réalisés en 1745, à l'endroit même de la source qui présida à la création de Nîmes. Du boulevard Alphonse-Daudet, à l'ouest du centre-ville, on y accède par une promenade agréable en suivant les rives ombragées d'un canal. Ses escaliers, ses statues en pierre de Lens, ses bassins et ses faux péristyles baignés par les eaux illustrent l'harmonie classique des jardins à la française sous Louis XV. Les travaux d'irrigation ont mis au jour un sanctuaire antique, construit autour de la source sacrée. Ne manquez pas le beau **temple de Diane**, à gauche de l'entrée principale, associé au sanctuaire impérial.

À gauche : Jardins de la Fontaine ; **Ci-dessous :** Place de l'Horloge
(À GAUCHE) ADRT 30 © ; (CI-DESSOUS) TILIO & PAOLO/FOTOLIA ©

En gravissant le mont Cavalier, aménagé au XIXe siècle, le jardin revêt une apparence plus sauvage. Ourlés de grottes artificielles, les chemins qui y montent mènent à la **tour Magne** (**04 66 21 82 56 ; www.arenes-nimes.com ; tarif plein/réduit 2,80/2,40 € ; tlj 9h-20h juil-août, 9h-19h juin, 9h30-18h30 avr-mai et sept, 9h30-18h30, oct et mars 9h30-13h et 14h-18h, jan-fév et nov-déc 10h-13h et 14h-16h30**), vestige des fortifications qui ceinturaient la ville sur 6 km au temps d'Auguste. De forme octogonale, c'était la plus haute (32 m) des 80 tours de l'enceinte.

AUTRES VESTIGES ROMAINS Monuments romains

Bassin circulaire de distribution des eaux venant d'Uzès par l'aqueduc romain et le pont du Gard, le **Castellum** (rue de la Lampèze, au nord de la ville) est un témoignage archéologique unique sur l'habileté des Romains en matière d'adduction d'eau et de travaux publics, même si le site n'a en soi rien de spectaculaire.

Au nord du boulevard Amiral-Courbet, la **porte d'Auguste**, ou porte d'Arles, donne une idée de l'urbanisme nîmois au Ier siècle. Elle faisait alors partie de l'enceinte qui entourait la ville. C'est là que passait la *via Domitia*, qui reliait Rome à l'Espagne. On peut admirer aujourd'hui quatre de ses arcades, sous lesquelles passaient piétons et voitures à cheval.

Au sud de l'Écusson, en dehors du centre historique, se dresse la **porte de France**, ou porte d'Espagne, autre vestige de la muraille antique. Elle ne compte qu'une seule arcade.

GRATUIT **MUSÉE ARCHÉOLOGIQUE** Archéologie

(**04 66 76 74 80 ; 13 bis bd Amiral-Courbet ; entrée libre ; 10h-18h tlj sauf lun**). Installé dans l'ancien collège des Jésuites fondé au XVIIe siècle, le Musée archéologique expose plusieurs collections d'objets de la vie quotidienne, de sculptures ou de bas-

Promenade dans le vieux Nîmes

De ruelles en placettes, cette balade dans le vieux Nîmes dévoile hôtels particuliers, édifices religieux, gargouilles, frises ou balcons en fer forgé.

1 Place du Marché

À deux pas des arènes, un grand palmier prend ses aises sur cette place très animée bordée de restaurants. Au centre, une fontaine originale créée par l'artiste contemporain Martial Raysse rappelle l'emblème de la ville : un crocodile et un palmier (voir l'encadré p. 134), motif repris par Philippe Starck sur les clous incrustés entre les pavés.

La **rue Fresque** ("frais" en occitan) prolonge l'atmosphère villageoise de la place. Au n°6 se trouve l'hôtel Novi de Caveirac et sa façade ocre, demeure médiévale remaniée aux XVIe et XVIIe siècles, et au n°16 la Maison de l'avocat des pauvres, construite en 1459 par un juriste pour assurer la défense des plus démunis.

2 Rue de Bernis

Entre la rue Fresque et la rue de l'Aspic, cette rue recèle quelques beaux hôtels particuliers des XVIIe et XVIIIe siècles, dont l'**hôtel de Bernis** avec ses fenêtres gothiques et l'**hôtel Boudon** qui lui fait face. Sachez que les cours des hôtels particuliers s'ouvrent souvent pour accueillir des *bodegas* en saison.

3 Rue de l'Aspic

Cette rue commerçante et étroite est flanquée de superbes demeures aux fenêtres et aux portes magnifiquement travaillées. Bien que probablement postérieures à cette période, la plupart s'inspirent du style Renaissance. Notez les imposantes gargouilles au n°3.

4 Place de l'Horloge

Au nord-ouest, la **place de la Calade**, fantomatique malgré la présence du théâtre de Nîmes, relooké par Jean-Michel Wilmotte, ravira les amateurs de silence. À l'est s'ouvre la place de l'Horloge, dominée par un campanile reconstruit en 1754, seul vestige de l'ancien hôtel de ville détruit en 1700.

INFOS PRATIQUES

- **Départ :** place du Marché
- **Arrivée :** Grand Temple protestant
- **Distance :** 1 km
- **Durée :** de 45 minutes à 1 heure

5 Place aux Herbes

Au nord de la vieille ville se trouve l'îlot Littré, l'ancien quartier des teinturiers. Sur la place aux Herbes, la **cathédrale Saint-Castor** (XIIe siècle) dresse sa façade asymétrique. Détruite lors des guerres de Religion, elle fut réaménagée au XVIIe siècle, puis au XIXe siècle. Remarquez sa frise romane, dans sa partie gauche, figurant, avec délicatesse, des scènes de l'Ancien Testament.

6 École des Beaux-Arts

Au n°1 de la rue de la Madeleine, au coin de la place aux Herbes, la **Maison romane** arbore une superbe façade, ornée de rosaces romanes et d'animaux extraordinaires. Au sud de la place s'ouvre la rue des Marchands, succession de maisons des XVIe, XVIIe et XVIIIe siècles, ornées de frises et de colonnes sculptées. La cour et la fontaine de pierre du **passage des Marchands** charment le promeneur, tout comme le passage du Vieux-Nîmes, en face. Il débouche sur la **rue du Chapitre**, où vous pourrez admirer, au n°14, l'**hôtel de Régis**, construit sous Louis XV. Un peu plus loin, la **place du Chapitre** abrite l'**école des Beaux-Arts**, installée dans les locaux de l'hôtel Rivet.

7 Le Grand Temple

Trônant au nord-est de l'Écusson, place du Grand-Temple, il correspond à l'ancienne chapelle des Dominicains, réinvestie après la Révolution par les protestants. Les deux temples de la vieille ville avaient été détruits au moment de la révocation de l'édit de Nantes.

reliefs, de mosaïques, de l'âge du fer à la fin de l'Empire romain. Dans la section romaine, on admirera la mosaïque de Bellérophon, dégagée à Nîmes, le sarcophage de l'école d'Aquitaine, découvert dans le Gard, ou la statue de Silène, disciple de Bacchus, retrouvée sur la route de Beaucaire.

GRATUIT **MUSÉE DU VIEUX NÎMES** Histoire de la ville

(**04 66 76 73 30 ; pl. aux Herbes ; gratuit ; 10h-18h tlj sauf lun)**. Édifié entre 1683 et 1685, le Palais épiscopal qui jouxte la cathédrale abrite aujourd'hui le musée du Vieux Nîmes. Celui-ci reconstitue la vie d'autrefois à travers des meubles, des objets usuels et des costumes, sans pour autant retracer véritablement l'histoire de la cité de façon chronologique. Une place importante est attribuée à l'industrie textile. Une section (la salle "Bleu au quotidien") est consacrée à la naissance du blue-jean Denim (voir l'encadré p. 133).

MUSÉE DES BEAUX-ARTS Art de la Renaissance à nos jours

(**04 66 67 38 21 ; rue de la Cité-Foulc ; tarif plein/réduit 5/3,80 € ; 10h-18h tlj sauf lun)**. En dehors du centre historique (l'Écusson), le musée des Beaux-Arts rassemble des pièces des écoles italiennes du XVe au XVIIe siècle (Guido Reni, Luca Giordano, Jacopo Bassano), des œuvres françaises du XVIIe au XIXe siècle (François Boucher, Charles-Joseph Natoire, Pierre Subleyras), ainsi que celles d'artistes flamands et hollandais des XVIe et XVIIe siècles, dont Pierre Paul Rubens et Carel Fabritius. L'une des pièces maîtresses du musée est le "tondo Foulc" (XVe siècle), une madone en faïence d'Andrea Della Robbia (1435-1525). Dans l'atrium, la lumière du jour éclaire une mosaïque romaine retrouvée à Nîmes et représentant *Les Noces d'Admète* (IIe siècle). Visites guidées le dimanche à 15h30. Également des expositions temporaires.

L'architecture contemporaine à Nîmes

Depuis une trentaine d'années, Nîmes met en avant sa vocation artistique à travers son espace urbain, qui recèle nombre de réalisations d'architectes et de designers prestigieux. Des réalisations qui tranchent (volontairement ?) avec son héritage antique et qui attirent une foule d'étudiants en architecture. On doit ainsi le **Carré d'art** à l'architecte britannique Norman Foster (p. 345), l'**Abribus** situé à l'angle de la rue Notre-Dame et de l'avenue Carnot à Philippe Starck. Sur l'avenue du Général-Leclerc, derrière la gare ferroviaire, on découvre une réalisation de l'architecte Jean Nouvel, **Nemausus** (1987), un ensemble de logements sociaux dont la forme évoque des paquebots et a été labellisé "Patrimoine du XXe siècle". À voir aussi, le **stade des Costières** de l'architecte italien Vittorio Gregotti (av. de la Bouvine) et le **Colisée** (av. de la Liberté et av. Salvador-Allende) du Japonais Kisho Kurokawa. Enfin, les réaménagements de l'Écusson (la mairie, les halles, le hall de l'hôtel Rivet ou l'école des Beaux-Arts) sont l'œuvre de l'architecte français Jean-Michel Wilmotte.

MUSÉE DES CULTURES TAURINES Tauromachie
(04 66 36 83 77 ; 6 rue Alexandre-Ducros ; tarif plein/réduit 5/3,80 € ; 10h-18h tlj sauf lun). Consacré entièrement à l'histoire de la feria, à la tauromachie et aux traditions taurines camarguaises, ce musée présente notamment une exposition permanente intitulée "Tauromachies nîmoises". Des expositions temporaires sont organisées, elles aussi en relation avec la tauromachie.

GRATUIT **MUSÉUM D'HISTOIRE NATURELLE** Ethnographie et sciences
(04 66 76 73 45 ; 13 bis bd Amiral-Courbet ; gratuit ; 10h-18h tlj sauf lun). Outre le Musée archéologique (voir p. 132), l'ancien collège des Jésuites abrite le Muséum d'histoire naturelle et de préhistoire, assez poussiéreux, où l'on peut voir des collections ethnographiques et des salles consacrées à la préhistoire et aux espèces animales. Vous pourrez d'ailleurs voir le dernier loup du Gard, naturalisé, tué en 1890 à Bronzet, entre Alès et Uzès. Un projet de rénovation/déménagement est toujours dans les tiroirs. Par le musée, on accède à la **chapelle des Jésuites** (Grand'Rue). Inspirée de l'église du Gesù de Rome, elle fut construite entre 1673 et 1678. Son architecture classique et dépouillée, caractéristique des édifices religieux de Nîmes, tranche avec le style gothique, encore utilisé au XVIIe siècle dans la région.

PLANÉTARIUM Observatoire astronomique
(04 66 67 60 94 ; av. Peladan ; tarif plein/réduit 5,23/3,79 € ; séances 10h jeune public, 15h mer, 15h sam-dim). Construit sur le mont Duplan, l'une des collines de Nîmes, au nord-est du centre, le planétarium propose de parcourir le système solaire et les astres sur la voûte d'une salle de 60 places, lors de séances spécifiques. En 1830, déjà, l'astronome Benjamin Valtz avait fait bâtir à Nîmes un observatoire. Lorsqu'il découvrit un nouvel astéroïde, il le baptisa Némausus, en hommage à la ville.

Où se loger

Notez que durant les ferias (en juin et septembre), les hôtels ont tendance à augmenter leurs tarifs d'au moins 20%. Renseignez-vous avant de réserver.

HÔTEL DE L'AMPHITHÉÂTRE Familial €€
(04 66 67 28 51 ; www.hoteldelamphitheatre.com ; 4 rue des Arènes ; s/d 65-85€, petit-déj

10 € ; ❄ 📶). Voici un établissement familial, aménagé dans une demeure du XVIIIe siècle, dont les chambres (sdb, TV) ont toutes un air désuet et charmant. Celles du troisième étage bénéficient de la clim. L'hôtel donne sur la place du Marché, à proximité des arènes.

HÔTEL MAJESTIC Provençal **€€**
(☎04 66 29 24 14, fax 04 66 29 77 33 ; www.hotel-majestic-nimes.com ; 10 rue Pradier ; s/d/tr/qua 50-65/55-75/70-95/75-105 €, petit-déj 7 € ; ❄ 📶 P 8 €). Ce deux-étoiles, à 3 minutes à pied du centre historique, propose de jolies chambres confortables, bien agencées et dotées de sdb irréprochables. Toutes sont habillées aux couleurs pétillantes de la Provence... Patio pour les petits-déjeuners.

HÔTEL CÔTÉ PATIO Contemporain **€€**
(☎04 66 67 60 17, fax 04 66 67 88 02 ; www.hotel-cote-patio.com ; 31 rue de Beaucaire ; s/d/tr 59-67/63-77/79-99 €, petit-déj 10 € ; 📶 P 9 €). Un hôtel trois étoiles de charme où prime la convivialité autour d'un patio arboré, d'une terrasse ensoleillée et de sofas moelleux invitant à la paresse. Dans les chambres pimpantes, la déco actuelle joue des couleurs pour donner du style à l'ensemble, mais toujours dans un esprit contemporain. Accueil souriant.

ROYAL HÔTEL Tradition **€€**
(☎04 66 58 28 27, fax 04 66 58 28 28 ; www.royalhotel-nimes.com ; 3 bd Alphonse-Daudet ; d basse/hte saison 50-120/60-160 €, petit-déj 9 € ; ❄ 📶). Ce trois-étoiles situé au cœur de la ville offre des chambres soignées, à dominante de blanc et agrémentées de meubles rétro. L'esprit y est authentique. La proximité du boulevard peut engendrer quelques nuisances sonores. Le bar à tapas de l'hôtel, la Bodeguita, possède une terrasse attrayante. Un parking public est situé sous l'établissement.

JARDINS SECRETS Hôtel de luxe **€€€**
(☎04 66 84 82 64, fax 04 66 84 27 47 ; www.jardinssecrets.net ; 3 rue Gaston-Maruejols ; d 195-295 €, stes 350-450 €, petit-déj 25 € ; ❄ 🏊 📶 P 25 €). Des jardins verdoyants avec piscine, un spa, des chambres luxueuses où règne une belle harmonie décorative (ambiance hôtel particulier du XIXe siècle revisitée) que les esthètes apprécieront à leur juste prix (on ne badine pas avec le confort). Bref, un endroit hors norme, une adresse secrète cachée en pleine ville, à deux pas de la gare ferroviaire.

Le denim de Nîmes

Le "denim", ou blue-jean, a-t-il un rapport avec Nîmes ? Hé oui ! Le fameux pantalon inventé par Levi Strauss, dans les années 1860, a utilisé la serge de Nîmes. Au XVIIIe siècle, la bourgeoisie protestante de la ville se lance dans le commerce et l'industrie, et les manufactures produisent un tissu à armure sergée, fabriqué à base de laine et de déchets de soie, puis de coton. Traditionnellement teint à l'indigo, il était apprécié pour sa souplesse et sa solidité. Au début du XIXe siècle, il est exporté vers les États-Unis, où il sert à la confection de vêtements pour les esclaves noirs qui travaillent dans les plantations. C'est durant la seconde moitié du siècle que Levi Strauss entre en scène. Ce juif bavarois, immigré aux États-Unis en 1847, profite de la ruée vers l'or pour fabriquer des vêtements destinés aux pionniers et aux chercheurs d'or. Il remplace la toile de tente, qu'il utilisait habituellement pour confectionner ses pantalons, par la serge de Nîmes, plus résistante, et renforce les points de tension avec des rivets de cuivre. Le jean Levi Strauss ou denim (contraction de "de Nîmes", se rapportant à la serge) était né.

Insolite Ah ! les crocos, ah ! les crocodiles…

Selon la légende, Auguste, victorieux de la flotte de Cléopâtre et de Marc-Antoine en Égypte lors de la bataille d'Actium (31 av. J.-C.), aurait voulu récompenser ses fidèles légionnaires en leur offrant des lopins de terre dans la région de Nîmes. Pour symboliser leur victoire, sur la monnaie frappée à cette époque, on représenta l'Égypte vaincue par un crocodile enchaîné à un palmier sur lequel figure une couronne de lauriers, avec la légende *Col Nem* (pour *Colonia Nemausus*). Tombé en désuétude et remplacé par une tête de taureau, ce symbole fut repris par François Ier en 1535. Plus récemment, en 1985, le designer Philippe Starck a redessiné et simplifié ces armoiries en ôtant le laurier et la chaîne.

Où se restaurer

CASA BLANCA Tapas €

(**04 66 21 76 33 ; 9 rue Fresque ; tapas 4-20 € ; tlj sauf dim et lun**). Un petit bout d'Espagne vient nous faire frétiller les papilles : de sympathiques tapas à déguster dans un décor qui l'est tout autant. Bar, salon vintage, salle à l'effigie du taureau et deux adorables cours arborées : vous aurez le choix de vous installer où bon vous semblera. Et l'heureuse nouvelle, c'est que la Casa Blanca s'est aussi mise à l'heure espagnole… Idéal pour les mange-tard.

WINE BAR "LE CHEVAL BLANC" Traditionnel €€

(**04 66 76 19 59 ; www.winebar-lechevalblanc.com ; 1 pl. des Arènes ; formule midi 12,50 €, menus 16/24 €, plat du jour 8,50 €, plats 11-26 € ; tlj sauf dim**). Immanquable, cette adresse traditionnelle, face aux arènes, fait salle comble tous les jours. Dans les vastes intérieurs voûtés, aux banquettes capitonnées longeant des murs arrondis, résonne le brouhaha joyeux d'une grande brasserie. Les serveurs virevoltent entre les tables, apportant la fameuse brandade ou autres plats traditionnels.

LE CIEL DE NÎMES Restaurant du Carré d'art €€

(**04 66 36 71 70 ; www.lecieldenimes.fr ; Carré d'art, 16 pl. de la Maison-Carrée ; plats 9,50-25,90 € ; 10h-18h tlj sauf lun, ouvert aussi ven-sam soir mai-sept**). D'abord, il y a le lieu, et la vue : ce n'est pas tous les jours que l'on peut manger sur le toit d'un musée ! Une terrasse de choix donc, avec quelques tables, où l'on vient déguster des plats simples et bien préparés comme ces brochettes de saint-jacques au beurre blanc ou ces profiteroles de brandade nappées d'un coulis de poivron. Service efficace.

L'IMPRÉVU Méditerranéen €€

(**04 66 38 99 59 ; www.l-imprevu.com ; 6 pl. d'Assas ; plats 14-22 € ; tlj jeu-lun**). La seule chose que l'on peut prédire ici, c'est que les mets servis raviront vos papilles ! Installé au calme sur la ravissante place d'Assas, cet établissement un brin tendance est prisé pour ses plats de grande qualité aux tarifs tout à fait honnêtes. Une carte complétée par l'ardoise du jour permet de piocher dans les régals proposés. Les risottos "arborio" sont à tomber, les plats délicieux et bien présentés, sans ostentation. Et les douceurs, de véritables gourmandises. Service sympathique et atmosphère agréable.

AU CHAPON FIN Cuisine de marché €€

(**04 66 67 34 73 ; www.chaponfin-restaurant-nimes.com ; 3 rue Château-Fadaise ; formule midi 13/16 €, menu 29,50 € ; tlj sauf dim**). Atmosphère branchée pour ce restaurant de bonne réputation, installé derrière l'église Saint-Paul. Des aiguillettes de canard au jus de réglisse et betteraves frites, en passant par l'inévitable brandade de morue maison et le croustillant de banane au caramel laitier et fleur de sel, tout est bon et servi généreusement. Terrasse sur le toit et salle climatisée. À côté, **le Petit Chapon Rouge** (5 rue Vouland ; jusqu'à 1h tlj sauf dim et lun) est la version bar à vins de l'établissement, où l'on déguste planchettes, salades et, cela va de soi, les bons crus de la cave.

L'ANCIEN THÉÂTRE Poisson et fruits de mer €€

(04 66 21 30 75 ; 4 rue Racine ; plats 18-28 € ; tlj sauf sam midi, dim et lun). Les produits de la mer sont à l'honneur au menu de cette table très appréciée, qui prépare avec originalité et savoir-faire soupe de poisson, gambas rôties, exquise brandade de morue, etc. La petite salle aux murs de pierre, agencée simplement, est vite complète : pensez à réserver.

AUX PLAISIRS DES HALLES Gastronomique €€€

(04 66 36 01 02 ; www.auxplaisirsdeshalles.com ; 4 rue Littré ; menus 22 (midi)/24/45/60 €, plats 19-30 € ; tlj sauf dim et lun). La carte de cette élégante table, l'une des meilleures de Nîmes, décline des plats délicieux : dorade royale aux girolles, ravioles de homard au coulis de tomates et basilic, ou en dessert un parfait glacé au Cointreau et aux agrumes... Tout un programme ! La salle sertie de bois est raffinée. Un charmant patio permet de dîner au calme en extérieur.

Où prendre un verre

LE PROLÉ Bar

(04 66 21 67 23 ; 20 rue Jean-Reboul ; jusqu'à 23h tlj sauf dim). Une sorte de guinguette populaire, centenaire et fréquentée par des artistes et des étudiants des Beaux-Arts. Dans une cour, passé le boulevard des Arènes et donc loin des bars à la mode.

421 Bar taurin

(04 66 23 86 35 ; 37 rue Fresque ; jusqu'à 1h tlj sauf dim). Ambiance taurine et authentique dans ce bar qui brasse beaucoup de monde, notamment la jeunesse nîmoise. On sirote son verre à l'intérieur ou tout simplement debout dans l'étroite ruelle, dans une ambiance festive et musicale. Un must en ville.

LE CAFÉ LATIN Bar

(04 66 38 90 52 ; 27 rue de l'Horloge ; jusqu'à 2h tlj sauf dim). Devant la superbe Maison carrée, les tables s'étalent et ne désemplissent pas. L'ambiance est à la mode, jeune et branchée. DJ du jeudi au samedi.

Le crocodile nîmois, version confiserie
EMMANUEL DAUTANT ©

Où sortir

Côté clubs, outre la discothèque gay nîmoise, le **Lulu Club** (**04 66 36 28 20 ; www.lulu-club.com ; 10 impasse de la Curaterie ; 10 € ; 1h-aube ven-dim**), où la foule se déchaîne sur le tout petit dancefloor sur de la musique house, techno et disco, vous pourrez tester les deux adresses principales : **La Comédie** (**28 rue Jean-Reboul ; 10 € ; 23h-5h jeu, minuit-5h ven et sam**) et le **Joy** (**04 66 67 56 23 ; www.le-joy.com ; 150 route de Sauve, à 2 km direction Alès ; 10 € ; ven-sam**), qui dispose d'un patio extérieur.

Achats

Pour remplir votre panier de quelques spécialités régionales, rendez-vous au **marché couvert** (**tlj 6h30-13h**), installé dans les halles modernes de la rue Général-Perrier, ou au **marché** (**7h-13h**) qui se tient chaque vendredi matin boulevard Jean-Jaurès.

En juillet et en août, dans le cadre des Jeudis de Nîmes, vous aurez l'opportunité de chiner de 18h à 22h30 tous les jeudis dans différents lieux en ville.

MAISON VILLARET Confiserie
(**04 66 67 41 79 ; 13 rue de la Madeleine ; tlj 7h-19h30**). Impossible de repartir de Nîmes sans avoir goûté le croquant de la Maison Villaret, vénérable institution depuis 1775. Fabriqué à partir d'amandes brisées, ce délicieux biscuit met tout de même à l'épreuve les dentitions fragiles ! Variante plus sucrée et moins dure : les caladons, à base d'amandes et de miel.

Renseignements

Office du tourisme (**04 66 58 38 00 ; www.ot-nimes.fr ; 6 rue Auguste**). Organise des visites-conférences, les "Balades historiques au cœur de la ville" (**tarif plein/réduit 6/5 €**), plusieurs fois par semaine d'avril à septembre. Vous pouvez aussi louer un **audioguide** (**1/2 pers 8/10 €**) ou découvrir la ville en **taxi** (**04 66 29 40 11 ; circuit commenté de 30-40 min, à partir de 40 € pour 1 à 6 passagers**).

Depuis/vers Nîmes

AVION L'**aéroport de Nîmes-Alès-Camargue-Cévennes** (**04 66 70 49 49 ; www.nimes-aeroport.fr**), à 15 km du centre-ville (direction Arles/Saint-Gilles), est desservi par Ryanair mais n'assure pas de liaisons avec d'autres villes françaises, uniquement avec la Belgique (Bruxelles), l'Angleterre (Londres et Liverpool), Rome et Palma de Majorque. La ligne 30 des navettes **Tango** (**www.tangobus.fr ; 5 € aller simple**) assure la desserte de l'aéroport pour 5 € au départ de plusieurs arrêts de bus du centre-ville (Gambetta, Esplanade et Jaurès, Colisée, Pont de Vierne).

BUS La **gare routière** (**04 66 29 52 00**) se situe boulevard Natoire juste derrière la gare SNCF. Des liaisons régulières permettent de se rendre en bus dans les grandes villes de la région. La Société des transports du département du Gard, **Edgard Transport** (**0810 33 42 73 ; www.edgard-transport.fr ; gare routière ; 8h-12h et 14h-18h lun-ven**), assure les liaisons vers Alès, Arles, Avignon, Uzès, Bagnols-sur-Cèze, Collias et le pont du Gard.

TRAIN Nîmes se trouve sur la ligne du TGV-Méditerranée, à seulement 3 heures de Paris. La **gare SNCF** (**1 bd Sergent-Triaire**), au sud de la ville, est reliée directement à toutes les grandes villes de la région.

Comment circuler

BUS Les **bus Tango!** (**0820 22 30 30 ; www.tangobus.fr; ticket 1 €**) couvrent l'ensemble de la ville. Rendez-vous au kiosque de l'Esplanade-Charles-de-Gaulle, là où s'arrêtent les principales lignes.

STATIONNEMENT Une bonne partie du centre-ville étant piétonnier, il est préférable de laisser sa voiture aux abords du centre ou dans les parkings souterrains. Il existe de nombreux parkings souterrains payants, comme celui des **Arènes** (**bd de Bruxelles**), celui de la **Maison carrée** (**pl. d'Assas**) ou de l'**avenue Jean-Jaurès** (**43 av. Jean-Jaurès**).

ENVIRONS DE NÎMES

Les alentours de Nîmes séduisent autant par la majesté de certains paysages, comme les gorges du Gardon, que par leur valeur historique. À moins d'une demi-heure de Nîmes, des sites prestigieux attirent une pléthore de visiteurs chaque année. Avec en premier lieu le pont du Gard qui enjambe le Gardon avec ses arches célestes. À proximité, la jolie ville d'Uzès arbore une architecture remarquable et délicate. Galeries d'art, antiquaires et boutiques en vogue invitent à flâner entre ses places et ruelles. Plus à l'ouest, Sommières affiche le charme d'une cité médiévale à taille humaine.

Sommières

Ne pas se fier aux apparences, l'image d'un Vidourle sage s'écoulant entre les arches du pont romain est trompeuse. Les "vidourlades" nom donné aux crues dévastatrices du fleuve – la dernière date de 2002 – sont ici dans toutes les mémoires. À mi-chemin entre Nîmes et Montpellier, Sommières reste en marge des autoroutes touristiques. Dommage, ou tant mieux, car cette petite cité fortifiée possède une étonnante vitalité. Artisans et commerçants foisonnent dans ses ruelles, au milieu de placettes animées et de beaux hôtels particuliers, dont il ne faut pas hésiter à pousser les portes.

À voir

PONT ROMAIN Monument romain

Ce pont enjambant le Vidourle fut construit au Ier siècle par l'empereur Tibère afin de relier Nîmes à Toulouse. Largement remanié par la suite, il était initialement constitué d'une vingtaine d'arches (il en reste aujourd'hui 7) pour une longueur totale de plus de 200 m. Après le pont du Gard, c'est un des ponts romains les plus importants de la région.

CITÉ MÉDIÉVALE Promenade

Avant de pénétrer dans la partie piétonne depuis le pont romain, remarquez, au pied de l'hôtel de ville, les traces des crues meurtrières de 1958 et 2002. Depuis la **porte de l'Horloge**, beffroi qui protège la ville avec ses canons, laissez-vous glisser jusqu'à la **place Jean-Jaurès**, véritable cœur de Sommières avec ses arcades et ses façades colorées et lambrissées. À deux pas, une place plus vaste aux façades recouvertes de lierres, la place des Docteurs-Dax accueille le marché tous les samedis matin. Depuis la place Jean-Jaurès, rejoignez la **porte du Bourguet** par la rue Antonin-Paris, commerçante et animée. En retrait, en passant devant l'**église Saint-Pons**, de style néogothique (XIXe siècle), hissez-vous jusqu'au **château** (XIIIe siècle)

Pont de Sommières
UNCLESAM/FOTOLIA ©

par la rue des Beaumes. Il est entouré de cyprès et sa terrasse offre une belle vue sur les toits de la ville. Il ne subsiste de l'édifice que la tour Bermond, seule rescapée de l'ancien château fort.

Où se loger

LE PARVIS Chambres d'hôtes **€€**
(**04 66 80 35 66 ; 8 rue du Docteur-Chrestien ; d 65 € petit-déj inclus**). Gérard et Jacqueline accueillent les visiteurs dans leur belle demeure située dans les rues piétonnes de Sommières. Protégées par d'épais murs de pierre, deux chambres confortables offrent deux styles différents, l'un aux tons chauds avec tapis et mobilier oriental, l'autre plus classique. On y pénètre par une cour et un escalier à vis. Prêt de vélo et de canne à pêche sur demande.

LA BISTOURE Chambres d'hôtes **€€**
(**04 66 80 08 72 ; www.labistoure.fr ; 1 rue Antonin-Paris ; d 65 € petit-déj inclus**). De très belles chambres finement décorées situées au-dessus du restaurant (voir ci-dessous). La Coloniale avec ses meubles exotiques, la Provençale avec ses murs pastel rose, la Médiévale, la Baroque... Notre préférée : l'Atelier du peintre, avec ses peintures aux murs et sa petite terrasse donnant sur les toits de Sommières.

Où se restaurer

LA BISTOURE Pizzeria - cuisine de terroir **€€**
(**04 66 80 08 72 ; www.labistoure.fr ; 1 rue Antonin-Paris ; menus 13/18/23/26 € : fermé dim nov-déc**). Adossé à la porte du Bourguet, ce restaurant est une institution à Sommières. Il accueille habitués et touristes de passage dans deux ambiances : une salle chaleureuse aux murs ocre rouge ou une belle salle voûtée à l'atmosphère plus contemporaine. Son four à pizza pourrait laisser croire que l'établissement n'est qu'une banale pizzeria. Or, la Bistoure propose aussi une très bonne cuisine de terroir. Terrasse pour les beaux jours. Curiosité, les toilettes dévoilant un puits médiéval que l'on voit à travers une plaque de verre.

Renseignements

Office du tourisme (**04 66 80 99 30 ; www.ot-sommieres.fr ; quai Frédéric-Gaussorgues**). L'été, nombreuses animations médiévales dans les ruelles de Sommières et autour du château, renseignez-vous.

Pont du Gard

Classé au patrimoine mondial de l'Unesco, le pont du Gard est un site d'exception. Les superbes vestiges parfaitement rénovés ont été soigneusement aménagés et sont un espace de détente et de loisirs apprécié des riverains. Le site, qui comprend aussi un environnement boisé de 165 ha, a été totalement repensé afin de réguler et de contrôler au mieux le flot continu de visiteurs (1,4 million chaque année), qui, un temps, a menacé la beauté et la sécurité des lieux. Aujourd'hui encore, les alentours du pont du Gard se prêtent à la baignade, aux promenades ou aux pique-niques.

De mi-juin à mi-août, dans le cadre des **Rendez-vous à la rivière**, des scénographies éphémères (imaginées par les concepteurs de Paris-Plages) investissent les berges du Gardon à 200 m du pont.

À voir

PONT DU GARD Merveille romaine
(**0820 903 330 ; www.pontdugard.fr ; accès 18 €/voiture : voir *Renseignements* p. 140**). Plus haut aqueduc de l'Empire romain, le pont du Gard domine le Gardon de ses 47,60 m et ses arches sont les plus larges construites sous l'Antiquité. Formé de trois étages indépendants, il constitue le principal vestige de l'aqueduc de Nîmes, en grande partie souterrain, que bâtirent les Romains au Ier siècle pour acheminer, sur une distance de 50 km, les eaux d'une source des environs d'Uzès jusqu'aux

Merveille romaiine du Ier siècle, le pont du Gard est constitué de trois étages indépendants

SKAMPIXEL/FOTOLIA ©

thermes nîmois. L'édifice n'a aujourd'hui rien perdu de sa splendeur et a été fort bien entretenu. Seul son troisième étage a été amputé au Moyen Âge d'une douzaine d'arches, isolant le pont du reste de l'aqueduc. Outre le pont, le site inclut un espace muséographique (voir ci-dessous), des boutiques, des points d'accueil et de restauration. Nous vous conseillons d'arriver par la rive droite pour observer la structure dans toute sa splendeur, avant de prolonger votre visite, en traversant le pont, par le gigantesque et passionnant espace muséographique de la rive gauche.

GRATUIT ESPACE MUSÉOGRAPHIQUE Expo didactique

(☎ 0820 903 330 ; www.pontdugard.fr ; gratuit ; musée et boutiques tlj mai-sept 9h30-19h, oct et mars-avr 9h30-18h, nov-fév 9h-17h). Aménagé en grande partie en sous-sol sur la rive gauche, ce musée comprend plusieurs zones. La **Grande Expo du pont du Gard** aborde une multitude de sujets (le pont bien sûr, l'aqueduc de Nîmes, le mode de vie à l'époque romaine etc...) au moyen d'une scénographie didactique, riche et bien faite. L'**espace Ludo** est plus particulièrement destiné aux enfants de 5 à 12 ans. Des spectacles de nuit, avec jeux de lumière et des feux mis en scène par une troupe d'artistes, ont lieu au mois de juin.

Activités

Randonnée

Un sentier intitulé **Mémoires de Garrigues** a été aménagé en aval du pont, le long du tracé de l'aqueduc. Ce sentier de 1,4 km environ (1 heure 30) permet de parcourir une aire naturelle de 15 ha réaménagée par un scénographe, Raymond Sartie. Bordée d'oliviers, de mûriers, de chênes, de vignes et de céréales, la promenade se divise en une vingtaine de parcelles. Un livret-guide est en vente à l'accueil, au prix de 4 €.

Canoë-kayak

Avis aux amateurs : il est possible de louer un canoë-kayak à Collias et de descendre le Gardon jusqu'au pont du Gard. Le parcours est facile et permet d'avoir une approche privilégiée du pont. Voir p. 141 pour les détails.

Où se loger et se restaurer

Plusieurs restaurants-cafétérias, aménagés sur les rives du pont, vendent boissons et en-cas.

LES TERRASSES Restaurant €€
(**04 66 37 55 88 ; menu midi 14,50 €, soir 27/37 €, plats env 15 € ; tlj en saison**). Sur la rive droite, dans l'enceinte payante du pont du Gard, cet établissement dispose d'une grande terrasse sous les chênes avec vue sur l'aqueduc romain.

L'HUÎTRE ET LA VIGNE Restaurant de fruits de mer €€
(**06 08 05 63 57 ; www.lhuitreetlavigne.com ; 1 rte de Saint-Hilaire, D792, Saint-Hilaire-d'Ozilhan ; tapas 4-15 €, plateau 25 € ; juil-août mar-dim soir, sept et juin jeu-dim soir, sur réservation uniquement**). Cette adresse est un havre bucolique et gourmet comme on en fait peu. Quelques tables posées sur la pelouse, entre des arbres fruitiers au milieu des vignes. On y déguste de délicieuses marinades ou tapenades aux saveurs originales (asperges, ananas) et des crustacés d'une fraîcheur irréprochable. Le tout arrosé d'un vin maison, prochainement bio. Le temps s'écoule... c'est déjà l'heure de l'apéro ! On reste ici ?

LISA M Chambres et table d'hôtes €€€
(**04 66 22 92 12 ; www.lisam.fr ; 3 pl. de la Madone, Vers-Pont-du-Gard ; d avec petit-déj 120-140 € ; menus 58/65 € ; restaurant soir tlj sauf lun et mar ;**). Dans ce village endormi, à quelques minutes à pied du pont, Lisa a ouvert une maison d'hôtes et une table déjà réputée. Les chambres sont vastes avec carrelage ancien, tadelakt, boutis et lustres à pampilles. Terrasse sur le toit, patio avec "bassin de nage" : tout ici est soigné. Le menu, comportant six assiettes, change tous les jours, au gré des envies de Lisa, qui aime mélanger les saveurs en trilogie, s'amusant parfois de sucré-salé, avec une maîtrise réputée. Une retraite gourmande idéale.

Renseignements

L'accès au site est payant pour les piétons (10 €/pers ; 15 € de 2 à 5 pers). Pour les voitures, vous devrez obligatoirement passer par la case **parking** (**tlj 7h-1h ; 18 €**), puisque l'endroit est entièrement piétonnier.

Chaque rive abrite un point d'accueil, des toilettes, un distributeur automatique de billets, des boutiques et des restaurants. La rive droite, où s'étirent des plages de galets, possède en outre des aires de pique-nique. Les personnes handicapées peuvent passer assez facilement d'une rive à l'autre, les berges sont aménagées.

Office du tourisme du Pont du Gard (**04 66 37 22 34 ; www.ot-pontdugard.com ; pl. des Grands-Jours**). Il est situé sur la commune voisine de Remoulins.

Stationnement Les deux parcs routiers sont situés rive gauche et rive droite et leurs capacités d'accueil sont presque identiques (800/700 places).

Depuis/vers le pont du Gard

BUS ET VOITURE Situé à 27 km au nord de Nîmes et à 13 km au sud d'Uzès, le site est parfaitement indiqué. La Société des transports du département du Gard, **Edgard Transport** (**0810 33 42 73 ; www.edgard-transport.fr**), assure des liaisons depuis Nîmes ou Uzès vers Remoulins, Castillon-du-Gard et Vers-Pont-du-Gard (environ 30 min ; demander l'arrêt le plus proche).

Collias et les gorges du Gardon

Le petit village de Collias (970 habitants) constitue le pôle des locations de canoës-kayaks pour la descente du Gardon jusqu'au pont du Gard, situé à 6 km en aval. Les plages de galets attirent les baigneurs, tandis qu'en amont du fleuve les gorges sont des lieux réputés pour l'escalade. Notez, si vous êtes en voiture, que les routes sont sinueuses et étroites, et que le pont Saint-Nicolas, sur la D979, est un vrai cauchemar si vous croisez un gros véhicule. Vous voilà prévenu !

Activités

Canoë-kayak

D'avril à juin, la descente du Gardon peut se faire en amont de la rivière depuis **Sainte-Anastasie/Russan** (23 km jusqu'à Collias) ou le **pont Saint-Nicolas** (11 km). En dehors de cette saison, le niveau de l'eau, trop bas à partir de la fin de juin, ne permet plus de partir de ces villages. L'été, **Collias** (plus en aval de la rivière) constitue la seule base de départ. Ce village représente en outre la principale base de location d'embarcation. La descente de la rivière (classée niveau 1, débutant) est aisée. La seule condition lorsque vous louez un canoë est de savoir nager et d'avoir au moins 6 ans. Comptez 2 heures (sans les arrêts) pour rejoindre le pont du Gard. Les loueurs se concentrent en bordure du Gardon et pratiquent à peu près les mêmes tarifs. Les prix comprennent généralement la location du bateau, les gilets, le container (pour mettre le pique-nique, notamment) et le retour à Collias en bus.

Parmi les loueurs, citons :

Canoë le Tourbillon (☎04 66 22 85 54 ; www.canoe-le-tourbillon.com ; 3 chemin du Gardon-Collias ; été 2 heures/journée 11/22 €, avr-juin descente de rivière 8 à 32 km 22-35 €, -12 ans demi-tarif ; ⏲avr-sept)

Kayak Vert (☎04 66 22 80 76 ; www.kayakvert.com; berges du Gardon, Collias ; parcours 2 heures/journée/2 jours 22/26-41/49 €, -12 ans 11/13-16/24 € ⏲avr-oct)

Escalade

Les sites d'escalade sont multiples sur la rive gauche du Gardon. Le site de **Castelas**, sur la commune de Sainte-Anastasie/Russan, figure parmi les plus recherchés, tant par la beauté de ses paysages que pour les différentes voies aménagées. **Collias** dispose également d'un site où les débutants effectuent leurs premiers pas avant de se perfectionner sur les falaises de **Russan**.

Randonnée

Les gorges sont longées par le GR®6, dans la garrigue. Il suit le cours du Gardon, et passe par Collias et par le GR®63,

Gorges du Gardon

ADRT 30 ©

légèrement en surplomb. Prévoyez 2 jours de marche depuis Sainte-Anastasie (point de départ conseillé) jusqu'au pont du Gard par le GR®63.

Où se loger et se restaurer

LE CASTELLAS Hôtel-restaurant **€€€** (**✆ 04 66 22 88 88 ; www.lecastellas.com ; 30 Grand'-Rue, Collias ; s basse/moyenne/hte saison 75/115/135 €, d 95/135/155 €, ste 225/265/295 €, petit-déj 19 € ; menu midi 42 €, soir 65/105/135/170 € ; fermé jan-fév, restaurant tlj, fermé mer basse saison ;**). Esprit soigné et contemporain dans une maison d'époque. Les chambres standards (TV) sont décevantes, tandis que celles décorées par les artistes sont étonnantes... voire détonnantes. Style romantico-excentrique, sdb en galets avec miroirs au plafond, imitation égyptienne : on n'a apparemment pas eu peur d'en faire trop. La terrasse tropézienne avec bain vaut le coup d'œil. La haute tenue du restaurant gastronomique est bien visible sur les tarifs.

Renseignements

L'office du tourisme (**✆ 04 66 37 22 34 ; www.ot-pontdugard.com ; pl. des Grands-Jours)** est situé à Remoulins à 10 km au sud-ouest de Collias. Vous trouverez aussi de nombreuses informations sur Collias à l'office du tourisme d'Uzès (voir p. 146).

Depuis/vers Collias

BUS Collias est situé à 10 km d'Uzès. Certains bus Edgard Transport (**✆ 0810 33 42 73 ; www.edgard-transport.fr)** assurant la liaison Nîmes-Uzès s'arrêtent à Collias.

Uzès

Cette ancienne cité épiscopale et consulaire, premier duché de France, a un charme certain. Mais son évolution

À gauche : Duché d'Uzès ; **Ci-dessous :** Paysage de l'Uzège

et sa restauration presque trop parfaite font parfois dire qu'à trop vouloir séduire, Uzès pourrait en perdre son âme. Le protestantisme et les guerres de Religion ont marqué son histoire. Aux ravages du XVIe siècle a succédé la prospérité et c'est aux XVIIe et XVIIIe siècles que son aristocratie éleva certains de ses vestiges architecturaux. L'industrie de la laine, de la soie et du cuir, puis celle de la réglisse au XIXe siècle (l'usine Zan est née ici) ont entretenu cet héritage avant que la cité ne décline au XXe siècle.

Réhabilitée, la vieille ville piétonne accueille boutiques, galeries, cafés et restaurants. La **place aux Herbes**, avec ses arcades et ses platanes, en est le point de ralliement. Autour de la vieille ville, entièrement piétonne, promenades et boulevards circulaires régulent le flot de voitures. De-ci de-là, une plaque de rue rappelle qu'Uzès fut aussi la ville de Racine et d'André Gide.

À voir et à faire

JARDIN MÉDIÉVAL Jardin médicinal

(04 66 22 38 21 ; impasse Port-Royal ; tarif plein/réduit 4/2 €, gratuit -16 ans ; tlj 10h30-12h30 et 14h-18h juil-août, 14h-18h lun-ven, 10h30-12h30 sam-dim avr-juin et sept, tlj 14h-17h oct). Si l'impasse Port-Royal conduisait autrefois à une prison, elle mène aujourd'hui à ce **jardin médiéval de plantes potagères et médicinales**, aménagé au pied de la tour du Roi et de la tour de l'Évêque. Sa visite offre un parcours parfumé des plus agréables. Différentes expositions consacrées à la ville et à la réglisse s'émaillent de la salle des gardes à celle de la prison. Il est possible de grimper jusqu'en haut de la tour (escaliers étroits) pour admirer le panorama. À la sortie, une dégustation de tisane fraîche du jardin (verveine, réglisse) est offerte.

DUCHÉ D'UZÈS Château médiéval

(☎04 66 22 18 96 ; www.duche-uzes.com ; donjon seul 12 €, donjon, caves et appartements adulte/12-16 ans/7-11 ans 17/13/6 € ; ⏲tlj 10h-12h30 et 14h-18h30 juil-août, tlj 10h-12h et 14h-18h sept-juin). Résidence de la famille de Crussol d'Uzès, ce château et l'ensemble des bâtiments, édifiés dès le Moyen Âge (du XIIe au XVIIIe siècle), constituent l'un des joyaux architecturaux de la ville. Mais la visite se révèle décevante : peu de pièces ouvertes au public, des explications sommaires pour un tarif élevé. Dans le donjon, les 135 marches en colimaçon sont difficiles à emprunter, l'escalier est peu éclairé et devient de plus en plus étroit à mesure que l'on monte (la descente est sportive). Le panorama sur les toits d'Uzès et la tour Fenestrelle est néanmoins une belle récompense.

MUSÉE DU BONBON-HARIBO Secrets de fabrication

(☎04 66 22 74 39 ; www.museeharibo.fr ; pont des Charrettes ; adulte/-15 ans 7/4 €, gratuit -5 ans ; ⏲10h-19h tlj juil, 10h-20h tlj août, 10h-13h et 14h-18h tlj sauf lun, fermé en janv). Ce musée gourmand retrace toute l'histoire de ces sucreries avec un coup de projecteur sur l'ancienne fabrique Zan. La boutique, véritable supermarché du bonbon, est un régal pour les grands et les petits.

HARAS NATIONAL D'UZÈS Haras

(☎04 66 22 98 59 ; www.haras-nationaux.fr ; mas des Tailles ; visites guidées 2 heures, adulte/-12 ans 8/4 € ; ⏲mar et jeu matin fin juin à mi-sept, se renseigner à l'office du tourisme pour les horaires ; visite libre 8h30-12h et 14h-17h lun-sam). Installé en bordure de la ville, le Haras national d'Uzès, créé en 1972 n'est pas un centre équestre, mais un lieu de reproduction, d'élevage et de dressage, le seul de Provence. Il se visite soit librement, soit, de juin à septembre, en visites guidées organisées par l'office du tourisme. En juillet-août, les mercredis soir, on peut assister à un **spectacle de Lucien Gruss** (www.luciengruss.com ; adulte/-12 ans 15/6 € ; ⏲se renseigner pour les horaires).

Où se loger

LA TAVERNE Hôtel-restaurant €€

(☎04 66 22 13 10 ; www.lataverne-uzes.com ; 4-7 rue Xavier-Sigalon ; d/tr/qua 70/82/95 €, petit-déj 7 € ; menus 26/33 € ; ❄ 📶 P). Dans une rue piétonne, cet hôtel abrite des chambres sympathiques, sans charme mais fonctionnelles, avec TV et sdb. Un peu plus loin dans la rue, le restaurant sert une cuisine provençale (brandade de morue, gardiane de taureau) bien préparée. Joli patio dans la verdure.

HOSTELLERIE PROVENÇALE Hôtel-restaurant €€

(☎04 66 22 11 06 ; www.hostellerieprovencale.com ; 1 rue de la Grande-Bourgade ; s basse/hte saison 79/92 €, d 92-121/103-142 €, petit-déj 11 € ; menu midi/soir 21/36 € ; ❄ 📶 P 10 €). Dans une rue calme bordant le centre-ville, cet établissement de qualité, alliant charme et confort, loue des chambres

Tour Fenestrelle, Uzès
EMMANUEL DAUTANT ©

(TV, minibar) dont la déco provençale délicate mêle adroitement boutis, miroirs anciens, pierres apparentes et poutres blanchies. Le restaurant **La Parenthèse**, qui sert une cuisine gastronomique ayant bonne presse, saura contenter les connaisseurs.

AU QUINZE Chambres d'hôtes €€
(☎04 66 57 29 26 ; www.auquinze.com ; 15 rue de la Petite-Bourgade ; d avec petit-déj basse/hte saison 90-110/95-140 €, qua 160/180 € ;). Une adresse secrète nichée au cœur de la vieille ville. Dans un calme qui lui sied, la belle demeure s'entoure de jardins verdoyants et d'un "bassin de nage". Entre les vieilles pierres, un escalier Renaissance mène aux chambres de proportions généreuses. Les lits à baldaquin version contemporaine trônent dans un décor soigné et épuré. Accueil souriant. Photographies, peintures et installations vidéo sont disséminées avec maîtrise et justesse dans toute la demeure… jusque dans les sdb ! Piscine, hammam, salons et bibliothèque complètent le tableau.

LA MAISON DE LA BOURGADE Chambres d'hôtes €€
(☎04 66 22 71 10 ; www.lamaisondelabourgade.com ; 31 rue de la Petite-Bourgade ; d avec petit-déj basse/hte saison 100-115/110-125 € ; P). Non seulement le jardin et la piscine sont attrayants, mais les chambres, lumineuses, où chaque détail compte, sont vraiment cosy et romantiques. Tons naturels, murs blancs et pierres apparentes. Un luxe abordable et un accueil discret.

Si vous aimez...
Les chambres d'hôtes de charme

L'Uzège regorge d'adresses de charme, qui offrent des prestations haut de gamme dans des cadres somptueux. Laissez-vous tenter...

1 **LES SARDINES AUX YEUX BLEUS**
(☎04 66 03 10 04 ; www.les-sardines.com ; hameau de Gattigues, Aigaliers ; d avec petit-déj 105-120 € ; P). Olivier et Anna-Karin ont aménagé une ancienne ferme provençale où il fait bon vivre... Patines à l'ancienne, meubles cérusés, patchworks et matières brutes s'y mêlent dans une ambiance authentique et conviviale. À 1 km au nord-ouest d'Uzès.

2 **LE CLOS DU LÉTHÉ**
(☎04 66 74 58 37 ; www.closdulethe.com ; hameau de Saint-Médiers, Montaren-et-Saint-Médiers ; chavecpetit-déj220-250€pour2nuits; P).Entreun ciel d'azur et des eaux turquoise, Le Clos du Léthé est une halte d'exception. Les chambres mettent chacune un matériau à l'honneur (bois, métal, plume), ce qui leur donne une atmosphère inimitable, où le grand luxe s'allie à l'art. À 8 km au nord-ouest d'Uzès.

3 **LE MAS DU LAC**
(☎ 04 66 01 40 76, 06 11 33 38 43 ; www.masdulac.com ; chemin du Mas-de-Rey ; d avec petit-déj basse/hte saison 85/110 €, table d'hôtes 29 € ; P). Esprit authentique pour cette ancienne ferme située à quelques minutes d'Uzès. Grand jardin avec tennis, piscine, vignes, oliviers et potager. Différentes bâtisses abritent des chambres de style épuré, ancien ou arty. Certaines ont une chambre enfant. Prendre la direction de Remoulins à la sortie d'Uzès.

Où se restaurer

TERROIRS Boutique-restaurant €
(☎ 04 66 03 41 90 ; www.enviedeterroirs.com ; 5 pl. aux Herbes ; tapas 4-5,50 €, assiettes 6,50-13 € ; tlj sauf lun avr-oct, fermé dim et lun nov-mars). À la fois restaurant et boutique de produits régionaux, Terroirs dispose de tables sous les arcades de la place aux Herbes. Vous y goûterez de bonnes assiettes gourmandes (foie gras, magret de canard fumé, caviar d'aubergine, poivrons marinés), des tapas et des tartines grillées (anchoïade, oignons confits aux épices). Le tout servi avec le sourire !

Vaut le détour
Saint-Quentin-la-Poterie

Du sous-sol argileux de la colline de la Madone, Saint-Quentin a tiré depuis le XIVe siècle une production de poterie à usage domestique réputée pour sa résistance au feu. Ayant failli disparaître au tournant du XXe siècle, cette activité fut relancée dans les années 1980 avec l'installation de quelques potiers, d'un centre de formation et d'un Festival européen des arts céramiques, Terralha (www.terralha.fr ; fin juillet). Aujourd'hui, 25 potiers ont pignon sur rue dans le village et pratiquent des techniques bien différentes de leurs aïeuls, jusqu'au raku d'inspiration japonaise. En flânant dans les ruelles aux teintes pastel de Saint-Quentin, ne manquez pas le **musée de la Poterie méditerranéenne** (04 66 03 65 86 ; www.musee-poterie-mediterranee.com ; 14 rue de la Fontaine ; tarif plein/réduit 3/2,50 € : juil-août tlj 10h-13h et 15h-19h, sept tlj 10h-12h et 14h-18h, oct tlj 14h-18h), qui rassemble des exemples de production typique de Saint-Quentin, et un panorama de la poterie utilitaire méditerranéenne avec des pièces venant d'Espagne, de Turquie, de Crète ou du Maroc. Juste à côté la galerie **Terra Viva** (04 66 22 48 78 ; www.terraviva.fr ; 14 rue de la Fontaine ; mai-sept tlj 10h-13h et 14h30-19h, mars-avr-oct mar-dim 10h-13h et 14h30-18h) présente à travers quatre expositions annuelles un panorama de la création contemporaine. Pour conclure la visite, rendez-vous tout naturellement au sympathique **Café des Potiers** (04 66 57 66 10 ; 23 rue de la Fontaine ; plats du jour 10,5, 13,5 € ; mar-sam 9h-18h). Derrière sa façade colorée se cachent plusieurs petites salles et un agréable patio pour déguster un plat du jour à midi ou boire un verre. Saint-Quentin est situé à 6 km au nord-est d'Uzès.

L'ARTEMISE Gastronomique **€€€**
(04 66 63 94 14 ; www.lartemise.com ; chemin de la Fontaine-aux-Bœufs ; menu midi 35 €, soir 55/70 € ; tlj sauf lun midi, mar et mer midi). Les propriétaires du Clos du Léthé ont ouvert, à 1 km d'Uzès (direction Saint-Quentin-la-Poterie), dans un superbe bâtiment du XVIe siècle, un restaurant dans la même veine : atmosphère historique, artistique, bucolique et gastronomique garantie.

Où prendre un verre

Les cafés d'Uzès sont des endroits où il fait bon s'asseoir et laisser le temps s'écouler. À chacun son type de clientèle et sa terrasse.

AU SUISSE D'ALGER Bar à vins
(04 66 22 11 67 ; 17 rue de la République ; tlj sauf lun). Dans ce bar à vins à deux pas de la place aux Herbes, people, artistes et intellectuels se donnent rendez-vous pour boire un verre et grignoter assiettes de tapas et tartes salées en terrasse. Juste à côté, la Cave du Suisse d'Alger vend des produits régionaux et des vins, bien sûr.

Renseignements

Office du tourisme d'Uzès et de l'Uzège (04 66 22 68 88 ; www.uzes-tourisme.com ; chapelle des Capucins, pl. Albert-Ier). Organise des visites guidées dans la vieille ville (adulte/8-16 ans 5/3 €) sur réservation. L'office du tourisme propose aussi des topoguides à la vente pour les amateurs de randonnées.

Depuis/vers Uzès

BUS Uzès est à 24 km de Nîmes. Les cars **Edgard** (0810 33 42 73 ; www.edgard-transport.fr) assurent une liaison vers Nîmes et le pont du Gard. À Uzès, l'arrêt des cars se situe sur l'Esplanade, à deux pas du boulevard Gambetta qui ceinture la vieille ville.

LE GARD RHODANIEN

Entre Pont-Saint-Esprit et Beaucaire, c'est avant tout le Rhône, à la fois axe de communication et frontière avec la Provence voisine, qui donne son identité à cette portion du Gard. Si Beaucaire ou Pont-Saint-Esprit sont assis directement sur ses rives, Bagnols et la belle vallée de la Cèze qui annonce les paysages de l'Ardèche et des Cévennes n'en sont distants que de quelques kilomètres. Le Gard lorgne ici un peu vers la Provence, avec ses villages perchés, ses champs de lavande et d'oliviers qui concurrencent la vigne.

Beaucaire

Cerné par une cimenterie, une papeterie et des éoliennes géantes, l'environnement immédiat de Beaucaire, au bord du Rhône peut laisser perplexe. Avec un brin de curiosité, votre avis changera peut-être sur cette ville frontière entre Provence et Languedoc qui fut l'un des plus importants carrefours commerciaux du sud de la France. Sa célèbre foire, créée au XIIIe siècle, et qui n'amorça son déclin qu'au XIXe siècle, a apporté une prospérité dont les hôtels particuliers de la vieille ville gardent le souvenir. Les ruines de son château, ses ruelles, ses places charmantes de même que son joli port fluvial exercent encore un fort pouvoir de séduction. Écrasée par un soleil brûlant l'été, souvent battue par le mistral, la ville sort de sa torpeur à l'occasion de courses camarguaises réputées. Venue de la Camargue toute proche, la ferveur taurine transparaît jusque sur ses ronds-points où trônent de fiers taureaux.

À voir et à faire

VIEILLE VILLE Promenade à pied

Le centre-ville de Beaucaire se découvre à pied. Depuis les quais du **port de plaisance** où somnolent de belles péniches, engouffrez-vous dans une ruelle jusqu'à la place Clemenceau, où se trouve l'**hôtel de ville**. Ce bel ouvrage civil de style classique fut bâti à l'époque de l'âge d'or de la foire de Beaucaire (1679-1683), qui attirait des marchands de toute l'Europe et d'Orient. À proximité se dresse l'**église Notre-Dame-des-Pommiers**, de style baroque, à la belle façade curviligne.

Tourelle et clocher de Beaucaire

G. MOULART/FOTOLIA ©

En empruntant la ruelle sur la droite de l'église, remarquez en l'air la très belle frise romane de 14 m récupérée sur l'église d'origine relatant des épisodes de la Passion. Débouchez **rue de la République**, où s'alignent de belles façades d'hôtels particuliers des XVIIe et XVIIIe siècles aux porches richement sculptés, notamment l'**hôtel de Clausonnette** au numéro 21 ou l'**hôtel de Margallier** au numéro 23.

En continuant la rue de la République, la coquette **place de la République** vous tend les bras. Bordée de maisons à arcades et abritée par quelques platanes, l'ancienne place du marché médiéval est l'endroit idéal pour boire un verre. Partez ensuite à l'assaut du château (voir ci-dessous), par d'agréables jardins en terrasse plantés de pins et de buis sculptés.

GRATUIT CHÂTEAU DE BEAUCAIRE Édifice historique

(gratuit ; avr-oct 10h-12h30 et 14h-18h, nov-mars 10h-12h30 et 14h-17h). Bâtie sur une colline dominant le Rhône, cette forteresse connut son heure de gloire lors du siège de Beaucaire en 1216, au cours duquel les troupes du comte Raymond de Toulouse résistèrent à l'armée royale menée par Simon de Montfort. Reconstruit à la demande de saint Louis après la mise au pas du Languedoc, l'édifice est finalement détruit au XVIIe siècle par Richelieu. Il ne reste aujourd'hui que quelques vestiges, comme une imposante tour polygonale avec créneaux et mâchicoulis et une chapelle castrale du XIIe siècle, et surtout une magnifique vue sur les environs de Beaucaire.

MUSÉE AUGUSTE-JACQUET Histoire locale

(04 66 59 90 07 ; jardin du château ; tarif plein/réduit 5/2 € ; avr-oct mer-lun 10h-12h30 et 14h-18h, nov-mars mer-lun 10h-12h et 14h-17h). Dans les jardins du château, des pièces archéologiques mais aussi des témoignages hétéroclites sur les riches heures de l'histoire de Beaucaire :

À gauche : Abbaye de Saint-Roman ;
Ci-dessous : Vendanges à la romaine au Mas des Tourelles
(À GAUCHE ET CI-DESSOUS) MAS DES TOURELLES ©

mobilier provenant des fouilles du château, affiches de la Foire de Beaucaire, accessoires d'un laboratoire d'alchimiste découvert dans l'abbaye de Saint-Roman...

ABBAYE DE SAINT-ROMAN — Site troglodyte

(04 66 59 19 72 ; www.abbaye-saint-roman.com ; rte de Nîmes ; 5 €, gratuit -18 ans ; juil-août tlj 10h-13h et 14h-19h, avr-mai-juin et sept mar-dim 10h-13h et 14h-18h, mars et oct mar-dim 14h-17h, nov-fév dim 14h-17h). On découvre cette abbaye troglodyte après 15 minutes de marche en humant les odeurs de maquis. Nichée dans le rocher de l'Aiguille, elle a été entièrement creusée dans le calcaire par des ermites dès le Ve siècle, puis par des moines bénédictins qui occupèrent le site entre le VIIe et le XVIe siècle. Au fil du sentier, on découvrira une immense chapelle, un pressoir, les cellules des moines et une nécropole offrant un beau panorama sur la basse vallée du Rhône. L'abbaye se situe à 5 km de Beaucaire, pour vous y rendre, prendre la direction de Nîmes et suivre le fléchage. Parking au pied du site.

MAS DES TOURELLES — Cave gallo-romaine

(04 66 59 19 72 ; www.tourelles.com ; 4294 rte de Bellegarde ; tarif plein/réduit 5/2 €, gratuit -18 ans ; juil-août tlj 10h-12h et 14h-19h sauf dim matin, avr-juin et sept-oct tlj 14h-18h, nov-mars sam 14h-17h30). Si vous avez envie de goûter des vins romains, rendez-vous dans ce domaine viticole qui produit des vins comme au temps de Jules César. La visite, d'un peu plus d'une heure, commence par un sentier de découverte du vignoble romain, puis se poursuit par la découverte de la villa des Tourelles, bâtie à l'emplacement d'une ancienne villa gallo-romaine et de ses dépendances (cave, ateliers de fabrication d'amphores). Elle se termine par la dégustation d'une des trois cuvées romaines du domaine : le *Mulsum*, le

Turriculae ou le *Carenum*. Chaque année à la mi-septembre, le domaine organise des vendanges spectaculaires à la mode antique, où les raisins sont déversés dans le fouloir et foulés au pied. À 4 km au sud-ouest de Beaucaire, en direction de Saint-Gilles.

Où se loger et se restaurer

DOMAINE DES CLOS Chambres d'hôtes de charme **€€**
(**04 66 01 14 61 ; www.domaine-des-clos.com ; 911 chemin du Mas-de-la-Tour ; d avec petit-déj 105-135 € ;**). Ce mas provençal du XVIIIe siècle, donnant sur un immense jardin planté d'essences méditerranéennes, offre de jolies chambres d'hôtes très spacieuses que David et Sandrine Ausset ont décorées avec des meubles chinés. Table d'hôtes (28 €) deux fois par semaine sur réservation. Le domaine organise aussi régulièrement des stages de cuisine et propose des massages.

Renseignements

Office du tourisme (04 66 59 26 57 ; www.ot-beaucaire.fr ; 24 cours Gambetta)

Depuis/vers Beaucaire

BUS Les cars **Edgard** (**0810 33 42 73 ; www.edgard-transport.fr**) assurent une liaison vers Nîmes et Avignon.

Vallée de la Cèze

De sa source au pied du mont Lozère, la vallée de la Cèze a gardé un caractère sauvage. Trait d'union entre les Cévennes et le Rhône, longtemps sinueuse et escarpée, elle s'élargit et se couvre de vignes en aval de Saint-André-de-Roquepertuis. Appréciée l'été pour ses nombreux spots de baignade, la vallée de la Cèze présente une succession de villages de caractère qui rappellent la Provence toute proche. Bagnols-sur-Cèze présente moins d'intérêt mais abrite un musée d'art moderne étonnant.

Bagnols-sur-Cèze

Ses rues piétonnes commerçantes et surtout la place Mallet, ceinturée d'arcades, où se concentrent terrasses et restaurants, drainent l'essentiel de l'animation de la ville.

À voir et à faire

GRATUIT **MUSÉE ALBERT-ANDRÉ** Art moderne
(**04 66 50 50 56 ; pl. Mallet ; mar-dim 10h-12h et 14h-18h**). En visite à Bagnols-sur-Cèze, il serait dommage de faire l'impasse sur ce musée rassemblant une importante collection de tableaux et de sculptures, situé au deuxième étage de l'hôtel de ville. Parmi les œuvres remarquables : *La Fenêtre ouverte à Nice* de Matisse, le

La Cèze en automne
EMMANUEL DAUTANT ©

Vaut le détour
La chartreuse de Valbonne

Situé entre les gorges de l'Ardèche et la vallée de la Cèze dans un vallon perdu cerné de vignes et de forêt, cet ensemble monastique aux belles tuiles vernissées a la taille d'un petit village. Fondée en 1204, la chartreuse fut reconstruite après les guerres de Religion, aux XVIIe et XVIIIe siècles, et accueillit une communauté de moines suivant la règle de saint Bruno jusqu'en 1901. Aujourd'hui gérée par une association, la chartreuse de Valbonne est classée monument historique **(tarif plein/réduit 5/2,50 € ; avr-déc tlj 10h-13h et 13h30-19h, déc-fév sam-dim 10h-12h et 13h30-17h30)**. Sa visite permet de découvrir l'église édifiée au XVIIIe siècle par l'architecte avignonnais Jean-Pierre Franque et un grand cloître. Chacun des pères y avait un accès depuis sa cellule. Mais la chartreuse est aussi un lieu d'hébergement qui permet de se frotter à la vie monacale, le confort en plus **(04 66 90 41 24 ; www.chartreusedevalbonne.com d 44-54 €, petit-déj 5 €, possibilité de demi-pension)**, un lieu de rencontre et d'expositions culturelles et un domaine viticole. C'est aussi le point de départ de nombreux sentiers de randonnées et d'un sentier botanique. Sur place, vente des vins du domaine. La chartreuse de Valbonne se situe à 17 km au nord de Bagnols-sur-Cèze.

Portrait d'Adèle Besson de Van Dongen, le *Bouquet de fleurs des champs* de Bonnard ou des petites sculptures en bronze de Rodin et Camille Claudel. On doit cette collection à Albert André, peintre et ami de Renoir, qui fut le conservateur du musée jusqu'en 1954. Une belle salle lui est consacrée, où l'on remarquera *La Belle Endormie* et sa posture lascive. Une petite salle rassemble aussi des dessins de Renoir, Picasso, Dufy ou Gauguin. Depuis les fenêtres du musée, observez la belle vue sur la place Mallet et la tour de l'Horloge.

GRATUIT **MUSÉE D'ART SACRÉ** Art religieux
(04 66 39 17 61 ; 2 rue Saint-Jacques, Pont-Saint-Esprit, gratuit ; mar-dim 10h-12h et 14h-18h, juil-août mar-dim 10h-19h). Désireux d'attirer un public novice, parfois rebuté par l'art sacré, ce musée présente de façon pédagogique une collection mêlant objets de culte public et privé (vêtements sacerdotaux du XVe au XXe siècle, orfèvrerie et vaisselle sacrée, crèches et santons du XVIIIe et du XIXe siècle). La visite vaut aussi pour l'édifice abritant le musée, la **Maison des chevaliers**. Cette belle bâtisse à la façade romane et aux portes de bois clouté a bénéficié d'une belle restauration et dévoile une superbe salle d'apparat aux murs peints (XIVe et XVe siècles). Le musée est situé dans le centre de Pont-Saint-Esprit, à 12 km de Bagnols-sur-Cèze.

La Roque-sur-Cèze

Accroché à un piton rocheux, dominé par un château et une chapelle et quelques cyprès, ce village admirablement restauré se visite à pied le long de ruelles pavées et pentues. À quelques centaines de mètres des cascades du Sauvadet, on y pénètre depuis un joli pont de pierre du XIIIe siècle qui enjambe la Cèze.

À voir et à faire

CASCADES DU SAUVADET Site naturel
À combiner avec la visite de La Roque-sur-Cèze. Depuis le village, un sentier longeant la Cèze (800 m) permet de découvrir ces étonnantes "marmites de géant" où la Cèze tourbillonne et creuse le calcaire blanc, créant une multitude de petites cascades. Attention quand même, le site est aussi joli que dangereux. La baignade, interdite au niveau des cascades, est possible un peu plus en aval. Parking payant l'été.

Où se restaurer

LE MAS DU BÉLIER Cuisine de terroir
(☎04 66 82 21 39 ; www.masdubelier.com ; rte de Saint Laurent ; menus 17/21,50 € ; ⏰avr-oct). À l'entrée de La Roque-sur-Cèze, Dorothée et Nicolas ont repris l'affaire familiale et proposent une cuisine de terroir (pieds paquets, civet de sanglier, rognons de veau aux morilles...) à déguster sur une terrasse ombragée au bord de la Cèze ou dans une salle chaleureuse où s'entassent des instruments de musique. Parking sur place.

Goudargues

Ses petits canaux ombragés par des platanes centenaires et bordés de terrasses de cafés lui valent le surnom de Venise Gardoise. Oasis verdoyante au bord de la Cèze, Goudargues est aussi l'un des seuls villages de la vallée où vous trouverez quelques commerces.

Activités

CÈZE CANOË Canoë-kayak
(☎04 66 82 37 88 / 06 88 69 74 09 ; www.ceze-canoe.com ; base de Goudargues ; 9,50 € à 20 €/pers suivant parcours ; ⏰avr-sept 9h-15h). Ce n'est pas sur les canaux de Goudargues que vous voguerez mais bien sur la Cèze. Plusieurs formules permettent d'admirer les rochers de Saint-Gély (1/2 journée ou journée). La prestation comprend le transport, la location et le matériel.

Montclus

Au pied d'une boucle de la Cèze, Montclus, au donjon du XIIIe siècle, émerge au-dessus d'un océan de vigne et de lavande dans un magnifique panorama.

Renseignements

Office du tourisme de Bagnols-sur-Cèze
(☎ 04 66 89 54 61 ; www.tourisme-bagnolssurceze.com ; av. Léon Blum)

Office du tourisme de Goudargues
(☎04 66 82 30 02 ; www.tourisme-ceze-ardeche.com ; 4 rte de Pont-Saint-Esprit)

Depuis/vers la vallée de la Cèze

Les bus du réseau Edgard (0 810 33 42 73 ; www.edgard-transport.fr) assurent une liaison entre Montclus et Bagnols-sur-Cèze via plusieurs

Cascades du Sauvadet (p. 151)

Vaut le détour

Lussan et les concluses

Lussan émerge telle une plate-forme posée sur la garrigue d'où se détache un château massif (fin du XVe siècle) dans lequel est aujourd'hui installée la mairie. Ne manquez pas de faire le tour de ce village perché, aussi minuscule que charmant. En grimpant sur les remparts, vous découvrirez un magnifique panorama qui peut s'étendre des Cévennes au mont Ventoux par beau temps. À 5 km au nord, les **Concluses de Lussan** désignent un étroit défilé de calcaire creusé par l'Aiguillon qui devient un sentier de randonnée en période d'étiage. Pour rejoindre les Concluses, suivez les panneaux jusqu'à un parking, puis comptez 30 minutes de marche. Il est aussi possible de partir à pied depuis Lussan et d'intégrer le passage des Concluses dans une randonnée plus large (comptez 3 heures 30 aller/retour). Ne vous aventurez pas dans le lit de l'aiguillon en période de crue ou d'orage. Pour ceux qui voudraient rester quelques jours à Lussan, la **Petite Auberge de Lussan** (04 66 72 95 53 ; www.auberge-lussan.com ; pl. des Marronniers ; d basse/haute saison 75/85 €, petit-déj 8 €), derrière ses volets mauves et sa terrasse ornée de cannisses, est un havre de paix au cœur du village.

Pour prendre un peu de hauteur, le promontoire calcaire du **guidon du Bouquet**, à l'ouest de Lussan (17 km) est un belvédère incontournable pour embrasser les paysages gardois. Coiffé à son sommet d'une chapelle remarquable et d'une antenne hertzienne, il offre un magnifique panorama sur les garrigues gardoises, le causse cévenol, le mont Ventoux et les Alpilles. Depuis Lussan, accès par la D37, la D147, puis par la route du mont Bouquet.

villages de la vallée de la Cèze (La Roque-sur-Cèze, Goudargues, Saint-André-de-Roquepertuis). Une ligne relie aussi Pont-Saint-Esprit à Nîmes et passe par Bagnols-sur-Cèze.

AIGUES-MORTES ET LA PETITE CAMARGUE

La Camargue gardoise épouse la lisière ouest du delta du Rhône entre le Petit Rhône et Le Grau-du-Roi. Ce plat pays parsemé d'étangs, de salines et de terres agricoles (vignes, riziculture, saline) reste moins farouche que le cœur du delta du Rhône. Pour approcher les derniers reliquats d'une Camargue sauvage, rapprochez-vous de l'étang du Scamandre, des quelques manades qui perpétuent les traditions camarguaises, de la dune de l'Espiguette ou des salines d'Aigues-Mortes. Mais la Petite Camargue impressionne surtout par les vestiges de son patrimoine bâti. Avec en premier lieu, l'incontournable et élégante cité d'Aigues-Mortes dont les remparts émergent au milieu des salines, mais aussi l'abbatiale de Saint-Gilles qui rayonnait autrefois dans toute l'Europe.

Saint-Gilles

Au Moyen Âge, le pèlerinage vers le sépulcre de saint Gilles était l'un des plus importants du monde chrétien. Saint-Gilles rivalisait alors par sa population de pèlerins avec Rome, Jérusalem ou Compostelle. Cette époque glorieuse est désormais révolue, même si la cité, étape du chemin d'Arles vers Saint-Jacques-de-Compostelle, est encore traversée par quelques courageux pèlerins. Entourée par les vignes des Costières de Nîmes et par les étendues planes de la Camargue gardoise, Saint-Gilles mérite une visite pour sa magnifique abbatiale, véritable joyau de l'art roman, dont la façade est classée au patrimoine mondial de l'Unesco.

À voir et à faire

ABBATIALE SAINT-GILLES Art roman
Édifiée durant le dernier tiers du XIIe siècle et achevée au XIIIe siècle, l'abbatiale de Saint-Gilles fut conçue selon le plan classique des églises de pèlerinage avec trois vaisseaux et un vaste déambulatoire pour faciliter la circulation des pèlerins. L'édifice d'origine a été gravement endommagé lors des guerres de Religion. Il ne reste aujourd'hui de sa partie haute que la **nef** (accès libre), reconstruite au XVIe siècle, son **escalier à vis** (3 €, crypte et escalier à vis 5 € ; avr-oct lun-sam 9h30-12h30 et 14h-18h dim 14h-18h, juil-août 9h30-12h30 et 15h-19h dim 15h-19h, reste de l'année sur rendez-vous), curiosité architecturale que l'on doit aux compagnons tailleurs de pierre, et surtout sa superbe **façade** sculptée, classée à l'Unesco. Prosper Mérimée comparait la façade à "un bijou que l'on doit examiner à la loupe". Prenez donc le temps de vous arrêter sur les expressions des visages disséminés sur les trois portails. Les sculptures représentent des saints et des scènes de la vie du Christ. Le chantier, gigantesque, mobilisa plusieurs ateliers de sculpteurs pendant une vingtaine d'années. De sa partie basse, l'abbatiale a conservé sa monumentale **crypte** (3 €, crypte et escalier à vis 5 € ; avr-oct 9h30-12h30 et 14h-18h, juil-août 9h30-12h30 et 15h-19h, nov-mars 9h30-12h30 et 14h-17h). D'époque romane, elle abrite la sépulture de saint Gilles, objet d'une dévotion extraordinaire au Moyen Âge.

En face de l'abbaye, la **Maison romane** (gratuit ; oct-mai 8h30-12h30 et 13h30-17h, juin et sept 9h-12h et 14-18h, juil-août 9h-12h et 15h-19h), avec ses belles fenêtres géminées, présente quelques vestiges lapidaires provenant de l'abbaye et un petit musée d'histoire locale (outils, photographie).

GRATUIT **CENTRE DE DÉCOUVERTE DU SCAMANDRE** Réserve naturelle
(04 66 73 52 05 ; www.camarguegardoise.com ; Gallician ; accès gratuit, visioguide 1,50 € ;

À gauche : Abbatiale Saint-Gilles ;
Ci-dessous : Sculptures de l'abbatiale conservées à la Maison romane
(À GAUCHE ET CI-DESSOUS) EMMANUEL DAUTANT ©

mar-sam 9h-18h). La visite de cette réserve naturelle située en bordure de l'étang du Scamandre est un excellent moyen pour se familiariser avec la faune et la flore de Camargue et ses habitats (sansouïres, roselière, étang...). Trois circuits (de 15 minutes à 1 heure 30) sur des pontons en bois ponctués de postes d'observation vous guideront. Bien que gratuit, l'accès au site est réglementé ; se présenter au centre d'accueil. Depuis Saint-Gilles, prendre la route sauvage des Iscles (sur la droite à la sortie de Saint-Gilles en direction d'Arles) sur une dizaine de kilomètres jusqu'à la réserve naturelle.

Où se loger et se restaurer

LE COURS Hôtel-restaurant
(04 66 87 31 93 ; www.hotel-le-cours.com ; 10 av. François-Griffeuille ; d 65-72 €, d en demi-pension 110-120 € ; tlj midi et soir, lun-sam mi-déc à mi-mars ;). Une position centrale dans Saint-Gilles, à deux pas du canal et du port de plaisance, un accueil sympathique et des chambres fonctionnelles à la déco sobre, dont certaines sont accessibles pour des personnes à mobilité réduite. Le restaurant, de bonne tenue, s'étend sur une large terrasse ombragée par des platanes. Une des rares adresses du centre de Saint-Gilles.

Renseignements

Office du tourisme (04 66 87 33 75 ; www.saint-gilles-tourisme.fr ; 1 pl. Frédéric-Mistral)

Depuis/vers Saint-Gilles

BUS Les cars du réseau **Edgard** **(0 810 33 42 73 ; www.edgard-transport.fr)** assurent une liaison entre Saint-Gilles et Beaucaire.

Les Costières de Nîmes

Autrefois, on les nommait Costières du Gard. C'était dans les années 1950 et ce vin n'avait d'autre prétention que d'étancher la soif. En 1989, trois ans après l'obtention de l'appellation d'origine contrôlée, ce vignoble a pris le nom de Costières de Nîmes. Une appellation qui sied beaucoup mieux à ce terroir de 4 600 ha indissociable de la préfecture gardoise où ses vins sont servis sur toutes les tables des restaurants. Son terroir composé d'alluvions caillouteux, ses fameux galets jaune et rouge, correspond à la partie méridionale du delta du Rhône, d'où son rattachement au vignoble de la vallée du Rhône. Citons deux domaines où vous pourrez déguster les vins de l'appellation, le **Mas Neuf** (04 66 73 33 23 ; www.chateau-mas-neuf.com ; lun-ven 9h-12h et 14h-17h) à Gallician, entre Vauvert et Saint-Gilles, où Luc Baudet, vigneron minutieux, élabore des vins d'une finesse rare et le **Château Mourgues du Grès** (04 66 59 46 10 ; www.mourguesdugres.com ; route de Saint-Gilles ; lun-ven 9h-12h et 14h-18h30, sam 10h-12h), entre Beaucaire et Bellegarde, où Anne et Francois Collard proposent, en plus de la dégustation de leurs vins, des circuits pédestres ou en VTT pour découvrir leur terroir.

Aigues-Mortes

Ville médiévale voulue par Saint Louis, la "cité des eaux mortes" (*Aquae Mortuae*) se dresse au milieu de terres marécageuses, à 6 km de la mer. Derrière ses hauts remparts, se cache une enclave animée ornée d'un patrimoine architectural remarquable et d'échoppes aux devantures bohèmes. L'ambiance se concentre autour de la place Saint-Louis et de ses nombreuses terrasses de restaurants où les guitaristes de flamenco viennent réchauffer l'atmosphère. Si l'endroit distille un parfum de bout du monde hors saison, la foule se fait pressante durant l'été. Sachez que la cité ne peut se visiter qu'à pied ; il vous faudra stationner à l'extérieur des remparts.

TOUR ET REMPART DE LA CITADELLE Parcours historique (04 66 53 61 55 ; http://aigues-mortes.monuments-nationaux.fr ; Logis du Gouverneur ; tarif plein/réduit 7,50/ 4,50 €, audioguide 4,50 € ; sept-avril 10h-17h30, mai-août 10h-19h). Au XIIIe siècle, Saint Louis cherche à se défaire de la mainmise italienne sur le transport de troupes croisées. Le site d'Aigues-Mortes lui offre un accès à la mer providentiel. Une bastide destinée au commerce et à l'embarquement des croisés est édifiée par le saint roi puis agrandie par ses successeurs. Saint Louis s'embarquera, par deux fois, en 1248 et 1270, depuis Aigues-Mortes.

La visite de la citadelle commence par l'emblème de la ville, la **tour de Constance**, élevée en 1242. C'est le seul monument construit du vivant de Saint Louis. Derrière ses imposants murs de 6 m d'épaisseur, s'étagent plusieurs salles voûtées en ogive. La salle des chevaliers servit de prison pour les femmes protestantes après la révocation de l'édit de Nantes. Enfermée pendant 38 ans, Marie Durand grava sur les murs le célèbre mot "résister". Après la terrasse, la visite des remparts qui encerclent la cité sur 1 600 m est le prétexte d'une belle balade avec de beaux points de vue sur Aigues-Mortes et la Camargue. Le long du chemin de ronde, trois tours abritent des expositions permanentes.

CHAPELLE DES PÉNITENTS GRIS Chapelle baroque (04 66 53 73 00 ; tlj 14h-18h30). En retrait de la place Saint-Louis, derrière sa façade surmontée d'un clocheton, la chapelle (1607) vaut surtout le coup d'œil pour son retable en stuc représentant la Passion du Christ, réalisé par Jean Sabatier en 1688, et son maître autel en marbre blanc de Carrare.

CHAPELLE DES PÉNITENTS BLANCS Chapelle baroque (04 66 53 73 00 ; juin-sept 14h-18h30). Cette chapelle baroque du XVIIe siècle est surtout connue pour sa monumentale fresque en arc de cercle qui retrace la Descente du Saint-Esprit, elle est attribuée à Xavier Sigalon (1817).

NOTRE-DAME-DES-SABLONS Église gothique (rue Jean-Jaurès). Située à l'entrée de la place Saint Louis, cette église du XIIIe siècle aurait été témoin de l'embarquement de Saint-Louis pour les croisades. Elle fut remaniée à de nombreuses reprises et abandonna même un temps sa vocation de lieu de culte. Aujourd'hui, l'intérieur vaut surtout par les superbes vitraux des rosaces, fenêtres et fenestrons réalisés par l'artiste Claude Viallat en 1991.

Activités

LES SALINS DU MIDI Visite d'une saline (04 66 73 40 24 ; www.visitesalinaiguesmortes.fr; rte du Grau-du-Roi ; tarif plein/réduit 8,50/6,10 €, sortie en 4x4 40 €, enfant 20 € ; juil-août 15 départs/jour, avr-juin, sept-oct 10h30, 11h30, 14h, 15h, 16h, mars-nov 11h et 15h). À la sortie d'Aigues-Mortes, la visite des salins permet de s'approcher des impressionnantes camelles, pyramides de sel blancs qui peuvent dépasser 20 m de haut, et les étangs de saumure rougeâtre, où le sel se dépose l'été au fur et à mesure que l'eau de mer s'évapore. Si la chance est avec vous, vous apercevrez aussi peut-être quelques espèces d'oiseaux migrateurs (flamant rose, héron cendré, huîtrier pie sont présents sur le site). L'exploration de cette immense saline (10 000 ha) s'effectue dans

Remparts d'Aigues-Mortes

EMMANUEL DAUTANT ©

le cadre d'une visite commentée, en petit train, d'un peu plus d'une heure. Hors saison estivale, mieux vaut accorder votre horaire d'arrivée avec les horaires de départ du train. Musée et boutique pour acheter de la fleur de sel de Camargue, la spécialité locale. Entre juin et septembre, des sorties en 4x4 sont aussi organisées.

ISLES DE STEL Croisière en péniche
(**☎ 04 66 53 60 70 ; www.islesdestel.fr ; av. de la Tour-de-Constance ; tarif plein/réduit sortie 1h30 7/4 €, sortie 2 heures 10/6 € ; ⌚ juil 10h30, 14h, 15h, 17h30h, août 10h30, 14h, 15h, 16h, 17h30, avr-mai-juin-sept départ à 10h30 et 15h30**). Au départ d'Aigues-Mortes, cette péniche avec toit panoramique vous propose un concentré de Camargue en vous guidant sur le canal du Rhône à Sète et sur le canal de la Radelle. Vous bénéficierez en prime d'un arrêt dans une manade à la rencontre d'une famille de manadiers.

Où se loger

HÔTEL DES CROISADES Familial €€
(**☎ 04 66 53 67 85 ; www.lescroisades.fr ; 2 rue du Port ; d 55-73, tr 70-83, qua 80-95 € ;** ❄ 📶). Un hôtel aux prestations correctes tenu par une famille ardennaise. Les chambres donnent soit sur la cour où l'on prend les petits-déjeuners ou sur la tour de Constance et le port, ce qui ajoute un peu de charme au lieu. Idéales pour les familles, certaines chambres au rez-de-chaussée peuvent accueillir 4 personnes. À 5 minutes à pied de la cité, c'est l'une des rares adresses bon marché d'Aigues-Mortes.

HERMITAGE SAINT-ANTOINE Chambres d'hôtes €€
(**☎ 04 66 88 40 98/06 03 04 34 05 ; www.hermitagesa.com ; 9 bd Intérieur-Nord ; d 79-84 € suivant saison ;** ❄ 📶). Ces deux maisons de village du XVIIe siècle

À gauche : Salins du Midi ; **Ci-dessous :** Visite d'une manade
(À GAUCHE) PHILIPPE DEVANNE/FOTOLIA © (CI DESSOUS) EMMANUEL DAUTANT ©

admirablement rénovées rassemblent quatre chambres douillettes et confortables (clim, W-C, douche) aux murs tapissés d'œuvres d'art contemporaines. On aimerait prolonger l'escale à l'intérieur des remparts, surtout après avoir goûté aux petits-déjeuners pantagruéliques et au calme contagieux qui se dégage du patio aux plantes luxuriantes.

HÔTEL SAINT-LOUIS Central **€€**
(**☎ 04 66 53 72 68 ; www.lesaintlouis.fr ; 10 rue Amiral-Courbet ; s 70-94 € d 83-108 € ; ⏲ restaurant mer midi-dim soir ;** wifi **P**). Son atout ? Une situation centrale à deux pas de la place Saint-Louis. Ses 22 chambres donnent soit sur une belle cour intérieure et la tour Constance, soit du côté de la rue. Les meubles en bois de la réception et les murs en pierre de taille donnent du cachet à l'établissement mais sa décoration provençale commence à dater.

Où se restaurer

LE CAFÉ DE BOUZIGUES Méditeranéen **€€**
(**☎ 04 66 53 93 95; www.cafedebouzigues.com ; 7 rue Pasteur ; menus 22/27/32 € ; ⏲ haute saison tlj midi et soir, basse saison midi**). Avec ses couleurs acidulées, ses lustres de pacotille et ses miroirs baroques, la salle affiche une décontraction bohème. Bacchus a aussi son mot à dire : les bouteilles rangées sur un pan de mur annoncent une belle carte des vins. La cuisine méditerranéenne est correcte, un brin décevante au regard des intitulés un peu pompeux des plats, mais la carte a la bonne idée de changer tous les deux mois. Le patio couvert de tamaris propose une ambiance plus intime, avec quelques moustiques en plus.

EMMANUEL DAUTANT ©

L'ATELIER DE NICOLAS Gastronomie de terroir €€

(☎ 04 34 28 04 84 ; 28 rue Alsace-Lorraine ; menus midi 13,50 €, soir 23,50/29,90 € ; ⌚ tte l'année jeu-mar). En artisan du goût, Nicolas Epiard propose une cuisine d'inspiration traditionnelle qui lorgne vers une gastronomie raffinée. Avec ses tables alignées au cordeau dans un style industriel épuré et son agréable patio, cette adresse tranche avec le cadre médiéval du village. Nicolas travaille exclusivement des produits frais, soigne la présentation des assiettes et propose deux cartes aussi différentes que variées pour les services du midi et du soir. Une adresse qui jouit d'une très belle réputation depuis son ouverture, en 2011.

Où prendre un verre

L'EXPRESS Bar

(☎ 04 66 53 69 85 ; 9 pl. Saint-Louis ; ⌚ lun, mer-dim 8h-1h). Avec ses chaises roses et sa devanture bleue, ce bar de la place Saint-Louis a su rester "dans son jus", ce qui tranche avec le caractère surfait des établissements alentour. Parfait pour un café à l'heure où la place se réveille.

LE TAC-TAC Bar-pub

(☎ 04 66 53 60 29 ; 19 rue de la République ; ⌚ tlj juin-sept 19h-1h, oct-mai jeu-lun 19h-1h). Un peu à l'écart du tumulte de la place Saint-Louis, Marc propose pas moins de 12 bières pression (et près de 300 en bouteilles...), une sélection de rhum, whisky, cognac, armagnac mais aussi une étonnante variété de chocolats, d'infusions et de cafés. À découvrir en priorité à l'heure de l'apéro. Petite restauration sur place.

Renseignements

Office du tourisme (☎ 04 66 53 73 00 ; www.ville-aigues-mortes.fr ; pl. Saint-Louis)

Depuis/vers Aigues-Mortes

Les bus du réseau **Edgard** (☎ 0 810 33 42 73 ; www.edgard-transport.fr) assurent une liaison entre Nîmes et Le Grau-du-Roi via Aigues-Mortes.

Le Grau-du-Roi

Le Grau-du-Roi affiche un visage contrasté. D'un côté, les étendues sauvages de la dune de l'Espiguette, de l'autre des ambitions de station balnéaire matérialisées par des barres d'immeubles en front de mer et un gigantesque port de plaisance, Port-Camargue.

À voir et à faire

PLAGE DE L'ESPIGUETTE
Un air de désert. Sans aucun doute, cette pointe sauvage née grâce aux alluvions du Rhône constitue l'une des plus belles plages de Méditerranée. Cette mer de sable s'étend sur plus de 10 km de long et 700 m de large. Dominée par un phare, elle se prête aussi à la marche ou à la randonnée équestre. Suivre les indications depuis le centre du Grau-du-Roi ; l'été, le parking des Baronnets est payant (4,50 €/jour).

SEAQUARIUM Aquarium géant
(**04 66 51 57 57 ; www.seaquarium.fr ; av. du Palais-de-la-Mer ; tarif plein/réduit 12,50/9,50 € ; juil-août 9h30-23h30, oct-mars 9h30-18h30, avr-juin et sept 9h30-19h30**). Parfois victime de son succès en été, cet aquarium présente, sur deux niveaux, de fantasques poissons multicolores, des hippocampes et une vingtaine d'espèces de requins et de raies. Les phoques et les otaries assurent aussi le spectacle. Idéale avec des enfants, la visite est éclairée par des bornes pédagogiques.

Où se restaurer

LA PALANGRE Spécialités de la mer **€€**
(**04 66 51 76 30 ; www.lepalangre.com ; 56 quai Général-de-Gaulle ; menus 20,50/33 € ; mai-sept tlj, oct-avr jeu-mar midi**). Au bord du canal, à proximité du port de pêche, cette adresse affiche une dose de raffinement bienvenue au Grau-du-Roi où les formules moules-frites sont légion. Dans l'assiette, légumes frais, poissons bien cuits et spécialités locales comme les tellines à l'aïoli ou la bourride. Desserts maison. Par beau temps, la terrasse face aux filets et aux barques de pêcheurs est très agréable.

Renseignements

Office du tourisme (**04 66 51 67 70 ; vacances-en-camargues.com ; 30 rue Michel-Rédarès ;**)

Depuis/vers Le Grau-du-Roi

Les bus du réseau **Edgard** (**0 810 33 42 73 ; www.edgard-transport.fr**) assurent une liaison entre Nîmes et Le Grau-du-Roi via Aigues-Mortes.

Plage de l'Espiguette
EMMANUEL DAUTANT ©

Lozère et terres cévenoles

La Lozère et les Cévennes sont des terres bénies pour les adeptes du tourisme vert.

La région est traversée par des itinéraires de randonnée mythiques (chemin de Saint-Jacques ou de Stevenson). Ses torrents et ses rivières se prêtent à des baignades impromptues et à des descentes au fil de l'eau. Quant à ses reliefs karstiques creusés d'innombrables cavités, ils sont le prétexte à des voyages sous terre saisissants. C'est aussi un refuge pour les espèces animales menacées qui se laissent approcher dans des réserves. La géologie y a fait des miracles, faisant cohabiter les causses, plateaux calcaires entaillés par de larges gorges, les sommets granitiques de l'Aigoual et du mont Lozère et les hauts plateaux de la Margeride et de l'Aubrac. Les vallées cévenoles restent marquées par le protestantisme et un caractère quasi insulaire. Enfin, cet espace rassemble aussi des traditions agropastorales millénaires comme l'illustre le récent classement des Cévennes et des Causses au patrimoine mondial de l'Unesco.

Saint-Chély-du-Tarn (p. 191)

Lozère et terres cévenoles

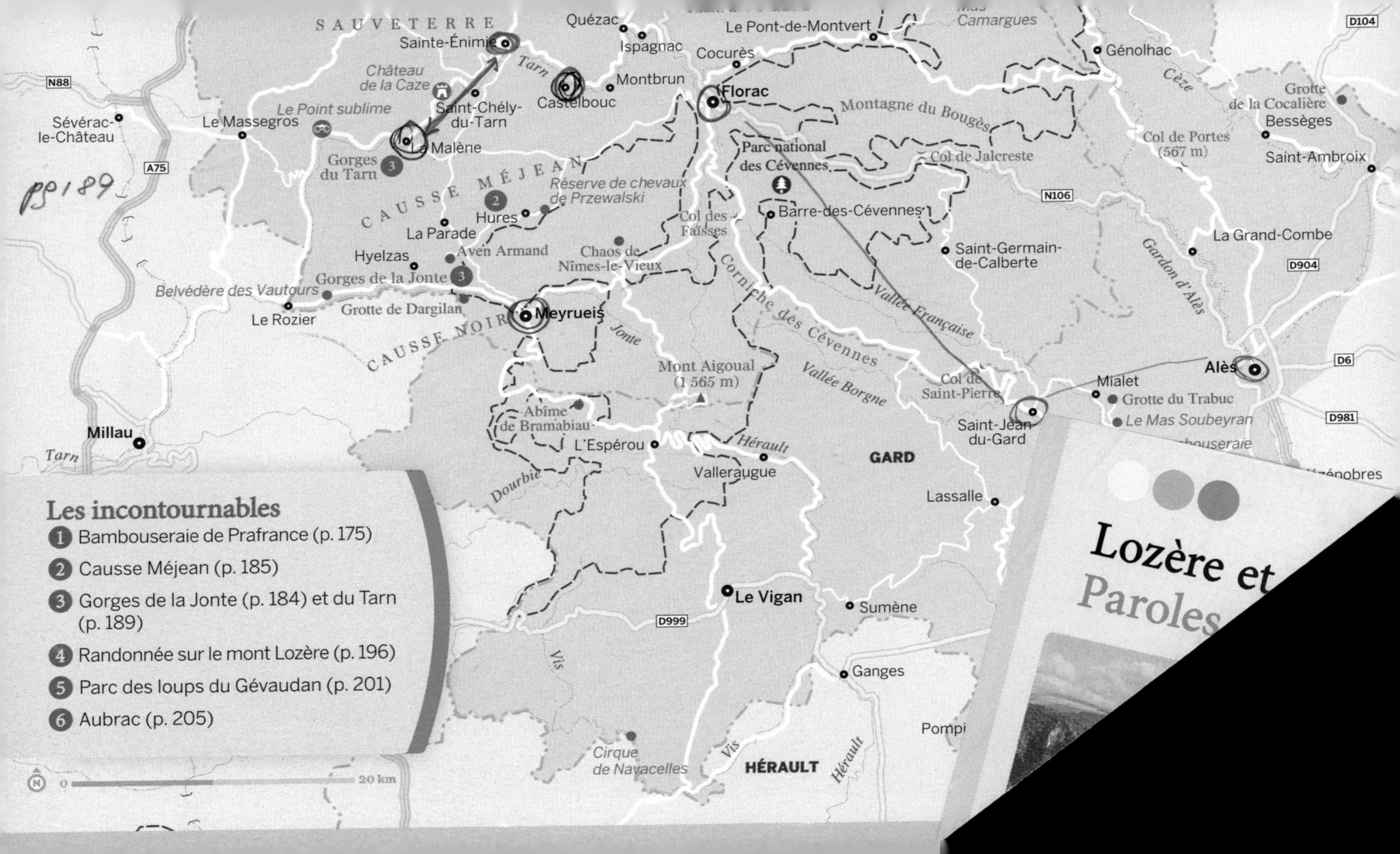
SAUVETERRE
Sainte-Énimie
Quézac
Ispagnac
Le Pont-de-Montvert
Camargues
Génolhac
Cèze
Grotte de la Cocalière
Bessèges
Col de Portes (567 m)
Saint-Ambroix
Cocurès
Montbrun
Florac
Tarn
Château de la Caze
Le Point sublime
Saint-Chély-du-Tarn
Castelbouc
Montagne du Bougès
Sévérac-le-Château
Le Massegros
La Malène
Gorges du Tarn
CAUSSE MÉJEAN
Réserve de chevaux de Przewalski
Parc national des Cévennes
Col de Jalcreste
N88
A75
N106
Hures
La Parade
Barre-des-Cévennes
Col des Faïsses
Aven Armand
Chaos de Nîmes-le-Vieux
Hyelzas
Gorges de la Jonte
Saint-Germain-de-Calberte
La Grand-Combe
Gardon d'Alès
D904
Belvédère des Vautours
Le Rozier
Grotte de Dargilan
Meyrueis
CAUSSE NOIR
Jonte
Corniche des Cévennes
Vallée Française
Mont Aigoual (1 565 m)
Vallée Borgne
Col de Saint-Pierre
Saint-Jean-du-Gard
Mialet
Grotte du Trabuc
Le Mas Soubeyran
Alès
D6
D981
D104
Abîme de Bramabiau
L'Espérou
Hérault
Valleraugue
GARD
Millau
Dourbie
Lassalle
Le Vigan
D999
Sumène
Ganges
Vis
Cirque de Navacelles
HÉRAULT
Pompi
0
20 km
Lozère et
Paroles
Les incontournables
1 Bambouseraie de Prafrance (p. 175)
2 Causse Méjean (p. 185)
3 Gorges de la Jonte (p. 184) et du Tarn (p. 189)
4 Randonnée sur le mont Lozère (p. 196)
5 Parc des loups du Gévaudan (p. 201)
6 Aubrac (p. 205)

terres cévenoles
d'expert

Ci-dessus : Le Point sublime (p. 192). **Ci-contre en haut :** Paysage de l'Aubrac. **Ci-contre en bas :** Lac de Saint-Andéol (p. 204)

Ma se

La Lozère par Brigitte Donnadieu

CHARGÉE DES RELATIONS PRESSE AU COMITÉ DÉPARTEMENTAL DU TOURISME ET PRÉSIDENTE DE SCÈNES CROISÉES LOZÈRE

1 LA ROUTE DES LACS

Sur le plateau de l'Aubrac, la route entre Nasbinals et Saint-Germain-du-Teil (p. 203) est parsemée de lacs d'origine glaciaire (lacs de Salhiens, de Souveyrols, de Born, de Saint-Andéol). L'itinéraire permet de découvrir des paysages authentiques, les vaches de l'Aubrac et une multitude de petits hameaux et de fermes traditionnelles.

2 LE CHEMIN DE STEVENSON

Quoi de plus stimulant que de marcher sur les traces d'un écrivain internationalement connu comme Robert Louis Stevenson ? Le tronçon entre Finiels et Florac peut se faire en 2 ou 3 jours sur les pentes du mont Lozère. Je conseille, bien sûr, de lire en parallèle le livre de Stevenson *Voyages avec un âne dans les Cévennes* ; pourquoi pas pendant la traversée ?

3 LE POINT SUBLIME

On atteint ce magnifique panorama en traversant le hameau d'Almières et sa très belle architecture caussenarde aux toits recouverts de lauzes. Depuis le **Point sublime** (p. 192), on embrasse une grande partie des gorges du Tarn et le causse Méjean. Tout simplement sublime !

4 LE VALLON DU VILLARET

Un beau mélange des genres entre un espace naturel ludique dans un vallon arboré et un lieu d'exposition d'art contemporain dans une tour du XVIe siècle (p. 202). Des concerts et des événements éphémères sont aussi organisés. Le lieu a fêté ses 20 ans en 2012 et a toujours su se renouveler.

5 ÉTAPES GOURMANDES

Voici deux adresses. D'abord, **La Lozerette** (p. 188), à Cocurès, dirigée par Pierrette Agulhon, qui met l'accent sur les accords entre mets et vins. Perdue sur le plateau de l'Aubrac, le **Buron de Born** (p. 204) est l'adresse idéale pour déguster un aligot.

3 JOURS

D'ANDUZE À LA STATION DU BLEYMARD

En terre cévenole

Depuis **(1) Anduze**, comptez une journée pour visiter la Bambouseraie de Prafrance avec le petit train des Cévennes et flâner dans les ruelles tortueuses d'Anduze. Le lendemain, partez dans la vallée des Camisards sur les traces du protestantisme en visitant le musée du Désert. N'oubliez pas aussi de profiter de la proximité de la grotte du Trabuc, qui servit de refuge aux camisards. Quittez la vallée et rejoignez ensuite **(2) Saint-Jean-du-Gard**. Le troisième jour, partez tôt et découvrez un somptueux panorama sur les vallées cévenoles et le massif de l'Aigoual depuis la corniche des Cévennes. À **(3) Florac**, faites halte dans le château de la ville, siège du parc national des Cévennes et prenez la route du **(4) Pont-de-Montvert** en direction du mont Lozère. À quelques kilomètres du Pont-de-Montvert, la **(5) station du Bleymard**, sur le mont Lozère, est le point de départ d'une randonnée jusqu'au pic de Finiels.

La Chaldette
7 RÉSERVE DES BISONS D'EUROPE
8 NASBINALS
6 PARC DES LOUPS DU GÉVAUDAN
BAGNOLS-LES-BAINS
5 LE BLEYMARD
4 MENDE
LE PONT-DE-MONTVERT
3 SAINTE-ÉNIMIE
4 FLORAC
3 SAINT-JEAN-DU-GARD
2 MEYRUEIS
1 MONT AIGOUAL
2
1 ANDUZE
Le Vigan

Ci-dessus : Vieux pont au Vigan (p. 179) ;
À droite : Parc de loisirs du vallon du Villaret (p. 202)

5 JOURS

DU VIGAN À NASBINALS

Nature sauvage et bien-être

Depuis Le Vigan, consacrez le premier jour à la découverte du **(1) massif de l'Aigoual** en suivant la route qui grimpe jusqu'à l'observatoire de Météo France, siège d'une exposition permanente sur les phénomènes météorologiques. L'après-midi peut être consacrée à la découverte de l'abîme de Bramabiau, sur le versant nord, avant de faire escale dans l'un des hôtels de **(2) Meyrueis**. La deuxième journée consiste en un long défilé panoramique. D'abord, avec les gorges de la Jonte, dont les falaises sont la terre d'élection d'impressionnants vautours. Ensuite, le long des gorges du Tarn, où vous pourrez faire halte dans les villages de **(3) Saint-Chély-du-Tarn** et **Sainte-Énimie**. Rejoignez ensuite **(4) Mende**, la plus petite préfecture de France. Consacrez une matinée à la visite de la cathédrale Notre-Dame-et-Saint-Privat et au centre ancien. L'après-midi, accordez-vous un soin à la station thermale de **(5) Bagnols-les-Bains**, avant d'arpenter l'étonnant parc de loisirs du **vallon du Villaret**. Le lendemain, la faune sauvage vous attend : le matin, au **(6) parc des loups du Gévaudan** ; l'après-midi, à la **(7) réserve des bisons d'Europe**, au milieu des paysages sauvages de la Margeride. Le dernier jour, direction les rudes terres de l'Aubrac, autour de **(8) Nasbinals**. Vous pourrez finir votre périple par une halte revigorante à la **station thermale de la Chaldette**.

Découvrir la Lozère et les terres cévenoles

PIÉMONT CÉVENOL ET MONT AIGOUAL

Si Alès arbore encore une influence méditerranéenne, les vallées cévenoles, succession de serres (crêtes) de valats (vallée) où coulent les gardons d'Anduze, de Mialet, de Saint-Jean ou d'Alès, annoncent les premiers contreforts du Massif central. Les hameaux de pierre de schiste construits en terrasses, entourés de mûriers et de châtaigneraies, y illustrent la richesse des traditions rurales cévenoles. Terre de révolte avec les camisards, ses vallées secrètes furent un refuge pour le protestantisme. Les amoureux du tourisme vert, à l'affût de baignade dans les cours d'eau, d'exploration souterraine ou de randonnées sous les châtaigneraies trouveront ici leur terre d'élection. Saint-Jean-du-Gard, Anduze et la Bambouseraie de Prafrance drainent l'essentiel des visiteurs. Mais libre aux plus curieux de s'enfoncer dans des vallées plus isolées ou de se lancer à l'ascension de l'Aigoual, montagne mythique à la météo capricieuse.

Alès

Porte d'entrée des Cévennes, la deuxième ville du département du Gard (40 000 habitants) a longtemps vécu au rythme de l'activité frénétique de ses mines de fer et surtout de charbon. En 1947, tout juste nationalisées, elles employaient plus de 20 000 personnes et constituaient un pan majeur de l'économie des Cévennes. L'activité minière a longuement décliné à partir des années 1960 et les dernières mines ont cessé définitivement leur activité dans les années 1980. Il reste une mémoire industrielle forte, à découvrir dans des musées bien vivants. On prendra aussi le temps de flâner autour de sa cathédrale et de son temple, de grimper jusqu'au fort Vauban pour découvrir les arbres centenaires du jardin du Bosquet.

Statue de mineur, Alès
GILLES PAIRE/FOTOLIA ©

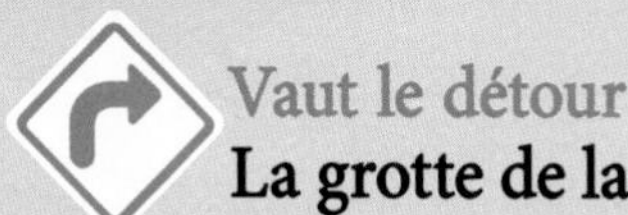

Vaut le détour
La grotte de la Cocalière

(04 66 24 34 74 ; www.grotte-cocaliere.com ; juil-août tlj 10h-18h, mars-juin tlj 10h-12h et 14h-17h, sept-oct tlj 10h-12h et 14h-17h). Entre Ardèche et Gard, dans le Vivarais cévenol, la grotte de la Cocalière entraîne le spéléologue novice sous un plateau karstique le long d'une rivière souterraine. La descente à 40 m sous terre s'effectue à pied par un escalier. Déjà, la calcite brille de mille feux, aidée par un éclairage très doux qui dévoile des formes oniriques : une statue de la liberté, des rois mages, un morse échoué. La visite guidée permet d'effectuer quelques petites révisions indispensables (une stalagmite monte, une stalactite tombe...). La grotte qui a aussi servi de cave à vin est le cadre de nombreux événements : concerts, spectacles, performances. Le retour se fait à bord d'un petit train touristique (comptez 1 heure de visite, retour compris) et n'oubliez pas qu'il fait frisquet sous terre (14°C). À 27 km au nord-est d'Alès par la D904.

À voir

MINE TÉMOIN D'ALÈS Visite de mine
(04 66 30 45 15 ; www.mine-temoin.fr ; chemin de la Cité-Sainte-Marie ; Rochebelle ; tarif plein/réduit/-12 ans 8/6/5 € ; juil-août tlj 10h-19h, fév-juin et sept-nov tlj 9h30-12h30 et 14h-18h). Ancien centre de formation des houillères des Cévennes, en activité entre 1945 et 1968, la mine témoin d'Alès propose de revivre le quotidien des gueules noires. Équipé de casque et de lampe, vous y déambulerez à travers 750 m de galeries où des mannequins racontent le quotidien des mineurs (cheval au labeur, travail des femmes, des enfants...) sous l'œil bienveillant de la statue de sainte Barbe, patronne protectrice des mineurs. Dans ce dédale de galeries, on découvre les techniques et le matériel utilisé pour l'extraction minière à différentes époques. Une immersion dans les entrailles de la terre qui ne fait pas l'impasse sur les conditions de travail difficiles des mineurs. La température à l'intérieur étant fraîche, pensez à vous couvrir. À 13 km à l'ouest d'Alès.

MAISON DU MINEUR Installation minière
(04 66 34 28 93 ; 51 rue des Poilus ; La Grand-Combe ; tarif plein/réduit 5/3 € ; mars-mai et sept-déc 9h-12h et 14h-17h, juin-août 9h-12h et 14h30-18h30). Fermé en 1978 et classé monument historique, le puits Ricard est resté en l'état. La Maison du mineur propose une visite des installations de surface de production houillère : douches, atelier des lampes, salle des machines. Une multitude d'objets d'époque rappelle le quotidien des mineurs. Dans la vallée Ricard à 13 km au nord d'Alès. La visite guidée dure 1 heure 30.

GRATUIT **MUSÉE PIERRE-ANDRÉ-BENOÎT** Art moderne
(04 66 86 98 69 ; rue de Brouzen ; gratuit ; sept-juin mar-dim 14h-18h, juil-août tlj 14h-19h). Imprimeur, éditeur, sculpteur et poète, Pierre-André Benoît (1921-1993) a fait don de sa collection personnelle à sa ville natale. Ami de grands peintres comme Picabia, Braque, Miró, il a collaboré avec de nombreux artistes pour la réalisation de livres, dont plus de 400 sont exposés. Le musée accueille par ailleurs de belles œuvres picturales (peintures, gouaches, dessins, estampes, sculptures) de Picabia, Braque, Miró ou Picasso dans le cadre enchanteur du château de Rochebelle (XVIIIe siècle), ancienne résidence de la direction des houillères d'Alès.

Où se loger et se restaurer

LE MANDAJORS Cuisine du terroir €€
(**04 66 52 62 98 ; 17 rue Mandajors ; menus 11-18,80 € ; tlj**). Au rez-de-chaussée d'un immeuble du centre-ville, le plus vieux restaurant d'Alès au son décor rustique est resté dans son jus. Fréderic y joue la carte du terroir cévenol (charcuterie, raviolis aux cèpes, brandade) à des prix imbattables. Idéal pour calmer une grosse faim.

LE RICHE Hôtel-restaurant €€
(**04 66 86 00 33 ; 42 rue Pierre-Semard ; menus 23-41 €, d à partir de 75 € ; restaurant fermé dim soir et lun ; P 4 €**). À proximité de la gare, cet hôtel rappelle qu'Alès fut une prospère cité minière qui accueillait les voyageurs venus de la France entière. Sa salle de restaurant à l'esprit Belle Époque, aux murs et plafonds rouges tapissés de stucs et de dorures, vaut le détour. On y déguste une cuisine d'inspiration gastronomique à base de produits cévenols (oignons doux, châtaignes, cèpes, gibier...). Les chambres sont beaucoup moins exubérantes mais très fonctionnelles (TV, bureau, clim). Demi-pension possible.

Renseignements

Office du tourisme (**04 66 52 32 15 ; pl. de l'Hôtel-de-Ville**)

Depuis/vers Alès

AVION L'aéroport **Nîmes-Alès-Camargue-Cévennes** (**04 66 70 49 49 ; www.nimes-aeroport.fr**) est situé à une heure d'Alès.

TRAIN Alès est à 40 minutes de Nîmes en TER.

Anduze

Encadrée par les falaises abruptes de la montagne Saint-Julien, Anduze s'étire le long du Gardon, formant un passage étroit qui ouvre sur les vallées des gardons d'Anduze et de Mialet. La "Genève des Cévennes", ainsi nommée pour son adhésion précoce à la Réforme, possède

À gauche : Marché des potiers, Anduze
Ci-dessous : Terrasse de café, Anduze
(À GAUCHE ET CI-DESSOUS) EMMANUEL DAUTANT ©

l'un des plus grands temples de France. Anduze est aussi célèbre pour ses vases monumentaux, qui ont séduit jusqu'aux jardiniers du château de Versailles et que vous retrouverez dans de vastes ateliers de potiers en dehors de la ville. Son quartier médiéval mérite que l'on s'y attarde, notamment pour sa jolie place couverte ornée de l'étonnante fontaine Pagode aux tuiles vernissées. À l'écart du centre, la gare, où l'on se presse pour ne pas rater le départ du pittoresque train des Cévennes, reste un des lieux les plus animés de la ville.

À voir et à faire

TRAIN À VAPEUR DES CÉVENNES Train touristique

(**04 66 60 59 00 ; www.trainavapeur.com ; gare d'Anduze ; tarif aller-retour plein/réduit 15/10 €, tarif aller 11/8 € ; juin-août départ d'Anduze tlj à 9h30, 11h30, 15h, 17h, mars-mai et sept-nov départs d'Anduze tlj à 11h30, 15h, 17h**). À toute vapeur ! Nul doute que les volutes de fumée du train à vapeur des Cévennes vous séduiront. Construit pour soutenir le développement de l'industrie de la soie cévenole, le train a fêté en 2009 ses 100 ans d'existence. Depuis Anduze, ses 13 km de voies enjambent 8 viaducs et traversent 4 tunnels. C'est l'occasion depuis Anduze d'aller au marché de Saint-Jean-du-Gard, à la Bambouseraie, ou de contempler depuis un wagon ouvert au grand air les berges du Gardon. Pour les inconditionnels : vérifiez que vous partez bien sur une locomotive vapeur, certains trajets se font avec une locomotive diesel.

Où se loger et se restaurer

SAVEURS DU SUD Cuisine méditerranéenne **€€**

(**06 75 83 50 92 ; www.saveur-du-sud.fr ; 27 rue Basse ; menu 22 €**). Certes, ce n'est pas la plus belle rue d'Anduze, mais l'adresse vaut le détour. Derrière sa façade colorée, Patricia propose une carte minimaliste et une cuisine mosaïque avec de belles assiettes composées à base de produits bio et de saison comme son "entrée de la chef" à base de crudités et de graines germées et grillées. Que les carnivores se rassurent, les assiettes colorées sont aussi portées sur la viande (et le poisson) avec toujours une pointe d'épices. Vins bio en prime. Service souriant.

LA FERME DE CORNADEL Maison d'hôtes – restaurant **€€**
(☎04 66 61 79 44 ; www.cornadel.fr ; menus 17/30/45 €, d avec petit-déj 85-120 €, ste 115-150 € selon saison ;). Avec son décor léché et sa piscine, La Ferme de Cornadel n'a de ferme que le nom. Difficile de le nier, les propriétaires se sont donné du mal pour aménager les lieux. Mais ce cadre raffiné, un brin artificiel, de magazine de décoration, ne séduira peut-être pas tout le monde. Les chambres mettent en avant des matériaux nobles (poutres en bois et pierres apparentes) et laissent une belle impression de confort cosy (surtout les suites). L'adresse se complète d'un restaurant en salle ou sous la tonnelle. Pour l'heure, la cuisine n'est pas au niveau des prix pratiqués, malgré des assiettes joliment présentées. À 800 m du centre-ville, sur la route de Générargues.

LE RANQUET Hôtel et restaurant gastronomique **€€€**
(☎04 66 77 51 63 ; www.leranquet.com ; Tornac ; menus 39 €, 58 €, 82 €, d 145-195 € selon saison ; restaurant jeu-dim ;). L'escale de charme des Cévennes. Cette grande demeure de pierre nichée au cœur d'un parc arboré abrite un restaurant gastronomique étoilé dont la réputation doit beaucoup à Anne Majourel, aujourd'hui partie sous d'autres cieux. La cuisine servie y reste exceptionnelle avec en prime une belle vue sur un parc paysager. L'établissement est aussi réputé pour sa cave à vin (plus de 200 références) qui met l'accent sur les vins de la région. Les chambres sont disséminées dans de petits pavillons, qui possèdent chacun une terrasse privative. À 9 km au sud d'Anduze, en direction de Saint-Hippolyte-du-Fort.

Renseignements

Office du tourisme (☎04 66 61 98 17 ; www.ot-anduze.fr ; plan de Brie)

Depuis/vers Anduze

BUS La ligne de car A12 relie Saint-Jean-du-Gard à Nîmes via Anduze avec les cars **Edgard Transport** (☎0 810 33 42 73 ; www.edgard-transport.fr). La ligne 81s des **Nouveaux transports en commun cévenols** (☎04 66 52 31 31 ; www.ntecc.fr) relie Anduze à Alès.

Mialet

Au milieu d'une vallée sauvage, autrefois refuge des camisards, les hameaux de Mialet, à l'architecture cévenole caractéristique, sont une terre emblématique pour la communauté protestante. Chaque premier dimanche de septembre depuis 1911, près de 15 000 personnes de France et d'Europe s'y rassemblent lors de l'assemblée du Désert.

À voir

GROTTE DE TRABUC Réseau souterrain
(☎04 66 85 03 28 ; www.grotte-de-trabuc.com ; Mialet ; tarif plein/réduit 9,20/5,90 € ; visites guidées juil-août départs tlj 10h15, 11h, 11h45, 12h30, 13h15, 14h, après-midi départs réguliers de 14h à 18h, avr-juin et sept tlj 10h30, 11h30, 14h30, 15h30, 16h30, 17h30, mars et oct tlj 14h30,15h30, 16h30, fév et nov dim et jours fériés 14h30, 15h30, 16h30). On dit qu'elle servit de refuge durant les guerres de Religion à quelques camisards et que des brigands, les trabucayres, armés de leur *trabuc* (pistolet) en firent leur repaire. Voilà pour ses légendes. Sa géologie, elle, dévoile, le long d'un kilomètre de galeries, le patient travail de l'eau au fil des millénaires. De magnifiques concrétions s'épanouissent dans différentes salles : draperies en

EMMANUEL DAUTANT ©

À ne pas manquer La Bambouseraie de Prafrance

Première collection européenne de bambous, la bambouseraie de Prafrance contient également des essences du monde entier : séquoias centenaires, bananiers, magnolias ou camélias. C'est un lieu idéal pour s'initier à la poésie des arbres et pénétrer la magie végétale. Le décor exotique de la Bambouseraie a d'ailleurs attiré de nombreux réalisateurs, comme Henri-Georges Clouzot pour *Le Salaire de la peur*.

L'histoire de cet arboretum remonte à plus de 150 ans. Eugène Mazel, un Cévenol épris d'horticulture, investit la fortune familiale dans une collection d'arbres et de bambous exotiques qu'il tenta d'acclimater sur des terres achetées dans son village natal. Si certaines variétés délicates ne purent supporter la rigueur des hivers cévenols, le bambou prospéra sur ces sols limoneux reliés par des canaux d'irrigation au Gardon.

Cette utopie botanique se découvre aujourd'hui sur un site de près de 15 ha, ordonné autour de larges allées. On y trouve plus de 200 variétés de bambous de toutes les couleurs, dont certain peuvent atteindre des hauteurs vertigineuses et grandir de plus d'un mètre par jour. Clin d'œil au jardin zen, le vallon du Dragon, créé en 2000, reprend l'organisation d'un jardin japonais autour d'un petit ruisseau. Le village laotien prouve, lui, que le bambou reste un excellent matériau de construction.

La Bambouseraie accueille aussi une boutique dédiée à la vente de plantes et une librairie spécialisée. Le site est facilement accessible depuis Anduze avec le train à vapeur des Cévennes (voir p. 173).

INFOS PRATIQUES

(04 66 61 70 47 ; www.bambouseraie.fr ; Générargues ; tarif plein/-12 ans 8,80/5,20 € ; tlj à partir de 9h30, fermeture entre 17h et 20h suivant saison)

forme d'oreille d'éléphant, cascades, lacs aux reflets bleu-vert, belles perles des cavernes (poussière recouverte de couches d'albâtre par ruissellement). Les visiteurs viennent surtout admirer la fameuse salle des 100 000 soldats, où des milliers de monticules coniques posés à même le sol se dressent comme une armée. Visite guidée à pied d'une heure environ.

MUSÉE DU DÉSERT Histoire du protestantisme

(☎ 04 66 85 02 72 ; www.museedudesert.com ; tarif plein/réduit 5,50/4,50 € ; ⏲ juil-août tlj 9h30-18h30, mars-nov tlj 9h30-12h et 14h-18h). Dans le hameau du Mas Soubeyran, la maison de Pierre Laporte, surnommé Rolland, chef camisard tué en 1704, abrite un musée consacré à l'histoire du protestantisme dans les Cévennes. Il fait revivre à la révolte des camisards et la période dite du "désert", de la révocation de l'édit de Nantes jusqu'à la Révolution française, période pendant laquelle les huguenots étaient obligés de vivre clandestinement leur foi (voir l'encadré ci-contre). À l'intérieur, attardez-vous sur les édits royaux, qui montrent l'implacable progression des mesures prises à l'encontre des camisards. Le hameau du mas Soubeyran est situé à trois kilomètres au sud de Mialet et à 8 km d'Anduze par la D50.

Où se loger et se restaurer

LE PONT DES CAMISARDS Chambres et table d'hôtes €

(☎ 04 66 85 00 09 ; www.pontdescamisards.fr ; Mialet ; d 50 €, t 70 €, qua 90 € avec petit-déj, table d'hôte 15 € ; 📶). Pour goûter à la douceur de vivre d'un village rural cévenol, près du pont des Camisards à Mialet. Marina et François accueillent leurs hôtes dans une maison joliment rénovée. Leurs deux chambres rustiques, l'une autrefois occupée par un berger et l'autre sise dans un ancien séchoir à châtaignes, donnent sur un jardin et des terrasses cultivées par les propriétaires, qui produisent fruits et légumes. Possibilité de baignade à 200 m, réveil avec les confitures des fruits du jardin.

Musée du Désert, Mialet

CDT GARD ©

La guerre des camisards

En 1685, la révocation de l'édit de Nantes par Louis XIV priva les huguenots de la liberté de culte dont ils jouissaient depuis sa promulgation en 1598. Les persécutions à l'encontre de ceux qui refusaient d'abjurer le protestantisme étaient féroces : les prédicants étaient mis à mort, les hommes étaient condamnés aux galères, les femmes étaient emprisonnées et leurs enfants envoyés dans des orphelinats catholiques. Beaucoup émigrèrent, mais d'autres trouvèrent refuge dans des lieux reculés où il pouvaient pratiquer leur foi.

La guerre des camisards éclata en 1702 avec l'assassinat de l'abbé du Chayla, soupçonnés de torturer des huguenots, au Pont-de-Montvert (voir p. 195). Plusieurs bandes se formèrent alors dans le maquis cévenol. C'est de là que Pierre Laporte, dit Rolland, jeune chef camisard seulement âgé de 22 ans, organisa la résistance contre les troupes royales. Les huguenots combattaient en chemise (*camiso* en langue d'oc), d'où leur nom de camisards. S'ils ne furent jamais que 2 500 à 3 000, les camisards tinrent en échec les 30 000 soldats des troupes royales de 1702 à 1705. Mialet, fief des camisards, paya un lourd tribut à cet épisode et sa population fut déportée en 1703.

Saint-Jean-du-Gard

Village agréable s'étirant le long du Gardon de Saint-Jean, Saint-Jean-du-Gard est entouré de collines verdoyantes propices à la randonnée. Marqué par les guerres de Religion (son château fut brûlé au XVIe siècle par les troupes royales avant d'être reconstruit peu après), il s'est ensuite développé grâce aux activités liées au cuir, à la laine et surtout à la soie ; on compta jusqu'à une vingtaine de filatures dans les rues du village. Enfin, c'est ici, à l'auberge d'Oronge, que Robert Louis Stevenson abandonna son ânesse Modestine après un long périple à travers les Cévennes (voir p. 197). Saint-Jean se découvre en priorité, les mardis et samedis matin (d'avril à octobre), jours de marché, où toute la population cévenole se donne rendez-vous.

À voir

MUSÉE DES VALLÉES CÉVENOLES Traditions populaires

(**04 66 85 10 48 ; 95 Grande-Rue ; tarif plein/réduit 6/4 € avec audioguide ; juil-août tlj 10h-19h, avr-oct tlj 10h-12h30 et 14h-19h, nov-mars mar-jeu 9h-12h et 14h-18h, dim 14h-18h**). Dans ces quelques pièces, objets et mobilier d'antan sont exposés dans une scénographie un peu vieillotte. Le musée vaut surtout pour son témoignage touchant de la vie quotidienne des paysans et artisans cévenols. Une place de choix est bien sûr accordée aux activités phares des Cévennes : le châtaignier et la sériciculture (élevage des vers à soie).

AQUARIUM DE SAINT-JEAN-DU-GARD Faune marine

(**04 66 85 40 53 ; www.aquarium-cevennes.fr ; av. de la Résistance ; tarif plein/réduit 8/6 € ; juin-août tlj 10h30-19h, avr-mai et sept-oct mar-dim 11h-18h**). Au bord du Gardon, quelques tortues ouvrent le bal. Poissons tropicaux, murènes et pirhanas et bien d'autres espèces font ensuite le spectacle dans leurs aquariums tandis qu'à l'étage, deux petits requins à pointe peaufinent leur inquiétant ballet. Le décor baroque de cet aquarium municipal ajoute une touche de fantaisie bienvenue : cascade tropicale évoquant *L'Île au trésor* de Robert Louis Stevenson, scènes égyptiennes...

Activités

MAISON DE LA RANDONNÉE Randonnées accompagnées

(**04 66 61 66 66 ; www.maisondelarandonnee.com ; La Châtaigneraie, Thoiras ; randonnée 10 € la journée et 5 € la demi-journée, location VTT 12 € la demi-journée et 20 € la journée ; juil-août tlj 9h30-18h, avr-oct mar-ven 9h30-12h30 et 14h30-17h30, nov-mar mar-ven 9h30-12h30).** Proposition de randonnées thématiques originales dans les Cévennes (astronomie, la vallée des Camisards, canyoning, rando-concert...) avec différents accompagnateurs diplômés. Également location de VTT et une petite librairie spécialisée. Thoiras est à 9 km au sud de Saint-Jean-du-Gard, sur la route de Saint-Hippolyte-du-Fort.

Où se loger et se restaurer

HÔTEL LES BELLUGUES Deux-étoiles central €€

(**04 66 85 15 33 ; www.hotel-bellugues.com ; 13 rue Pelet-de-la-Lozère ; d 62-68 € selon confort et saison ; P**). Cette ancienne filature de soie accueille aujourd'hui 16 chambres de plain-pied bien équipées (sdb, W-C, écran LCD, clim) dans le centre de Saint-Jean-du-Gard. Son atout ? Un cadre exotique avec un jardin planté de bambous et des terrasses en tek autour d'une accueillante piscine chauffée.

HÔTEL L'ORONGE Hôtel-restaurant mythique €€

(**04 66 86 05 52 ; www.hoteloronge.com ; pl. de la Révolution ; menus 17,50/34,50 € ; d 55-59 € suivant saison ; P**). Certes, le décor a changé mais c'est bien dans cet ancien relais de diligences du XVIIe siècle que Robert Louis Stevenson acheva son périple cévenol. Les chambres sont simples mais élégantes et disposées autour d'un agréable patio à deux étages. Cuisine de terroir. Demi-pension possible.

LE JARDIN GOURMAND Cadre enchanteur €€

(**04 66 54 51 06 ; www.lejardingourmand-cevennes.com ; 11 rue des Bourgades ; menus 14/20 € ; avr-oct**). Dans un jardin tiré au cordeau adossé à une demeure du

Le train à vapeur des Cévennes relie Anduze à Saint-Jean-du-Gard

EMMANUEL DAUTANT ©

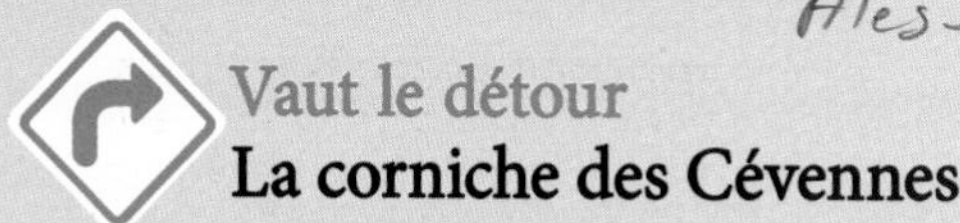

Vaut le détour
La corniche des Cévennes

Entre Saint-Jean-du-Gard et Florac, cette ancienne draille, piste empruntée lors des transhumances, a toujours été un axe de communication important. L'itinéraire, reliant la plaine du Languedoc au Gévaudan, fut élevé au rang de route royale à la fin du XVIIe siècle afin de faciliter la circulation des troupes réprimant le soulèvement protestant. Au départ de Saint-Jean-du-Gard, la D9 grimpe d'abord jusqu'au col de Saint-Pierre (596 m), qui marque la limite entre le Gard et la Lozère. La route surplombe ensuite alternativement la vallée Borgne et la vallée Française avec de magnifiques panoramas. Parfois, une brèche s'ouvre dans l'épais rideau forestier pour découvrir des mas en pierres de schiste taillées, entourés de terrasse et de vergers. Peu après le village Le Pompidou, la route pénètre sur un causse calcaire au col des Faïsses (1 018 m) avant de redescendre vers Florac après 54 km de route.

XVIe siècle, on déguste une cuisine de terroir simple et savoureuse autour d'une fontaine. Au menu : gratinées à la tomme de l'Aubrac, tomme de Lozère, charcuterie de l'Aubrac, châtaignes en salade, cèpes...

LA TREILLE Crêperie **€€**
(☎ 04 66 85 38 93 ; www.creperie-latreille.com ; 10 rue Olivier-de-Serre ; menus 19/27,50 €). L'endroit est surtout connu pour sa combinaison infinie de crêpes sucrées et salées préparées à base de froment ou de farine de châtaigne. On les déguste dans une belle salle d'allure médiévale avec poutres apparentes, chaux blanche au plafond et mur de pierre ou en terrasse sous la treille.

Renseignements

Office du tourisme (☎ 04 66 85 32 11 ; www.tourisme-saintjeandugard.fr ; pl. Rabaut-Saint-Étienne)

Depuis/vers Saint-Jean-du-Gard

BUS La ligne A12 des cars **Edgard Transport** (☎ 0 810 33 42 73 ; www.edgard-transport.fr) relie Saint-Jean-du-Gard à Nîmes. La ligne 81 des **Nouveaux transports en commun cévenols** (☎ 04 66 52 31 31 ; www.ntecc.fr) relie Saint-Jean-du-Gard à Alès.

Le Vigan

Pendant longtemps, Le Vigan a possédé le seul pont qui enjambait l'Arre (XIIe siècle) faisant ainsi le lien entre Causses et Cévennes. Cette petite bourgade cévenole réveillée par les touristes à la belle saison abrite le château d'Assas et quelques beaux hôtels particuliers du XVIIIe siècle, qui illustrent la richesse apportée par la sériciculture. Son poumon vert, la promenade des châtaigniers, et la place du quai bordée de terrasses, vous retiendront quelques heures avant de filer à l'assaut de l'Aigoual.

À voir

MUSÉE CÉVENOL Musée des arts et traditions populaires
(☎ 04 67 81 06 86 ; 1 rue des Calquières ; ⌚ juil-août mer-lun 10h-13h et 15h-18h30, avr-juin et sept-oct mer-dim 10h-12h et 14h-18h, jan-mar et nov-déc mer-ven 10h-12h et 14h-17h). Hébergé dans une ancienne filature de soie du XVIIIe, le musée retrace à travers une collection de maquettes et d'objets la présence de l'homme, de la préhistoire jusqu'à nos jours dans les Cévennes. Le musée s'attarde sur la longue tradition séricicole locale, avec une collection de vêtements en soie (bas, robes de mariées). Une salle rend hommage à l'écrivain et académicien

L'arbre d'or

À côté du châtaignier (voir p. 354), le mûrier est l'autre arbre emblématique des Cévennes. En France, la sériciculture (l'élevage du ver à soie) naît dans les Cévennes à la fin du XIIIe siècle mais atteint son apogée à partir du XVIIIe siècle Durant cette période, chaque foyer "éduque le ver et tire son fil", s'octroyant ainsi une source de revenus appréciable (d'où son surnom). Le XIXe siècle et l'industrialisation marque une nouvelle étape et quantité de filatures de soie voient le jour dans les villages du sud des Cévennes. C'est cette épopée, de l'élevage des vers grâce aux feuilles du mûrier jusqu'à la production de tissus en soie, que relate le **musée de la Soie** (**04 66 77 66 47 ; www.museedelasoie-cevennes.com ; tarif plein/réduit 5,70/4,70 € ; juil-août tlj 10h-18h30, avr-nov mar-dim 10h-12h30 et 14h-18h)** de Saint-Hippolyte-du-Fort. Il rassemble un lieu d'élevage avec une magnanerie (on peut même y acheter des graines de vers à soie !) et un atelier de filature. Dans un espace réservé, les plus jeunes pourront s'essayer au tissage ou dévider un cocon dont le fin fil de soie peut atteindre 1 500 m.

André Chamson, natif du Vigan, à travers quelques écrits et manuscrits. Plus étonnant, l'hommage rendu à Coco Chanel, d'origine cévenole (l'un de ses frères vivait à Valleraugue), par le biais d'une correspondance et de quelques effets personnels.

AVEN ET CALADE — Randonnée accompagnée

(**06 85 52 26 68 ; www.aven-et-calade.fr ; Mars ; tarifs variables en fonction des randonnées : nocturnes, VTT, avec un âne, rando et cuisine...**). Paul saura vous guider sur les drailles de l'Aigoual et autour des gorges avec des randonnées thématiques à la journée ou sur deux jours.

AUBERGE LA BORIE — Hôtel-restaurant panoramique €€

(**04 67 81 06 03 ; www.aubergelaborie.fr ; Mandagout ; menus 18/26,50/34,50 € ; d 55-60 € selon confort, demi-pension 89 € pour 2 pers ; P**). Au bout d'une route étroite et tortueuse, ce mas cévenol surplombant une châtaigneraie est idéal pour une pause nature loin de la civilisation. Une cuisine familiale et des chambres à la déco rustique complètent cette escale de charme. On peut aussi bien se prélasser au bord d'une belle piscine en terrasse qu'arpenter les sentiers de randonnée qui partent de l'auberge. Demi-pension possible et recommandée vu l'éloignement. À 9 km au nord-est du Vigan.

Renseignements

Office du tourisme (**04 67 81 01 72 ; www.cevennes-meridionales.com ; pl. du marché**). Des topoguides VTT et randonnée sont en vente (5 €) pour découvrir les vallées environnantes. Également de précieux conseils sur les principaux sites de baignade des lacs et rivières du pays viganais.

Depuis/vers Le Vigan

BUS La ligne D40 relie Nîmes au Vigan avec les cars **Edgard Transport** (**0 810 33 42 73 ; www.edgard-transport.fr**).

Mont Aigoual

Masse de granit recouverte d'une épaisse forêt de conifères, le mont Aigoual sépare les collines cévenoles, au sud-est, des causses calcaires au nord et à l'ouest. Sa silhouette sombre est le fruit d'une intense politique de reboisement initiée par l'ingénieur forestier Georges Fabre à la fin du XIXe siècle, sur des sols alors usés par les défrichements et le pâturage. Par beau temps, son sommet (1 567 m) offre une vue extraordinaire où la mer, distante de 60 km, paraît toute proche. Les jours de mauvais temps, sa station météorologique et sa tour crénelée émergent de la brume tel un manoir écossais. Connu pour ses épisodes météorologiques extrêmes – précipitations hors norme, vents violents, masses de neige givrées –, l'Aigoual n'a cessé d'inspirer écrivains et scientifiques. La mythique montagne cévenole s'appréhende sur des sentiers qui accueillent chaque été bergers et troupeaux en transhumance ou autour de ses arboretums aux essences centenaires. Le massif marque aussi l'entrée sur les terres du parc national des Cévennes.

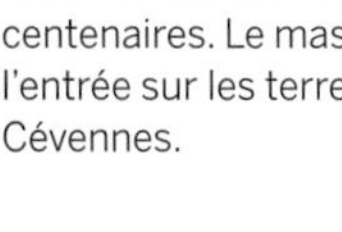

À voir

GRATUIT **OBSERVATOIRE DU MONT AIGOUAL** Observatoire météo
(✆ 04 67 82 60 01, 04 67 42 59 83 ; www.aigoual.fr ; observatoire Météo France ; gratuit ; ⌚ mai-sept 10h-13h et 14h-18h, juil-août 10h-19h).
Construit entre 1887 et 1894 dans le sillage d'autres stations scientifiques, il est le dernier observatoire météorologique de montagne encore en activité en France. Une survie qu'il doit en grande partie à ses 80 000 visiteurs annuels. La tâche de collecte d'informations météorologiques se poursuit mais les techniciens de Météo France sont aussi présents pour faire découvrir leur travail, du printemps à l'automne. Une exposition présente les techniques et les instruments utilisés par les météorologues ; n'hésitez pas à les questionner, la visite n'en sera que plus instructive. Une autre partie est consacrée au mont Aigoual et à sa climatologie (photos, films). Un observatoire à découvrir en priorité les jours où la météo est clémente pour profiter pleinement de la vue du sommet de sa tour, qui s'étend parfois du mont Canigou au mont Blanc.

Activités

SENTIER DES BOTANISTES Randonnée
(durée : 2h ; départ : observatoire de l'Aigoual).
Alternative paisible au sentier des 4 000 marches (voir p. 183), ce sentier fait le tour du sommet de Trépaloup depuis l'observatoire météorologique. Sur le versant sud de l'Aigoual, il surplombe l'arboretum de l'Hort-de-Dieu (jardin de Dieu), crée par Georges Fabre et Charles Flahault au XIXe siècle, qui accueille aujourd'hui des arbres centenaires. Depuis le sentier, belle vue

Observatoire du mont Aigoual
PASCAL 06/FOTOLIA ©

sur les vallées cévenoles. Ce sentier facile peut se compléter par celui qui mène à l'arboretum de l'Hort-de-Dieu, que l'on croise sur la droite peu après le départ.

ABÎME DE BRAMABIAU Rivière souterraine (04 67 82 60 78 ; www.abime-de-bramabiau.com ; Saint-Sauveur-de-Camprieu ; visite guidée tarif plein/réduit 8/5,50 € ; juil-août tlj 9h30-18h30, avr-juin et sept tlj 10h-17h30, oct-nov tlj 10h-16h30). Vous n'aurez pas besoin de tendre l'oreille, là où la rivière Bonheur sort des entrailles du causse de Camprieu, une sourde rumeur le *brame-biâou* (bœuf qui brame) se fait entendre. On l'entend depuis la forêt, avant de découvrir cette imposante faille verticale encadrée par des falaises de 70 m de hauteur d'où jaillit le Bonheur. Un étroit sentier en balcon permet de longer sa course souterraine pendant près de 1 km. La température ne dépassant pas 10°C, habillez-vous en conséquence. À 20 km au sud de Meyrueis et à 12 km de l'observatoire de l'Aigoual, en direction de Meyrueis.

Renseignements

Maison de l'Aigoual (04 67 82 64 67 ; col de la Serreyrède ; L'Espérou)

Maison de pays (04 67 64 82 15 ; 7 quartier des Horts ; Valleraugue)

Depuis/vers le mont l'Aigoual

Le toit des Cévennes, à cheval sur les départements du Gard et de la Lozère, se rejoint par différentes routes qui offrent toutes des panoramas sauvages. Avant de vous lancer, jetez un œil à votre réservoir d'essence et à la météo, parfois capricieuse au sommet.

Depuis Le Vigan, la D48 mène au sommet de l'Aigoual après 38 km via le col du Minier (1 264 m), le col de Faubel (1 285 m) et le col de Serreyrède (1 299 m).

Depuis Valleraugue, point de départ du sentier des 4 000 marches, suivez la D986, qui grimpe directement au sommet de l'Aigoual par une route en lacets de 27 km.

Depuis Meyrueis (voir p. 183), comptez 37 km jusqu'au sommet.

Depuis le col de Perjuret (1 028 m), à proximité du chaos de Nîmes-le-Vieux (voir p. 186), prenez la D18 sur 15 km (depuis Florac, comptez 36 km).

GORGES ET CAUSSES LOZÉRIENS

Terres en partie désertiques, les causses lozériens de Sauveterre et Méjean sont entaillés de spectaculaires échancrures. L'élevage ovin, héritage d'une activité pastorale séculaire, tient encore une place importante, même si les forêts de pins ont tendance à gagner du terrain. Dans ces plateaux karstiques, et jusque dans les gorges, l'eau a creusé au fil du temps des galeries souterraines, aujourd'hui aménagées, qui

Abîme de Bramabiau
ADRT 30 ©

Le sentier des 4 000 marches

(Durée 8 heures, longueur de la boucle 25 km ; départ parking de la Maison de pays de Valleraugue). Au départ de Valleraugue (à 22 km au nord-est du Vigan), sur le versant méditerranéen de l'Aigoual, ce sentier est idéal pour découvrir les différents étages de la végétation de l'Aigoual. Châtaigneraies, landes à genêts, sapinières, hêtraies, pelouses, alternent jusqu'au long promontoire de l'observatoire. L'ascension du sommet de l'Aigoual depuis l'église de Valleraugue se fait en 3 heures 30. Le retour se fait par le GR6 (balisage rouge et blanc), puis à partir du col du Pas, par un sentier qui redescend de manière parfois abrupte sur Valleraugue. Renseignez-vous impérativement sur les conditions météo avant votre départ et gardez à l'esprit que ce sentier, qui fait figure de parcours initiatique dans le massif, est aussi très exigeant (1 200 m de dénivelé !). Les plus motivés rejoindront le sommet de l'Aigoual au lever du soleil pour voir l'horizon s'éclairer à petits feux. Sachez que beaucoup de randonneurs ne font que la montée et organisent une navette pour redescendre depuis le sommet.

furent explorées par les pionniers de la spéléologie française. Quant aux villages des gorges, souvent installés à flanc de falaise, ils ont depuis longtemps su tirer profit de ces paysages grandioses en développant une activité touristique qui connaît un fort pic estival.

Meyrueis

Blotti entre les causses Méjean et Noir, sur les contreforts de l'Aigoual, Meyrueis développa son activité touristique dès la fin du XIXe siècle, à l'initiative du pionnier de la spéléologie Édouard-Alfred Martel. Une activité qui remplaça très vite la séricicultur et l'industrie chapelière en déclin. Aujourd'hui encore, l'offre hôtelière est très étoffée au regard de la taille modeste du village (900 habitants). Traversé par les eaux de la Brèze, de la Jonte et le Bétuzon, Meyrueis, qui signifie "au milieu des ruisseaux", conserve un joli patrimoine bâti avec l'église Saint-Pierre, la tour de l'horloge et un temple de forme octogonale. C'est un bon point de chute pour randonner dans les alentours, sur le causse Méjean ou sur les flancs de l'Aigoual vers le sud.

Où se loger et se restaurer

HÔTEL-RESTAURANT FAMILY Hôtel-restaurant **€€**
(04 66 45 60 02 ; www.hotel-restaurant-family-48-12.com ; 4 quai de la Barrière ; d 50-55,50 €, menus 18,70/29,50 € ;).
Le Family porte bien son nom puisqu'on y est accueilli sans chichis par deux générations de la famille Julien. Le restaurant propose une cuisine de terroir généreuse : tripoux, pâté de porc, saucisson, aligot, brebis du Causse... La charcuterie est transformée sur place grâce au savoir-faire de Benoît (vente de charcuterie). Ce bâtiment tentaculaire dispose d'une quarantaine de chambres correctes sur plusieurs étages. Une piscine se trouve de l'autre côté de la route. En 2012, un espace forme (payant) comprenant hammam, sauna, Jacuzzi, salle de musculation a été ajouté.

Renseignements

Office du tourisme de Meyrueis (04 66 45 60 33; www.meyrueis-office-tourisme.com ; pl. Sully)

Village de Meyrueis

EMMANUEL DAUTANT ©

Gorges de la Jonte

Moins fréquentées que les gorges du Tarn (voir p. 189), ces belles corniches découpées dans un environnement boisé n'ont pourtant pas grand-chose à leur envier. Entre Meyrueis et Le Rozier, où elle rejoint le Tarn, la Jonte a creusé un défilé grandiose séparant le causse Méjean et le causse Noir. Par beau temps, ne manquez pas d'observer les nuées de vautours qui s'accrochent aux falaises, à hauteur du Truel.

À voir

GROTTE DE DARGILAN Caverne
(**04 66 45 60 20 ; www.grotte-dargilan.com ; adulte/enfant 9,10/5,80 € ; Dargilan, Meyrueis ; avr-juin et sept tlj 10h-17h, juil-août tlj 10h-18h, oct et nov vacances scolaires tlj 14h-16h).** Surnommée la grotte rose, elle fut découverte par un berger et explorée par Edouard-Alfred Martel. Cette caverne à stalactites est réputée pour être l'une des plus belles de France. La visite guidée suit un parcours de 1 km à travers différentes salles, dont certaines sont entièrement revêtues de draperies minérales roses. À la sortie, beau panorama sur les gorges de la Jonte. À 5 km de Meyrueis en direction du Rozier.

MAISON DES VAUTOURS Observation de la faune
(**05 65 62 69 69 ; www.vautours-lozere.com ; tarif plein/réduit 6,50/3 € ; Le Truel, Saint-Pierre-des-Tripiers ; avr-juil et sept-mi-nov mar-dim 10h-18h, juil-août 10h-18h).** Le vautour avait disparu des gorges de la Jonte dans les années 1940. Grâce à une réintroduction réussie, ce champion du vol plané fait aujourd'hui admirer son impressionnante envergure (près de 3 m) sur les hauteurs des falaises du Truel. Quatre espèces et près de 1 000 individus nichent aujourd'hui sur ses corniches rocheuses : principalement des vautours fauves, mais aussi le vautour moine et le vautour percnoptère. Le gypaète barbu a, lui, été réintroduit en 2012.

À l'entrée, une exposition didactique s'attarde sur les causes de leur disparition (chasse, manque de nourriture) et leur réintroduction à partir des années 1970. Un film teinté d'humour, commenté en direct, permet de découvrir les plus belles séquences des caméras qui sont braquées sur les vautours en permanence. La visite se termine sur la terrasse d'observation, qui surplombe la Jonte, où des lunettes permettent d'approcher d'un peu plus près ces redoutables charognards.

Activités

MAISON DES MONITEURS SPORTIFS DU TARN ET DE LA JONTE Canyoning, escalade et spéléo
(**05 65 62 63 54 ; www.guidetarnjonte.com ; Le Rozier ; randonnée aquatique 45 €/pers, via ferrata 40 €/pers, canyoning 45 €/pers ; tte l'année).** Les moniteurs du Rozier proposent de s'initier au canyoning, dans le massif de l'Aigoual, ou à la spéléologie dans les causses. Également via ferrata et escalade.

Où se loger et se restaurer

HÔTEL DOUSSIÈRE Hôtel-restaurant **€€**
(**05 65 62 60 25 ; www.hotel-doussiere.com ; Le Rozier ; d 50-63 €, menus 18/24/32 € ; avr-nov ; P).** Dans le restaurant, Guillaume s'affaire au piano tandis que Flore sert en salle des plats raffinés au rapport qualité/prix imbattable. La salle à manger donne sur la Jonte et le village perché de Peyreleau. Une vingtaine de chambres disposées dans deux bâtiments de part et d'autre de la Jonte donnent pratiquement toutes sur la rivière. Terrasses avec transats et jardin au bord de l'eau complètent une atmosphère reposante. Billard et espace forme (Jacuzzi) à disposition des clients.

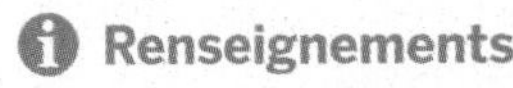

Renseignements

Office du tourisme de Rozier (05 65 62 60 89 ; www.officedetourisme-gorgesdutarn.com ; rte de Meyrueis)

Causse Méjean

À plus de 1 000 m d'altitude, le causse Méjean côtoie le mont Aigoual et surplombe les gorges du Tarn et les gorges de la Jonte. Accessible par des routes pittoresques et sinueuses, ce plateau calcaire aux paysages de steppe subit la rudesse d'un climat étouffant l'été et glacial l'hiver. Si l'homme s'y fait rare (à peine 450 habitants), l'élevage ovin tient une place importante. Plus de 20 000 moutons y sont dispersés sur de grandes exploitations de 350 à 400 ha qui perpétuent une culture agropastorale millénaire, récemment classé à l'Unesco (voir ci-dessous).

Des paysages classés à l'Unesco

Des visages différents mais une histoire commune. Les Causses, les gorges qui les encerclent, le mont Lozère et les terrasses schisteuses des Cévennes sont étroitement liés. La valeur universelle de cet ensemble a été reconnue en juin 2011 par l'inscription des Causses et des Cévennes comme "paysage culturel de l'agropastoralisme méditerranéen" au patrimoine mondial de l'Unesco.
Ce ne sont pas seulement ces étendues grandioses de plateaux pelés et ces puissants massifs granitiques qui entrent ainsi au panthéon de l'humanité mais aussi la culture millénaire des bergers qui ont façonné ces paysages. Historiquement, les bergers et leurs troupeaux traversaient les Cévennes par des routes de transhumance pour rejoindre les Causses, tissant ainsi un lien étroit entre ces territoires. Cette zone géographique qui s'étend sur 4 départements (Aveyron, Gard, Hérault et Lozère) et deux régions (Languedoc-Roussillon et Midi-Pyrénées), correspond en grande partie (71%) à l'actuel territoire du parc national des Cévennes.

À voir

CHAOS DE NÎMES-LE-VIEUX Curiosité géologique

Résultat d'une érosion sélective, le chaos rocheux de Nîmes-le-Vieux, baptisé par analogie avec celui de Montpellier-le-Vieux, dans l'Aveyron, présente des reliefs ruiniformes étonnants nés de la dissolution de la roche calcaire. Un sentier de 4,5 km permet de déambuler dans ces amas de rochers lunaires entre l'Hom et Gally depuis Veygalier (la balade dure 1 heure 30). Pour vous y rendre, prenez la direction de l'Hom et de Veygalier depuis le col de Perjuret (D996). À 15 km de Meyrueis et 21 km de Florac.

AVEN ARMAND Grotte

(**04 66 45 61 31 ; www.aven-armand.com ; Hures-la-Parade ; tarif plein/réduit 9,40/7,70 € ; mars-juin et sept-nov 10h-12h et 13h30-17h, juil-août 9h30-18h**). Les multiples découvertes spéléologiques faites sur les causses lozériens ont valu à la région le surnom de "terre des cavernes". Le puits naturel de l'aven Armand en est l'emblème. On doit sa découverte à Louis Armand, forgeron de son état, qui accompagnait en 1897 une exploration menée par Édouard-Alfred Martel, le grand pionnier de la spéléologie. Grâce à un funiculaire qui s'enfonce dans les profondeurs du causse à plus de soixante mètres sous terre, on accède à la grande salle où, nous dit-on, la cathédrale Notre-Dame de Paris entrerait sans peine. Une belle mise en lumière permet d'y admirer plus de 400 stalagmites brillant comme des diamants. Le clou de la visite est la plus grande stalagmite connue à ce jour, haute de 30 m. Comme toujours sous terre, la température reste fraîche (12°C). L'été, préférez les premières visites du matin pour échapper à la foule. La visite dure 45 minutes. Boutique et petite restauration sur place.

À gauche : Paysage du causse Méjean
Ci-dessous : Cheval de Przewalski
(À GAUCHE) EMMANUEL DAUTANT © (CI-DESSOUS) JOËL BEHR/FOTOLIA ©

GRATUIT CHEVAUX DE PRZEWALSKI – ASSOCIATION TAKH Réserve animalière

(☎04 66 45 64 43 ; www.takh.org ; Le Villaret, Hures-la-Parade ; gratuit ; ⌚juil-août dim-lun 10h-13h et 16h-19h). Cette réserve de chevaux de Przewalski vivant en semi-liberté a été créée en 1990 par l'association Takh, dans le but de les réintroduire en Mongolie sur la terre de leurs ancêtres. En 2004 et 2005, 22 chevaux se sont ainsi envolés vers les steppes. L'été, l'association assure un accueil du public et renseigne sur cette espèce farouche qui a toujours refusé de se laisser domestiquer. Pour ne pas troubler leur quiétude, il vous faudra vous contenter de les observer à distance ; prêt de jumelles sur place.

Achats

LE FEDOU Fromagerie

(☎04 66 45 68 97 ; www.fedou.com ; Hyelzas, Hures-la-Parade ; ⌚juil-août tlj 9h30-18h, oct-mars lun-ven 9h30 à 12h et de 14h à 16h30, avr-juin et sept 9h30-17h sauf dim après-midi). Une large gamme de fromages (une vingtaine en tout !) au lait cru de brebis est disponible dans cette fromagerie perdue au milieu du causse. Possibilité d'assiette de fromages et de charcuteries à manger sur place. Des fromages en libre-service sont laissés pour les clients en dehors des horaires d'ouverture. À 3 km de l'aven Armand en direction de la D63.

Florac

Entre Cévennes protestantes et causse catholique, Florac occupe un site splendide au pied des falaises du causse Méjean, d'où jaillit la source du Pêcher qui irrigue les ruelles du centre-ville. La ville s'étale par ailleurs le long d'un afluent du Tarn, le Tarnon. L'unique sous-préfecture de Lozère (2 000 habitants) est la porte d'entrée des gorges du Tarn mais aussi du causse Méjean. Son château d'époque médiévale accueille aujourd'hui le siège du parc national des Cévennes. L'été, Florac draine une forte affluence.

Activités

CÉVENNES ÉVASION Location VTT – sport nature

(04 66 45 18 31 ; www.cevennes-evasion.com ; 1 pl. Boyer ; demi-journée vélo 17 €, journée 20 €). Pour ceux qui voudront s'offrir une escapade en deux-roues sur le causse Méjean, Cévennes Évasion loue des VTT (fiche nature et prêt de porte-vélo). Également, sorties canyoning, spéléo et escalade au départ de Florac et différentes formules de randonnée accompagnées sur plusieurs jours.

Où se loger et se restaurer

LA LOZERETTE Hôtel-restaurant €€

(04 66 45 06 04 ; www.lalozerette.com ; Cocurès ; d 60-86 €, menus 26,50/33/39/49,50 € ; avr-oct ;). La Lozerette ou l'art de se faire dorloter dans les Cévennes. Les chambres avec leur petit balconnet donnent sur l'église du village et un jardin-potager. Un cadre champêtre que la maîtresse des lieux, Pierrette Agulhon, également sommelière, entretient avec ferveur. Le restaurant propose en outre une excellente cuisine de terroir qui change au gré des saisons. Un conseil, ne manquez pas le gargantuesque plateau de fromages. La carte des vins, véritable mine d'or, comprend près de 300 références. Une valeur sûre, établie à Cocurès, à 6 km de Florac, en direction du Pont-de-Montvert.

HÔTEL DES GORGES DU TARN - RESTAURANT L'ADONIS Trois-étoiles €€

(04 66 45 00 63 ; www.hotel-gorgesdutarn.com ; 48 rue du Pêcher ; d 60-80 selon confort, menus 19/22/25/29 € ;). Dans un quartier résidentiel de Florac sans âme, cet établissement familial est une agréable surprise. Il rassemble une trentaine de chambres confortables rénovées en 2011. Le plus ? Son restaurant, l'**Adonis**, où Martial Paulet magnifie la cuisine régionale à des prix encore sages.

Achats

L'ATELIER DU MIEL ET DE LA CHÂTAIGNE Délices de Lozère

(04 66 45 28 41 ; www.biscuiteriedescevennes.fr ; 64 av. Jean-Monestier ; mar-dim matin). Céline et David ont créé une adresse incontournable axée autour de deux produits phares des Cévennes : la farine de châtaigne et le miel. Difficile de ne pas succomber devant cette belle vitrine où s'étalent sablés au miel des Cévennes, croquants à la châtaigne, guimauve, pain d'épice et pains spéciaux.

Florac, au pied du causse Méjean

Le parc national des Cévennes

Créé en 1970, il partage avec le parc national des Calanques la particularité d'être habité. Son territoire comprend 117 communes et 321 000 ha répartis dans les hautes terres des causses, du mont Lozère et de l'Aigoual mais aussi dans les vallées cévenoles.

Son action se concentre sur la sauvegarde du patrimoine bâti et le soutien au pastoralisme. Le parc a été aussi le fer de lance de la réintroduction de plusieurs espèces (vautours, cerfs, castors...) ; en revanche, son conseil d'administration s'est positionné en 2012 contre la réintroduction du loup. Établie au rez-de-chaussée du château de Florac, la **Maison du parc national des Cévennes** (04 66 49 53 01 ; www.cevennes-parcnational.fr ; château de Florac ; lun-ven 9h-12h et 13h30-17h30, juin et sept lun-sam, juil-août tlj) abrite des expositions temporaires et une boutique rassemblant une importante documentation (livres, topoguide, fiche des sentiers de découverte). Sur le territoire du parc et notamment dans son "cœur", veillez à respecter scrupuleusement la réglementation : pas de camping sauvage, pas de feu, pas de cueillette et pas de dépôt d'ordures sauvage.

D'avril à octobre, le **parc national des Cévennes** propose diverses animations : petites randonnées, balades naturalistes et contées, expositions, conférences, veillées... Programme complet sur www.cevennes-parcnational.fr.

Renseignements

Office du tourisme de Florac (04 66 45 01 14 ; www.vacances-cevennes.com ; 33 av. Jean-Monestier)

Depuis/vers Florac

BUS La ligne de bus Ispagnac-Alès passe par Florac de mi-avril à fin septembre, du lundi au samedi. Arrêt au niveau de l'ancienne gare SNCF. Renseignements auprès des **Cars Reilhès** (06 60 58 58 10, 06 99 61 45 18).

Gorges du Tarn

Entre Ispagnac et Le Rozier (53 km), la D907bis suit le cours du Tarn le long d'un impressionnant canyon entre le causse Méjean et le causse de Sauveterre. Ce ruban profond, ponctué d'impressionnants méandres, a longtemps été la seule voie de communication des gorges. La portion la plus grandiose et la plus étroite est située entre Saint-Énimie et La Malène. Elle dévoile de magnifiques maisons en pierre calcaire nichées au pied des murailles des Causses. L'été, la route des gorges connaît une affluence record et les rives du Tarn regorgent d'endroits propices à la baignade.

Quézac

La renommée de ce village lui vient de sa source minérale gazeuse, alimentée par le massif de l'Aigoual. Une usine moderne d'embouteillage des eaux de Quézac se tient d'ailleurs sur ses hauteurs. Ne manquez pas d'admirer le magnifique pont gothique à cinq arches qui enjambe le Tarn à l'entrée de Quézac. Il fut construit au XVe siècle, à l'initiative du pape Urbain V, pour permettre aux pèlerins de Compostelle de rejoindre un sanctuaire qu'il avait fait édifier.

Activités

EAU DE QUÉZAC Source et usine (04 66 45 47 15 ; www.eaudequezac.com ; tarif plein/réduit 3/1,50 € ; toute l'année lun-jeu à 10h30 et 14h30, téléphoner pour être sûr). Connue depuis l'époque celte, la source de Quézac était autrefois réputée miraculeuse. Elle

produit depuis 1995, sous une marque appartenant au groupe Nestlé, une eau minérale gazeuse. Le départ des visites se fait dans le village, à proximité du pont médiéval. Comptez deux heures pour la visite de la source et de l'usine.

Achats

DOMAINE DES CABRIDELLES ET DE GABALIE Vin de Lozère

(13 rue de l'Église ; Ispagnac ; mai-juin et sept sam 10h-12h, juil-août tlj 10h-12h et 17h30-19h30 ou sur rdv)). Dans les gorges du Tarn, on cultivait la vigne depuis l'époque romaine et il existait encore plus de 100 vignerons dans les années 1960. Tombée à l'abandon, la vigne réapparaît timidement sur les terrasses des gorges entre Ispagnac et Sainte-Énimie grâce à la réimplantation de cépages de chardonnay. Deux vignobles se sont lancés dans l'aventure : le **domaine de Gabalie** (**06 75 75 15 95**), depuis 2003, et le **domaine des Cabridelles** (**06 50 54 00 13**) depuis 2006. Sur place, vente et dégustation des deux seuls domaines viticoles de Lozère ! Ispagnac est situé à 2 km de Quézac en direction de Florac.

Sainte-Énimie

Classée parmi les plus beaux villages de France, accrochée aux flancs du causse de Sauveterre sur un méandre du Tarn, Sainte-Énimie se découvre au gré de ses ruelles pavées bordées de maisons médiévales et Renaissance admirablement restaurées. Au VIe siècle, Énimie, princesse mérovingienne atteinte de la lèpre, aurait été guérie après avoir bu les eaux de la source de la Burle. Sainte-Énimie, dont les grèves se remplissent de canoës-kayaks colorés, est parfois victime de son succès l'été. La cité médiévale se découvre beaucoup plus tranquillement au printemps et à l'automne.

À voir

SOURCE DE LA BURLE Balade bucolique

Pour revivre la légende de Sainte-Énimie, faites un tour du côté de la source de la Burle qui jaillit à proximité de l'office du tourisme. Vous pourrez aussi emprunter le

À gauche : Hameau de Castelbouc
Ci-dessous : Batelier de La Malène
(À GAUCHE ET CI-DESSOUS) EMMANUEL DAUTANT ©

sentier menant à la grotte, qui aurait servi d'ermitage à la princesse sur les hauteurs du village, et qui offre un beau panorama sur le village et les gorges (30 minutes de marche par un sentier depuis le centre).

CASTELBOUC Hameau au bord du Tarn
En bordure du Tarn, le pittoresque hameau de **Castelbouc** est en partie dissimulé derrière une falaise, sur laquelle se dresse un château féodal en ruine. Un joli sentier serpente à travers ses maisons adossées à la roche. Pour rejoindre Castelbouc depuis Sainte-Énimie, il vous faudra prendre une route qui descend sur la gauche environ 1 km avant Blajoux en direction de Quézac.

Où se loger et se restaurer

DÉTENTE NATURE Chambres et table d'hôtes **€€**
(☎ 04 66 45 77 96, 06 84 50 57 99 ; www.detentenature.com ; La Chadenède, Montbrun ; d 73 € avec petit-déj, demi-pension 109 €). Entre Sainte-Énimie et Quézac, sur la rive gauche du Tarn, Flore et Lilian invitent leurs hôtes à partager leur petit coin de paradis. Adossée à un jardin potager, leur maison a été entièrement rénovée par leurs soins à l'aide de matériaux écologiques. Les deux chambres, situées à l'étage, ont pour l'une vue sur le causse Méjean et pour l'autre une vue sur le Tarn. Les repas sont élaborés avec des produits du jardin et du terroir issus de l'agriculture biologique. Enfin, côté bien-être, Flore et Lilian sont deux praticiens diplômés en massage ayurvédique (à partir de 35 €).

Renseignements

Office du tourisme de Sainte-Énimie
(☎ 04 66 48 53 44 ; www.gorgesdutarn.net ; rte de Mende)

Saint-Chély-du-Tarn

Sans doute une des plus belles visions des gorges. À l'entrée d'un méandre du Tarn, cerné par de hautes falaises, ce minuscule village en rive gauche du Tarn est relié à la route par un pont à une arche. Du village, une source s'échappe en cascade dans les eaux limpides du Tarn. Bordé de belles maisons en pierre, Saint-Chély présente aussi une belle église romane et une chapelle sur les hauteurs.

À voir

ROUTE ENTRE SAINT-CHÉLY ET LA MALÈNE Route panoramique

En prenant la direction du Roziers, le Tarn offre des visions féeriques dans l'une de ses portions les plus encaissées. L'imposant quadrilatère du **château de la Caze**, aujourd'hui un hôtel-restaurant luxueux (voir p. 193), apparaît d'abord planté sur les bords de la rivière. Quelques kilomètres plus loin, le hameau de **Hauterives** en rive gauche du Tarn, accessible uniquement en barque, semble tout droit sorti de la fin du XIXe siècle et présente de magnifiques toits en lauze calcaire. Même si on ne peut l'approcher, la vue reste magnifique depuis le bord de la route.

La Malène

Ancien point de passage entre le causse Méjean et le causse de Sauveterre, La Malène abrite un manoir du XVIIe siècle et une église romane. Le village est surtout connu pour être le point de départ de la descente du Tarn avec ses célèbres bateliers.

À voir et à faire

ROC DES HOURTOUS Panorama

Depuis La Malène, il est possible de rejoindre le **Roc des Hourtous**, somptueux panorama sur les gorges du Tarn situé sur le causse Méjean. On l'atteint par une route sinueuse et escarpée (prendre la D43 puis la D16, à 10 km de La Malène).

LE POINT SUBLIME Panorama

Certes, il nécessite de faire quelques kilomètres mais c'est sûrement le plus beau panorama des gorges. Ce rocher en à pic sur le cirque des Baumes offre une magnifique vue panoramique sur le canyon du Tarn, à 400 m en contrebas, et sur le causse Méjean. Situé sur le causse de Sauveterre, il se rejoint depuis La Malène en continuant la route des gorges jusqu'aux Vignes puis par la D995 et la D46 (à 21 km de La Malène et à 12 km des Vignes).

Activités

CANOË 2000 Canoë-kayak

(**☎ 04 66 48 57 71 ; www.canoe2000.fr ; La Malène ; kayak (1 pers) 17-27 € suivant parcours, canoë (2 pers) 30-50 € suivant parcours ; tlj avr-oct)**. Ce prestataire basé à La Malène propose des départs depuis La Malène, Saint-Chély-du-Tarn et Sainte-Énimie pour des parcours à la journée de 8 à 20 km, en kayak ou canoë. Réservation obligatoire pour les départs depuis Saint-Chély-du-Tarn et Sainte-Énimie. Prévoir boisson,

Panorama du Point Sublime
EMMANUEL DAUTANT ©

Château Renaissance de la Caze

EMMANUEL DAUTANT ©

crème solaire, chapeau et serviette de bain. Navette retour comprise dans le prix.

LES BATELIERS DE LA MALÈNE Descente en barque

(04 66 48 51 10 ; www.gorgesdutarn.com ; La Malène ; 21 €/pers jusqu'à 6 pers par barque ; avr-oct). Héritier de la corporation des bateliers qui contrôlait jadis le seul moyen de transport de la vallée du Tarn avant l'ouverture de la route, les jovials bateliers de La Malène, armés de leur perche, vous convient à la découverte des trésors cachés du Tarn. Au fil du parcours, ils délivrent des explications avisées sur la faune et la flore, la géologie et les mille et une petites histoires des maisons qui bordent la rivière. La descente de 8 km jusqu'au cirque des Baumes se fait en une heure environ. Navette retour comprise.

Où se loger et se restaurer

LE CHÂTEAU DE LA CAZE Hôtel quatre étoiles et restaurant €€

(04 66 48 51 01 ; www.chateaudelacaze.com ; rte des gorges, La Malène ; menus 29/38/65 €, d 118-200 € selon confort et saison ; avr-mi-nov, restaurant fermé le jeudi ;). Surplombant un parc adossé au Tarn et une immense piscine, le château de la Caze, d'époque Renaissance, n'a rien perdu de ses fastes d'antan. Une légende veut que ses premiers châtelains aient donné naissance à huit filles, aussi belles qu'intrépides, qui attiraient ici toute la noblesse du Rouergue et du Gévaudan. Le décor médiéval, paré de quelques excentricités, est soigneusement entretenu : couloir tapi de galets du Tarn, chapelle consacrée à l'étage, lit à baldaquin, salles de bain ronde dans les tourelles, cabinet des Nymphes, classé monument historique… Les chambres de l'annexe, plus contemporaines, paraissent presque ternes au regard de l'éclat du château. Quant au restaurant, sa cuisine gastronomique manquait quelque peu de tenue lors de notre passage. Le château de la Caze reste néanmoins une adresse hors norme. Dernière précision : le château ne se visite pas.

La Canourgue

Bâtie sur l'un des affluents du Lot, l'Urugne, et baignée par des canaux qui lui ont valu la réputation de "petite Venise de Lozère", La Canourgue bénéficie aujourd'hui de la

Insolite La Foire aux célibataires de La Canourgue

Le nom de cette foire (**04 66 32 83 67 ; www.foire-aux-celibataires.com ; week-end de Pâques**) peut faire sourire. Il n'empêche que son succès ne se dément pas depuis 1982. Tous les ans, durant le week-end de Pâques, jeunes et moins jeunes, citadins ou ruraux, viennent de toute la France pour trouver l'âme sœur dans la petite Venise lozérienne. L'association Cupidon, qui assure l'organisation de l'événement, programme toutes sortes d'activités (visites culturelles, bal, thé dansant, repas…) pour favoriser les rencontres des participants lors de ces deux jours de fête.

proximité de l'A75. Petite ville accueillante, La Canourgue fait oublier les paysages austères du causse de Sauveterre auquel elle est adossée. Elle est surtout connue pour ses spécialités culinaires riches en protéines comme la *pouteille*, à base de pieds de porc et de viande de bœuf, et les *manouls* à base de tripes de brebis.

Activités

GOLF DES GORGES DU TARN Golf 18 trous (**04 66 32 84 00 ; www.golf-gorgesdutarn.com ; rte des Gorges-du-Tarn ; green fee 48-52 € suivant saison, après 17h 34-37 €, voiturette sur les 18 trous 25 € ; mars-mi-nov).** Sur la route menant au causse de Sauveterre, un magnifique parcours vallonné et boisé. À la vue du parcours, considérez la voiturette comme une option intéressante (ou indispensable !).

Où se loger et se restaurer

HÔTEL-RESTAURANT DU COMMERCE Gastronomie locale €€ (**04 66 32 80 18 ; www.hotel-mirmand.com ; av. du Lot ; menus 13 € et 25 €, d 52 €, demi-pension 43,50 €/pers ;**). Dans un bâtiment moderne sans charme, la famille Mirmand, membre de la Confrérie de la pouteille et du manouls, vous initiera aux secrets de la gastronomie locale. Sa grande salle aux tons rouges, où trône un piano sur une estrade, vous paraîtra peut-être bien grande si vous n'êtes pas convié pour un banquet. Rassurez-vous, l'important ici est dans l'assiette : on vient pour goûter la *pouteille* maison, daube de bœuf servie avec des pommes de terre et des pieds de porc bien tendres ! Bon à savoir, l'établissement est l'un des seuls ouverts le soir dans le centre-ville de La Canourgue.

HÔTEL DES 2 RIVES Trois-étoiles €€ (**04 66 32 99 97 ; www.hotel-les2rives.com ; La Mothe, Banassac–La Canourgue ; d 38-85 €, supp demi-pension 28 €/pers ;**). Sa situation en bord de route fait craindre le pire, mais les chambres, fonctionnelles (TV écran plat, clim réversible, salle de bains et W-C séparés, sèche-cheveux…) et spacieuses, aux tons crème et à l'ambiance zen, bénéficient d'une isolation phonique parfaite. La plupart donnent sur un sous-bois en bordure du Lot, où sont posés quelques transats, idéals pour une sieste au bord de l'eau. L'hôtel est situé à Banassac, à 1 km du centre-ville de La Canourgue et à 500 m de la sortie d'autoroute n°40. Accueil aimable et petits-déjeuners à base de produits régionaux.

Renseignements

Office du tourisme de La Canourgue (**04 66 32 83 67 ; www.ot-lacanourgue.com ; 24 rue de la Ville**)

Depuis/vers La Canourgue

TRAIN À 3 km de La Canourgue, la **gare de Banassac** (pl. de la Gare) permet de rejoindre Marvejols (20 minutes) ou Mende (environ 2 heures) en TER.

AUTOUR DU MONT LOZÈRE

Le mont Lozère culmine au pic de Finiels à 1 699 m. Il porte les marques d'une occupation humaine débutée il y a plus de 4 000 ans avec ses menhirs dispersés autour du Cham des Bondons. Son relief vallonné, au creux duquel se cachent de minuscules villages, ses chaos de roche granitique et sa multitude de ruisseaux raviront les amateurs de randonnée.
Le parc national des Cévennes a mis en place de nombreux sentiers de découverte balisés sur ses versants et la station du Bleymard permet de goûter aux joies des sports d'hiver. Sur le versant sud, Le Pont-de-Montvert, village attachant posté le long du Tarn, est la principale porte d'entrée du mont Lozère.

Le Pont-de-Montvert

Un village préservé aux façades de pierres granitiques accrochées aux rives du Tarn et à ses affluents. Son pont à arche unique du XVIIe siècle coiffé d'une tour horloge, et le temple, sur les hauteurs du village, offrent de beaux panoramas. C'est au Pont-de-Montvert que les huguenots tuèrent l'abbé du Chayla qui dirigeait les persécutions contre les protestants, ce qui déclencha la guerre des camisards (voir p. 177). Village bucolique, Le Pont-de-Montvert est aussi une bonne base pour partir sur les sentiers du mont Lozère (le village est traversé par le GR70) ou pour une baignade dans les vasques du Tarn. Le site du Cham des Bondons n'est, lui, qu'à quelques kilomètres.

À voir

LA MAISON DU MONT LOZÈRE Musée rural
(04 66 45 80 73 ; tarif plein/réduit 3,50/2 € ; juin-sept 10h30-12h30 et 14h30-18h30, mars-mai et oct tlj 15h-18h, nov-fév sam 15h-18h). Une exposition permanente y présente le patrimoine naturel et culturel du mont Lozère. Une bonne introduction à cette montagne de granit, à explorer ensuite sur les sentiers de découverte aménagés par le parc national. N'oubliez pas d'y récupérer les fiches des sentiers (une dizaine) qui correspondent à différents aspects du territoire (menhirs, transhumance, milieu naturel, patrimoine bâti...). À la sortie du village, sur la route de Finiels.

Le Pont-de-Montvert, haut lieu de la guerre des camisards

Activités

ASCENSION DU MONT LOZÈRE Randonnée et route panoramique

Depuis Le Pont-de-Montvert, le mont Lozère est accessible à pied par le GR 70 jusqu'à la station de ski du Bleymard (23 km, 7 heures aller, 800 m de dénivelé). Renseignez-vous impérativement sur les conditions météo avant de partir. L'option beaucoup plus sage consiste à gravir les pentes du mont Lozère en voiture par la D20, qui longe d'abord le Rieumalet, un affluent du Tarn. La route traverse de somptueux paysages, émaillés par de multiples torrents dévalant le mont Lozère. Peu après le village de Finiels, la forêt fait timidement son apparition le long de la route jusqu'au col de Finiels. On débouche ensuite sur le versant nord et la station de ski du Bleymard-mont Lozère. De là, on peut aussi rejoindre à pied le sommet de Finiels (1 699 m), point culminant du mont Lozère après une courte marche à travers une pelouse rase (3 heures, 9 km, balisage jaune). Magnifique panorama depuis le sommet de Finiels, où trônent trois tables d'orientation en granit.

MAS CAMARGUES Randonnée

La route qui mène jusqu'à **Mas Camargues** (**centre d'information du parc ouvert juil-août lun-ven de 10h30-12h30 et 14h30-18h30**), exploitation agricole traditionnelle isolée sur les pentes du mont Lozère, offre de magnifiques panoramas. Sur place, un sentier d'interprétation du parc national des Cévennes comprend trois petits circuits de moins de 4 km ponctués de points d'observation (procurez-vous la fiche *Sentier d'observation du Mas Camargues*). Les plus aventureux pourront se lancer à la recherche des **sources du Tarn** (boucle de 7,5 km depuis Mas Camargues, balisage aléatoire), dans le creux d'une combe, au milieu de tourbières, et observer quelques truites sauvages dans un ruisseau encore glacé. Accès depuis Le Pont-de-Montvert par Villeneuve, puis par la piste de l'Hôpital (8 km). Parking sur place.

BAIGNADE DANS LE TARN Piscine naturelle

Les vasques du Tarn sont très prisées l'été pour leurs innombrables possibilités

Chemin de randonnée sur le mont Lozère

Le chemin de Stevenson

Intégré à un GR en 1993, soit plus de 115 ans après le voyage initial de l'écrivain écossais, le chemin de Stevenson devient peu à peu un des sentiers de référence de la randonnée itinérante en France. Parti sur les traces des camisards, ce marcheur invétéré traversa à 28 ans, en 1878, le Velay, la Margeride, le mont Lozère et les Cévennes, accompagné de Modestine, une ânesse au caractère difficile. L'écrivain, auteur de *L'île au trésor*, de *Docteur Jekyll et Mr Hyde* voulait par ce voyage "quitter le lit douillet de la civilisation". Il raconta le récit de son épopée dans un livre : *Voyage avec un âne dans les Cévennes*. Nombreux sont ceux qui se lancent aujourd'hui sur les traces de l'écrivain, à pied, en VTT ou accompagnés d'un âne, sur une portion ou le long des 250 km du sentier. À Vialas (à 19 km à l'est du Pont-de-Montvert) **Gentiâne** (**04 66 41 04 16 ; www.ane-et-randonnee.fr ; Castagnols ; tarifs en fonction du nombre de jours**) propose des randonnées de deux à quinze jours avec des ânes (traversée intégrale du Monastier à Saint-Jean-du-Gard), avec différentes formules d'hébergements et d'accompagnements. Vous trouverez tous les renseignements sur le sentier (parcours, hébergements labellisés, location d'âne) auprès de l'association Sur le chemin de Robert Louis Stevenson (**04 66 45 86 31 ; www.chemin-stevenson.org ; Le Village, Le Pont-de-Montvert**). Voir aussi p. 341.

de baignade. Au milieu du village du Pont-de-Montvert, un maître nageur officie pendant la période estivale. Pour la baignade sauvage, méfiez-vous car les accès sont parfois difficiles en aval du Pont-de-Montvert.

LE BLEYMARD-MONT LOZÈRE Station de ski
(**04 66 48 66 48 ; www.lemontlozere.com ; forfait domaine nordique 6 € la journée, ski alpin 13 € la journée**). Sur le versant nord du mont Lozère, cette station de ski familiale offre, si la neige le permet, sept pistes de ski alpin pour skieurs et surfeurs de tous niveaux, cinq pistes de ski de fond et des itinéraires de raquettes. À 22 km au nord du Pont-de-Montvert et à 7 km au sud du Bleymard.

Où se loger et se restaurer

AUBERGE DES CÉVENNES Cuisine de terroir – auberge **€€**
(**04 66 45 80 01 ; www.auberge-des-cevennes.com ; demi-pension avec petit-déj s/d 58-87/83-112 €, menus 10/17/27/37 € ; avr-nov**). C'est dans une bien belle bâtisse en granit et toit de lauze, lovée le long du Tarn, que Jean Camus régale ses hôtes : spécialités aux champignons, veau du mont Lozère, agneau des Causses, tarte aux myrtilles... La quinzaine de chambres va du dortoir à la chambre double. L'auberge accueille de nombreux randonneurs lancés sur le chemin de Stevenson.

Renseignements

Office du tourisme du Pont-de-Montvert
(**04 66 45 81 94 ; www.cevennes-montlozere.com ; Le quai ; avr-sept lun-dim matin 10h-12h30 et 15h30-18h, oct-mars lun-sam 10h-12h30 et 15h30-18h**). Cet office du tourisme fait aussi librairie et propose une large sélection de topoguides et de livres sur la région.

Cham des Bondons

Sous cette appellation mystérieuse (*cham* signifie causse en occitan) se cache le plus important site mégalithique en Europe après Carnac

Puech du Cham des Bondons

EMMANUEL DAUTANT ©

en Bretagne. Voici près de 4 000 ans, des hommes érigèrent pas moins de 150 menhirs et quelques dolmens sur ce plateau calcaire, sur les contreforts sud-ouest du mont Lozère. On sait que certaines de ces masses granitiques ont été déplacées sur plusieurs kilomètres. En revanche, la raison d'être de ce travail de titan demeure obscure : culte solaire, culte phallique lié aux formes généreuses des puechs ou simple repère topographique ? La magie de ce paysage lunaire, à peine troublé par la présence de quelques vaches, opère facilement. De nombreux menhirs sont visibles de part et d'autre de la D35 depuis Le Pont-de-Montvert et le long de la D135, qui s'approche au plus près des deux puechs des Bondons (mamelons de marne noire). Un sentier de découverte (récupérer la fiche *Balade au pays des menhirs* à l'office du tourisme du Pont-de-Montvert ou à la **Maison du mont Lozère** auparavant) jalonné de points d'observation permet de s'immiscer au cœur du site (5 km, 2 heures). Départ et parking au croisement de la D35 et de la D135 (à 19 km du Pont-de-Montvert et à 17 km de Florac).

MENDE ET LE NORD DE LA LOZÈRE

Mende

Nichée dans une cuvette au pied du mont Mimat, Mende est une ville frontière entre la Margeride et les Causses. Les arcs-boutants, le pinacle et les deux clochers de son joyau, la cathédrale Saint-Privat, émergent de ses toits de lauze de schiste. Autour de la cathédrale, les ruelles piétonnes du centre historique font de la plus petite préfecture de France (13 000 habitants) une étape agréable. La tour des Pénitents est le dernier vestige des remparts de la cité épiscopale. Aujourd'hui, les remparts sont remplacés par de larges boulevards, où se concentrent d'agréables terrasses de cafés. Mende se découvre en priorité le samedi matin, place Urbain-V et place Chaptal, quand son marché voit affluer les producteurs des Causses et de la Margeride.

Vaut le détour
La Garde-Guérin

Perché au-dessus du lac de Villefort à la lisière de l'Ardèche et du Gard, La Garde-Guérin impressionne par l'homogénéité de sa construction et sa situation vertigineuse, à 400 m au-dessus des gorges du Chassezac. Ce village fortifié a été fondé au Xe siècle par les seigneurs du Tournel. Il ne reste de l'époque moyenâgeuse qu'un impressionnant donjon de 27 m, auquel il est encore possible de grimper (réservé aux plus sportifs !) et une église du XIIe siècle présentant un remarquable chapiteau roman. Destiné à protéger la voie Regordane, important axe commercial reliant le Languedoc à l'Auvergne, La Garde-Guérin tira sa richesse des droits de péage imposés aux voyageurs. Les ruelles pavées du village, classé parmi les plus beaux villages de France, abritent aujourd'hui de belles maisons fortes en grès, reconstruites aux XVIe et XVIIe siècles et admirablement restaurées. Sur place, ne manquez pas de vous arrêter au sympathique **Comptoir de la Regordane** (☎ 04 66 46 83 38 ; La Garde-Guérin ; Prévenchères ; plat du jour 13 €, salade 10 € ; 🕒 juin-sept tlj 10h-19h, oct et avr-mai 11h-18h, nov-déc et mars 11h-17h), établi dans une belle demeure seigneuriale, qui vend les productions d'artisans d'art et d'agriculteurs locaux et sert des plats de petite restauration. Il existe de belles possibilités de randonnée au départ de La Garde-Guérin : renseignez-vous auprès de la **Maison de l'escalade et de la randonnée** (☎ 04 66 46 69 26 ; La Garde-Guérin ; Prévenchères ; 🕒 avr-oct week-end 11h-18h, juil-août tlj 10h-18h). La Garde-Guérin est situé à 8 km au nord de Villefort et à 62 km à l'est de Mende. Parking gratuit à l'entrée du village.

À voir

CATHÉDRALE SAINT-PRIVAT Art gothique

La statue du pape Urbain V trône devant la cathédrale Saint-Privat, comme pour rappeler que c'est à cet enfant du pays que l'on doit cet édifice de toute beauté. Originaire de Lozère, Guillaume de Grimoard fut couronné pape en Avignon en 1362. Refusant tout faste, il conserva sa bure bénédictine comme vêtement d'apparat et entreprit de remettre un peu d'ordre dans l'Église, où sévissaient le luxe et la débauche. Il s'empressa aussi d'affecter une partie des revenus de l'évêché de Mende, qu'il mit directement sous sa juridiction, à la construction d'une cathédrale. Le chantier débuta en 1369 mais ne s'acheva qu'en 1467. Il fut complété par la construction de deux clochers de tailles inégales au début du XVIe siècle. La plus haute tour (84 m) la **Non-Pareille**, alors la plus grande cloche de la chrétienté, dont il ne reste que le battant exposé à l'intérieur de l'église. La prise de Mende par les huguenots entraîna la démolition de la quasi-totalité de la nef. Reconstruit sobrement entre 1599 et 1605, consacré en 1620, l'édifice a connu d'autres ajouts au XIXe siècle. À l'intérieur, sur les flancs de la cathédrale, huit tapisseries d'Aubusson livrées en 1708 retracent la vie de la Vierge.

CENTRE HISTORIQUE Patrimoine bâti

Pour une flânerie dans les ruelles du vieux Mende, dirigez-vous d'abord vers la **tour des Pénitents**. Adossée à une chapelle à proximité des halles de la place au Blé, elle est le dernier vestige des remparts de la cité épiscopale. En face, la façade de l'**hôtel de ville**, installé dans un hôtel particulier du XVIIIe siècle, mérite le coup d'œil. Les murs de la salle des mariages sont recouverts de magnifiques tapisseries d'Aubusson, qui peuvent

se découvrir dans le cadre des visites organisées par l'office du tourisme.

Retournez au cœur de la vieille ville par la rue d'Angiran et débouchez sur le **lavoir de Calquière**, autrefois utilisé par les tanneurs. Rejoignez la rue Notre-Dame et remarquez au n°17 l'**ancienne synagogue**, imposante bâtisse qui est aussi la plus ancienne maison de la ville – les Juifs furent chassés de Mende en 1307 par le roi et l'évêque de Mende. De là, filez vers le **pont Notre-Dame**, pont gothique à trois arches du XIIIe siècle, qui offre un beau point de vue sur la ville et le mont Mimat dans un cadre bucolique.

Où se restaurer

MON P'TIT CHOU Dans les choux €€
(04 66 32 86 12 ; 8 rue Saint-Privat ; formule midi 12 € et 18 €, plats 8-20 € ; lun soir-sam soir). À deux pas de la cathédrale et de la place Chaptal, ce bistrot aux nappes vichy et à la déco soignée décline une cuisine simple axée autour des choux, de l'entrée au dessert. Dans l'assiette, des recettes emblématiques de la gastronomie paysanne mais aussi des invitations au voyage : choux farci, choucroute, soupe aux choux, pâte à choux salée et sucrée et choux à la crème. Les noms des plats sont volontairement imagés (les deux choux chics : choux, saumon et foie gras) et les murs remplis d'affiches évocatrices : le film *La Soupe aux choux*, *L'Homme à tête de chou* de Serge Gainsbourg…

LA SAFRANIÈRE Gastronomique €€
(04 66 49 31 54 ; hameau de Chabrits ; menus 31/39/47 € ; fermé lun, mer midi, dim soir). C'est l'une des adresses gastronomiques incontournables de la Lozère. La Safranière est sise dans un ancien corps de ferme, sur les hauteurs de Mende. Discrétion, sobriété et amour du travail bien fait semblent être les seules motivations du chef Sébastien Navecth et de sa femme Cécile, qui accueille ses hôtes dans une belle salle contemporaine. La cuisine de saison servie ici fait honneur au produit, le plus souvent

À gauche : Statue d'Urbain-V, devant la cathédrale de Mende
Ci-dessous : Vendeur de champignons, Mende
(À GAUCHE ET CI-DESSOUS) EMMANUEL DAUTANT ©

régional. Petite fantaisie, les plats sont parfois relevés d'épices et de saveurs exotiques : crépinette de porc aux figues et à la sauge avec un jus au caramel d'épices, chevreuil des Cévennes grillés avec une sauce aigre douce, etc. À 5 km de Mende par la D42.

Renseignements

Office du tourisme de Mende (☎ 04 66 94 00 23 ; www.ot-mende.fr ; pl. du Foirail). Vous y trouverez un livret gratuit pour découvrir le patrimoine historique de Mende, grâce à 28 bornes réparties dans le cœur de la ville. Également des visites guidées, en juillet et en août, de la cathédrale et du centre historique en journée, en soirée, et même des visites musicales au lever du soleil !

Depuis/vers Mende

TRAIN Depuis la **gare de Mende (av. de la Gare)**, possibilité de rejoindre Marvejols (50 minutes) ou Saint-Chély d'Apcher (1 heures 40 via Marvejols) en TER. Toujours en TER, comptez 2 heures 30 pour rejoindre Alès et 3 heures pour rejoindre Nîmes.

Aubrac et Margeride

Annonçant l'Auvergne avec la rudesse de son climat hivernal, l'Aubrac, terre de basalte, a su préserver son authenticité et perpétue une vieille tradition pastorale avec ses vaches à la robe brune. Ses pelouses rases, seulement ponctuées de quelques lacs et de burons, ancien habitat d'estive utilisé pour la fabrication du fromage, seront jugées austères par certains, envoûtantes par d'autres. À l'est, la Margeride, terre de granit, présente un paysage plus vallonné, parcouru de genêts, de pins sylvestre et de torrents poissonneux. De tempérament farouche, le nord de la Lozère comblera les amoureux des grands espaces et des animaux sauvages (loups, bisons) réintroduits ici dans de très beaux décors naturels. La région est traversée par une autoroute (gratuite) qui dessert les quelques gros bourgs émaillant le territoire (Marvejols, Saint-Chély-d'Apcher, Aumont-Aubrac).

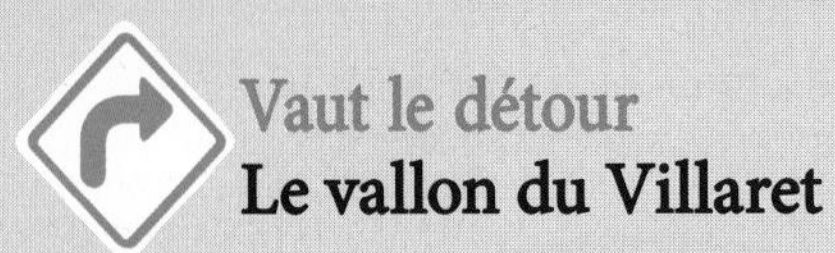

Vaut le détour
Le vallon du Villaret

Voilà un parc de loisirs qui ravira petits et grands. Dans un vallon forestier de 10 ha traversé par un ruisseau, vos cinq sens seront mis à rude épreuve le long d'un parcours pédestre de 2 km, où alternent labyrinthe auditif, ponts de singe, fontaines monumentales, toboggans, kaléidoscopes géants... Ici, on ne parle pas d'attractions mais bien d'installations ludiques. Souvent inspirées par le land art, celles-ci sont réalisées par des artistes qui renouvellent chaque année l'offre ludique et artistique du parc. Le parcours est aussi jalonné d'ateliers, où musiciens, plasticiens et comédiens viennent travailler en résidence. Parallèlement, des expositions plus "classiques" d'art contemporain se concentrent dans les étages d'une tour fortifiée du XVIe siècle. Elles ont accueilli quelques grands noms de l'art contemporain : Ben, Robert Combas, Andy Goldsworthy, Pierre Soulages ou Tapiès. Table de pique-nique et restaurant sur place, prévoir des vêtements adaptés à une excursion dans les bois. Accès depuis Bagnols-les-Bains (à 5 minutes).

INFOS PRATIQUES

(04 66 47 63 76 ; www.levillaret.fr ; Le vallon du Villaret, Bagnols-les-Bains ; tarif avant 13h 12 €, après 13h 12,50 €, avr-juin et sept-oct avant 13h 10 €, après 13h 10,50 € ; juil-août avr-juin 10h30-18h45, juil-août 10h-18h45, sept-oct 11h-18h)

Marvejols

Gros bourg paisible, la seconde ville du département (à peine 5 000 habitants) est un point de ravitaillement idéal avant de s'élancer dans les étendues sauvages de l'Aubrac et de la Margeride. L'histoire de la "belle du Gévaudan", ainsi qu'on l'a appelée, s'inscrit dans les turpitudes des guerres de Religion. Place forte des protestants au XVIe siècle, Marvejols fut assiégée et incendiée par les troupes royales du duc de Joyeuse. Ses fortifications furent reconstruites par Henri IV, en 1601. On peut aujourd'hui admirer trois belles portes fortifiées encadrées de tours rondes, qui surveillent l'accès de la ville ancienne. Autre curiosité : deux étonnantes statues du sculpteur marvejolais Emmanuel Auricoste. La première, place Soubeyran, rend hommage au Vert Galant, tandis que la seconde, place des Cordeliers, représente la célébrissime bête du Gévaudan (voir l'encadré p. 207).

À voir

CHÂTEAU DE LA BAUME Château Renaissance

(04 66 32 51 59 ; www.chateaudelabaume.org ; Prinsuéjols ; tarif plein/réduit 6,20/4,50 € ; juil-août tlj 10h-12h et 14h-18h, hors saison sur rendez-vous mer-lun). Avec ses épais murs de granit et ses toits en écaille de schiste, le château de la Baume, quadrilatère isolé à 1 200 m d'altitude, présente l'allure austère d'un vieux manoir anglais. Mais son intérieur fastueux est plus en accord avec son surnom de "Versailles du Gévaudan". Construite en 1630 par les comtes de Peyre, cette imposante maison forte n'avait pas à l'origine le statut de château d'agrément. Cette vocation s'affirma au début du XVIIIe siècle par des travaux d'agrandissement et de décoration confiés à des artistes venus de Paris et de Montpellier, qui s'inspirèrent des fastes de la demeure du Roi-Soleil. Dans les salles, le style rustique du XVIIe siècle contraste avec l'exubérance du XVIIIe : la taille des pierres est plus fine, les parquets et les tapisseries splendides et la richesse du mobilier (bahuts, lits à courtines) impressionne. L'Aubrac n'est pas coutumier de tant de raffinement ! Ses propriétaires, héritiers du mémorialiste de Napoléon Ier, en ont fait l'un des sanctuaires du culte impérial. Le château de la Baume est situé à 5 km de la sortie 37 de l'autoroute A75. Prendre ensuite la D73 en direction de Prinsuéjols. À 17 km de Marvejols.

Renseignements

Office du tourisme de Marvejols (04 66 32 02 14 ; porte du Soubeyran)

Depuis/vers Marvejols

TRAIN Depuis la **gare de Marvejols** (av. Pierre-Semard), possibilité de rejoindre en TER Mende (50 minutes), La Canourgue (20 minutes) ou Saint-Chély-d'Apcher (40 minutes).

Nasbinals

Capitale de l'Aubrac lozérien, Nasbinals règne sur les pelouses rases du pays des burons, où étaient autrefois fabriqués les fourmes de fromage de vache. Son église Sainte-Marie, du XIe siècle, forme un très bel exemple d'art roman auvergnat avec son clocher octogonal. Situé sur le chemin de Saint-Jacques-de-Compostelle, le village attire les pèlerins, ainsi que nombreux randonneurs venus profiter des paysages sauvages de l'Aubrac. Signe des temps, nombre de burons ont été reconvertis en gîtes, chambres d'hôtes, ou restaurants.

À voir

CASCADE DU DÉROC ET ROUTE DES LACS Excursion en terre sauvage

Depuis Nasbinals, la D52, ou "route des Lacs", permet d'approcher la **cascade du Déroc** et de contempler un spectacle étonnant : l'eau se précipite du haut d'une falaise d'orgues basaltique et retombe 32 m plus bas. Un petit sentier glissant permet d'accéder au pied de la chute d'eau et d'en faire le tour en passant dessous. Pour accéder au site, arrêtez-vous au parking du **lac des Salhiens**, traversez-la route et prenez le sentier qui descend vers la cascade.

Paysage de l'Aubrac

Plus loin, la D52 longe le **lac de Saint-Andéol**, le plus vaste des lacs de l'Aubrac, et le **lac de Born**. À une altitude moyenne de 1 250 m, ces lacs naturels d'origine volcanique, situés sur le bassin versant du Bès, ponctuent un paysage féerique d'où émerge au sud le **signal de Mailhebiau** (1 469 m), point culminant de l'Aubrac.

Où se loger et se restaurer

LA BORIE DE L'AUBRAC — Chambres et tables d'hôtes **€€**

(04 66 45 76 97, 06 12 89 43 78, 06 21 04 18 70 ; www.borie-aubrac.com ; La grange des enfants, Nasbinals ; d 95-135 € avec petit-déj, table d'hôtes avr-oct jeu-mar 30 € ;). Tenue par un couple franco-catalan, cette grange centenaire rénovée dans un style contemporain accueille cinq chambres aux prestations haut de gamme (baignoire vasque, lit king-size). Anciens professionnels de l'hôtellerie, charmants et disponibles, Patricia et Laurent se feront un plaisir de vous faire découvrir les produits locaux, à l'apéritif ou lors de copieux repas. Laurent, originaire de l'Aubrac, est aussi intarissable sur la filière bovine (il est aujourd'hui exploitant agricole). Au réveil, les fenêtres panoramiques à hauteur de lit offrent la vision féerique des vaches de l'Aubrac sortant de la brume. À 4 km de Nasbinals, prendre la D900 en direction de Marvejols, puis tourner à droite en suivant les panneaux.

BURON DE BORN — Cuisine du terroir au bout du monde **€€**

(04 66 32 52 20 ; rte des Lacs, Marchastel ; menus 18 et 25 € ; mai-oct, fermé dim soir). Au bord du lac de Born, ce buron solitaire planté au milieu des paysages désertiques des hauts plateaux de l'Aubrac vous accueille pour une halte hors du temps. Dans sa salle aux boiseries chaleureuses, on déguste des spécialités de l'Aubrac : charcuterie, saucisse grillée, pièce de bœuf, et, bien sûr, un aligot fumant préparé devant vous. À 6 km à l'est de Nasbinals, suivre la route des lacs (D52) jusqu'au lac de Born.

Achats

LA GRANGE AU THÉ — Thé d'Aubrac

(06 07 76 36 81 ; pl. du Foirail, Nasbinals ; juil-août tlj 10h-12h30 et 15h30-19h). Animée par une association d'agriculteurs, La Grange au Thé remet au goût du jour une tradition ancestrale. Depuis toujours, les habitants de l'Aubrac font la cueillette du calament à la belle saison. Également appelée "thé d'Aubrac", cette plante aromatique est séchée en bottes avant d'être bue en infusion pendant l'hiver. La Grange au Thé propose différents produits autour de cette plante aux vertus stimulantes : infusions, parfums pour la maison et sirops. Attention, horaires aléatoires.

Renseignements

Office du tourisme de Nasbinals (04 66 32 55 73 ; www.nasbinals.fr ; Maison Charrier)

Saint-Chély-d'Apcher

Saint-Chély-d'Apcher s'inscrit dans une région vallonnée couverte de bois, de landes et de chaos granitiques, qui annoncent les monts de la Margeride. C'est une base idéale pour découvrir l'Aubrac ou le patrimoine bâti des premiers contreforts de la Margeride, comme le village médiéval de Malzieu ou la tour d'Apcher (XIe-XIIe siècle) perchée sur le promontoire rocheux du village de Prunières.

À voir

RÉSERVE DES BISONS D'EUROPE — Réserve animalière

(04 66 31 40 40 ; www.bisoneurope.com ; Sainte-Eulalie-en-Margeride ; tarif plein/réduit calèche + musée 13/7 €, traîneau + musée 15,50/8,50 €, pédestre + musée 6/4 €, départs toutes les heures de 10h à 18h ; tlj 9h30-19h, fermé mi-nov à mi-déc). Encore chassé par Charlemagne, le bison d'Europe a disparu des forêts européennes au Moyen Âge. Seuls quelques spécimens survécurent dans la forêt de Bialowieza, en Pologne. Décimés pendant la

EMMANUEL DAUTANT ©

À ne pas manquer Le parc des loups du Gévaudan

Créé à l'initiative du journaliste Gérard Ménatory, le parc des loups du Gévaudan rassemble cinq meutes de sous-espèces du *Canis lupus* à plus de 1 000 m : loups de Mongolie, de Sibérie, de Pologne, du Canada et d'Arctique. En pleine nature, les descendants de Croc-Blanc se laissent observer dans de vastes enclos protégés par des grilles. Des sentiers ponctués d'aires d'observation et de glaces vitrées vous permettront de les approcher. Farouches, ceux-ci apparaissent surtout pour profiter des morceaux de viande distribués lors des visites. Un petit musée présente également des films et des expositions temporaires sur le loup. Sur place, aire de jeux et de pique-nique et un **restaurant panoramique** (réservation ☎ 04 66 32 35 91). À 8 km de Marvejols par la D809 et la D2.

INFOS PRATIQUES

(☎ 04 66 32 09 22 ; www.loupdugevaudan.com ; hameau de Sainte-Lucie, Saint-Léger-de-Peyre ; tarif plein/réduit 7,50/4,50 € ; 4 à 6 départs de visites guidées par jour suivant saison : premier départ des visites 10h30, dernier 15h30 à 17h45 suivant saison ; 🕓 avr-nov tlj 10h-18h, nov-déc week-end de 10h à 17h mer de 14h à 17h, vacances de Noël et de février tlj 10h-17h, mars hors vacances week-end de 10h à 17h mer et ven de 14h à 17h, fermé en jan)

Première Guerre mondiale, ils furent réintroduits dans les années 1950 à partir d'espèces vivant en captivité. La réserve de Sainte-Eulalie prolonge cette mission de sauvegarde du plus grand mammifère terrestre d'Europe depuis 1991, date ou six mâles et trois femelles arrivèrent en Margeride en provenance de Pologne. Pour les approcher, l'idéal est de suivre les visites commentées en calèche ou en traîneau (environ 1 heure) . Vous pourrez aussi partir à leur rencontre à pied par un sentier d'interprétation (1 km), où

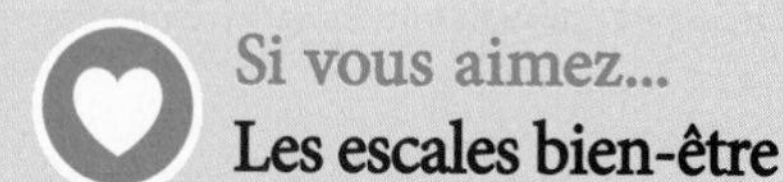

Si vous aimez... Les escales bien-être

Condensé de nature, la Lozère invite à oublier le stress. Ses stations thermales jouent à fond la carte du bien-être. Massages et soins remplacent peu à peu les cures thermales d'antan. Voici quelques pistes relaxantes à explorer.

1 LA CHALDETTE

La coquette **station thermale de La Chaldette** (04 66 31 68 00 ; www.lachaldette.com ; accès espace forme demi-journée matin 21-27 € suivant saison, après-midi 24-30 € suivant saison ; fév-nov) est perdue aux confins du plateau de l'Aubrac, à 14 km au nord de Nasbinals. Conçue par Jean-Michel Wilmotte, l'architecture déploie d'immenses baies vitrées ouvertes sur le paysage. Piscines, Jacuzzi, hammam et sauna complètent la carte de soins utilisant les propriétés minérales de l'eau de La Chaldette. Un refuge au grand air qui lave aussi bien le corps que l'esprit.

2 SPA EN AUBRAC

(04 66 94 02 35 ; www.spaenaubrac.fr ; Mazeirac-de-Rimeize, Saint-Chély-d'Apcher ; accès espace forme demi-journée 25 €, accès + 1 soin 35-75 €, accès + 2 soins 55-85 € ; avr-nov). Dans une ambiance intime, à côté d'un superbe corps de ferme, ce centre de remise en forme alimenté par une eau de source propose un espace forme avec piscine chauffée, salle de fitness, hammam. Également une large gamme de soins : massages, soin du visage... À 5 km au sud de Saint-Chély-d'Apcher.

3 BAGNOLS-LES-BAINS

Sa source d'eau sulfurée jaillissant à 40°C était déjà exploitée à l'époque romaine. Aujourd'hui le **Centre thermal de Bagnols-les-Bains** (04 66 47 60 02 ; www.bagnols-les-bains.com ; accès espace forme demi-journée 24-29 € suivant saison ; fév-déc) se double d'un espace forme jouxtant les rives du Lot. Nombreux forfaits comprenant soins et accès à l'espace forme. Bagnols-les-Bains est situé à 20 km à l'est de Mende.

vous croiserez quelques bisons d'Europe ainsi que son célèbre cousin d'Amérique. Réservation impérative pour les visites en calèche. Depuis Saint-Chély-d'Apcher, rejoindre Saint-Alban-sur-Limagnole par la D987, puis prendre la direction de Sainte-Eulalie (22 km).

LE MALZIEU Village fortifié

Baigné par les eaux de la Truyère, Le Malzieu, village médiéval protégé par des remparts du XIIe et du XIIIe siècles, était le fief des seigneurs de Mercœur. Ses ruelles, jalonnées de nombreuses façades inscrites aux monuments historiques, se dévoilent grâce à un parcours historique de 28 panneaux (comptez 1 heure 30). À noter que nombre des maisons du village furent reconstruites au XVIIe siècle suite à un incendie consécutif à une épidémie de peste qui décima la population du village. Le Malzieu est situé à 10 km au nord-est de Saint-Chély-d'Apcher par la D989.

Où se loger et se restaurer

CHÂTEAU D'ORFEUILLETTE Quatre-étoiles design €€

(04 66 42 65 65 ; www.chateauorfeuillette.com ; La Garde, Albaret-Sainte-Marie ; d 150-165 €, ste 195-390 € ; mars-nov). Au milieu d'un parc paysager de 12 ha, ce château du XIXe siècle porte la patte des établissements de la famille Brunel. Une ambiance chic et glamour qui se décline du billard blanc, trônant au centre de la réception, jusque dans les onze chambres à la déco unique, où les miroirs se changent en écrans de télévision, les sièges nacelles s'accrochent au plafond et les murs roses sont tapissés d'œuvres d'art graphique. Au rez-de-chaussée, un restaurant gastronomique complète cette adresse d'exception qui sait conjuguer luxe et modernité. À 2 minutes de la sortie 32 de l'A75 ; à 10 minutes au nord de Saint-Chély.

La bête du Gévaudan

À partir de 1764, date de la mort de sa première victime, une bergère de 14 ans, la bête du Gévaudan allait terroriser les populations du nord de la Lozère en faisant une centaine de morts, principalement des femmes et des adolescents. Malgré l'intervention des troupes royales ou les avertissements de l'évêque de Mende qui voyait dans la bête un fléau envoyé par Dieu pour punir les hommes de leurs péchés, elle continua de sévir. Après des années de recherches, de fausses pistes et de battues, la bête du Gévaudan, en réalité un loup aux proportions impressionnantes, fut abattue le 19 juin 1767 par Jean Chastel. Si aucune mort ne fut plus attribuée à la mystérieuse bête, l'animal est resté une figure des croyances populaires, alimentant une copieuse littérature et une presse avide de lecteurs.

LES GRANGES DE BIGOSE Gîtes – chambre d'hôtes **€€**
(☎ 04 66 47 12 65, 06 77 17 62 85 ; www.grangesbigose.com ; Lieu-dit Bigose, Rimeize ; d 65-95 € avec petit-déj, gîte d'étape 35 €, dîner 22 € ; ⏲ mars-oct, vacances d'hiver et de février ; wifi). Dans un vallon verdoyant, aux confins de l'Aubrac et de la Margeride, cette ancienne grange se trouve sur le chemin de Saint-Jacques-de-Compostelle. L'hébergement va du dortoir à la chambre d'hôtes de charme en passant par la chambre confort. Vous savourerez la cuisine rustique de Benoît en terrasse l'été ou dans la belle salle à manger avec coin salon et cheminée l'hiver. À 11 km au sud de Saint-Chély-d'Apcher par la D806.

LA TABLE DE THIERRY Bistrot – cave à vins **€€**
(☎ 04 66 47 68 53 ; 103 rue Théophile-Roussel ; menu du jour 15 € ; ⏲ midi mar-sam midi, ven soir). Dans la rue principale de Saint-Chély-d'Apcher, au milieu d'un décor où s'alignent les bouteilles de vins de toutes les régions, Thierry cuisine avec passion et selon l'humeur. Le résultat déçoit rarement ! Le menu du jour, servi sur de belles nappes vichy, est toujours rempli de surprises gustatives. Comme l'établissement fait aussi cave à vin, on mettra un point d'honneur à vous initier aux accords met et vins.

Renseignements

Office de tourisme des Monts-du Midi
(☎ 04 66 31 03 67 ; www.monts-du-midi-tourisme.com ; 48 rue Théophile-Roussel, Saint-Chély-d'Apcher). Un circuit historique accompagné d'un livret permet de découvrir le patrimoine de Saint-Chély-d'Apcher à travers ses ruelles.

Aude et pays cathare

Ici plus qu'ailleurs, le Moyen Âge a laissé une empreinte indélébile. La Cité de Carcassonne et ses Cinq Fils, citadelles du vertige posées en sentinelle sur les pitons rocheux des Corbières, Narbonne et son palais des Archevêques, les abbayes de Lagrasse, de Saint-Hilaire et bien sûr Fontfroide, qui fut l'une des plus riches abbayes de la chrétienté... Ces somptueux témoignages d'une époque tourmentée, marquée par la tragédie cathare, séduiront les amateurs d'histoire et d'architecture médiévale. Mais l'Aude est aussi propice aux vacances actives. Elle se découvre à vélo sur les anciens chemins de halage du canal du Midi, à pied sur le sentier cathare, en kayak dans la haute vallée de l'Aude ou accroché à une voile pour s'initier au kitesurf. Son terroir viticole vallonné gratifie de vins de caractère (corbières, minervois, cabardès, la clape...) et d'une blanquette de Limoux à l'expression raffinée. Enfin, ne manquez pas de vous initier à une gastronomie de terroir généreuse, symbolisée par le cassoulet.

Canal de la Robine, Sallèles d'Aude (p. 252)

La mystérieuse tour Magdala à Rennes-le-Château (p. 240)

Aude et pays cathare

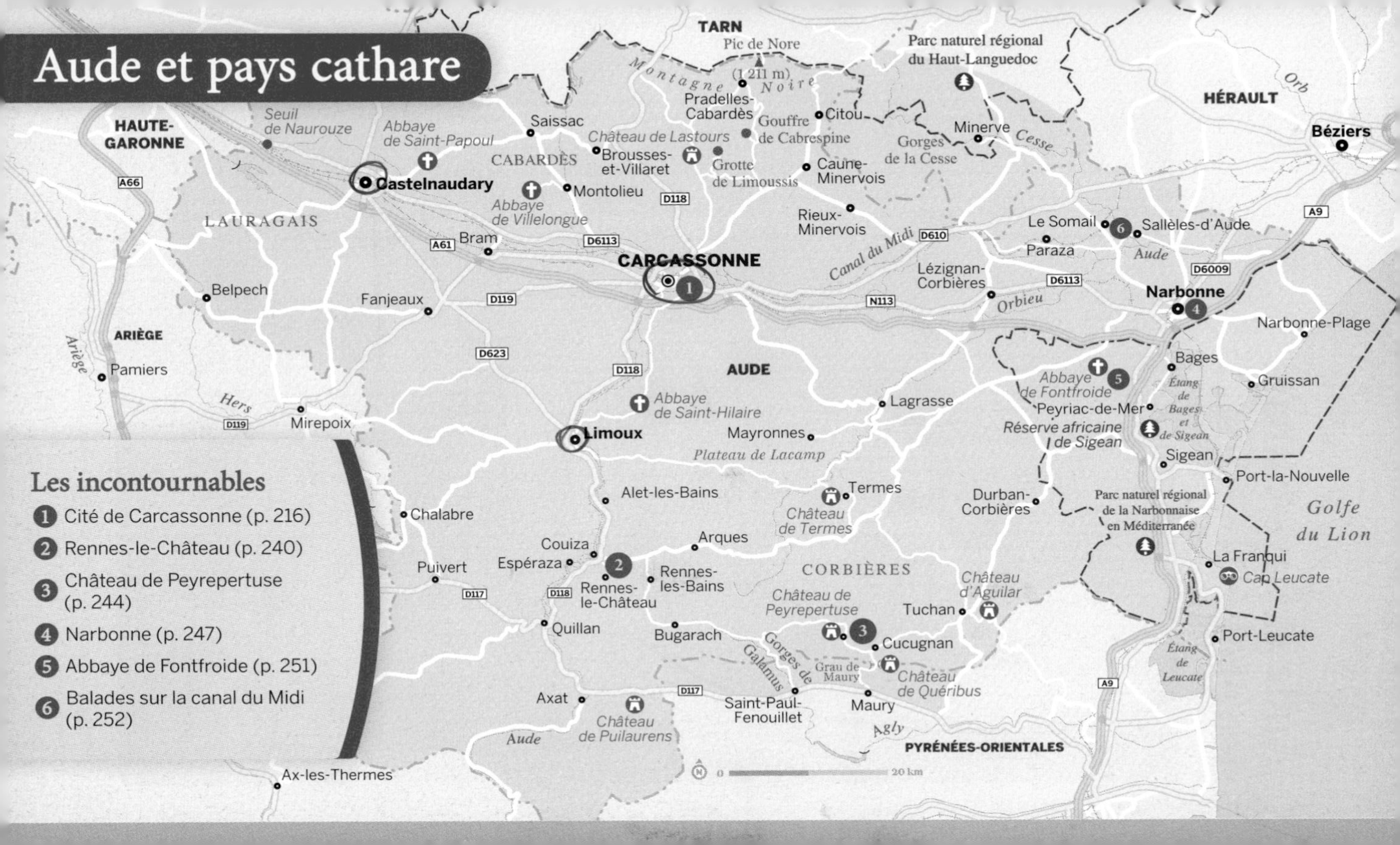

Les incontournables

1. Cité de Carcassonne (p. 216)
2. Rennes-le-Château (p. 240)
3. Château de Peyrepertuse (p. 244)
4. Narbonne (p. 247)
5. Abbaye de Fontfroide (p. 251)
6. Balades sur la canal du Midi (p. 252)

Aude et pays cathare
Paroles d'expert

Ci-dessus : Château Comtal (p. 219). **Ci-contre en haut :** Gruissan (p. 254). **Ci-contre en bas :** Carnaval de Limoux (p. 236)

L'Aude et le pays cathare par Pascale Gourry

CHARGÉE DES ACTIONS ÉDUCATIVES
À LA CITÉ DE CARCASSONNE

1 CARCASSONNE : LA CITÉ ET LA BASTIDE

Dans la **Cité** (voir p. 216), le **château Comtal** est à découvrir en priorité lors des visites commentées et guidées. Ne manquez pas d'admirer la **basilique Saint-Nazaire**, mais aussi les **lices** et les **remparts** qui forment un spectacle fabuleux le soir, quand la Cité s'illumine. Mon conseil : rejoignez la ville basse en passant par la porte d'Aude et le pont Vieux pour découvrir les belles bâtisses de la **bastide** (voir p. 221) : la maison des Mémoires, l'hôtel de Rolland, la maison du Sénéchal et aussi l'étonnant jardin du Calvaire.

2 LES CHÂTEAUX DU PAYS CATHARE

Les châteaux de **Quéribus** (p. 241) et de **Peyrepertuse** (p. 244) sont les plus connus. Mais ne négligez pas les châteaux du Cabardès, comme ceux de **Lastours** (p. 230), accessibles par un joli sentier.

3 LA CHAPELLE DES AUZILS À GRUISSAN

Pour découvrir la **chapelle des Auzils** (XVIIe siècle), il faut emprunter un sentier raide depuis Gruissan au milieu d'essences méditerranéennes. Bordant le chemin menant à la chapelle, 26 cénotaphes sont dressés en mémoire de marins disparus en mer. Depuis la chapelle remplies d'ex-voto marins, on reste ébahi par la vue donnant sur Gruissan et la mer. Une balade que l'on peut compléter par un bain de mer à la **plage des Chalets** (p. 254).

4 L'HORREUM

Le seul monument romain de Narbonne (p. 248). Cet entrepôt souterrain nous plonge dans l'époque romaine, dans un décor grandiose.

5 LE CARNAVAL DE LIMOUX

Ce carnaval hivernal dure trois mois ! Cet événement perdure depuis plusieurs siècles grâce à la mobilisation des habitants de Limoux. Les bandes de carnavaliers (ou "fécos") travaillent toute l'année pour préparer le carnaval. Essayez de venir à Limoux le dimanche, jour où toutes les bandes sortent en même temps.

Suggestions d'itinéraires

La Cité de Carcassonne, Narbonne et les châteaux du pays cathare sont les points d'orgue d'un département particulièrement bien doté en sites historiques et naturels. Ces deux itinéraires vous invitent à les découvrir.

5 JOURS

DE MONTOLIEU À GRUISSAN

Culture et patrimoine

Dans le village de **(1) Montolieu**, aux ruelles remplies de librairies, initiez-vous à la création de livre lors d'un stage et visitez le moulin à papier de Brousses. Le lendemain, la **(2) Cité de Carcassonne** et son château Comtal vous attendent. N'oubliez pas de goûter au célébrissime cassoulet dans un des nombreux restaurants de la Cité. Le troisième jour, direction **(3) Narbonne**. Vous prendrez sans doute grand plaisir à flâner autour des halles, du canal de la Robine ou du palais des Archevêques de cette cité méditerranéenne et accueillante. Le lendemain, après une visite matinale de l' **(4) abbaye de Fontfroide** et de ses jardins odorants, filez vers **(5) Gruissan**, cité lacustre entre mer et étangs. Dominé par la tour Barberousse, le vieux village de Gruissan peut faire l'objet d'une agréable balade. Il sera alors grand temps de vous offrir un bain de mer sur la plage des Chalets, bordée de maisons sur pilotis, juste avant un dernier repas au restaurant face à la mer.

DE CARCASSONNE À LAGRASSE

Immersion en pays cathare

Passez d'abord deux nuits autour de **(1) Carcassonne**, sur les bords du canal du Midi. Arpenter les remparts, les lices et le château Comtal de la Cité vous occupera toute une journée. Le lendemain, traversez le pont Vieux et rejoignez le quartier de la bastide avec ses ruelles animées, particulièrement autour de la place Carnot. Le troisième jour, cap sur le terroir viticole de l'Aude. Les caves de l' **(2) abbaye de Saint-Hilaire** vous révéleront les secrets de l'invention de la blanquette de Limoux, que vous pourrez ensuite déguster dans une des caves du Limouxin. Le lendemain, place à la vie mystérieuse de l'abbé Saunière à **(3) Rennes-le-Château**. Une escale ésotérique que vous pourrez compléter par la visite du château d'Arques. Le cinquième jour, grimpez au **(4) château de Peyrepertuse** avant de rejoindre le coquet village de **(5) Cucugnan**. Le lendemain, levez-vous tôt pour une petite randonnée dans les **(6) gorges de Galamus**. Direction ensuite le **(7) château de Quéribus**, citadelle perchée entre Corbières et Fenouillèdes. Le dernier jour, rejoignez la jolie **(8) Lagrasse** par les petites routes des Corbières pour visiter son abbaye et son village médiéval.

Ci-dessus : Village de Rennes-les-Bains
EMMANUEL DAUTANT ©

Découvrir l'Aude et le pays cathare

CARCASSONNE

Agglomération de 110 000 habitants et pôle touristique majeur de l'Aude, Carcassonne offre deux visages. D'abord, sur la rive droite de l'Aude, celui de sa Cité médiévale, juchée sur une butte et cernée de vignes. Poumon économique de Carcassonne, elle accueille chaque année près de 4 millions de visiteurs venus se plonger dans ce décor médiéval restauré par Viollet-le-Duc au XIXe siècle.

Sur la rive gauche de l'Aude se dresse la bastide Saint-Louis. Également d'époque médiévale, cette ville basse centrée autour de la paisible place Carnot impose la géométrie ordonnée de ses ruelles. C'est ici que bat le cœur de Carcassonne, notamment autour des halles et du port, où les bateaux s'arrêtent pour franchir les écluses du canal du Midi ; là aussi que se concentrent commerces, restaurants et quelques beaux hôtels particuliers. Une autre ville, restaurée elle aussi, quelque part moins ostentatoire et d'autant plus authentique.

À voir

Cité médiévale

Elle émerge comme un mirage au-dessus de la plaine de l'Aude. Réservée aux piétons, la Cité, encore habitée par une cinquantaine de résidents, est un lieu unique pour s'immerger dans la vie d'une forteresse moyenâgeuse. Hélas, ce charme est quelque peu gâché par l'exploitation touristique débridée du site. Les ruelles au nord de la Cité, entre la **porte Narbonnaise** et le **château Comtal**, regorgent d'échoppes de souvenirs et de musées improbables, sans parler des caisses de savon de Marseille et de nappes provençales qui débordent des trottoirs... Pour plus de calme, réfugiez-vous au sud de la Cité, autour de la **basilique Saint-Nazaire** et du **Grand Théâtre de la Cité**.

Cité de Carcassonne

EMMANUEL DAUTANT ©

Cité de Carcassonne

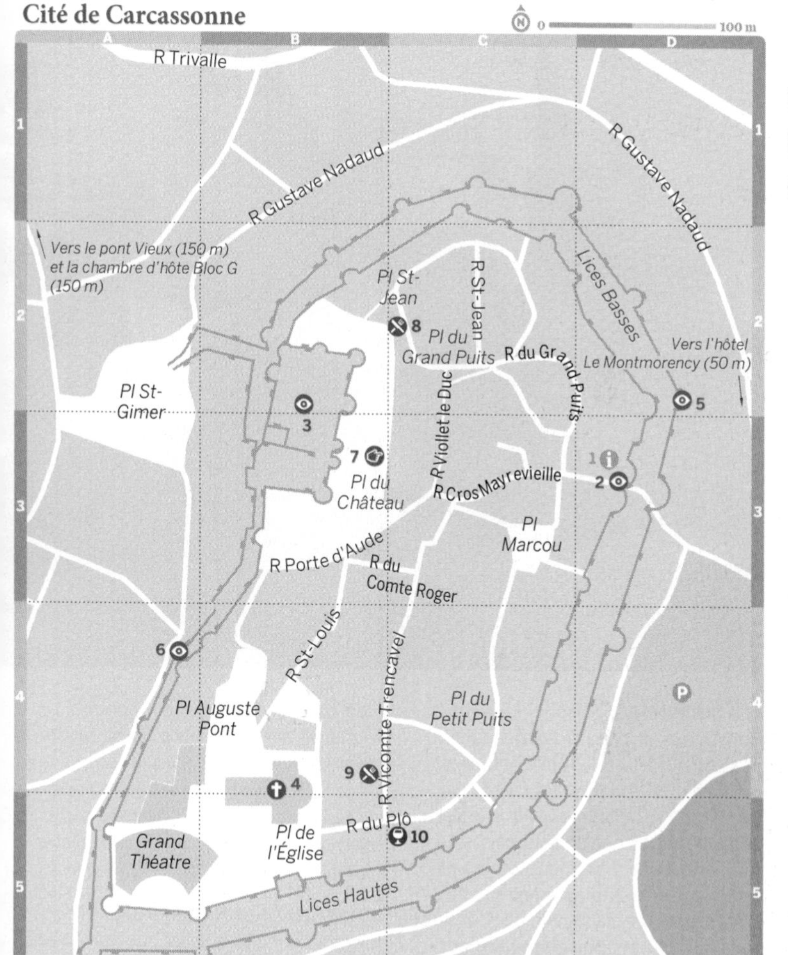

Cité de Carcassonne

Renseignements

1 Annexe de l'office de tourisme D3

À voir

2 Porte Narbonnaise D3
3 Château Comtal B2
4 Basilique Saint-Nazaire B4
5 Tour du Trésau D2
6 Porte d'Aude A4

Circuits organisés

7 Billetterie pour les visites du château Comtal et des remparts B3

Où se restaurer

8 Adelaïde C2
9 Auberge des lices B4

Où prendre un verre

10 Le Bar à vins C5

LES ENCEINTES Architecture militaire
Constellées de crénelages, de tours et d'échauguettes, les enceintes de la Cité sont le fruit des avancées de l'architecture militaire au XIIIe siècle. La citadelle est cernée de deux séries de remparts, dont la longueur totalise plus de 3 km. L'**enceinte extérieure** a été créée de toutes pièces vers 1230, d'où son style homogène. L'**enceinte intérieure** est, elle, issue d'un remaniement du rempart gallo-romain primitif entre 1280 et 1287. Des ouvrages spectaculaires comme la **porte Narbonnaise** et la **tour du Trésau** sont construits durant cette nouvelle phase. Étonnamment, le pan de muraille antique, quand il n'a pas été rasé, a été repris en sous-œuvre, c'est-à-dire surélevé au-dessus des nouvelles fortifications, et parfois couronné par une tour, ce qu'illustrent certains secteurs des remparts à l'aspect composite.

Les deux enceintes sont séparées par de larges lices. Cet espace vierge, utilisé lors des tournois de chevalerie (d'où l'expression "entrer en lice"), exposait l'ennemi aux flèches et aux contre-attaques des défenseurs. Pour prendre la mesure de ce travail colossal, promenez-vous le long des lices auxquelles vous accéderez via la porte d'Aude, la porte Narbonnaise ou aux abords de la place Saint-Jean par la porte de Rodez.

PORTE NARBONNAISE Ouvrage fortifié
L'entrée principale de la Cité était aussi son talon d'Achille. Elle nécessitait une protection appropriée. D'où la création de ce bastion à la fin du XIIIe siècle, formé de deux tours massives dont la forme en éperon offrait une protection contre les béliers adverses. Autre subtilité, la barbacane de l'enceinte extérieure, une avancée en demi-cercle qui permettait de masser des troupes près du pont-levis pour contrecarrer les attaques ennemies. Le crénelage, les toits en ardoise et le pont-levis sont dus à Viollet-le-Duc.

PORTE D'AUDE Ouvrage fortifié
À l'ouest de la Cité, cette entrée était défendue naturellement par une pente

À gauche : Remparts ouest de la Cité ;
Ci-dessous : Façade extérieure du château Comtal

(À GAUCHE ET CI-DESSOUS) EMMANUEL DAUTANT©

abrupte, mais aussi par le fleuve. Châtelets, murs crénelés et portes en renforçaient la protection. La porte d'Aude est la voie d'accès vers la ville basse par le **pont Vieux**. Ce magnifique pont, achevé en 1320, aux arches inégales, enjambe l'Aude dans un décor majestueux, particulièrement en début de soirée, lorsque la Cité se vide et que ses remparts se parent de lumières.

CHÂTEAU COMTAL Château-fort

(☎ 04 68 11 70 70 ; http://carcassonne.monuments-nationaux.fr ; visite libre ou commentée (45 min) tarif plein/réduit 8,50/5,50 €, visite-conférence (1h30) tarif plein/réduit 13/9 € ; 🕒 oct-mars 9h30-17h, avr-sept 10h-18h30 dernier accès 45 min avant fermeture). Édifié par les vicomtes de Trencavel au XIIe siècle, le château Comtal était le cœur décisionnaire de la Cité. Après l'annexion de Carcassonne au domaine royal, cette demeure féodale se mua en un château fortifié, destiné à abriter l'administration et la garnison royale, mais aussi à se prémunir d'une population hostile aux nouveaux maîtres de la Cité.

L'**accès au château**, parsemé d'obstacles, témoigne ici aussi du soin apporté à la sécurité de l'édifice. Une barbacane semi-circulaire faisait office de poste avancé pour la garnison. Derrière elle, un espace découvert plaçait les assaillants à la merci des arbalètriers placés derrière les archères du château. Un pont mobile, une herse et des hourds (galeries de bois placées en surplomb des remparts permettant de jeter des projectiles) reconstitués par Viollet-le-Duc complétaient ce dispositif.

À l'intérieur, la **visite du château** comprend les deux cours du château (la cour d'Honneur et la cour du Midi), un Musée lapidaire au premier étage et un film 3D évoquant l'histoire du monument au deuxième étage. Vous pourrez ensuite vous diriger vers les remparts nord qui offrent de beaux panoramas

La Cité : une histoire vieille de 2 500 ans

Sur ce site stratégique, au carrefour des voies reliant l'Atlantique et la Méditerranée et l'Espagne au reste de l'Europe, la présence humaine remonte à l'âge du fer. Dès le VIe siècle avant J.-C., un peuple celte occupe un oppidum sur la colline de l'actuelle Carcassonne. Le site se mue en colonie romaine et s'enrichit d'une enceinte fortifiée au Bas Empire avant de tomber successivement dans l'orbite des Wisigoths, des Sarrasins, puis des Francs.

La Cité connaît un fort développement au XIIe siècle sous l'égide des vicomtes de Trencavel qui comptent alors parmi les familles les plus puissantes du Midi. C'est à cette époque que débute la construction de la basilique Saint-Nazaire (ci-dessous) et du château Comtal (p. 219). Liés au comte de Toulouse, les Trencavel seront visés par la croisade des Albigeois lancée par le pape Innocent III et la Cité capitulera en 1209 face aux troupes croisées commandées par Simon de Montfort. Elle deviendra même à partir de 1234, le siège du tribunal de l'Inquisition créé pour lutter contre l'hérésie cathare (p. 328).

Devenue sénéchaussée, rattachée au domaine de France à partir de 1226, la ville se transforme en forteresse inexpugnable sous les règnes de Saint Louis (1226-1270) et de son successeur Philippe III le Hardi (1270-1285). Désormais protégée par deux enceintes et un système de défense redoutable, la place forte ne sera plus jamais menacée par des armées ennemies. Elle garde donc son rôle de sentinelle entre la France et l'Aragon jusqu'à la signature en 1659 du traité des Pyrénées, mais l'annexion du Roussillon entraîne son déclin. La Cité est progressivement délaissée au profit de la bastide Saint-Louis. Au XIXe siècle, les garnisons militaires peinent à assurer l'entretien du site, ses lices sont occupés par des taudis et ses remparts servent de carrières de pierre... Grâce à l'action d'érudits locaux et à l'intervention de Prosper Mérimée, Viollet-le-Duc s'empare du projet de restauration de la Cité, travail titanesque débuté en 1853 qui ne s'achèvera qu'en 1911, après sa mort. Même controversées, ces restaurations ont permis à la Cité de renouer avec l'aspect qu'elle avait au XIIIe siècle. Elle est classée au patrimoine mondial de l'Unesco depuis 1997.

sur la plaine de l'Aude et la bastide Saint-Louis, avant de ressortir par la porte Narbonnaise.

Voir aussi p. 223 pour des visites-conférences du château et de la Cité.

BASILIQUE SAINT-NAZAIRE Ancienne cathédrale (**été tlj 9h-12h et 14h-19h, hiver tlj 9h-12h et 14h-17h**). Au sud de la Cité, l'ancienne cathédrale du XIIe siècle ne garde de roman que la nef et les collatéraux. Le chœur d'origine a été remplacé par une structure du gothique rayonnant à la fin du XIIIe siècle. Une vingtaine de statues, autrefois polychromes, ont été taillées dans les colonnes supportant les voûtes du chœur. L'édifice abrite de somptueux vitraux des XIIIe et XIVe siècles. L'un des plus remarquables se trouve dans la chapelle de la Vierge, côté nord du transept. Elle est éclairée par l'**arbre de Jessé**, dont les 24 panneaux qui se lisent de bas en haut dévoilent la lignée du Christ.

Vous aurez peut-être la chance d'assister à des concerts d'orgues gratuits, la basilique accueillant un festival renommé, les **Estivales d'Orgues de la Cité**, en été.

Vitraux de la basilique Saint-Nazaire

ANIBAL TREJO/FOTOLIA ©

Bastide Saint-Louis (ville basse)

Située sur la rive gauche de l'Aude, la bastide Saint-Louis fut créée par Saint Louis en 1249 pour calmer les ardeurs d'une population frondeuse et la tenir à distance de la Cité ravie aux Trencavel. Grâce à son développement commercial, axé sur la production et l'exportation de draps de laine, la Bastide va progressivement supplanter la Cité au fil des siècles. Ordonnée selon un plan en damier, elle est délimitée par de grands boulevards construits à partir du XVIIIe siècle sur les anciennes fortifications.

AUTOUR DE LA PLACE CARNOT Balade historique et gourmande

Cette partie centrale est la plus animée de la Bastide. L'agréable **place Carnot**, bordée de terrasses de café, est une agora piétonne au centre de laquelle trône la fontaine de Neptune (1770) du sculpteur italien Barata. C'est là que se déroule le marché aux fruits et légumes des mardis, jeudis et samedis matin. À quelques rues de là, sur la **place Eggenfelden**, les **halles couvertes** rassemblent une quinzaine de commerçants juste à côté de l'ancienne **halle aux grains** (aujourd'hui la médiathèque de la ville) à la superbe charpente du XVIIIe siècle. Autour des halles subsistent de beaux hôtels particuliers des XVIIe et XVIIIe siècles, vestiges de la grande époque drapière de Carcassonne. Parmi les plus notables, la **maison des Mémoires** (53 rue de Verdun) qui abrite un musée (voir p. 222), la **maison du Sénéchal** (70 rue Aimé-Ramond) datant du XIVe siècle et siège de l'actuelle chambre d'agriculture ou l'**hôtel de Rolland** (32 rue Aimé-Ramond ; visite de la cour lun-jeu 8h-12h et 13h30-18h, vendredi 8h-12h) occupé par l'hôtel de Ville.

CATHÉDRALE SAINT-MICHEL Art gothique

(Rue Voltaire ; tlj). À l'extrême sud de la Bastide, elle usurpa le titre de cathédrale à la basilique Saint-Nazaire en 1803. Surmonté d'une tour cylindrique, l'édifice révèle à l'intérieur un magnifique vitrail central et un chœur de marbre issu des carrières de Caunes-Minervois.

Carcassonne – bastide Saint-Louis (ville basse)

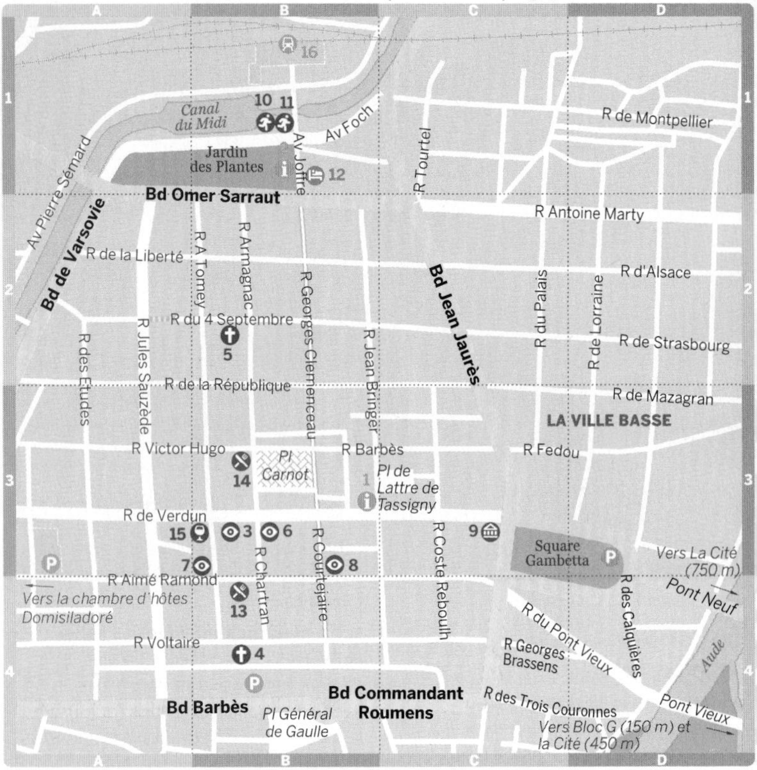

Érigée au XIIIe siècle, la cathédrale fut en grande partie détruite lors du passage du Prince Noir en 1355 avant d'être reconstruite au XVe siècle, époque durant laquelle elle fut intégrée aux anciennes fortifications de la ville. Les dernières modifications, ont été l'œuvre de Viollet-le-Duc, au XIXe siècle.

ÉGLISE SAINT-VINCENT Église gothique **(Rue Albert-Tomey)**. Située au nord de la place Carnot, l'église Saint-Vincent est un bel exemple de style gothique méridional avec sa large nef et sa voûte imposante. Sa tour clocher octogonal à base carrée abrite un carillon de 47 cloches.

GRATUIT **MAISON DES MÉMOIRES** Maison d'écrivain (**04 68 72 50 83 ; 53 rue de Verdun ; gratuit ; mar-sam 9h-12h et 14h-18h**). C'est dans ce bel hôtel particulier que l'écrivain Joë Bousquet (1897-1950), blessé pendant la Première Guerre mondiale, s'installa à partir de 1925. Écrivain prolixe attiré par les surréalistes, il passa ici l'essentiel de sa vie alité, sans pour autant rester isolé du monde. Paul Valéry, Max Ernst, Louis Aragon, André Gide ou Simone Weil comptent parmi les nombreux intellectuels et artistes qui se sont succédé dans sa chambre aux volets clos. Restée intacte, cette pièce accueille une exposition sur l'écrivain. Dans les autres salles, l'œuvre polymorphe de Bousquet prend forme : lettres à ses amis, poèmes, dessins et photographies. Ornée de magnifiques plafonds peints et de peintures murales classées, la maison des Mémoires accueille aussi des expositions et des manifestations culturelles.

Carcassonne – bastide Saint-Louis (ville basse)

Renseignements
- 1 Office de tourisme B3
- 2 Annexe de l'office de tourisme B1

À voir
- 3 Halle aux grains B3
- 4 Cathédrale Saint-Michel B4
- 5 Église Saint-Vincent B2
- 6 Maison des Mémoires B3
- 7 Maison du Sénéchal B3
- 8 Hôtel de Rolland B3
- 9 Musée des Beaux-arts C3

Activités
- 10 Lou Gabaret B1
- 11 Génération VTT B1

Où se loger
- 12 Hôtel Le Terminus B1

Où se restaurer
- 13 Le Sixième sens B4
- 14 L'Artichaut B3

Où prendre un verre et sortir
- 15 Café Saillan B3

Transports
- 16 Gare ferroviaire B3

GRATUIT MUSÉE DES BEAUX-ARTS Musée

(☎ 04 68 77 73 70 ; 1 rue de Verdun ; gratuit ; ⏲ mi-juin à mi-sept tlj 10h-18h, mi à sept-mi-juin mar-sam 10h-12h et 14h-18h). Installé dans l'ancien présidial (tribunal de la ville), cet espace accueille un fonds en partie constitué par les legs de grandes familles de Carcassonne. Ses salles présentent un riche panorama de la peinture occidentale avec des œuvres aussi variées que celle du peintre local Jacques Gamelin (1739-1803), dont le buste trône à l'entrée du musée, ou que *Le Christ et la Samaritaine* de Guido Reni (XVIIe siècle), peintre de l'école de Bologne. Le musée accueille aussi une remarquable collection de faïences. Expositions temporaires au rez-de-chaussée.

LOU GABARET Croisière sur le canal du Midi

(☎ 04 68 71 61 26 ; www.carcassonne-croisiere.com ; port de Carcassonne ; tarif plein/réduit 8,50-11,50 €/6,50-7 € suivant balade, jusqu'à 8 départs par jour en juillet-août ; ⏲ avr-oct). Au départ du port de Carcassonne en face de la gare, cette vénérable péniche offre plusieurs formules pour découvrir le canal du Midi et ses écluses : un itinéraire navigue en direction de Narbonne et délivre au passage une belle vue sur la cité médiévale tandis qu'un autre se dirige vers Toulouse. Durée : entre 1 heure 30 et 2 heure 45 suivant la croisière choisie.

GÉNÉRATION VTT Balade à vélo

(☎ 06 09 59 30 85 ; www.carcassonne.generation-vtt.com ; port de Carcassonne ; location demi-journée/journée 10/18 €, circuit à thème à partir de 20 €, circuit accompagné à partir de 40 € ; ⏲ avr-sept tlj 9h30-12h30 et 13h30-18h30). Une approche originale du tourisme en deux-roues avec des circuits-découvertes (remise d'un itinéraire) autour de la bastide Saint-Louis et de la Cité. Génération VTT propose également des circuits mêlant balade en bateau sur le canal du Midi et parcours à vélo ou vélo et kayak. Certains circuits accompagnés à la journée incluent des arrêts dégustation dans des domaines viticoles ou la visite de l'abbaye de Caunes-Minervois.

Circuits organisés

VISITES-CONFÉRENCES DU CHÂTEAU ET DE LA CITÉ Histoire

☎ 04 68 11 70 70 ; http://carcassonne.monuments-nationaux.fr ; visite-conférence tarif plein/réduit 13/9 €). Longues de 1 heure 30, les visites conduites par les guides conférenciers des Monuments nationaux sont le meilleur moyen d'appréhender l'histoire troublée de la Cité au Moyen

Insolite La légende de Dame Carcas

En passant devant la porte Narbonnaise, vous apercevrez sans doute le buste en grès d'une femme au sourire énigmatique. Il s'agit de Dame Carcas, héroïne imaginaire d'une légende locale qui dévoile l'origine fantasmée du nom de Carcassonne.

L'histoire nous dit qu'au temps de l'occupation sarrasine, cette princesse musulmane dirigeait de main de maître la défense de la ville contre les troupes de Charlemagne. Après cinq années de siège, les vivres vinrent à manquer à la population exténuée et Dame Carcas usa d'un stratagème pour décourager les assaillants. Se faisant apporter le dernier cochon, elle le gava de blé avant de le jeter du haut des remparts extérieurs. Quand l'animal s'écrasa sur le sol, son ventre libéra les céréales. Il n'en fallut pas plus à Charlemagne pour plier armes et bagages, jugeant inutile d'assiéger une cité aussi bien approvisionnée. Enchantée de son succès, Dame Carcas fit alors sonner les cloches de la cité, ce qui déclencha la fameuse réaction d'un compagnon du roi : "Sire, Carcas sonne."

Âge. Elles permettent aussi d'accéder à d'autres parties plus secrètes du château et de la Cité, comme les remparts ouest. Vous pourrez notamment visiter la sinistre tour de la Justice, où sont conservés les registres du tribunal de l'Inquisition.

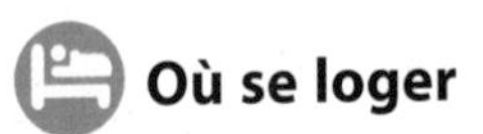

Où se loger

AU DOMISILADORÉ Chambres d'hôtes €
(☎04 68 71 00 29, 06 88 28 92 30 ; www.au-domisiladore.com ; 19 bd Marcou ; s/d/qua avec petit-déj 52-60 €/65-76 €/80-115 € selon confort et saison ; 📶). Derrière sa glycine et sa belle porte en bois, cette belle demeure du XIXe située en lisière de la bastide Saint-Louis offre cinq chambres réparties sur trois niveaux, une cuisine et une salle TV en accès libre. À l'arrière du bâtiment, un jardin luxuriant attire l'œil avec ses tapis posés à même le sol, ses voiles flottant dans les airs et ses tables et chaises colorées... Pour parfaire cette ambiance chic et bohème, les petits-déjeuners se prennent dans une ancienne serre du jardin. Parking payant juste en face, sur le boulevard Marcou (1 €/j). À 25 minutes de la Cité à pied.

BLOC G Chambres d'hôtes design €€
(☎04 68 47 58 20 ; www.bloc-g.com ; 112 rue Barbacane ; d avec petit-déj 90-120 € ; 📶). Le Bloc G oscille entre loft industriel pour l'agencement des espaces et chambres d'hôpital pour la sobriété des décors. Il faut donc se faire à une déco ultra-minimaliste où le blanc domine du sol au plafond. Mais les 5 chambres spacieuses de cette maison d'hôtes restent une option intéressante, d'autant que le Bloc G est très bien situé, sur une placette du quartier de la Trivalle, à 10 minutes à pied de la Cité et guère plus de la bastide. Restaurant et bar à vins au rez-de-chaussée.

HÔTEL LE MONTMORENCY Trois-étoiles €€
(☎04 68 11 96 70 ; www.lemontmorency.com ; 11 rue Camille-Saint-Saëns ; d à partir de 82,50 € ; 🏊❄📶P10 €). Dans un bâtiment attenant au luxueux hôtel du Château, le Montmorency loue 31 chambres aux styles variés : contemporain, chic, ou champêtre et coloré. Toutes sont très bien équipées. Le plus ? La possibilité de profiter des installations bien-être de l'hôtel du Château voisin (piscine extérieure chauffée, Jacuzzi, hammam et soins sur demande). Idéal pour une halte détente avec la Cité en point de mire. Le tout à 5 minutes de la porte Narbonnaise.

HÔTEL LE TERMINUS Belle Époque €
(04 68 25 25 00 ; av. Maréchal-Joffre ; s/d à partir de 59/70 € ;). Hall immense, larges baies vitrées, table de billard et canapés accueillants : le Terminus a le charme suranné des vieux palaces des villes d'eau. L'ambiance Belle Époque de cet hôtel quasi centenaire transpire un peu moins dans les 110 chambres à la décoration plus classique. Au sous-sol, un espace forme comprend piscine, Jacuzzi et sauna. Situé face à la gare, à proximité du canal du Midi, le Terminus est à 25 minutes à pied de la cité médiévale.

Où se restaurer

ADELAÏDE Cuisine de terroir €
(04 68 47 66 61 ; pl. Saint-Jean, cité de Carcassonne ; menus 12 € midi, 14,50 € et 24 € ; fermé déc-fév). Au cœur de la Cité mais à l'écart des ruelles les plus passantes, ce restaurant offre une vue imprenable sur le château Comtal. À côté du traditionnel cassoulet servi dans sa cassolette en terre cuite, les plats proposés ici sont simples (magret, salade gourmande) mais surtout copieux et à des tarifs très raisonnables pour la Cité. Grande terrasse, très prisée aux beaux jours.

AUBERGE DES LICES Cuisine de terroir €€
(04 68 72 34 07 ; www.blasco.fr ; 3 rue Raymond-Roger-Trencavel ; menus 19,50/28/39,60 € ; jeu-lun midi et soir, réservation nécessaire). Une adresse courue, cachée dans les ruelles de la Cité. Jean-Pierre Blasco, membre de l'académie universelle du Cassoulet, s'est taillé une solide réputation pour ses cassoulets (19 €) préparés selon une recette originale. Autre spécialité de l'auberge, le cochon de lait médiéval au miel des Corbières (18 €). Les gastronomes trouveront aussi des menus proposant de goûter une authentique cuisine de terroir. Réservation conseillée.

LE SIXIÈME SENS Cuisine créative €€
(04 68 72 56 83 ; www.lesixiemesens-carcassonne.com ; 55 rue Aimé-Ramond ; menus 19/27 € ; mar-dim midi et soir). Proche des halles, ce petit restaurant de poche ne paie pas de mine de l'extérieur. Ne vous y fiez pas. Que ce soit au sous-sol dans sa belle salle voûtée en pierre à l'esprit

Terrasses de la place Carnot, cœur de la bastide Saint-Louis

EMMANUEL DAUTANT ©

zen ou à l'étage, Lionel et Sébastien proposent une cuisine de saison et des formules originales comme une déclinaison de clubs sandwichs à midi. Pour les amateurs de viande rouge, le tartare de bœuf charolais semble incontournable. Quant au camembert rôti, il nous a laissé un excellent souvenir.

L'ARTICHAUT Bistrot design **€€**
(**09 75 41 36 43, 06 07 78 08 51 ; 14 pl. Carnot ; plats de 16 à 35 € ; lun-sam midi, jeu, ven et sam soir**). Donnant sur l'agréable place Carnot, L'Artichaut réveille les papilles en terrasse ou dans un intérieur cosy et design organisé autour d'une cuisine ouverte et d'un comptoir en zinc. La carte, simple mais fréquemment renouvelée, a un faible pour la viande (magret, côte, filet de bœuf, tartare, burger...) que l'on peut accompagner de frites maison et d'un large choix de vins de l'Aude. Également, copieuses salades et desserts créatifs (crème brûlée au Carambar). L'endroit est aussi réputé pour ses soirées thématiques de dégustation autour des vins du Languedoc et d'ailleurs.

Où prendre un verre

LE BAR À VINS Au pied des remparts
(**04 68 47 38 38 ; 6 rue Plô ; fermé mi-nov à fév**). Incontournable à Carcassonne, Le Bar à Vins accueille aussi bien des Carcassonnais, le plus souvent au comptoir, que les visiteurs de passage qui préfèrent son immense patio verdoyant au pied des remparts. Au milieu d'une cinquantaine de tables posées à l'ombre d'un marronnier, on y vient pour déguster un vin de l'Aude, s'offrir un cocktail après un spectacle au Grand Théâtre de la Cité ou déguster quelques tapas dans une ambiance décontractée. Le Bar à Vins se trouve le long des remparts sud de la Cité, près de la place Saint-Nazaire.

CAFÉ SAILLAN Café-snack
(**04 68 72 37 40 ; 31 rue Albert-Tomey ; plats 7-10 € à midi ; lun-ven 6h-17h, sam matin**). Le Café Saillan mélange coquetteries (nappes vichy, chaises de bistrot et fauteuils en velours) et un côté plus rustique (murs tapissés de jambons, de gousses d'ail et de maillots de rugby). Tôt le matin, les vendeurs des halles toutes proches viennent y boire un petit noir. On s'y retrouve ensuite pour l'apéro, ou pour le déjeuner proposé en version snack. Le point d'orgue reste le rendez-vous du samedi matin, quand les tonneaux envahissent le trottoir et que l'on se presse pour des dégustations de vins, tapas et autres mets grillés à la plancha.

Renseignements

Office du tourisme (**04 68 10 24 30 ; 28 rue de Verdun ; www.tourisme-carcassonne.com ; visite guidée tarif plein/réduit 9/7,50 € ; juin-oct**). En plus de l'antenne de la rue de Verdun, une annexe est installée l'été à proximité du canal du Midi (**av. du Maréchal-Foch ; juil-août**), sans compter celle située à l'entrée de la Cité (**porte Narbonnaise**). L'office du tourisme propose un itinéraire audioguidé dans la bastide Saint-Louis (durée 1 heures 30 à 2 heures, 3 €) et des visites guidées à pied de la Bastide et de la Cité (durée 2 heures 30 ; tarif plein/réduit : 9/7,50 €).

Depuis/vers Carcassonne

AVION La compagnie **Ryanair** (**ww.ryanair.com**) propose notamment des liaisons aériennes vers Paris-Beauvais ou Bruxelles-Charleroi. Depuis l'**aéroport de Carcassonne** (**04 68 71 96 46 ; www.aeroport-carcassonne.com**), une navette dessert le centre-ville (5 €).

BUS La compagnie **Keolis** (**04 68 25 13 74 ; www.keolisaude.com ; ticket 1 €**) dessert les principales villes de l'Aude depuis Carcassonne : Narbonne par Lézignan, Axat par Limoux ou encore Lagrasse.

TRAIN Depuis Paris, comptez 6 heures en TGV via Montpellier ou Narbonne pour rejoindre Carcassonne. La **gare SNCF** (**av. du Maréchal-Foch**), au nord de la ville, est reliée directement à toutes les grandes villes de la région (Toulouse est à 1 heure, Perpignan à 1 heure 20, Montpellier à 1 heure 30).

Comment circuler

BUS Une dizaine de lignes parcourent l'agglomération de Carcassonne (www.

L'abbaye de Saint-Papoul et l'art du maître de Cabestany

Fondée au IXe siècle, l'**abbaye de Saint-Papoul** (**04 68 94 97 75 ; tarif plein/ réduit 4/2 € ; avr-sept tlj 10h-11h30 et 14h-17h30, juil-août tlj 10h-18h30, oct tlj 10h-11h30 et 14h-16h30, nov-mars week-end et vacances**) fut le siège d'un évêché du XIVe siècle à la Révolution. Au cours de la visite, vous découvrirez des éléments de différentes époques : cloître du XIVe siècle, église abbatiale du XIIe siècle et l'ancien palais épiscopal du XVe siècle fermé à la visite. Les lieux sont surtout remarquables pour les sculptures touchantes du maître de Cabestany, sculpteur anonyme du XIIe siècle qui essaima ses œuvres dans l'Aude, en Catalogne mais aussi jusqu'en Toscane. On trouvera des moulages de ses sculptures dans un petit musée lapidaire dans l'ancien réfectoire des moines. À l'extérieur, l'abside de l'église abbatiale, ceinturée par huit colonnes, présente de magnifiques chapiteaux et modillons recouverts de figurines humaines et animales (gueules de lion, sonneur de trompe...) qui illustrent le raffinement du maître. À 33 km au nord-ouest de Carcassonne.

carcassonne-agglo.fr ; ticket 1 heure 1 €, ticket journée 2,60 €). Pour rejoindre la Cité médiévale depuis la bastide (square Gambetta), il faut prendre la ligne 4.

VOITURE Trouver une place de stationnement peut être un réel problème en pleine saison touristique. Quelques options : les parkings payants des boulevards de la Bastide, les parkings souterrains comme le **parking André-Chénier** (près de la gare SNCF), le **parking des Jacobins** (près de la cathédrale Saint-Michel) et le **parking Gambetta** (square Gambetta), les parkings **Delteil** et **Tripier** (**première heure gratuite, de 1h à 6h 5€, puis 1€/heure**), idéalement situés en face de la porte Narbonnaise. Enfin, en arrivant de bonne heure, vous trouverez quelques places de stationnement gratuit dans la rue Trivalle au pied de la Cité.

CABARDÈS ET MONTAGNE NOIRE

Disséminés le long des cours d'eau encaissés qui descendent des sommets de la Montagne noire, les villages du Cabardès offrent une halte agréable à quelques minutes de Carcassonne. Les amateurs de randonnée s'attarderont sur les nombreux sentiers pédestres qui sillonnent cette région aux paysages sauvages, marquée par l'épais manteau forestier de la Montagne noire. Côté culture, faites halte à Montolieu et ne manquez pas les visites des châteaux cathares de Saissac et de Lastours.

Montolieu et ses environs

C'est l'une des huit cités du livre en France. Bâti en surplomb des gorges de l'Alzeau et de la Dure, ce village séculaire d'à peine 800 âmes compte pas moins d'une quinzaine de librairies installées dans ses ruelles pittoresques. En journée, des caisses de livres envahissent les trottoirs des bouquinistes pour le plus grand plaisir des collectionneurs. La vocation littéraire de Montolieu a pris forme il y a une vingtaine d'années grâce à l'action de Michel Braibant, relieur à Carcassonne, qui donne son nom à un intéressant musée des métiers du livre.

Montolieu constitue aussi une bonne base pour arpenter les premiers reliefs du Cabardès et de la Montagne noire ou visiter le moulin à papier de Brousses et Villaret, le château de Saissac ou le joli village perché d'Aragon.

L'une des nombreuses librairies de Montolieu

EMMANUEL DAUTANT ©

À voir

MUSÉE DES ARTS ET MÉTIERS DU LIVRE, MUSÉE MICHEL-BRAIBANT Techniques du livre
(04 68 24 80 04 ; www.montolieu-livre.fr ; 39 rue de la Mairie ; 2 €, visite guidée 4 € ; juil-août lun-ven 10h-12h et 15h-18h, sam 14h-18h, dim 15h-18h, avr-juin lun-ven 10h-12h et 14h-18h, sam 14h-18 h, dim 15h-18h, sept-déc lun-ven 10h-12h et 14h-18h, sam 14h-18 h, dim 15h-18h, jan-mars lun-sam 14h-17h, dim 15h-17h). Ce petit musée rassemble une collection hétéroclite d'objets liés à l'histoire du livre et de l'écrit. On peut notamment y admirer d'imposantes presses typographiques Heidelberg avec leurs casses en bois et leurs caractères en plomb. À l'étage, des expositions temporaires, notamment de gravures, sont organisées l'été.

MOULIN À PAPIER DE BROUSSES Techniques du Papier
(04 68 26 67 43 ; www.moulinapapier.com ; Brousses-et-Villaret ; tarif plein/réduit 7/3,50 €, atelier de fabrication 2 € ; juil-août 9 visites guidées entre 10h et 18h, sept et vacances scolaires 11h, 14h30, 15h30, 16h30 et 17h30, oct-juin lun-ven 11h et 15h30, sam-dim 11h, 14h30, 15h30, 16h30 et 17h30). À 7 km au nord-est de Montolieu, ce moulin perpétue une tradition héritée du XVIIe siècle. Jusqu'au milieu du XIXe siècle, Brousses-et-Villaret comptait une dizaine de moulins à papier et figurait parmi les plus importants centres papetiers du Languedoc. Le dernier en activité, auquel on accède par un sentier botanique en sous-bois, propose une visite guidée ludique et pédagogique sur la fabrication artisanale du papier au milieu de turbines et de roues à augets. Les papiers fabriqués à la main peuvent être à base de lin, chanvre, coton, chiffon et, plus surprenant, de crottin de cheval. Possibilité de fabriquer vos propres feuilles de papier.

CHÂTEAU DE SAISSAC Forteresse médiévale
(04 68 24 46 01 ; www.saissac.fr ; tarif plein/réduit 5/3 € ; juil-août 9h-20h, avr, juin et sept 10h-18h, oct 10h-17h, fév, mars, nov et déc 10h-17h). À 7 km au nord-ouest de Montolieu, ce château en partie en ruine occupe trois terrasses contiguës dans le prolongement du village de Saissac. La visite vaut surtout pour les deux salles

admirablement restaurées de l'ancien logis, qui abritent une exposition sur le trésor monétaire de Saissac. Ces 2 000 deniers à l'effigie de saint Louis, datés de 1270, ont été découverts en 1979. Dotée d'une belle muséographie, l'exposition traite plus largement de la monnaie, de la fabrication des pièces (extraction, frappes) à leur circulation (change). Entouré de sous-bois annonçant la Montagne noire, le site offre une belle vue sur la plaine de l'Aude et les Pyrénées.

Activités

ATELIER DU LIVRE Arts du livre

(**04 68 26 88 90 ; www.atelierdulivre.net ; impasse de la Manufacture-Royale ; 21 €/j/pers ; juil-août, vacances scolaires d'avril à octobre**). Des journées d'initiation à la création d'objets imprimés comprenant différents modules sur une journée : imprimerie, illustration par gravure, papier marbré et fabrication de papier.

LOCATION VTT EN MONTAGNE NOIRE Randonnée en deux-roues

(**06 03 48 87 64, 04 68 47 61 82 ; www.locationvtt-11.fr ; 8 chemin du Camp-Naout, Saint-Denis ; demi-journée 12 €, journée 19 € ; tte l'année**). Installé à Saint-Denis, au cœur de la Montagne noire, ce loueur propose des sorties VTT (carte IGN fournie) le long d'un chemin de halage, la Rigole, qui alimente le canal du Midi, ou autour du village d'Aragon, qui possède plus de 400 km de pistes VTT balisées.

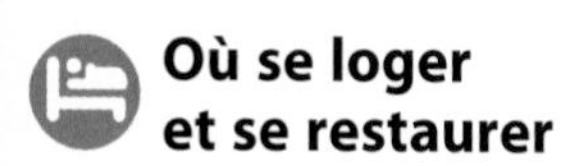

Où se loger et se restaurer

LES ANGES AU PLAFOND Chambres d'hôtes - salon de thé-restaurant

(**04 68 24 97 19 ; www.lesangesauplafond.com ; rue de la Mairie ; d avec petit-déj 65-70 € ; restaurant jeu-mar midi, ven et sam soir**). Tenu par Bernard et Terri, un couple franco-anglais, ce salon de thé avec son immense salle magnifiquement habillée de buffets anciens, de tables épaisses, de chaises de bistrot aux coussins moelleux et de carrelage en mosaïque coloré affiche un raffinement très british. On s'y attable à midi pour des assiettes de charcuterie ou une salade et l'après-midi pour déguster des douceurs sucrées ou un thé. Pour découvrir les anges, il vous faudra juste lever la tête... Le bel escalier en bois dessert trois chambres douillettes aux tons pastel et au mobilier ancien qui donnent sur l'école du village.

ABBAYE DE VILLELONGUE Chambres d'hôtes et abbaye cistercienne

(**04 68 24 90 38 ; www.abbaye-de-villelongue.com ; Saint-Martin-le-Vieil ; visite 5 €, d avec petit-déj 68 € ; visite mar-dim avr-juin, sept et oct 10h-12h et 14h-18h30, juil-août lun-sam 10h-12h et 14h-19h**). Envie d'une escale bucolique et spirituelle ? Nichée dans le creux d'un vallon, à 10 km à l'ouest de Montolieu, voici l'abbaye de Villelongue bâtie par des moines cisterciens au XIIe siècle. La famille Eloffe, qui œuvre à sa restauration, propose quatre chambres d'hôtes impeccables au mobilier ancien. L'été, les petits-déjeuners se prennent dans un cloître aux chapiteaux richement sculptés. Sachez qu'il est possible de visiter l'abbaye sans y dormir.

Renseignements

Office du tourisme (**04 68 24 80 80 ; 1 pl. Jean-Guéhenno ; www.tourisme-cabardes.fr ; Montolieu**)

Lastours

Au creux d'une vallée escarpée, les quelques maisons de Lastours serrées au bord de l'Orbiel n'ont pas de charme particulier. Tout juste distingue-t-on la cheminée de briques rouges de l'ancienne usine Rabier, qui rappelle la florissante époque de l'industrie drapière en Montagne noire. C'est en levant la tête que l'on comprend mieux pourquoi la foule se presse ici. Quatre châteaux forts juchés en sentinelles sur une arête rocheuse toisent la garrigue environnante.

En remontant la vallée de l'Orbiel qui s'élargit par endroits et accueille de magnifiques potagers et champs d'oliviers, on peut s'enfoncer jusqu'à **Roquefère**, village en pierre de schiste tout droit sorti d'une vallée cévenole, ou plus loin, jusqu'à **Pradelles-Cabardès**, et s'élancer à l'assaut du pic de Nore.

À voir

CHÂTEAUX DE LASTOURS Site cathare (**04 68 77 56 02 ; http://les4chateaux-lastours.lwdsoftware.net ; tarif plein/réduit 5/2 € ; juil-août tlj 9h-20h, avr-juin et sept tlj 10h-18h, oct tlj 10h-17h, nov-mars week-end et vacances scolaires**). Si depuis le village en contrebas, seules deux tours sont visibles, ce sont bien quatre châteaux qui sont érigés au sommet de cet escarpement rocheux surplombant un méandre de l'Orbiel. L'ensemble est d'autant plus stupéfiant que les trois forteresses conquises à la cause cathare – Cabaret, Surdespine et Quertinheux – de même que la tour Régine construite au XIIIe siècle par des ingénieurs royaux, forment des ensembles indépendants. Pour rejoindre les châteaux, il faut emprunter un sentier aménagé. Départ au niveau de l'ancienne usine Rabier, où une exposition présente les fouilles archéologiques entreprises dans le secteur. La montée étant sportive, des chaussures de marche sont vivement recommandées (comptez 1 heure 45 aller/retour).

Vous pouvez aussi vous contenter de rejoindre le **belvédère de Montferrier**, accessible en voiture, à 3 km de Lastours par la D701 pour admirer les châteaux. Parking sur place.

Activités

ASCENSION DU PIC DE NORE
Depuis Pradelles-Cabardès, petit village à l'atmosphère montagnarde, perché au-dessus d'un lac, une boucle au départ de la mairie au centre du village (balisage jaune) permet de s'attaquer au sommet (12 km, 5 heures) du pic de Nore par un sentier qui alterne passage en forêt à l'ombre des hêtres ou au milieu des landes de bruyères. Point culminant du massif de la Montagne noire à 1 210 m d'altitude, ce "petit Ventoux" au sommet dégarni et arrondi surplombé d'une imposante antenne-relais offre un magnifique panorama par beau temps. Les premières centaines de mètres de la randonnée permettent d'observer de magnifiques glacières. Ces puits circulaires d'une dizaine de mètres de

Châteaux de Lastours
EMMANUEL DAUTANT ©

Castelnaudary, capitale du cassoulet

Principale ville étape sur le canal du Midi avec son grand Bassin, Castelnaudary émerge d'une vaste plaine fertile, le Lauragais, tapissée d'étendues céréalières (blé, tournesol). La capitale mondiale du cassoulet mérite que l'on s'y attarde au moins pour déguster sa célèbre spécialité. Comme par exemple à l'**Hostellerie Étienne** (**04 68 60 10 08 ; www.hostellerieetienne.com ; menu cassoulet 24 € ; tlj sauf dim soir, fermé en jan**), à Labastide-d'Anjou (à 11 km à l'ouest de Castelnaudary), restaurant réputé pour son cassoulet servi *tan que voletz* (à volonté). Autre alternative, rejoindre les immenses tablées dressées lors de la **fête du Cassoulet de Castelnaudary** (**www.fete-du-cassoulet.com ; fin août**), où sont préparés chaque année près de 40 000 cassoulets dans une ambiance festive ! Signalons enfin que le cassoulet draine aussi tout un pan de l'économie locale : producteurs de haricots lingots, potiers fabricants de cassoles, éleveurs de canards, de porcs et, bien sûr, restaurateurs. Pour partir à leur rencontre, l'**office du tourisme de Castelnaudary** (**04 68 23 05 73 ; www.castelnaudary-tourisme.com ; pl. de la République**) a mis en place une route du Cassoulet, grande boucle à étapes de 180 km à travers le Lauragais.

profondeur servaient à entreposer la neige récoltée au pic de Nore. Une fois au sommet, la descente peut se faire par le GR 36 qui file tout droit jusqu'à Pradelles-Cabardès. En période estivale, la route du pic de Nore est aussi accessible en voiture depuis Pradelles-Cabardès.

GOUFFRE DE CABRESPINE Grotte

(**04 67 66 11 11 ; www.gouffre-de-cabrespine.com ; tarif plein/réduit 9,20/5,90 € ; départ des visites guidées juil-août 10h15, 11h, 11h45, 12h30, 13h15, 14h et tout l'après-midi, avr, mai, juin, sept, oct 10h30, 11h30, 14h30, 15h30, 16h30, 17h30, fév, mars et nov, déc, visite libre de 14h à 17h30**). Dévalant la Montagne noire, la rivière de la Clamoux se perd dans la roche à Cabrespine. Elle y a creusé un vaste réseau de galeries, notamment l'imposante salle du gouffre, haute de 200 m, dont les magnifiques concrétions sont le point d'orgue de la visite. En dehors des visites, des safaris souterrains accompagnés sont organisés toute l'année sur réservation (comptez 4-5 heures, à partir de 5 personnes).

Où se restaurer

LE PUITS DU TRÉSOR Gastronomique - cuisine de terroir **€€€**

(**04 68 77 50 24 ; www.lepuitsdutresor.com ; rte des Châteaux ; menus 45/65/90 € ; mer midi-dim midi**). Au pied d'une étonnante cheminée de brique mais aussi des châteaux de Lastours, le seul restaurant de Lastours propose une cuisine de très belle facture. Jean-Marc Boyer, passé par les plus grands restaurants étoilés parisiens, y décline une cuisine gastronomique subtile à travers trois menus (Découverte, Pleine mer, Tentation) dans une salle à l'univers épuré et japonisant. Son annexe, **L'auberge du Diable au Tym** (**04 68 77 50 24 ; menu du marché 18 € ; mer-dim midi, mi-juin à mi-sept tlj midi et soir**), située en face de la billetterie des châteaux de Lastours, est tout aussi recommandable mais beaucoup plus abordable.

Renseignements

Il n'y pas d'office du tourisme à Lastours. Vous trouverez cependant de la documentation à l'accueil des **châteaux de Lastours** (04 68 77

56 02) ou au petit office du tourisme du village voisin des Ilhes à 3 km au nord de Lastours (04 68 47 38 60 ; rte de Mas Cabardès).

MINERVOIS

Depuis l'époque romaine, le Minervois est une terre de vins reconnue. Ses vallons ourlés recouverts de vignes et ponctués de murs de pierres sèches et de capitelles, produisent des vins de caractère et un muscat doux et fruité (Saint-Jean-du-Minervois). Deux villages médiévaux émergent de ce paysage viticole, la cité de Minerve dressée sur son éperon rocheux et Caunes-Minervois réputé pour son marbre rouge et son abbaye.

Caunes-Minervois

L'ombre de Carrare, sa rivale italienne, plane sur ce village tant ses carrières de marbre, toujours en exploitation, firent sa renommée. On retrouve son marbre teinté de rouge sur des bâtiments aussi prestigieux que le château de Versailles, le palais Garnier ou l'église Saint-Pierre de Rome. Au contact de la plaine viticole du Minervois, Caunes-Minervois construit autour de son abbaye bénédictine flirte avec les derniers reliefs de la Montagne noire. En plus d'être ponctuée de fontaines de marbres et de sculptures géantes, les ruelles de Caunes-Minervois révèlent de belles façades d'hôtels particuliers allant du XIe au XVIIIe siècle et de jolies placettes agréables pour prendre un verre.

À voir

ABBAYE SAINT-PIERRE-ET-SAINT-PAUL Art roman

(04 68 78 09 44 ; tarif plein/réduit 4/2,50 € ; juil-août tlj 10h-20h, avr-mars tlj 10h-12h et 14h-18h). Fondée au VIIIe siècle, cette abbaye bénédictine maintes fois transformée a pourtant gardé des proportions harmonieuses.

À gauche : Fontaine en marbre rouge à Caunes
Ci-dessous : Vignes dans le Minervois
(À GAUCHE ET CI-DESSOUS) EMMANUEL DAUTANT ©

La crypte d'époque carolingienne et le chœur roman du XIIe siècle en sont les parties les plus anciennes. Aux XVIIe et XVIIIe siècle, l'église est remaniée et de nombreux ajouts (autel, mobilier) sont réalisés avec du marbre de Carrare et de Caunes-Minervois. Les galeries du cloître un brin austère datent ainsi du XVIIIe siècle.

Activités

CARRIÈRE DE VILLERAMBERT Marbre rouge

(06 80 96 22 26 ; www.visitecarriere.fr ; garrigue château Villerambert ; visite guidée 1h, 7 € ; juin-sept tlj 16h, sur rdv le reste de l'année). Aux côtés de professionnels, vous découvrirez les méthodes de forage et de découpe du marbre rouge extrait dans cette carrière située sur les hauteurs du village. Fierté des marbriers de Caunes-Minervois, le précieux calcaire a été retenu pour construire un étage de la plus haute tour du monde, actuellement à l'état de projet, à Djedda, en Arabie saoudite. Les visites démarrent au restaurant **La Marbrerie**, dans le centre du village.

Où se loger et se restaurer

LA MARBRERIE Restaurant - chambres d'hôtes €€

(04 68 79 28 74 ; www.la-marbrerie.fr ; av. de l'Argent-Double ; menus 15/20/35 € ; d avec petit-déj à partir de 50-90 € suivant confort et saison ;). Cette authentique table de terroir est installée dans un ancien atelier de polissage de marbre. Robert et Christine y proposent une cuisine rustique (salade du marbrier, cassoulet, confit de canard...) dans un décor soigné parsemé d'objets chinés. L'établissement, qui accueille

…n musée
…nes fait
…s quatre
…ont
…en marbre
…e au centre
…repère
…se, où est
…te en marbre
…une main
…isin.

Renseignements

Office du tourisme (**☎04 68 76 34 74 ; www.tourisme-haut-minervois.fr ; 3 ruelle du Monastier**). Bien documenté, cet office du tourisme intercommunal propose différent circuits de randonnée au départ du village.

Minerve

Perchée sur un éperon rocheux au confluent des belles échappées que lui réservent les gorges de la Cesse et du Brian, Minerve est une petite cité médiévale de caractère, dont les ruelles voient affluer des visiteurs par milliers au plus fort de l'été. Fief cathare, elle sera prise dans les tourments de la croisade en 1210 mais conserve de beaux vestiges de son passé.

Minerve est strictement interdite aux voitures en dehors des riverains. Suivez les panneaux indiquant le parking (3 €), où vous trouverez un point d'information. Descendez ensuite jusqu'au village, à 200 m, en prenant soin d'admirer les paysages calcaires qui l'enserrent.

Juste après le village de la Caunette en direction de Minerve, empruntez la D10E2 filant sur la gauche. Un magnifique panorama, beau préambule à la cité, vous attend.

À voir et à faire

VILLAGE Promenade historique

La minuscule cité, jalonnée de précieux panneaux explicatifs, est aussi truffé de boutiques d'art et d'artisanat dont les enseignes colorées affleurent à même les vieux murs. Suivant la saison, vous pourrez également y voir les petits tracteurs des vignerons à l'œuvre et, dans leur sillage, distinguer l'odeur aigre d'un vin en devenir flotter dans l'air ; Minerve est réputée pour son vin.

L'entrée de la cité mène à la tour de la **Candela** (XIIIe siècle), humble et unique vestige du château vicomtal auquel succède, un peu plus loin, l'**église Saint-Etienne** (XIe-XIIe siècle) de facture romane. L'étroite **rue des Martyrs**, qui se dessine dans le prolongement de l'office du tourisme (voir p. 235), aurait été celle empruntée en 1210 par les cathares jusqu'au bûcher collectif qui leur était dédié. Dans la rue de la Poterne, l'**ancienne porte sud** (XIIIe siècle)

Échoppe de Minerve
CAROLE HUON ©

CAROLE HUON ©

permet de rejoindre, via un escalier de pierre, le lit de la **Cesse** (accessible seulement en été). Vous profiterez d'une belle vue sur le pont de pierre de la cité et sur ses homologues naturels qui lui font écho en contrebas. Emblématiques de Minerve, les **ponts naturels** sont de grandioses tunnels creusés dans le calcaire par les eaux de la Cesse.

GORGES DE LA CESSE Panorama et randonnée

En suivant la D10 après Minerve, vous jouirez d'un très beau panorama sur les **gorges de la Cesse**.

La meilleure manière de l'apprécier consiste néanmoins à emprunter le lit de sa rivière depuis Minerve et ses ponts naturels, après être passé sous son pont de pierre. On ne peut cependant y accéder qu'en été, lorsque son lit est asséché. Une autre alternative consiste donc à en faire le tour via une boucle de 12 km, au départ du parking.

Vous pourrez aussi opter pour une boucle plus simple et familiale longeant en partie les **gorges de Brian** (5 km).

Demandez le plan des randonnées à l'office du tourisme.

Où se loger et se restaurer

RELAIS CHANTOVENT Hôtel-restaurant **€-€€**

(04 68 91 14 18 ; www.relaischantovent-minerve.fr ; 17 Grand-Rue ; s/d 39/46 €, demi-pension possible, menus 19-45 €, menu enfant 8 € ; juil-août resto fermé le mer, hors saison également le mardi soir et le dim soir;). Un escalier en guise d'entrée mène à une vaste salle lumineuse, ouverte sur une terrasse en surplomb des gorges du Brian. Dans ce cadre de charme, vous dégusterez une cuisine fine et réputée, aux accents printaniers. La soupe fraîche de melon-pastèque et le chaud froid de saumon gravelax mariné à l'aneth sont une réussite, également pour les yeux. De l'autre côté de la rue, l'adresse dispose d'un hôtel proposant 5 chambres simples, mais claires et confortables. Excellent rapport qualité/prix.

Renseignements

Office du tourisme (04 68 91 81 43 ; www.minervois-tourisme.fr ; 9 rue des Martyrs). Il délivre gratuitement des plans détaillés de la ville et des randonnées au départ de Minerve, et organise des visites guidées (4 €) une fois par semaine en été ; appelez au préalable pour vous renseigner.

Le **point information** sur le parking d'arrivée n'est ouvert qu'en juillet-août.

HAUTE VALLÉE DE L'AUDE

Depuis Carcassonne, la haute vallée de l'Aude se découvre en remontant le cours de ce fleuve impétueux. D'abord cernée de coteaux et de vallons viticoles d'où émergent l'abbaye de Saint-Hilaire, puis encadrée par les massifs des Corbières et du Quercob où la vigne cède la place à d'épaisses forêts, l'Aude creuse ensuite, à partir de Quillan, d'impressionnants défilés qui régaleront les amateurs de sports d'eaux vives. Progressivement, la silhouette des Pyrénées s'annonce, de même que le pays cathare et ses citadelles du vertige.

Limoux

Étape obligée en remontant l'Aude depuis Carcassonne, Limoux mérite un arrêt pour une dégustation de son célèbre breuvage, la blanquette, omniprésente dans les vitrines de la ville. Il fait également bon se promener autour de sa place centrale bordée d'arcades et de maisons à colombages et flâner sur les deux rives de l'Aude en traversant le Pont Neuf. Le meilleur moment pour découvrir Limoux demeure durant les week-ends du carnaval, à la sortie de l'hiver, quand les "fécos" déguisés en pierrots envahissent ses rues.

Activités

LE JARDIN DE LA BOUICHÈRE Jardin botanique

(**04 68 31 49 94 ; www.labouichere.com ; 12 rue Dewoitine ; tarif plein/réduit 6,90/3,90 € ; mer-dim**). La visite du jardin fait rapidement oublier la zone industrielle qui l'entoure. Sur près de deux ha, le jardin recense 2 500 plantes disposées dans des espaces thématiques : jardin médiéval, jardin tropical, bassin, potager, roseraie... Un travail de titan entrepris il y a plus de 20 ans par Pierre et Gabrielle, deux passionnés de jardinage. Boutique et salon de thé sur place. Bien indiqué à partir du centre commercial Leclerc.

LES CAVES DU SIEUR D'ARQUES Producteur de blanquette

(**04 68 74 63 45; www.sieurdarques.com ; av. de Mauzac ; juil-août tlj 9h30-12h30 et 14h-19h, 9h30-12h30 et 14h-18h30 mai et juin, hors saison 9h-12h30 et 14h-18h**). Une des maisons historiques de Limoux, qui a beaucoup contribué au rayonnement de la blanquette. Visites des chaix et des installations de production, dégustation des différentes cuvées et ventes sur place.

La blanquette de Limoux, mère du champagne

La blanquette n'a pas la renommée du champagne et pourtant... Dom Pérignon, célèbre moine bénédictin, découvrit à la fin du XVIIe siècle, lors d'un pèlerinage à l'abbaye bénédictine de Saint-Hilaire (voir ci-contre), la méthode de vinification des vins effervescents et la ramena en Champagne avec le succès que l'on connaît. Plus d'un siècle auparavant, en 1531, les moines de l'abbaye de Saint-Hilaire avaient mis au point la blanquette de Limoux, fabriquée à partir d'un cépage unique, le mauzac, d'où sa dénomination actuelle de "blanquette méthode ancestrale". La blanquette dite "traditionnelle" autorise un assemblage de mauzac (plus de 90%) et de cépages de chardonnay et de chenin blanc.

Achats

L'ATELIER DES VIGNERONS Cave
(☎04 68 20 12 42 ; www.atelier-des-vignerons.com ; 2 pl. de la République ; ⏲tlj 9h12h30 et 14h-19h30). Située sur la place de la République, cette cave présente un large choix de vins du Languedoc-Roussillon et, bien sûr, une large sélection de blanquette de Limoux. Accueil professionnel.

Renseignements

Office du tourisme(☎04 68 31 11 82 ; 7 av. du Pont-de-France)

Abbaye de Saint-Hilaire

Fondée autour de 800, l'**abbaye bénédictine de Saint-Hilaire** (☎04 68 69 62 76 ; tarif plein/réduit 4/2 € ; ⏲juil-août tlj 10h-12h et 14h-19h, reste de l'année tlj 10h-12h et 14h-17h) a rayonné durant tout le haut Moyen Âge grâce à la protection des comtes de Carcassonne, avant de décliner à partir du XIIIe siècle, période où les moines furent accusés de participer à l'hérésie cathare.

Autour du cloître aux fines colonnes géminées, l'absidiole sud de l'église du XIIe-XIIIe siècle abrite une œuvre majeure du maître de Cabestany (XIIe siècle) réalisée dans un bloc de marbre blanc des Pyrénées. Ce sarcophage sculpté dédié à saint Sernin représente l'interpellation par des soldats romains et le martyre du premier évêque de Toulouse, traîné par un taureau à travers les rues. Dans un autre genre, le logis abbatial aux beaux plafonds peints à la française du début du XVIe siècle présente des scènes de la vie quotidienne : artisans au travail, chasse, scène galante ou humoristique.

Enfin la visite se termine par les caves de l'abbaye, taillées dans le grès et le poudingue : c'est ici, dans cette pièce sombre, que fut inventée la blanquette en 1531, ce qui en fait l'un des plus anciens vins mousseux au monde.

Si vous aimez... Les villages reculés

La haute vallée de l'Aude et le Quercorb, ensemble de hauts plateaux et de montagnes situés en rive gauche de l'Aude aux confins de l'Ariège, présentent de nombreuses possibilités d'excursions et de randonnées dans des paysages où montagnes, lacs, forêts et gorges imposent leur majesté.

1 PUIVERT

Depuis Quillan et la vallée de l'Aude, le haut plateau agricole de Puivert (à 17 km de Quillan) se découvre après une série de lacets qui grimpent jusqu'au col de Portel. Le **château de Puivert** (☎04 68 20 81 52 ; www.chateau-de-puivert.com ; tarif plein/réduit 5/3 € ; ⏲avr-sept 8h-20h, oct-mars 10h-17h) surplombe le village. Dans le village, le petit mais passionnant **musée du Quercorb** (☎04 68 20 80 98 ; 16 rue Barry-du-Lion ; tarif plein/réduit 4/1,60 € ; avr-oct 10h30-12h30 et 14h-18h, juil-août 10h-19h) regroupe un musée des traditions populaires et une étonnante collection d'instruments dédiés à l'art des troubadours.

2 AXAT

Ce village est réputé pour ses possibilités de sport d'eau vive (raft, kayak, canyoning) et pour la pêche à la truite. C'est aussi une base idéale pour découvrir le **château de Puilaurens** (p. 246), à 8 km, ou pour s'évader vers les Fenouillèdes grâce au **train rouge** (☎04 68 20 04 00 ; www.tpcf.fr), ligne touristique de 60 km reliant Rivesaltes, dans les Pyrénées-Orientales depuis Axat.

3 CHALABRE

À 9 km au nord de Puivert, l'ancienne capitale du Quercorb a gardé ses anciennes halles et de vieilles maisons à colombages. Sur les hauteurs du village se dresse le **château de Chalabre** (☎04 68 69 37 85 ; www.chateau-chalabre.com ; tarif plein/réduit 13,50 €/9 € ; ⏲vacances pâques et juil-août 12h-18h30) transformé en parc à thème médiéval. Chalabre est aussi le point de départ de nombreux sentiers de randonnées pédestres et de parcours VTT. Renseignez-vous auprès de l'**office du tourisme** (☎04 68 69 65 96 : cours d'Aguesseau ; www.quercorb.com).

Pays de Couiza

Carrefour de la haute vallée de l'Aude, Couiza ne mérite pas forcément une halte en soi. Mais à quelques kilomètres de ce bourg se dressent les montagnes du Quercob, des châteaux et des maisons fortes cathares et la demeure de l'abbé Saunière à Rennes-le-Château. Dans cette terre dominée par le pic de Bugarach, l'histoire et la nature se teintent volontiers d'ésotérisme. Si vous êtes en famille, ne manquez pas la découverte du musée des Dinosaures du bourg d'Espéraza.

Alet-les-Bains

À 8 km au nord de Couiza, ce petit bourg médiéval fortifié mérite une balade dans ses ruelles, où l'on découvre de belles maisons à colombages et à encorbellements aux abords de la place de la République et une **abbaye** (**04 68 69 56 ; tarif plein/réduit 3,50/2,50 € ; avr-oct 10h-12h30 et de 14h30-18h)** en ruine dont il ne reste que l'église, la salle capitulaire et une galerie de l'ancien cloître.

Activités

ALET EAU VIVE Descente de rivière
(**04 68 69 92 67 ; allée des Thermes ; descente kayak adulte/enfant 25/23 €, raft à partir 20 €/pers ; avr-oct)**. Descentes en kayak sur l'Aude, mais aussi rafting et hydrospeed.

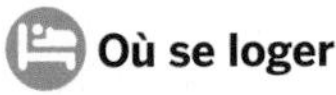

Où se loger

L'ESCALETTE Chambres d'hôtes **€€**
(**04 68 69 99 25 ; www.escalette11.com ; 9 rue Calvière ; s/d 45/50 € avec petit-déj, gîte à partir de 300 € la semaine ;**). Dans les ruelles tortueuses du village d'Alet, Catherine et Gérard louent trois chambres spacieuses au beau parquet et aux murs de pierres apparentes dans une bâtisse du XVIIe siècle. Également possibilité de location de gîte à la semaine

À gauche : Tour Magdala à Rennes-le-Château (p. 240) ;
Ci-dessous : Le pic de Bugarach (p. 240), point culminant des Corbières
(À GAUCHE ET CI-DESSOUS) EMMANUEL DAUTANT ©

Espéraza

Bâti au creux d'une boucle de l'Aude à l'écart de la D118, Espéraza fut pendant la première moitié du XXe siècle un grand centre de la chapellerie de feutre. Un musée rappelle aujourd'hui cette épopée. Le secteur est également connu pour abriter le plus grand gisement français de fossiles de dinosaures ; son passionnant musée paléontologique prolonge ces découvertes. Espéraza s'anime le dimanche matin, jour d'un des plus importants marchés de la région. Depuis Espéraza, la D12 permet de rejoindre le Quercorb (Puivert, Chalabre).

DINOSAURIA Musée des Dinosaures (**04 68 74 26 88 ; www.dinosauria.org ; Esperaza ; tarif plein/réduit 8,70/6,20 €, atelier paléontologique 3 € ; juil-août 10h-19h, reste de l'année 10h30-12h30 et 13h30-17h30, fermé déc-jan**). Lié à un vaste chantier de fouille paléontologique (à 3 km d'Espéraza), ce musée-laboratoire ravira les bambins. La visite débute par un long tunnel, la galerie de l'évolution, où sont exposés des fossiles d'animaux. Puis, la serre du crétacé recrée un écosystème proche de celui du sud de la France, il y a 70 millions d'années. Enfin, la halle aux dinosaures montre les squelettes des plus grands dinosaures du monde, comme un tyrannosaure de 11 m ou un mamenchisaure de 22 m. L'été, un atelier permet aux enfants de s'initier aux techniques paléontologiques.

Arques

À 12 km à l'est de Couiza, le petit village d'Arques rassemble deux lieux liés à l'histoire du catharisme. À la sortie du village, le **château d'Arques** (**04 68 69 84 77 ; www.chateau-arques.fr ; tarif plein/réduit 5/2 € ; juil-août tlj 10h-19h, avr-juin et sept tlj 10h-13h et 14h-18h, mars et oct-nov tlj 10h-13h et 14h-17h**), magnifique donjon quadrangulaire, fut bâti à la fin du

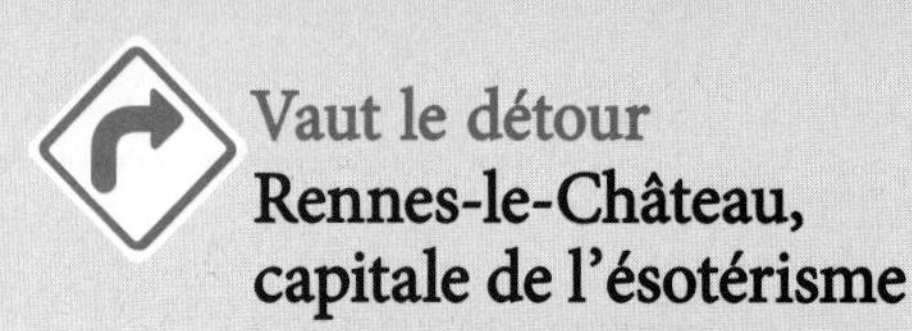

Vaut le détour
Rennes-le-Château, capitale de l'ésotérisme

Le nom de ce village perché est de ceux qui enflamment l'imagination des amateurs de chasse au trésor et d'ésotérisme. L'énigme, jamais élucidée, porte sur l'origine de la fortune de l'abbé Béranger Saunière (1852-1917). De condition modeste, ce curé de campagne changea inexplicablement de train de vie après un voyage à Paris. Après avoir restauré à ses frais l'église du village en la décorant de vitraux et de sculptures étranges, il s'attela à la construction d'un édifice de style Renaissance, la **villa Béthanie**, qui servait à loger ses invités de marque, et de la **tour Magdala**, crénelée et flanquée d'une tourelle, où il installa sa bibliothèque truffée d'ouvrages ésotériques.

Le financement de ses constructions excentriques ne manqua pas de susciter les théories les plus farfelues. Parmi elles, la découverte par l'abbé du trésor des Templiers, des Wisigoths, des Cathares et même du Saint-Graal ! Certains vont même plus loin. L'abbé Saunière aurait été grassement rémunéré par le Saint-Siège pour ne pas divulguer un secret qu'il aurait percé à jour : rien de moins que le mariage et la descendance de Jésus Christ et de Marie Madeleine, réfugiés à Rennes-le-Château ! Ces spéculations auraient inspiré jusqu'à l'auteur américain Dan Brown pour son best-seller *Da Vinci Code*.

Aujourd'hui, les 23 habitants du village vivent au rythme des visiteurs venant plonger dans l'atmosphère mystique du **Domaine de l'abbé Saunière** (**04 68 31 38 85 ; www.rennes-le-chateau.fr ; rue de l'Église ; tarif plein/réduit 4,50/3,50 € ; mars-avr tlj 10h-13h et 14h-17h15, mai-juin tlj 10h-18h15, juil-sept tlj 10h-19h15, oct-mars sam-dim 10h-13h et 14h-17h15**).

XIIIe siècle à l'orée de la superbe chênaie de la Rialesse par la famille de Voisins, fidèle à Simon de Montfort.

Avec le même billet, vous pourrez visiter au centre du village la **maison Déodat-Roché** (**04 68 69 82 87**), du nom d'un illustre historien du catharisme (1877-1978), qui abrite une exposition permanente sur ce mouvement religieux.

Bugarach

Le nom de Bugarach vous dit quelque chose ? C'est que ce petit village de 200 habitants s'est trouvé au centre d'une véritable tornade médiatique après avoir été désigné comme le seul lieu sur Terre où échapper à l'apocalypse promise par le calendrier maya, le 21 décembre 2012 ! En cause, le pic de Bugarach (1 231 m), point culminant des Corbières, au pied duquel il est blotti, et dont la forme de montagne renversée a alimenté bien des fantasmes chez les adeptes d'énergies telluriques. La proximité de Rennes-le-Château (p. 240) n'est sans doute pas étrangère à cette notoriété.

L'intérêt de Bugarach ne se limite pourtant pas aux prophéties apocalyptiques. Le village est le point de départ de plusieurs belles randonnées dans les Corbières. Autre motif de satisfaction : on y mange et on y dort très bien (voir ci-dessous).

Où se loger et se restaurer

LE PRESBYTÈRE Chambres et tables d'hôtes **€€**

(**04 68 69 82 12 ; www.presbyterebugarach.fr ; s/d/tr avec petit-déj 52,50, 62,50, 85 €, table d'hôtes 25 €** ;). Tenue par un jeune couple de Hollandais, cette très belle maison d'hôtes offre une touche de raffinement au pied du pic de Bugarach.

Espaces cosy et spacieux, joliment agencés, dans l'ancien presbytère de l'église du village. Si la météo le permet, les repas sont servis dans le jardin, face à un superbe potager. La table d'hôtes est réservée à la clientèle.

LES SAVEURS DU TERROIR Cuisine de terroir **€€**
(**04 68 69 87 59 ; 19 rue Gran-Carriera ; menu 24 €**). Dans le centre de Bugarach, on pénètre dans ce restaurant par un bar où l'on se réchauffe l'hiver devant un poêle à bois. À table, tout ce qui est servi est à base de produits frais de saison : saumon fumé, magret, cassoulet et gibier cuit à la broche dans la cheminée. Pour goûter à cette ambiance rustique d'auberge de chasseurs, soyez prévenu : mieux vaut arriver l'estomac vide.

Renseignements

Office du tourisme (**04 68 69 69 85 ; www.paysdecouiza.fr ; 17 rte des Pyrénées ; Couiza**)

CORBIÈRES ET PAYS CATHARE

Le massif des Corbières arbore un visage viticole : les ceps balayés par le vent s'alignent depuis les premiers vallons des Corbières jusqu'aux plaines infinies qui filent vers la Méditerranée. Au sud, en lisière des Fenouillèdes, les visiteurs épris de vertige et d'Histoire s'élanceront à l'assaut des châteaux du pays cathare depuis les villages de Cucugnan, Tuchan ou Duilhac-sous-Peyrepertuse. Tutoyant le ciel sur leurs éperons rocheux, ces forteresses dominent des paysages de garrigue, aux aspects parfois lunaires.

Cucugnan

À mi-chemin entre les châteaux de Quéribus et de Peyrepertuse, le village du curé de Cucugnan, rendu célèbre par Alphonse Daudet dans les *Lettres de mon moulin*, étale ses venelles sur une butte entourée de vignes et de terres rouges. Le théâtre Achille-Mir, au centre du village, délivre les sermons du curé et les confessions des villageois dans un spectacle humoristique qui se prolonge chaque été lors d'un festival du conte. Quant aux larges pales de bois du moulin d'Omer, elles ont récemment repris du service, pour le plus grand plaisir des gourmets.

À voir

CHÂTEAU DE QUÉRIBUS Château cathare
(**04 68 45 03 69 ; tarif plein/réduit 5,50/3 € ; juil-août tlj 9h-20h, avr-juin et sept tlj 9h30-19h, oct tlj 10h-18h30, nov-jan tlj 10h-17h, fév tlj 10h-17h30, mars tlj 10h-18h30**).

Moulin d'Omer, Cucugnan
EMMANUEL DAUTANT ©

Juché sur son nid d'aigle, au milieu d'un paysage aride, Quéribus fut le dernier bastion de la résistance cathare à tomber aux mains des croisés, en 1255. Après la mise au pas du Languedoc, l'édifice devint une pièce maîtresse du dispositif de défense de la frontière avec l'Aragon. Son exceptionnel état de conservation est une bonne illustration de l'architecture militaire des XIIIe et XIVe siècles (canonnières, assommoirs, mâchicoulis). Le donjon recèle aussi une salle gothique remarquable pour son pilier à croisée d'ogives. Depuis la terrasse, le regard embrasse la citadelle de Peyrepertuse fondue dans une crête rocheuse au nord-ouest, la mer et la plaine du Roussillon au sud-est et les Pyrénées. L'entrée au château inclut le spectacle *Le Curé de Cucugnan* dans le théâtre de Cucugnan. Depuis le parking, situé à 3 km au sud de Cucugnan, comptez 10 minutes de marche facile pour rejoindre le château. Attention, les jours de vent la visite de Quéribus peut s'avérer épique : vous voilà prévenu !

Activités

SENTIERS CATHARES Randonnée

Treize circuits de randonnées permettent de découvrir les environs de Cucugnan et de grimper vers les citadelles du vertige. Comptez 3 heures et 12 km pour relier le château de Quéribus à Cucugnan (balisage orange, et jaune et bleu). Autour de Duilhac-sous-Peypertuse, l'itinéraire menant aux cascades de Ribaute permet d'approcher la forteresse de Peyrepertuse (6 km, 2 heures 45, balisage jaune). Plus éprouvant, le sentier qui relie le château d'Aguilar à Peyrepertuse s'effectue en près de 8 heures de marche (28 km, balisage jaune et bleu) sur le fameux **sentier cathare** (www.lesentiercathare.com) qui relie Foix à Port-la-Nouvelle en 12 étapes. Topoguides en vente à l'office du tourisme de Cucugnan.

OSEZ VOLER Parapente

(☎ 06 76 75 18 91 ; www.parapentebiplace.fr ; 22 rue de la Barricade ; Tuchan ; vol découverte 75 € 15 minutes, vol prestige 130 € 45 minutes). Une petite danse aérienne au-dessus

Château de Quéribus

EMMANUEL DAUTANT ©

Châteaux cathares ?

Le mythe est tenace mais les citadelles du vertige ne méritent pas l'appellation de châteaux cathares, tout juste celle de châteaux du pays cathare. En effet, bon nombre d'entre elles furent construites bien avant l'apparition du catharisme au milieu du XIIe siècle. Si elles furent bien occupées par des communautés cathares réfugiées sur ces pitons rocheux lors de la croisade contre les Albigeois, elles constituèrent surtout une impressionnante ligne de défense pour le pouvoir royal face aux royaumes d'Aragon puis d'Espagne à partir du milieu du XIIIe siècle et jusqu'à la signature du traité des Pyrénées en 1659. Sachez qu'un **passeport des sites** (www.payscathare.org ; 2 €) permet de bénéficier de 1 € de réduction dès la deuxième visite d'un site du pays cathare (châteaux, abbayes) et de la gratuité pour les enfants.

du château de Peyrepertuse ? C'est ce que vous propose Didier Trocquemé, installé à Tuchan, près du château d'Aguilar, avec différentes formules de vol en parapente biplace en fonction des conditions météorologiques.

Où se loger

L'ÉCURIE DE CUCUGNAN Chambres d'hôte **€€**
(04 68 33 37 42, 06 76 86 38 52 10 ; www.cucugnan.fr ; rue Achille-Mir ; d avec terrasse 60 €, petit-déj 5 € ; ❄ P). Au cœur du village, cette ancienne écurie aux murs de pierres apparentes accueille ses hôtes dans quatre chambres propres et spacieuses qui prennent le nom des vignes de Joël et Lydie, les propriétaires. Certaines bénéficient de terrasse avec une belle vue sur la campagne alentour. Les propriétaires, également vignerons, ne manqueront pas de vous offrir l'apéritif et de vous faire goûter leurs vins des Corbières.

Achats

LES MAÎTRES DE MON MOULIN Meunier-boulanger
(04 68 33 55 03 ; www.lmdmm.com ; rue du Moulin). Le moulin d'Omer a retrouvé son activité ancestrale depuis sa restauration en 2006. La boulangerie située au pied du moulin propose des farines bio (à base de céréales anciennes écrasées sur une meule de pierre grâce à la force du vent) , une belle variété de pains et de délicieux croquants.

Renseignements

Office du tourisme (04 68 45 69 40 ; www.corbieres-sauvages.com ; rte de Padern ; Cucugnan)

Gorges de Galamus

À cheval entre Aude et Pyrénées-Orientales, les gorges de Galamus s'étirent le long d'une route spectaculaire. Sur ses flancs abrupts s'accrochent courageusement chênes verts et genévriers tandis qu'en contrebas, l'Agly, parfois réduit à un simple filet d'eau, se faufile entre les roches. L'été, certains n'hésitent pas à lézarder sur ses rochers ou à y faire trempette pour se rafraîchir.

Attention, l'été, la circulation sur cette route étroite en corniche est difficile voire quasi impossible. Mieux vaut circuler tôt le matin pour éviter la foule et la chaleur.

Dès le VIIe siècle, les grottes naturelles de Galamus devinrent un refuge pour les ermites, qui y construisirent de modestes cellules et y vécurent dans

EMMANUEL DAUTANT ©

À ne pas manquer **Le château de Peyrepertuse**

Ses remparts dessinent une enceinte longue de près d'un kilomètre où la pierre se confond parfois avec la roche calcaire. Tout en longueur, Peyrepertuse est sans conteste le plus impressionnant des "Cinq Fils de Carcassonne".

Après la croisade des albigeois et la soumission définitive de Guilhem de Peyrepertuse en 1240, le château rejoint le domaine royal et d'importants travaux sont entrepris dès 1242 dans le cadre du renforcement de la défense du royaume de France face à l'Aragon. Le château se compose du **château vieux** (garnison, église) édifié entre le XIe et le XIIIe siècle et du **château San Jordi**, qui date de la seconde moitié du XIIIe siècle. On y accède par l'escalier de Saint-Louis taillé dans la roche. À l'étage supérieur du château San Jordi s'élève la **chapelle San Jordi**, point culminant du château. Depuis la chapelle, la vue, extraordinaire, porte du pic de Bugarach jusqu'à la Méditerranée.

Accès en voiture (3 km) depuis le village de Duilhac-sous-Peyrepertuse ; comptez 15 minutes à pied pour rejoindre le château via un sentier. Spectacles de fauconnerie l'été.

INFOS PRATIQUES

(☎ 04 82 53 24 07, 06 71 58 63 36 ; Duilhac-sous-Peyrepertuse ; tarif plein/réduit enfant sept-juin 6/3/5 €, juil-août 8,50/3/7,50 € ; www.chateau-peyrepertuse.com ; ⏱ nov-jan tlj 10h-16h30, fév tlj 10h-17h, avril tlj 9h30-19h, mai-juin et sept tlj 9h-19h, juil-août tlj 9h-20h, mars et oct tlj 10h-18h)

la prière et l'abstinence. Ils placèrent le site sous la protection de Saint-Antoine-le-Grand, patriarche des ermites. Les lieux, aménagés au XVe siècle par les franciscains, sont par la suite devenus un lieu de pèlerinage.

Du parking situé à l'entrée sud des gorges, on peut rejoindre à pied par un petit sentier l'**ermitage Saint-Antoine** (☎ 04 68 59 24 45 ; ⏱ avr-oct 10h-18h) accroché à la falaise. Ne manquez pas la visite de sa chapelle nichée dans une grotte naturelle. Attention : du fait de l'étroitesse de la route, la circulation est parfois difficile en été.

Pour faire de l'escalade ou du canyoning sur site en compagnie d'un professionnel, adressez-vous à **Labygrimpe** (☎ 04 68 59 24 63 ; www.labygrimpe.com ; 5 rue François-Arago, Maury ; à partir de 30 €/pers)

Lagrasse

Son nom dérive de l'occitan *La Grassa*, fertile. C'est que cette bastide fortifiée, classée parmi les plus beaux villages de France, s'inscrit dans une vallée verdoyante, irriguée par l'Orbieu, où prospère la vigne. Longtemps placée sous la tutelle de l'abbaye Sainte-Marie qui lui fait face, Lagrasse n'en est pas moins considérée comme la capitale historique des Corbières et mérite une visite en soi. Ses halles du XIVe siècle, accueillant artisans et producteurs locaux le samedi matin, ses ruelles et placettes pavées, ses remparts ou ses maisons à colombages reconverties en galeries lui donnent un grand cachet.

À voir

ABBAYE SAINTE-MARIE D'ORBIEU Abbaye bénédictine

Fondée sous le règne de Charlemagne à la fin du VIIIe siècle, cette abbaye fut l'une des plus importantes du Midi au Moyen Âge. Divisé en deux lots distincts à la Révolution française, l'ensemble ecclésiastique fait l'objet de deux visites séparées.

Un premier volet conduit dans le **logis abbatial** (☎ 04 68 43 15 99 ; www.abbayedelagrasse.com ; tarif plein/réduit 4/1 € ; 🕒 juil-sept tlj 10h-19h, avr-juin et oct tlj 10h-12h30 et 14h-17h), dont les bâtiments s'ordonnent autour d'une cour, le "petit cloître", remarquable pour ses chapiteaux romans. Le côté oriental est occupé par un cellier et la boulangerie qui communique avec le dortoir des moines. À ne pas manquer également, une salle qui regroupe quelques fragments du portail roman attribués au maître de Cabestany. N'hésitez pas ensuite à vous plonger dans les rayons de la librairie **Le Nom de l'Homme** (www.lamaisondubanquet.fr ; 🕒 tlj 11h-19h mi-juin à mi-sept, week-ends et vacances scolaires) qui se prolonge par un café doté d'une belle terrasse.

Le second volet de la visite mène dans le **monastère** (tarif plein/réduit 4/2,50 € ; 🕒 juin-sept tlj sauf jeudi 15h15-17h25, oct-mai sam-dim), habitée et restaurée par une communauté de chanoines. Elle regroupe l'église abbatiale gothique et son clocher-tour de 42 m, un cloître de grès rose, les bâtiments conventuels du XVIIIe siècle, le transept sud et le jardin (époque médiévale et Renaissance).

Abbaye de Lagrasse
EMMANUEL DAUTANT ©

Si vous aimez... Les citadelles du vertige

Si Quéribus et Peyrepertuse sont les plus connues et les plus visitées, d'autres citadelles complètent le tableau des Cinq Fils de Carcassonne.

1 CHÂTEAU DE PUILAURENS

(04 68 20 65 26 ; www.payscathare.org ; tarif plein/réduit 4/2 € ; juil-août tlj 9h-20h, juin et sept tlj 10h-19h, mai tlj 10h-18h, fév-mar sam-dim et vacances scolaires, avr et oct-nov tlj 10h-17h). Édifié sur un piton rocheux haut de 697 m au milieu d'un paysage de forêts de conifères, Puilaurens fut occupé par les cathares au début du XIIIe siècle avant de rejoindre le giron royal. D'un accès facile depuis le village reculé de Lapradelle (situé à 33 km à l'ouest de Cucugnan et à 8 km à l'est d'Axat), la visite du château débute par un sentier botanique et se termine par un magnifique panorama sur la vallée de la Boulzane et les Fenouillèdes.

2 CHÂTEAU DE TERMES

(04 68 70 09 20 ; www.chateau-termes.com ; Termes ; tarif plein/réduit 4/2 € ; mars-nov tlj 10h-17h, avr-juin et sept-oct tlj 10h-18h, juil-août tlj 10h-19h30). Ce château, assiégé en 1210 par Simon de Montfort, est réhabilité depuis une vingtaine d'année par la dynamique **association de sauvegarde du château de Termes** (www.asso.chateau-termes.com). Sa visite démarre depuis une belle bâtisse au centre du village (projection de film, exposition) avant une courte ascension (15 minutes) jusqu'aux ruines du château. En plein cœur des Corbières, à 21 km au sud de Lagrasse.

3 CHÂTEAU D'AGUILAR

(04 68 45 51 00 ; Tuchan ; tarif plein/réduit 3,50/1,50 € ; mi-juin à mi-sept tlj 9h-19h, avr-mi-juin tlj 10h-18h, oct-mi-nov tlj 11h-17h). Installés sur une butte qui toise les vignes du Fitou et le village de Tuchan, les vestiges de cette citadelle sont composés de deux enceintes hexagonales.

Activités

SENTIER SCULPTUREL DE MAYRONNES Sentier insolite

(www.sentiersculpturel.com). Perdu au milieu de la garrigue à 11 km au sud-ouest de Lagrasse, le minuscule village de Mayronnes est le départ d'un sentier insolite ponctué d'œuvres d'art. Certaines sculptures sont permanentes, d'autres durent le temps d'une saison d'avril à septembre. Parking à l'entrée du village. Comptez 2 heures 30 de marche pour effectuer les 5 km sentier (boucle alternative 1h). Balisage approximatif mais les œuvres d'art qui ponctuent le parcours sont de bons repères.

Où se restaurer

LE TEMPS DES COURGES Cuisine de terroir **€€**

(04 68 43 10 18 ; www.letempsdescourges.fr ; 3 rue des Mazels ; menus 18/22/26/33 € ; mars-oct). La salle lumineuse se double d'un patio et affiche une décoration chatoyante qui met en avant des artistes locaux. La cuisine d'Anne et Philippe, préparée exclusivement à base de produits des Corbières, se révèle créative sans être ostentatoire et est accompagnée d'une belle sélection de vins des Corbières et du Minervois.

Renseignements

Maison du patrimoine (04 68 43 11 56 ; www.lagrasse.com ; 16 rue Paul-Vergnes). En plus d'un excellent accueil, la Maison du patrimoine, bâtie dans l'ancien presbytère de l'église Saint-Michel, révèle un trésor : ses plafonds à la française. Composés de 131 panneaux peints au XVIe siècle, ils dévoilent blasons, scènes coquines et religieuses. À découvrir la tête en l'air.

LE NARBONNAIS

Située sur la *via domitia*, Narbonne fut un centre politique, culturel et religieux majeur dans l'Antiquité et au Moyen Âge. Le Narbonnais possède une agréable façade littorale avec quelques stations balnéaires familiales et de pittoresques villages de pêcheurs autour des étangs. Le canal de la Robine et les ouvrages d'art qui parsèment le canal du Midi méritent eux aussi une halte à pied ou à vélo. Quant aux murs de grès rose de l'abbaye de Fonftroide, tapis à l'ombre des derniers reliefs des Corbières, ils ne laissent personne indifférent.

Narbonne

Riche d'un patrimoine historique vieux de plus de deux millénaires, Narbonne la méditerranéenne séduit sans peine. Cette ville coquette invite à la flânerie le long de ses ruelles ombragées, de ses avenues bordées de platanes ou des allées odorantes de ses halles couvertes. Si la ville médiévale et ses monuments vous réservent une belle plongée dans l'histoire, n'oubliez pas que les plages ne sont qu'à quelques kilomètres.

À voir

Le centre historique s'étend de chaque côté du **canal de la Robine**.

Quartier de Cité

La rive gauche se découvre depuis la vaste **place de l'Hôtel-de-Ville**, épicentre de Narbonne, dominée par les trois tours carrés du **palais des Archevêques**. Au centre de la place, remarquez les vestiges antiques de la **via Domitia**, voie romaine qui reliait l'Italie à l'Espagne.

PALAIS DES ARCHEVÊQUES — Hôtel de ville et musées

Après le palais des Papes d'Avignon, cet ensemble monumental est le plus important du genre en France. Il est formé de deux palais situés de part et d'autre du **passage de l'Ancre**, dont le nom se réfère à l'ancre suspendue à l'une des arches du passage et qui symbolisait la dîme reçue par l'archevêque sur le poisson pêché.

Le **palais Neuf** (**☎ 04 68 65 15 60 ; pl. de l'Hôtel-de-Ville ; entrée 4 € musées du palais**

Cathédrale Saint-Just-et-Saint-Pasteur (p. 248)

EMMANUEL DAUTANT ©

et donjon, pass 9 € ; ⏲ avr à mi-juil mer-lun 10h-12h et 14h-17h, mi-juil à oct tlj 10h-13h et 14h30-18h, nov-mars mer-lun 14h-17h), commencé à la fin du XIIIe siècle dans le style gothique et restauré par Viollet-le-Duc, est surmonté de trois tours carrées. La plus haute, le **donjon Gilles-Aycelin**, s'élève à 40 m. On atteint son chemin de ronde après une montée sportive de 162 marches (magnifique vue sur la ville et les clochetons de la cathédrale). Le palais Neuf abrite aussi, dans les anciens appartements des archevêques, un **musée d'Art et d'Histoire** qui expose une belle collection de peinture classique des écoles française, italienne et flamande ainsi que des faïences. Un fonds remarquable est dédié aux peintres orientalistes dans la dernière salle du musée.

Les bâtiments du **palais Vieux**, d'origine romane, conservent les collections du **Musée archéologique**, aux belles mosaïques et fresques du Ier siècle.

CATHÉDRALE SAINT-JUST-ET-SAINT-PASTEUR Art gothique

Même inachevée, la cathédrale impressionne par ses proportions – les voûtes du chœur s'élèvent à plus de 40 m. Entamée en 1272, sa construction dut se limiter à son chœur car les consuls de la ville refusèrent de percer les remparts de la cité pour ériger la nef et le transept. L'édifice recèle un magnifique décor religieux, du maître-autel en marbre incarnat de Caunes-Minervois à l'immense retable figurant le Jugement dernier dans la chapelle Notre-Dame-de-Bethléem. Le **trésor de la cathédrale** (4 € ; ⏲ mi-juil-fin oct tlj 10h-11h45 et de 14h-17h45, visite sur demande auprès des gardiens de 14h à 17h reste de l'année) est situé à l'étage de la chapelle de l'Annonciade.

HORREUM ANTIQUE Galerie

(☎ 04 68 90 30 54 ; 7 rue Rouget-de-Lisle ; 4 €, pass 9 € ; ⏲ avr-mi-juil mer-lun 10h-12h et 14h-17h, mi-juil-oct tlj 10h-13h et 14h30-18h, nov-mars mer-lun 14h-17h). Seul monument antique de la ville, ces galeries souterraines du Ier siècle

À gauche : Le canal de la Roubine vu depuis le donjon du palais des Archevêques ; **Ci-dessous :** Place de l'Hôtel-de-Ville
(À GAUCHE ET CI-DESSOUS) EMMANUEL DAUTANT ©

avant J.-C. servaient d'entrepôts et renfermainent des denrées alimentaires. On y découvre pêle-mêle des pierres sculptées (bustes, masques, frises) et des amphores d'époque romaine.

MUSÉE LAPIDAIRE Musée historique
(**04 68 90 30 54 ; pl. Lamourguier ; 4 €, pass 9 € ; avr-mi-juil mer-lun 10h-12h et 14h-17h, mi-juil-oct tlj 10h-13h et 14h30-18h, nov-mars mer-lun 14h-17h**). Le musée présente une étonnante juxtaposition d'éléments lapidaires gallo-romains (dont d'imposants blocs sculptés) provenant des anciens monuments antiques de la ville installés dans une église désaffectée du gothique méridional. Un spectacle audiovisuel (1 heure) raconte l'histoire de Narbonne, de l'époque romaine à la Renaissance.

Quartier du Bourg

Depuis la place de l'hôtel-de-Ville, empruntez le beau **pont des Marchands** pour rejoindre le quartier du Bourg, qui dévoile ses ruelles populaires où d'étroites maisons à étages alternent avec les demeures médiévales de riches commerçants. C'est là que se dresse la **basilique Saint-Paul** (**rue de l'Hôtel-Dieu**), l'une des plus anciennes basiliques gothiques du Midi et les **halles de Narbonne** (voir p. 249) magnifiquement rénovées. Depuis les halles, ne vous privez pas de longer la **promenade des Barques**, bordée de platanes, pour rejoindre la place de l'Hôtel-de-Ville.

MAISON DE CHARLES TRENET Maison d'artiste
(**04 68 58 19 13 ; 13 av. Charles-Trenet ; tarif plein/réduit 6 €/4 € ; juin-sept 10h-18h, oct-mai 10h-12h et 14h-17h**). C'est ici que le "Fou chantant" a poussé son premier cri, le 18 mai 1913. Si sa carrière l'a rapidement fait monter dans la capitale, il n'a pas oublié sa ville natale, pour laquelle il a composé *Narbonne, mon amie*. La visite (1 heure) de sa demeure, restée en l'état, se fait, comme il se doit, en musique.

HALLES DE NARBONNE Produits du terroir

(☎ 04 68 32 63 99 ; www.narbonne.halles.fr ; bd Docteur-Ferroul ; ⏲ tlj 7h-13h). Chaque matin, c'est l'effervescence dans les halles. Les meilleurs produits de la région s'étalent sur les stands, sous une lourde charpente métallique de style Baltard. Le bâtiment, avec ses parements de brique ornée de rosaces et de céramiques, vaut à lui seul le détour. Ne manquez pas de déjeuner sur le zinc dans une ambiance festive.

Où se loger

HÔTEL LA RÉSIDENCE Trois-étoiles central €€€

(☎ 04 68 32 19 41 ; www.hotel-laresidence-narbonne.fr ; 6 rue du 1er-Mai ; d standard 88-97 €, confort 98-115 €, supérieure 115-135 € suivant saison ; P 9 €). Cet hôtel situé dans un ancien hôtel particulier du XIXe siècle a fière allure. Ces chambres confortables et modernes sont conformes au standing attendu pour un trois-étoiles.

Bar avec une belle sélection de vins locaux. Attention, seulement deux places de parkings payantes.

WILL'S HOTEL Près de la gare €€

(☎ 04 68 90 44 50 ; www.willshotel-narbonne.com ; 23 av. Pierre-Sémard ; d à partir de 61 €). Situé dans un quartier calme à proximité de la gare, ce petit immeuble de trois étages au fronton sculpté propose des chambres correctes : certaines sont mansardées, d'autres peuvent accueillir un couple avec enfant. À proximité du centre-ville, garage à vélos à disposition des clients.

Où se restaurer

EN FACE Bistrologie €€

(☎ 04 68 75 16 17 ; 27 cours de la République ; menus 17/23 € ; ⏲ jeu-mar midi). Sur les bords du canal de la Roubine, un service efficace et jovial dans une salle égayée par des nappes vichy et des œuvres d'art accrochés aux murs. Les plats inscrits sur un grand tableau noir mêlent saveurs locales (bulots à l'aïoli, bourride de seiche) et de copieuses salades. Une cuisine fraîcheur sur le pouce dans une salle qui ne désemplit pas : pensez à réserver.

AU COQ HARDI Cuisine traditionnelle €€

(☎ 04 68 65 27 38 ; 75 rue Droite ; menus midi 16 €, soir 23 € ; ⏲ tlj midi et soir sauf mer). Certes la carte n'évolue guère, mais au vu de la réputation de l'établissement on ne s'en plaindra pas. Au cœur du vieux Narbonne, dans une rue piétonne, cette agréable salle voûtée aux murs de pierre respire le terroir : foie gras maison,

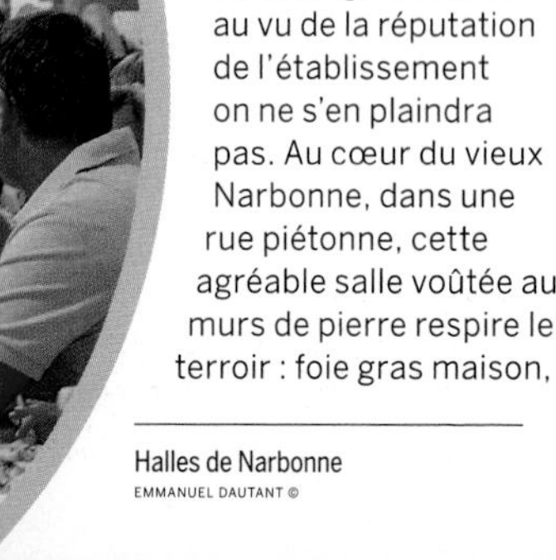

Halles de Narbonne
EMMANUEL DAUTANT ©

EMMANUEL DAUTANT ©

À ne pas manquer L'abbaye de Fontfroide

Nichée dans un vallon retiré, l'**abbaye de Fontfroide** est l'un des plus beaux exemples d'architecture cistercienne en France. Sa fondation par le vicomte de Narbonne à la fin du XIe siècle s'inscrit dans l'essor des ordres monastiques protégés par de puissantes familles seigneuriales. Bénéficiaires d'importantes donations, les moines de Fontfroide constituèrent un vaste domaine foncier et fondèrent plusieurs monastères. À l'apogée de Fontfroide (XIIIe et XIVe siècles), 300 frères exploitaient des dizaines de fermes dans la région. Figure de proue de l'opposition théologique aux cathares, ce centre spirituel finit par décliner à partir du XVIe siècle. Plusieurs siècles passent avant que l'abbaye, délabrée, ne soit rachetée en 1908 par Gustave Fayet, qui la restaure. Certaines parties de l'édifice sont encore habitées par les descendants de ce peintre et collectionneur d'art dont un musée évoque le travail.

La visite guidée de l'abbaye débute par la cour d'honneur et l'aile occupée par les frères convers (membres de la communauté dévoués aux travaux agricoles et domestiques), avec le vaste réfectoire et leur dortoir à l'étage. Vous découvrirez ensuite un merveilleux cloître du XIIIe siècle, la salle capitulaire et surtout l'église abbatiale avec sa haute nef en berceau brisé. Avant de sortir de l'abbatiale, ne manquez pas de jeter un coup d'œil dans la chapelle des morts et ses vitraux contemporains réalisés par un artiste coréen. La visite se termine dans la roseraie, plantée sur l'ancien cimetière du monastère et surplombée par les jardins en terrasses de l'abbaye (XVIe siècle) qui ne se visitent que l'été.

Vous pouvez aussi vous offrir une nuit dans cet écrin dans de coquets gîtes de charme situés à l'entrée de l'abbaye (**☎ 04 68 45 11 08 ; d 85 €, semaine 350-550 €**). Bar, restaurant, vente de vins du domaine de l'abbaye sur place.

INFOS PRATIQUES

(**☎ 04 68 45 11 08 ; www.fontfroide.com ; tarif plein/réduit 9,75/6,50 €, jardin en terrasse mai-sept 6 €, musée Fayet 6 €, possibilité de billets combinés ; ⏲ visite guidées tlj juil-août 10h-18h ttes les 30 minutes, nocturnes mer-jeu-ven soir à 22h, sept-juin tlj 10h, 11h, 12h, 14h, 15h, 16h**)

Si vous aimez... Les balades sur le canal du Midi

Construit au XVIIe siècle pour le transport de marchandises et des personnes, le canal du Midi est aujourd'hui voué au tourisme fluvial. Quelques idées de promenade dans les environs de Narbonne.

1 PONT-CANAL DE RÉPUDRE

À quelques centaines de mètres du village de Paraza, ce pont-canal, construit en 1676 pour échapper aux crues dévastatrices de la Répudre, offre à chaque passage de péniche une scène insolite : le bateau navigue non pas sous, mais sur le pont ! Location de vélos auprès de **Mellow vélos** (**06 50 50 01 49, 04 68 43 38 21 ; www.mellowvelos.com ; 3 pl. de l'Église ; 18-27 € par jour suivant vélo ; avr-oct**) à Paraza.

2 SALLÈLES D'AUDE

Ce gros bourg est construit au bord du canal de jonction qui relie le canal du Midi au canal de la Robine. Sur la commune, pas moins de sept passages d'écluses encadrés par des platanes et des pins séculaires. Sallèles d'Aude abrite un pont-canal à 3 arches en dessous duquel s'écoule la Cesse. Pour y faire étape, la chambre d'hôtes **Les Volets Bleus** (**04 68 46 83 03 ; www.salleles.net ; 43 quai d'Alsace ; d 60-80€ avec petit-déj ; P**), tenue par des Anglais dans une belle maison au bord du canal, est une bonne option.

3 LE SOMAIL

Conçu pour les besoins du canal, ce village vit aujourd'hui au rythme des promenades fluviales. Sur place, autour d'un joli pont et de belles bâtisses du XVIIe siècle, une épicerie flottante, de vénérables péniches amarrées aux quais et quelques restaurants. Sur le port, **Belle du midi** (**04 68 93 53 94 ; port du Somail ; vélo journée 20 €,1/2 journée 15 €, bateau journée 200 €, demi-journée 130 € ; avr-oct**) loue des bateaux sans permis et des VTT.

anchoïade de légumes crus, garbures béarnaises et pour les gros appétits la fondue du Coq (fromage, charcuterie, pommes de terre). Belle sélection de vins.

CHEZ BÉBELLE Viande rouge **€**
(**06 85 40 09 01 ; www.bar-chez-bebelle.com ; halles de Narbonne ; menus 8,50 €**)
Dans le brouhaha incessant des halles, le maître des lieux, restaurateur à la carrure de rugbyman (ce qu'il a été) passe les commandes au mégaphone au boucher installé en face. Votre tartare empaqueté vole dans les airs avant de finir dans votre assiette accompagné de délicieuses frites maison. Les carnivores apprécieront. Le plus dur sera de trouver une table, surtout le samedi, sinon tentez votre chance dans les établissements voisins qui proposent sensiblement le même type de formule.

Renseignements

Office du tourisme (**04 68 65 15 60 ; 31 rue Jean-Jaurès ; www.narbonne-tourisme.com**). Vous pourrez vous y procurer le Pass Monuments et Musées de Narbonne (9 €) qui donne accès à quatre musées de Narbonne et à certains monuments (donjon Gilles-Aycelin, trésor de la cathédrale, maison de Charles Trenet). Une annexe de l'office du tourisme est aussi présente à Narbonne-Plage (**04 68 49 84 86 ; av. des Vacances**).

Depuis/vers Narbonne

BUS (**04 68 90 18 18 ; www.citibus.fr ; 12 bd Frédéric-Mistral ; ticket unité 1 €**). Plusieurs lignes locales desservent les plages (Port-la-Nouvelle, Gruissan, Narbonne-Plage) et l'agglomération narbonnaise au départ du centre-ville.

TRAIN Comptez 4 heures 30 pour rejoindre Paris en TGV, 1 heures 15 pour Toulouse et 50 minutes pour Montpellier.

EMMANUEL DAUTANT ©

Étangs de Bages et de Sigean

Ces lagunes, étendues d'eau salée peu profondes séparées de la mer par une étroite bande de sable, sont le cœur du parc naturel régional de la Narbonnaise. Les contours de ces étendues d'eau où alternent roselières et salines abritent des villages qui ont longtemps vécu de l'activité halieutique ainsi que la réserve africaine de Sigean.

À voir et à faire

BAGES Village

Campé sur un promontoire rocheux surplombant l'étang qui porte son nom, ce village est réputé pour la pêche à l'anguille depuis l'Antiquité. Son entrelacs de ruelles où sont disséminées quelques galeries d'art offre une halte sympathique que l'on peut prolonger par une randonnée au bord de l'eau.

De Bages, la route qui rejoint Peyriac-de-Mer, tracée par endroits sur une étroite bande de terre encadrée par les eaux, offre des panoramas exceptionnels au milieu de cyprès, roseaux et flamants roses. Ceux qui voudront découvrir la faune africaine pousseront jusqu'à Sigean, au sud.

RÉSERVE AFRICAINE DE SIGEAN Parc animalier

(www.reserveafricainesigean.fr ; tarif plein/réduit 28/21 € ; tlj 9h-16h à 18h30 suivant saison). Si vous rêvez d'un safari, nul besoin de vous rendre au Kenya. Bon nombre des grands mammifères de la savane africaine s'ébattent en liberté sur ces 300 ha de garrigues convertis, en 1974, en lieu de conservation d'espèces menacées. La visite de la réserve débute par un itinéraire en voiture traversant différents parcs (réservés aux ours du Tibet et aux lions ; veillez à respecter les consignes de sécurité !) et des zones de brousse et de savane hébergeant gnous, antilopes et rhinocéros. Un circuit à pied permet ensuite d'admirer antilopes, tortues, éléphants ou chimpanzés. Bien qu'onéreuse, cette visite régalera petits et grands. L'attente peut être longue à l'entrée, surtout l'été ; mieux vaut venir tôt le matin. La réserve est située sur la commune de Sigean, à 8 km au sud de Bages. Restaurant sur place.

Où se restaurer

Ô VIEUX TONNEAUX Bar-restaurant €
(☎ 04 68 48 39 54 ; 3 pl. de la Mairie ; Peyriac-de-Mer ; menu 12 € ; ⌚ mar-dim midi). Sur une jolie placette face à une fontaine et un platane, cette adresse sympathique est le cœur vibrant du village de Peyriac-de-Mer. Sur son immense terrasse ou dans sa salle de restaurant chaleureuse, vous dégusterez quelques tapas ou les spécialités de l'établissement : la bourride d'anguilles, la seiche à la rouille ou une friture des étangs. L'été, concerts tous les vendredis soir.

Gruissan

Cernée par les salins et les étangs, cette petite cité lacustre blottie au pied de la tour Barberousse s'est longtemps vouée à la pêche et au sel avant l'arrivée du tourisme. Fruit de l'aménagement de la côte languedocienne dans les années 1960, son important port de plaisance et son quartier balnéaire offrent toutes les activités (voile, kitesurf, pêche au gros) et services d'une station balnéaire familiale.

À voir

PLAGE DES CHALETS Plage mythique
En retrait d'une belle étendue de sable, des chalets sur pilotis disposés en damier témoignent de la vogue pour les bains de mer, à partir du milieu du XIXe siècle. Ils furent surélevés pour échapper aux grandes marées d'équinoxe. C'est aussi sur cette plage que Jean-Jacques Beineix a tourné quelques scènes mythiques du film *37,2° le matin*. L'été, plages surveillées et animations.

TOUR BARBEROUSSE Tour médiévale
(accès libre). Fortifiée par l'archevêque de Narbonne au XIIIe siècle, elle fut démantelée sur ordre du cardinal de Richelieu. Vue étourdissante depuis le sommet.

Activités

GRUISSAN KITE PASSION Kitesurf
(☎ 06 74 91 94 39 ; 35 cité du Grazel ; www.gruissankitepassion.com ; séance 2 fois 3 heures hors saison 230 €, haute saison 245 € ; ⌚ avr-nov). Gruissan est devenue en quelques années le paradis des amateurs de

La Franqui capitale du vent

Barrée par l'immensité de la plage et coincée au pied de la falaise de Leucate, la route n'ira pas plus loin. La Franqui arbore le charme intemporel d'une station balnéaire réservée aux initiés et aux amoureux du vent. Discrète, la plus ancienne station balnéaire de la côte audoise accueille tous les ans pendant une semaine le **Mondial du vent** (www.mondial-du-vent.com ; ⌚ mi-avril), grand rassemblement de kitesurf et de planche à voile (compétition, animations). Heureusement, cette immense langue de sable n'est pas réservée qu'aux riders et le simple baigneur y trouvera aisément son bonheur. La Franqui, c'est aussi une belle table, **Au Gré du Vent** (☎ 04 68 45 64 71 ; 31 av. du Languedoc ; menus 15/24/31 € ; ⌚ avr-oct), établie dans un décor anachronique (le rez-de-chaussée d'un immeuble), dont la cuisine créative d'inspiration gastronomique mérite le détour.

Plage des Chalets, Gruissan

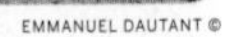
EMMANUEL DAUTANT ©

kitesurf grâce à un vent de nord-ouest fort et fréquent et un plan d'eau peu profond. Cours, stage d'initiation, perfectionnement. Réservation obligatoire.

Où se restaurer

LE GRAND SOLEIL Vue mer €
(☎ 04 68 49 01 13 ; www.legrandsoleil.com ; plage des Chalets ; menus 12 et 16 € ; ⏲ mars-nov). Au cœur du complexe de la plage des Chalets, sa belle terrasse et son immense salle lambrissées ouvertes sur la mer en font une halte reposante face à la mer. Cuisine régionale sans chichis d'un très bon rapport qualité/prix vu le cadre. L'endroit est aussi parfait pour boire un verre.

Renseignements

Office du tourisme (☎ 04 68 49 17 26 ; 2 rue de l'Astrolabe ; www.gruissan-mediterranee.com). À disposition, de nombreuses fiches détaillées de balades nature à pied ou en VTT.

Catalogne française

La Catalogne française mélange une forte identité culturelle et une étonnante diversité de paysages. Le littoral découpé de la Côte Vermeille prolonge plateaux et vallées pyrénéennes tandis que la plaine du Roussillon s'ouvre sur la mer par une belle côte sablonneuse. Longtemps située aux confins des royaumes de France et d'Espagne, cette terre ne sera rattachée à la France qu'en 1659, date du traité des Pyrénées. À la veille de la Révolution française, l'agronome britannique Arthur Young écrivait à propos des Catalans français : "Versailles est leur raison, Barcelone leur boussole." Aujourd'hui encore, la population continue de cultiver crânement sa "catalanité" à travers sa langue, ses traditions vivaces, symbolisées par la sardane, ou une cuisine aux accents ibériques. Dernière surprise, de taille, cette terre abrite un patrimoine culturel exceptionnel. Les abbayes moyenâgeuses côtoient les fortifications de Vauban et les villages où se sont épanouis les grands mouvements de la peinture moderne (fauvisme, cubisme), au début du XXe siècle.

Site des Bouillouses (p. 316) au pied du pic Carlit (2 921 m)

Escalier du fort Libéria, Villefranche-de-Conflent (p. 308)

Catalogne française

Les incontournables

1. Perpignan (p. 264)
2. Collioure (p. 281)
3. Céret (p. 293)
4. Ascension du Canigou (p. 305)
5. Le Train Jaune (p. 307)
6. Lac des Bouillouses (p. 316)

0 — 20 km
AUDE
ARIÈGE
PYRÉNÉES-ORIENTALES
ESPAGNE
ESPAGNE
Golfe du Lion
LE CONFLENT
CAPCIR
CERDAGNE
VALLESPIR
Vallée du Tech
Massif des Aspres
Quillan
Axat
Château de Puilaurens
Saint-Paul-Fenouillet
Grau de Maury
Maury
Château de Peyrepertuse
Château de Quéribus
Tuchan
Tautavel
Château de Jau
Estagel
Agly
Fort de Salses
Rivesaltes
Étang de Leucate
Port-Leucate
Port-Barcarès
Toreilles-Plage
PERPIGNAN
Canet-Plage
Saint-Cyprien-Plage
Elne
Argelès-Plage
Argelès-sur-Mer
Collioure
Port-Vendres
Cap Béar
Côte Vermeille
Paulilles
Banyuls-sur-Mer
Cerbère
Portbou
Le Boulou
Tunnel du Perthus
Le Perthus
La Jonquera
Céret
Amélie-les-Bains
Arles-sur-Tech
Gorges de la Fou
Prats de Mollo
La Presle
Col d'Ares (1 513 m)
Pic de Costabonne (2 465 m)
Thuir
Castelnou
Millas
Ille-sur-Têt
Site des Orgues
Vinça
Eus
Prieuré de Serrabone
Prades
Mosset
Abbaye Saint-Michel-de-Cuxa
Vernet-les-Bains
Chalet des Cortalets
Pic du Canigou (2 784 m)
Abbaye Saint-Martin-du-Canigou
Chalet des Mariailles
Mantet
Villefranche-de-Conflent
Évols
Olette
Gorges de la Carança
Parc naturel régional des Pyrénées catalanes
Grotte de Fontrabiouse
Formiguères
Matemale
Les Angles
Pic Carlit (2 921 m)
Lac des Bouillouses
Têt
Col de Puymorens (1920 m)
Mont-Louis
Saint-Thomas
Font-Romeu
Chaos de Targassonne
Dorres
Latour-de-Carol
Llívia
Eyne
Llo
Réserve naturelle d'Eyne
Puigcerdà
Bourg-Madame
Ariège
Aude
Tech
LGV
A9
D627
D900
D83
D117
N116
D914
D618
D115
AP7
N260
C38
N152
N20

La Côte Vermeille
Paroles d'expert

Ci-dessus : Vue de Collioure (p. 281). **Ci-contre en haut :** Vignoble de Banyuls. **Ci-contre en bas :** Anse Sainte-Catherine (p. 287)

La Côte Vermeille par Nathalie Lefort

VINAIGRIÈRE À COSPRONS (PORT-VENDRES)

1 LA CHAPELLE DE LA SALETTE

La chapelle de la Salette (voir p. 289) émerge au milieu d'un paysage particulièrement touchant, au milieu du vignoble et à proximité d'une forêt de chênes-lièges. Bien que toute simple, blanche et dépouillée, elle embrasse une vue magnifique sur Banyuls.

2 ANSE DE PAULILLES

L'endroit est magique, été comme hiver (p. 287). On y trouve toujours des plages assez calmes que l'on rejoint après avoir traversé un grand parc peuplé d'essences méditerranéennes. Si le temps n'est pas à la baignade, on peut aussi simplement lire un bouquin sous les pins.

3 LA CHAPELLE DE COSPRONS À PORT-VENDRES

Un coup de cœur. Cette chapelle du XIIe siècle a été entièrement rénovée récemment. Il vous suffit de demander les clés dans le village. Vous découvrirez alors de belles peintures murales et quelques pièces de valeur, comme une statue en bois peint datant de la première moitié du XIIe siècle.

4 LE VIN DOUX DE BANYULS

Et plus particulièrement celui d'un vigneron étonnant, Manuel di Vecchi, installé depuis 6 ans à Banyuls. Cet ancien ingénieur agronome n'a pas plus d'un hectare de vigne, mais son banyuls est absolument magique. Il est passionné, croit encore au vin doux de Banyuls et est déjà entré sur plusieurs grandes tables. On peut trouver son nectar à la cave El Xadic del Mar à Banyuls (p. 291).

5 LES ANCHOIS ROQUE

Ce sont d'abord des gens adorables qui travaillent en famille depuis plusieurs générations. Ils perpétuent la tradition de salaison des anchois à Collioure. On peut en plus visiter les ateliers de fabrication et découvrir le travail délicat des anchoïeuses (p. 285).

Suggestions d'itinéraires

Entre mer et montagne, à la lisière de l'Espagne, les terres catalanes séduiront sans mal les amateurs d'air pur et de farniente. Marqué par les époques romane et baroque, mais aussi par le génie de Vauban, le département révèle un patrimoine civil et religieux de premier plan. Voici deux itinéraires pour partir à la découverte de quelques-uns des lieux emblématiques de la Catalogne française.

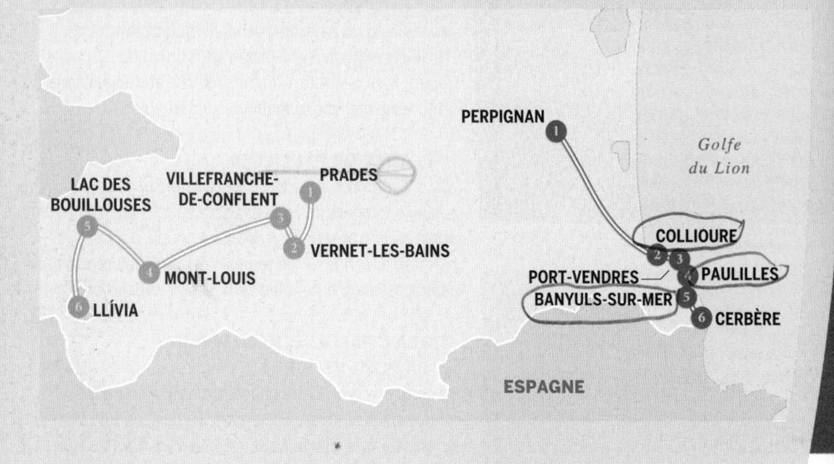

3 JOURS

DE PERPIGNAN À CERBÈRE

Les lumières de la Côte Vermeille

Consacrez au moins une journée à **(1) Perpignan** et à ses ruelles animées, depuis la porte du Castillet jusqu'au palais des rois de Majorque. Si vous voulez sortir le soir, renseignez-vous sur la programmation du récent théâtre de l'Archipel, qui propose des spectacles de qualité. Le lendemain, partez à la découverte des reflets argentés de la Côte Vermeille. D'abord **(2) Collioure**, à la magnifique architecture médiévale posée au bord de l'eau, puis **(3) Port-Vendres**, port de pêche aux quais animés, dont les nombreuses tables font honneur aux produits de la mer. Consacrez ensuite quelques heures à l' **(4) anse de Paulilles**, où vous découvrirez le patrimoine maritime catalan, tout en profitant de magnifiques plages de sable encore sauvages. Le lendemain, dégustez les vins de (**5) Banyuls** et offrez-vous une dégustation dans la cave d'un vignoble. Quelques kilomètres plus loin, le long d'une côte découpée, accordez-vous une pause baignade sur la plage de Peyrefite, d'où vous pourrez aussi partir avec palme, masque et tuba sur un sentier sous-marin. Si vous voulez pousser un peu plus loin, **(6) Cerbère** et l'Espagne ne sont qu'à quelques kilomètres.

DE PRADES À LLÍVIA

Patrimoine et montagne

Installez-vous trois jours autour de **(1) Prades** pour rayonner dans le Conflent. Le premier jour, admirez les formes géologiques des orgues d'Ille-sur-Têt. Poursuivez votre journée en visitant le somptueux prieuré de Serrabone, perdu au milieu du massif des Aspres, puis remontez la vallée de la Têt pour boire un verre dans le village d'Eus, en admirant la silhouette du Canigou. Le lendemain, depuis Prades, rapprochez-vous du Canigou en visitant l'abbaye Saint-Michel-de-Cuxa et rejoignez **(2) Vernet-les-Bains**. Le troisième jour, cap sur **(3) Villefranche-de-Conflent**, cité fortifiée par Vauban, et offrez-vous une immersion dans le Haut Conflent et la Cerdagne grâce au Train Jaune. Le lendemain, faites une halte à **(4) Mont-Louis**, également marquée par l'œuvre de Vauban. Rejoignez les Angles dans le Capcir pour découvrir un parc réservé à la faune animalière des Pyrénées. Pour une fin de séjour en apothéose, partez tôt le matin du dernier jour pour découvrir la magie du **(5) lac des Bouillouses**. Après une courte randonnée autour d'un chapelet de lacs, offrez-vous un repas à l'heure espagnole dans l'enclave de **(6) Llívia**.

Ci-dessus : Randonneurs au pic Carlit (p. 317)

Découvrir la Catalogne française

PERPIGNAN

Avec ses rues piétonnes animées, ses façades colorées et ses terrasses avenantes, Perpignan affiche crânement son caractère méridional. Son centre historique témoigne de l'essor industriel et commercial de la ville au Moyen Âge et des fastes du royaume de Majorque, symbolisé par le palais des rois de Majorque qui surplombe la ville. Autour de la gare, le nouveau quartier "Centre del Món" illustre la volonté de Perpignan de devenir une étape incontournable entre Montpellier et Barcelone. Son nom est un hommage à Salvador Dalí qui considérait la gare de Perpignan comme le centre du monde (voir l'encadré p. 271).

L'identité catalane s'exprime aussi bien dans la procession des pénitents lors du Vendredi saint que dans la ferveur qui entoure les "sang et or" de l'USAP, le club de rugby de Perpignan. Elle s'affiche jusque dans des constructions contemporaines, comme le tout récent théâtre de l'Archipel de Jean Nouvel, dont la décoration et le nom des salles font écho au territoire catalan.

À voir

LE CASTILLET Tour

(pl. de Verdun). Emblème de Perpignan, cette tour de brique rouge massive est l'ancienne porte principale de Perpignan. Elle a été bâtie à la fin du XIVe siècle, sous le règne de Pierre IV d'Aragon, après le retour du Roussillon à la couronne d'Aragon. Louis XI y fit ajouter la porte Notre-Dame, ou Petit Castillet, à la fin du XVe siècle, quand la ville repassa brièvement sous le giron français. Le Castillet abrite aujourd'hui le **musée de l'Histoire de la Catalogne Nord (04 68 35 42 05 ; pl. de Verdun ; 4 € ; mar-dim 10h-18h30)**, dont l'entrée permet aussi d'accéder au sommet de la tour et de bénéficier d'un beau panorama sur la vieille ville.

Le Castillet (ci-contre)
YVANN K/FOTOLIA ©

PLACE DE LA LOGE Place centrale

Sa situation centrale fait que l'on y passe obligatoirement, que l'on visite la ville ou que l'on flâne dans ses boutiques. Au centre de la place trône une statue du sculpteur Aristide Maillol, la *Vénus au collier.*

Prenez le temps d'admirer trois édifices incontournables. La **Loge de mer**, dont les arcades abritent aujourd'hui un café, est le bâtiment phare de la place. Construit dans un style gothique au début du XVe siècle, il était le siège d'un tribunal de commerce qui arbitrait les litiges opposant les armateurs de la côte. Sa vocation initiale est rappelée par une belle girouette en forme de navire à l'angle du bâtiment. Dans son prolongement se dresse l'**hôtel de ville** du XIIIe siècle, à la façade en briques et en galets roulés, dont le patio renferme une célèbre sculpture d'Aristide Maillol, la *Méditerranée*. Les trois bras en bronze se détachant de l'édifice symbolisaient les trois classes appelées à élire les cinq consuls de la ville au Moyen Âge. Enfin, juste à côté, le **palais de la Députation** abritait la représentation à Perpignan de la généralité de Catalogne jusqu'en 1659.

CATHÉDRALE SAINT-JEAN-BAPTISTE Art gothique méridional

(pl. Gambetta ; ⌚ tlj 7h30-18h). Initié par le roi de Majorque Sanche en 1324 mais consacré seulement en 1509, cet édifice est caractéristique du gothique méridional. Ce style architectural présent en Catalogne aux XIVe et XVe siècles allie des dimensions imposantes rivalisant avec les cathédrales du nord de la France (la nef culmine à 26 m de hauteur) avec un certain dépouillement. Du plan initial comportant une église à trois nefs, la cathédrale ne garda finalement qu'une nef centrale construite en galets roulés et en briques. À l'intérieur, on peut admirer de magnifiques retables, notamment celui du maître-autel d'époque Renaissance. Sculpté en marbre blanc, il illustre la vie de Saint-Jean Baptiste ; notez la présence d'un drapeau catalan au fond de la niche où se trouve la statue du saint.

La *Vénus au collier* d'Aristide Maillol veille sur la place de la Loge

Jouxtant la cathédrale Saint-Jean-Baptiste se trouve le cloître-cimetière Saint-Jean ou **Campo Santo** (⏲ **tlj sauf lun 12h-19h30, hiver 10h30-17h)**, dont la construction commença au début du XIVe siècle. Il accueille de nombreux événements l'été (concerts, festivals).

PALAIS DES ROIS DE MAJORQUE Palais royal

(**☎ 04 68 34 48 29 ; 2 rue des Archers ; tarif plein/réduit 4/2 €, visite guidée incluse sans horaire fixe ; ⏲ juin-sept tlj 10h-18h, oct-mai tlj 9h-17h).** Perpignan connut son âge d'or sous la tutelle des rois de Majorque, entre 1276 et 1344. Durant cette période, la ville fut la capitale d'un puissant État méditerranéen. L'imposant palais des rois de Majorque construit sur la colline du Puig del Rey était le centre de ce royaume éphémère. Né de la volonté de Jacques II, il fut commencé avant 1274 dans un style roman tardif et achevé après 1300 dans un style gothique. Les chapelles fastueuses de la **tour Major**

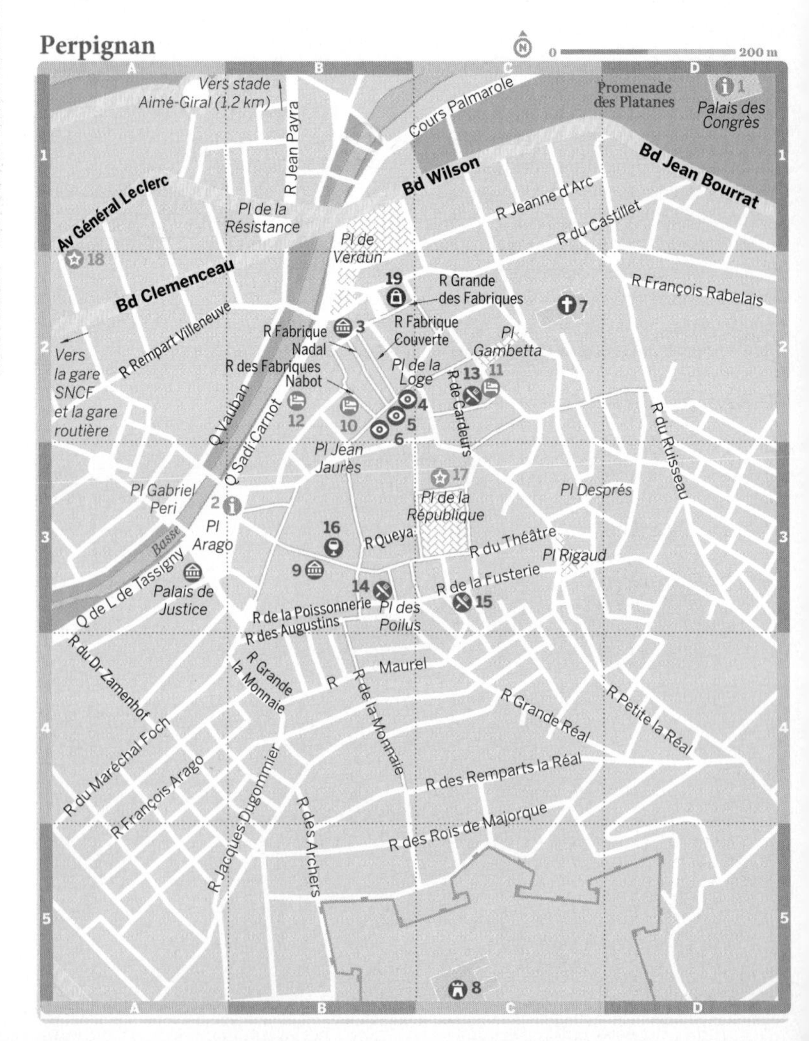

symbolisent le raffinement de l'époque et le statut de Perpignan comme centre économique, politique et culturel de la Méditerranée médiévale. La très intéressante visite guidée (comptez 1h30) permet de revivre le quotidien des rois de Majorque. Ne manquez pas de grimper en haut de la **tour de l'Hommage** pour observer une vue superbe sur Perpignan et les Pyrénées.

MUSÉE RIGAUD Beaux-Arts

(**☎ 04 68 35 43 40 ; 16 rue de l'Ange ; ⏲ tlj sauf lun 10h30-18h ; tarif plein/réduit 4/2 €**). Ce bel hôtel particulier du XVIIIe siècle abrite une collection hétéroclite d'œuvres s'étalant de la période gothique au XXe siècle. Le musée doit son nom au fameux portraitiste de Louis XIV, Hyacinthe Rigaud, originaire de Perpignan, dont il conserve plusieurs œuvres. La pièce maîtresse du musée est cependant le **retable de la Trinité**, peint en 1489 pour la chapelle de la Loge de mer – l'édifice est représenté avec un grand soin du détail dans la partie basse du retable. Les salles abritent en outre des peintures plus contemporaines de Dufy, des sculptures et des lithographies de Maillol et quelques dessins de Picasso. Ce dernier, amis du comte et de la comtesse de Lazerme, propriétaires des lieux, séjourna ici à plusieurs reprises entre 1953 et 1955.

Activités

USAP Rugby

(**☎ 04 68 59 60 37 ; www.usap.fr ; allée Aimé-Giral**). La Catalogne française est une terre d'ovalie.Pour sentir un peu de l'âme de Perpignan, rendez-vous au **stade Aimé-Giral**, où l'USAP (Union sportive arlequins Perpignan-Roussillon) dispute ses matchs. Billets en vente sur le site Internet du club.

Où se loger

HÔTEL DE LA LOGE Central €

(**☎ 04 68 34 41 01 ; www.hoteldelaloge.fr ; 1 rue Fabrique-d'en-Nabot ; s/d 50/55-70 € ;** 🚭 ❄ 📶). Cet hôtel, situé dans une demeure datant du XVIe siècle en plein cœur de Perpignan, est avant tout pratique pour sa position centrale à deux pas de la Loge de mer. Les 22 chambres ne brillent pas par leur décoration parfois un peu datée mais le patio à la végétation exotique (bananiers, citronniers) et l'escalier monumental en fer forgé font le charme des lieux.

Perpignan

Renseignements
1 Office de tourisme D1
2 Point Info Tourisme - Espace Palmarium A3

À voir
3 Le Castillet et le musée d'Histoire de la Catalogne Nord B2
4 Loge de Mer B2
5 Hôtel de Ville B2
6 Palais de la Députation B2
7 Cathédrale Saint-Jean Baptiste C2
8 Palais des Rois de Majorque C5
9 Musée Rigaud B3

Où se loger
10 Hôtel de la loge B2
11 Le Crocodile rouge C2
12 Hôtel de France B2

Où se restaurer
13 La Rencontre C2
14 Henri et Cie B3
15 Les Frères Mossé C3

Où prendre un verre
16 Paradis Fouillis B3

Où sortir
17 Le République Café C3
18 Théâtre de l'Archipel A2

Achats
19 Maison Quinta B2

HÔTEL DE FRANCE Central €€
(☎ 04 68 84 80 35 ; quai Sadi-Carnot ; d 52-81 € selon confort et saison ; ❄ 📶). Construit avec la même brique rouge que celle du Castillet, l'hôtel est idéalement situé pour découvrir le centre de Perpignan à pied. Si plusieurs hôtes illustres (Antoine de Saint-Exupéry, Édith Piaf, Salvador Dalí...) s'y sont arrêtés, les simples mortels qu'il accueille aujourd'hui devront se contenter de chambres sobres et basiques sans grande originalité. Sa situation, sa large gamme de chambres et ses prix accessibles sont ses atouts principaux. Pour une touche de romantisme, demandez les chambres avec vue sur le Castillet qui s'illumine la nuit.

LE CROCODILE ROUGE Chambres d'hôtes €€
(☎ 09 71 29 77 59 ou 06 08 66 44 72 ; lecrocodilerouge@hotmail.com ; 14 impasse des Cardeurs ; s/d 65-80/70-80 € avec peti-déj ; 📶). Le calme au milieu de l'effervescence, voilà ce que promettent ces trois chambres situées dans une impasse piétonne du centre-ville. Bien équipées (kitchenette, télé) et claires – toutes donnent sur une cour –, elles mêlent objets chinés et décoration contemporaine. Les petits-déjeuners peuvent se prendre en extérieur sur une terrasse cernée par la végétation. Parking à proximité. Réservation nécessaire.

Où se restaurer

LA RENCONTRE Gastronomique €€€
(☎ 04 68 34 42 73 ; www.restaurant-larencontre.fr ; 16 rue des Cardeurs ; menus 17/27/39/55 € ; 🕒 midi mar-ven, soir tlj). Dans un décor sobre, la cuisine gastronomique originale d'inspiration catalane de Guillem Monier, jeune chef prometteur, ne souffre d'aucun reproche. Au gré du marché et des arrivages de la mer, ses produits parfaitement travaillés révèlent de subtils accords mets et vins, pour peu

À gauche : Le palais des rois de Majorque depuis la tour de l'Hommage ;
Ci-dessous : Place Arago
(À GAUCHE ET CI-DESSOUS) EMMANUEL DAUTANT ©

que l'on se laisse guider sur une carte qui met à l'honneur les terroirs du Roussillon et du Languedoc. Au dessert, certaines créations sont déjà incontournables, tels le coulant au chocolat aux fraises et au vin de Maury ou le sorbet maison au poivron rouge et à la framboise. Nul doute qu'elles achèveront de vous convaincre de la qualité de l'établissement.

HENRI ET CIE Catalan minimaliste **€**
(☎ 06 87 95 11 85 ; 7 rue Paratilla ; assiette 12-18 € ; ⏲ midi lun-sam). La largeur du restaurant, à peine deux mètres, oblige à une certaine promiscuité. On ne vient pas ici pour un dîner en amoureux, mais plutôt pour tâter un peu de l'âme de Perpignan avec Henri à la baguette. Produits frais et légumes de saison, morue catalane, calmar farci, hareng pomme, sont préparés devant vous, accompagnés exclusivement de vins de Rasiguières. Bonne humeur garantie. À la belle saison, Henri dispose aussi quelques tables dans la rue Paratilla.

LES FRÈRES MOSSÉ Bistrologie **€€**
(☎ 04 68 80 63 31 ; www.les-freres-mosse-perpignan.fr ; 14 rue de la Fusterie ; menu 15 € midi, plats 15-20€ ; ⏲ mar-sam midi et soir). Malgré ses airs de bistrot parisien, les nappes en toile catalane disposées sur les tables ne trompent pas : la cuisine est bien d'inspiration méditerranéenne. La formule du jour, le midi, remporte un franc succès, de même que les soirées jazz où le patron, Fred Espilondo, batteur du musicien Cali dans une autre vie, invite des pointures locales.

Où prendre un verre

PARADIS FOUILLIS Salon de thé
(☎ 04 68 34 66 32 ; 17 rue de l'Ange ; ⏲ lun 14h-19h, mar-sam 10h-19h30). Ici "tout est à vendre" rappelle le panneau posé à l'entrée de cette charmante cour d'un hôtel

particulier du centre historique. Normal, le Paradis Fouillis est à la fois une brocante et un salon de thé. Un repaire de chineurs où l'on peut déguster les délicieux thés Mariage Frères au milieu d'objets curieux et, pourquoi pas, se laisser tenter.

LE RÉPUBLIQUE CAFÉ Bar branché (**04 68 51 11 64 ; 2 pl. de la République ; mar-sam 5h-2h).** Point de convergence des étudiants sur la place de la République, le "Rép" est d'abord une vaste terrasse ensoleillée, idéale pour boire un café en journée. Le soir, la température monte sensiblement à l'intérieur, dans un décor célébrant l'artiste catalan Gaudí. Ses trépidantes soirées à thème ont fait la réputation de l'établissement.

Où sortir

THÉÂTRE DE L'ARCHIPEL Complexe culturel (**04 68 62 62 00 ; www.theatredelarchipel.org ; av. Général-Leclerc).** Symbole des nouvelles ambitions de Perpignan, ce complexe, ouvert en 2011, a été conçu par l'architecte Jean Nouvel comme un archipel éclaté en îlots reliés par une verrière végétalisée. Accueillant toutes les disciplines artistiques dans ses salles modulables, ce village culturel est aussi le reflet de l'enracinement catalan de Perpignan : la couleur rouge de sa tour rappelle la brique du Castillet, sa grande salle Le Grenat évoque la joaillerie catalane, la salle Le Carré, à l'aspect rouillé et patiné, fait écho aux mines du Roussillon... Un esprit catalan qui souffle aussi sur sa programmation avec de nombreux spectacles transfrontaliers. Preuve de son dynamisme, le lieu accueille une programmation de musiques actuelles **(www.elmediator.org)** et plusieurs festivals consacrés à à la création sonore.

Achats

MAISON QUINTA Mode catalane (**04 68 34 41 62 ; www.maison-quinta.com ; 3 rue Grande-des-Fabriques ; mar-sam 9h45-12h et 14h15-19h).** L'art de vivre version catalane ! Dans cette belle demeure

Rue Paratilla

EMMANUEL DAUTANT ©

Insolite La gare de Perpignan vue par Dalí

Sans avoir d'autre cachet que son architecture d'avant-guerre, la gare de Perpignan a été élevée au rang de "centre cosmique de l'univers" par Salvador Dalí. Fidèle à sa méthode paranoïa-critique, le peintre catalan aurait puisé ses idées les plus géniales dans cette "cathédrale d'intuitions" tandis que sa femme, Gala, enregistrait au guichet les toiles du maître, avant leur expédition vers de riches clients américains.

Sur place, casque aux oreilles, écoutez la chanson de Charles Trenet : *À la gare de Perpignan.*

catalane, tous les objets de la maison sont réunis sur trois étages. Parmi les points forts de la Maison Quinta : les luminaires, l'art de la table et bien sûr les toiles catalanes. Pour les découvrir, il faudra vous armer de courage et monter jusqu'au troisième étage, où vous verrez aussi une magnifique collection d'espadrilles et un petit atelier de retouche.

Renseignements

Office du tourisme (**☎ 04 68 66 30 30 ; www.perpignantourisme.com ; pl. Armand-Lanoux)**

Point Info Tourisme - Espace Palmarium **(pl. François-Arago)**

Depuis/vers Perpignan

AVION L'aéroport de Perpignan (**☎ 04 68 52 60 70 ; www.aeroport-perpignan.com)** est desservi par des vols à destination de Paris, Nantes ou Bruxelles. Pour le rejoindre depuis l'A9, prendre la sortie 41 Perpignan-centre puis suivre les panneaux. La ligne 7 de la CTPM (www.ctpmperpignan.com) relie l'aéroport au centre-ville de Perpignan en 10 minutes. Prix du ticket 1,10 €.

BUS Le réseau de bus du Conseil Général (**☎ 04 68 80 80 80 : www.cg66.fr)**, très étoffé, est très avantageux. Depuis la gare routière de Perpignan (**☎ 04 68 35 29 02 ; bd Saint-Assiscle)**, un tarif à 1 € permet d'effectuer un trajet de 2 heures sur l'ensemble du réseau départemental. Depuis Perpignan, il permet de rejoindre le Vallespir, la Côte Vermeille, la vallée de la Têt ou la vallée de l'Agly.

TRAIN Depuis la gare (**1 pl. Salvador Dalí ; 📶)**, des liaisons TGV directes quotidiennes desservent la gare de Perpignan depuis Paris via Nîmes, Montpellier et Béziers. Il existe aussi une ligne quotidienne depuis Bruxelles via Lille, Lyon, Nîmes, Montpellier, Sète, Agde, Béziers, Narbonne et Perpignan. Des trains desservent aussi la Côte Vermeille jusqu'à la frontière espagnole et le Conflent jusqu'à Villefranche-de-Conflent, d'où il est possible de rejoindre le Capcir et la Cerdagne avec le Train Jaune. Pour Barcelone, comptez 2 heures 30 (50 min quand la ligne de TGV sera lancée).

Comment circuler

VÉLO EN LIBRE SERVICE Le système de vélo en libre service de Perpignan répond au doux nom de BIP (**www.bip-perpignan.fr ; formule liberté 1 € + 0,5 € la demi-heure, au bout de 2 heures 1€ la demi-heure)**. Vous trouverez une station place de la République, devant l'office du tourisme et devant l'entrée du palais des rois de Majorque.

VOITURE Mieux vaut ne pas s'engager dans les ruelles du centre historique et préférer les parkings payants périphériques comme le parking Wilson (**pl. Wilson)** ou le parking Arago **(pl. Arago)**.

ENVIRONS DE PERPIGNAN

Tautavel

La préhistoire et le terroir. Ce charmant village traversé par le Verdouble, un affluent de l'Agly, surfe sur ses deux richesses, symbolisées par son vignoble et surtout par son patrimoine préhistorique. Les restes de l'*Homo erectus* découvert en 1971 dans la

Caune de l'Arago ont changé le destin de Tautavel, qui abrite aujourd'hui un centre européen de recherches préhistoriques et deux musées.

À voir

MUSÉE DE TAUTAVEL Préhistoire

(**04 68 29 07 76 ; www.450000ans.com ; av. Léon-Jean-Grégory ; tarif plein/réduit 8/4 € ; juil-août tlj 10h-19h, reste de l'année tlj 10h-12h30 et 14h-18h).** Le centre européen de Préhistoire nous plonge dans l'histoire de l'Homme de Tautavel. Avec ses 450 000 ans, il est le doyen des hominidés retrouvés sur le sol français. À travers les 21 salles du musée, vous pourrez tester vos connaissances sur les différents âges préhistoriques et vous imaginer à quoi ressemblait la vie des hommes de la Caune de l'Arago à l'aide de reconstitutions à taille humaine. La visite se fait à l'aide d'un audioguide qui délivre un flot d'informations, certes intéressantes, mais qui pourront rebuter les néophytes. Les plus jeunes seront sûrement plus attirés par le **Centre d'interprétation les premiers habitants de l'Europe**, situé dans le Palais des congrès, où se poursuit la visite. Dans une muséographie plus ludique, avec intégration de film en 3D, on est invité à faire des fouilles virtuelles grâce à un écran tactile.

Où se loger et se restaurer

L'ABRI SOUS ROCHE Chambres d'hôtes **€**

(**04 68 29 49 31, 06 77 81 10 24 ; www.labrisousroche.com ; 29 rue Gambetta ; d 40-55 € avec peti-déj, table d'hôtes 25 € ;).** Derrrière cette belle façade ocre aux volets bleus se cachent quatre chambres d'hôtes. Une belle adresse parfaite pour tous ceux qui veulent profiter du calme du village, une fois les portes du musée refermées. Les petits-déjeuners se prennent dans un petit patio en terrasse. Tables d'hôtes sur réservation.

LE FOR'HOM Cuisine catalane **€**

(**04 68 29 13 51 ; av. Jean-Badia ; 4 tapas 12,5 € ; fév-nov lun-ven).** À proximité du centre de la Préhistoire, Le For'Hom est l'étape idéale pour digérer la somme d'informations reçues pendant la visite. Dans une cour ombragée par un mûrier et entourée de jolis murs ocre, on choisit sur l'ardoise une sélection de tapas. Jolie carte des vins à prix doux.

GRILL DU CHÂTEAU DE JAU Accords mets et vins **€€**

(**04 68 38 91 38 ; www.chateaudejau.com ; menu unique 31 € ; midi et soir mi-juin-mi-sept).** À 11 km de Tautavel en direction de Rivesaltes, le château de Jau, à la façade rose bonbon,

Vignoble autour de Tautavel
EMMANUEL DAUTANT ©

La Retirada et le camp Joffre de Rivesaltes

En janvier 1939, le sort de la guerre civile espagnole est scellé. La victoire des nationalistes ne fait plus aucun doute et l'avancée des armées de Franco vers le nord conduit des milliers de républicains sur le chemin de l'exil. Cet épisode tragique est connu sous le nom de *Retirada* (retraite). En quinze jours, près d'un demi-million de personnes franchissent la frontière française. Pris de cours par cette marée humaine, le gouvernement d'Édouard Daladier parque les réfugiés dans des camps d'internement construits en toute hâte sur les plages du Roussillon (Argelès-sur-Mer, Barcarès, Saint-Cyprien) ou dans les Pyrénées (Prats-de-Mollo, Saint-Laurent-de-Cerdans). La quasi-absence d'installations sanitaires rend les conditions de vie très difficiles, malgré le soutien de comités d'aide aux républicains. Quand ils sortirent des camps, beaucoup de réfugiés se refusèrent à regagner l'Espagne franquiste et choisirent de rester dans la région. Parmi ces exilés célèbres, le musicien Pablo Casals (voir p. 302).

À 5 km de Perpignan (via l'A9 ; sortie 41), le **camp Joffre de Rivesaltes** garde la mémoire de cet épisode douloureux. Cet immense terrain militaire est aussi tristement célèbre pour avoir interné des juifs et des tziganes pendant la Seconde Guerre mondiale et des harkis au début des années 1960. Un mémorial dédié à l'histoire de l'internement est en cours de construction. Mais avant qu'il sorte de terre (en 2015), il est possible de faire une visite guidée du site, classé aux monuments historiques, en s'adressant au **Service du mémorial de Rivesaltes de la Région Languedoc-Roussillon** (memorialderivesaltes@cr-languedoc-roussillon.fr ; gratuit).

produit d'excellents vins (côtes du Roussillon, muscat de Rivesaltes et vins de pays). Le menu unique, que l'on déguste en terrasse à l'abri d'un mûrier tricentenaire a fait ses preuves (c'est le même depuis 34 ans !) : fougasse aux olives à l'apéritif, jambon de truie ibérique, corbeille de tomates, côtelettes d'agneau et saucisses grillées, roquefort, corsaire à l'orange et glace mascarpone et griotte... Quand on aime, on ne change pas !

Massif des Aspres

Ce n'est plus la plaine du Roussillon mais pas encore la haute montagne... Entre la Têt et le Tech, les collines de schiste des Aspres, couvertes de maquis, de chênes-lièges et de vignes, constituent les premiers contreforts du massif du Canigou. Ses cyprès élancés et ses villages de caractère, comme Castelnou lui ont valu l'appellation flatteuse de petite Toscane.

Thuir

À la lisière de la plaine du Roussillon, Thuir est la porte d'entrée du massif des Aspres. Cette petite cité aux ruelles paisibles est lovée autour de l'église Notre-Dame-de-la-Victoire, de style néoclassique. Si Thuir fut un centre économique important dès le Moyen Âge, son heure de gloire est à situer au début du XXe siècle, avec le succès international du vin d'apéritif Byrrh, dont les établissements sont installés dans la localité.

LES CAVES BYRRH Cave

(☎ 04 68 57 51 73 ; www.byrrh.com ; 1 bd Violet ; juil-août tlj 10h-11h45 et 14h-18h45 ; avril-oct tlj 9h-11h45 et 14h30-17h45, nov-mars mar-dim 10h45-15h30 ; adulte 2 €, enfant gratuit). En

HENRI FRONTIER/FOTOLIA ©

À ne pas manquer La forteresse de Salses

À 15 km de Perpignan, près de l'étang de Leucate, la forteresse de Salses dresse sa silhouette massive teintée de rose au milieu des vignes. Conçu comme un verrou entre l'Espagne et la France, ce chef-d'œuvre d'architecture militaire illustre une période charnière, où les citadelles médiévales laissent progressivement la place aux forteresses modernes. La forteresse fut construite à la fin du XVe siècle par les Espagnols, sur ordre de Ferdinand d'Aragon, à l'emplacement de sources très utiles en cas de siège. Assiégée en 1503, prise par les armées d'Henri II en 1639 et reprise par les Espagnols en 1640, la place est définitivement conquise par les Français en 1642. Après le traité des Pyrénées de 1659 qui redessina la frontière franco-espagnole, la forteresse perdit de son importance. Elle sera pourtant partiellement restaurée par Vauban à partir de 1691. En partant de sa vaste place d'armes bordée par des écuries et des casernements qui pouvaient accueillir jusqu'à 1 200 soldats, la visite permet de découvrir un espace entièrement conçu pour résister à de longs sièges et à la logistique impressionnante : boulangerie, bassin d'eau reliés à une source, sauna et gigantesques fours. L'autre partie du fort, défendue par un pont-levis, renfermait le quartier des officiers. Ses parties hautes, terrasses et donjon, ne se visitent qu'accompagné d'un guide.

INFOS PRATIQUES

(04 68 38 60 13 ; http://salses.monuments-nationaux.fr ; tarif plein/réduit 7,5/4,5 €, visite guidée incluse ; avr-sept 10h-18h30, oct-mars 10h-12h15 et 14h-17h, dernière visite guidée une heure avant la fermeture).

1827, Simon et Pallade Viollet, deux frères marchands de tissus, créent à Thuir un chai destiné à produire un vin doux naturel à base de quinquina sous le nom de Byrrh. La liqueur, initialement conçue comme un médicament, devint rapidement très populaire et nécessita l'agrandissement de la cave. À partir de 1965, d'autres breuvages, comme le Cinzano ou Dubonnet, furent mis en bouteilles à Thuir. Malheureusement, la baisse de la demande en vins doux condamna certaines marques. Aujourd'hui, la cave appartient au groupe Pernod-Ricard et assure la mise en bouteilles des boissons du groupe, comme le Cinzano ou la Suze. La visite des caves retrace le processus de fabrication de la fameuse liqueur. Elle permet aussi d'admirer les charpentes métalliques réalisées par les ateliers de Gustave Eiffel, ainsi que la plus grande cuve en chêne du monde, d'une contenance d'un million de litres. Et se termine, bien sûr, par une dégustation…

Où se loger et se restaurer

HÔTEL-RESTAURANT CORTIE Hôtel-restaurant €€
(04 68 34 58 66 ; www.hotel-cortie.com ; s/d 45/60 € ; menus 15,50-31 € ; tte l'année ;). Cet établissement situé dans une impasse du vieux Thuir propose un accueil familial avec ses 13 chambres, dont quelques-unes donnent sur un petit balcon. Sa façade pimpante jaune et bleu dissimule une agréable terrasse recouverte de végétation. Côté restauration, des spécialités catalanes et locales comme le coq au Byrrh figurent parmi un large choix de menus. Parking gratuit à proximité.

LA FAUVELLE Hôtel de charme €€€
(04 68 50 50 50 ; www.lafauvelle.com ; 60 av. Fauvelle ; d 95-110 € avec petit-déj ;). Luxe, calme et volupté… À quelques minutes à pied du village de Thuir, cet hôtel de charme propose une dizaine de chambres, au milieu d'un parc arboré de deux hectares. Les beaux volumes des bâtiments datant de 1840 sont égayés par un design contemporain tandis qu'à l'extérieur une piscine d'eau salée vous attend. La Fauvelle fait aussi table d'hôtes sur réservation.

CAN MARTY Catalan €€
(04 68 53 61 40 ; www.restaurant-can-marty.com ; 13 bd Grégory ; plats 17-35 €, menus 15 € (midi)/21,50/25 € ; mar-sam midi et soir). Derrière cette grande façade rouge se cache un repaire d'habitués. L'adresse, qui prend des allures de galerie d'art à l'intérieur avec ses murs tapissés de tableaux, propose une cuisine alléchante d'un excellent rapport qualité/prix (poisson frais, viande à la plancha), dans une ambiance de bodega catalane. Réservation conseillée.

Renseignements

Office du tourisme (04 68 53 45 86 ; www.aspres-thuir.com ; 9 bd Violet). Information sur les villages du massif des Aspres.

Castelnou

Entre massif des Aspres et vallée du Conflent, à 7 km de Thuir, ce petit village mérite une halte. Ses maisons de schiste blotties sous un imposant château médiéval forment un ensemble remarquable. Venelles pavées, portes médiévales et échoppes d'artisans ponctuent une déambulation agréable.

À l'entrée du village se trouve un magnifique petit cimetière, adossé à l'église Sainte-Marie-del-Mercadal à la porte ornée de ferronnerie catalane. Se garer au parking gratuit à l'entrée du village.

La visite du **château de Castelnou** (04 68 53 22 91 ; www.chateaudecastelnou.fr ; tarif plein/réduit/enfant 5,50/4,50/3,50 €; juil-sept tlj 10h-19h, oct et fév-juin tlj 11h-18h, déc tlj 11h-17h) vaut surtout pour ses extérieurs et son jardin botanique – l'édifice, du XIe siècle, a été largement remanié, notamment à la suite d'un incendie en 1981. La visite comprend également la dégustation de vins et muscats du domaine viticole du château.

Renseignements

Office du tourisme (www.castelnou.com ; rte de Castelnou ; avr-oct 9h30-19h)

Elne

Elne fut autrefois une place forte importante du Roussillon, souvent disputée et assiégée. Siège épiscopal jusqu'en 1602, son activité économique déclina progressivement à partir du XIVe siècle au profit de Perpignan. Elne est aussi connue comme un foyer du fauvisme. Le peintre catalan Étienne Terrus y accueillait Matisse et ses amis Derain, Camoin, Marquet et Manguin au début du siècle. Aujourd'hui simple chef-lieu de canton, la cité illibérienne offre au visiteur le calme et la fraîcheur des ruelles de sa ville haute, où sont installés des artisans. À quelques kilomètres des plages du littoral, 15 km de Perpignan et seulement trente minutes de l'Espagne, Elne fait un bon point de chute pour rayonner dans la région.

À voir

CATHÉDRALE SAINTE-EULALIE-ET-SAINTE-JULIE Art roman et gothique (04 68 22 70 90 ; plateau des Garaffes ; tarif plein/réduit 4,5/3,5 € ; mai-sept tlj 10h-19h, nov-mars mar-dim 10h à 12h et 14h à 18h, avr et oct mar-dim 10h-18h). Ancien siège épiscopal, Elne possède un patrimoine religieux conséquent dont les fleurons sont une **cathédrale romane** du XIe siècle et son **cloître roman et gothique**

Avec son portail en marbre et ses deux tours carrées, dont une seule date de l'époque romane – la deuxième reconstruite en briques est loin d'avoir autant de charme –, la **cathédrale** présente une silhouette massive, presque austère. À l'intérieur, remarquez le beau retable du XIVe siècle peint par le maître catalan Pere Baro.

On s'attardera surtout dans le **cloître**, avec ses quatre galeries de styles différents selon leur époque de construction (XIIe-XIVe siècles). Les sculptures des chapiteaux de la galerie sud, d'époque romane, sont de loin les plus intéressantes avec des motifs végétaux et animaliers (lions, griffons, bouquetins) ; notez aussi une évocation touchante de la Genèse, où Adam et Ève cachent leur nudité. Les galeries ouest et nord sont surnommées "galerie pastiche" car les sculpteurs du XIIIe siècle n'ont fait que recopier les motifs de la galerie sud. La galerie est comporte, quant à elle, des motifs gothiques (XIVe siècle). Toutes les colonnes des galeries sont en marbre blanc veiné de bleu de Céret. Le billet d'entrée donne également accès à un **musée sur l'histoire d'Elne**, situé dans les salles capitulaires, ainsi qu'à un **espace archéologique** un peu poussiéreux.

Chapiteaux sculptés de la cathédrale Sainte-Eulalie

Vaut le détour
Le prieuré de Serrabone

À 30 km à l'est de Prades, ce **prieuré (☎ 04 68 84 09 30 ; tarif plein/réduit 3/2 € ; ⏲ tlj 10h-18h)** situé aux confins du massif des Aspres, au milieu d'un océan de maquis odorant, fut habité dès le XIe siècle par une communauté de chanoines augustins. De l'extérieur, son architecture modeste en pierre de schiste est austère. Mais une fois franchi le seuil de sa porte, la surprise vient d'une somptueuse tribune en marbre rose du Conflent, située au centre de la nef. Réalisée aux alentours de 1150, elle est considérée comme un des exemples les plus remarquables de sculpture d'époque romane en pays catalan. Les colonnes de la tribune supportent de superbes chapiteaux qui reprennent certains éléments iconographiques (aigles, griffons, lions, motifs floraux et anges), apparus quelques années auparavant à Saint-Michel-de-Cuxa. Pour s'y rendre depuis Prades, prendre la N116 puis tourner à droite au niveau de Bouleternère.

MATERNITÉ SUISSE Lieu de mémoire

(www.maternitesuissedelne.com ; rte de Montescot ; entrée 2 €). Située au château d'en Bardou, à 2 km du centre-ville, la maternité suisse d'Elne évoque un épisode de la *Retirada* (voir l'encadré p. 273). De 1939 à 1944, le château hébergea une maternité dirigée par une jeune infirmière suisse de la Croix-Rouge, Elisabeth Eidenben (1913-2011). Près de 600 enfants enfants, fils et filles de réfugiés espagnols mais aussi de Juifs allemands, y virent le jour, avant qu'elle ne soit fermée par les Allemands en 1944. Après une importante période de rénovation entamée en 2012, la maternité suisse devrait avoir rouvert quand vous lirez ces lignes. Elle accueillera un nouvel espace muséographique proposant expositions et visites de la maternité.

MUSÉE TERRUS Fauvisme

(☎ 04 68 22 88 88 ; 3 rue Porte-Balagué ; tarif plein/réduit 2,50/1,20 €) ; ⏲ oct-avril mar-dim 10h-12h et 14-18h, mai-sept tlj 10h-19h). Le rez-de-chaussée rassemble une collection permanente d'huiles et d'aquarelles d'Étienne Terrus (1857-1922) représentant principalement des paysages du Roussillon. Ce peintre paysagiste né à Elne, grand ami de Matisse, est considéré comme un précurseur du fauvisme. En plus des œuvres de Terrus, les étages du musée présentent des expositions temporaires.

Où se loger et se restaurer

AU REMP'ART Cuisine catalane **€€**

(☎ 04 68 22 31 95 ; www.remparts.fr ; 3 pl. Colonel-Roger ; menus 15/26/35 €). Sur sa belle terrasse fleurie, sur une placette calme au cœur de la vieille ville, on déguste une mémorable parillade de poisson lequel provient directement de Port-Vendres. La carte propose par ailleurs des plats simples et bien présentés. Accueil sympathique et bonne sélection de vins locaux. Les propriétaires louent aussi cinq studios dans Elne.

LE CARASOL Hôtel panoramique **€€**

(☎ 04 68 22 10 42 ; www.hotelcarasol.com ; 10 bd Illibéris ; d 73-93 € selon confort ; ❄ 📶 ; ⏲ tte l'année). Entièrement refait en 2011, Le Carasol, niché dans les remparts à l'entrée de la vieille ville, domine fièrement le village de sa façade jaune. En plus d'être fonctionnelles et spacieuses, les 15 chambres bénéficient toutes d'une excellente literie et d'une splendide vue sur les Albères et le massif du Canigou (très agréable au réveil !). Possibilité de restauration sur place en salle ou sur une agréable terrasse panoramique. Quelques places de stationnement gratuit disponibles face à l'hôtel.

CAN OLIBA Chambres d'hôtes **€€**
(**04 68 89 44 76 ou 06 50 60 57 47 ; 24 rue de la Paix ; www.can-oliba.fr ; d avec petit-déj 70 € ; tte l'année ;**). Située dans la ville haute d'Elne, Can Oliba est d'abord une très belle bâtisse catalane à la façade recouverte de galets et aux volets bleu Majorelle. Côté cour, un petit patio joliment décoré agrémenté d'une piscine et d'une terrasse complète un tableau idéal pour une escale bien-être. Les quatre chambres toutes équipées de W-C et de salle de bains privatives donnent sur la rue ou le patio. Elles sont nommées en hommage à des édifices religieux catalans prestigieux (Saint-Martin, Saint-Michel, Montserrat, Eulalie), Can Oliba étant le nom d'un abbé d'Elne, fondateur du monastère de Montserrat en Espagne.

Achats

LE JARDIN DES MÉTIERS D'ART Artisanat local
(**42 impasse Rovira ; mar-dim 9h-12h et 14h-18h**). L'ancien jardin de l'évêché est devenu un petit centre artisanal accueillant plusieurs artisans créateurs (sabotier, biscuiterie artisanale, potier, facteur de harpe).

Renseignements

Office du tourisme (**04 68 22 05 07 ; www.ot-elne.fr ; pl. Sant-Jordi**)

CÔTE VERMEILLE

C'est la rencontre de deux géants, la Méditerranée et les Pyrénées, qui donne à la Côte Vermeille son identité et ses paysages uniques. Du sud d'Argelès-sur-Mer jusqu'à la frontière espagnole, pointes rocheuses, criques et calanques sauvages, charmants ports de pêche et vignes à flanc de coteau se succèdent. Les reflets rouge et brun des roches schisteuses sont à l'origine de l'appellation de Côte Vermeille. En les regardant scintiller face à la mer, on comprend pourquoi de nombreux peintres sont venus s'installer ici au début du XXe siècle.

Argelès-sur-Mer

On la connaît surtout comme la capitale européenne de l'hôtellerie de plein air. Durant l'été, cette station balnéaire vit un véritable boom démographique, sa population passant de 11 000 à près de 100 000 habitants. Synonyme de camping et de bronzette sur sa longue bande de sable, Argelès-sur-Mer bénéficie aussi d'un emplacement idéal au pied des premiers reliefs de la Côte Vermeille. Autres attraits, son village catalan particulièrement animé les jours de marché (le mercredi et le samedi) et ses réserves naturelles, la Massane près de la frontière espagnole et le Mas Larrieu à l'embouchure du Tech. Argelès est composée de plusieurs quartiers : le centre-ville dominé par l'église Notre-Dame-dels-Prats, Argelès-Plage où se concentrent ses campings, le port et son prolongement vers le sud, l'ancien village de pêcheurs du Racou.

À voir

CASA DE L'ALBERA Maison du patrimoine
(**04 68 81 42 74 ; 4 pl. Castellans ; entrée 3 € ; juin-sept lun-ven 10h-18h, sam-dim 14h-18h, oct-mai mar-sam 10h-12h et 14h-17h**). Rénovée en 2010, cette vieille bâtisse située au cœur du village abrite le centre d'interprétation de l'Albera. Ce territoire, à cheval entre la France et l'Espagne, est l'objet d'une exposition sur deux niveaux servie par une scénographie dynamique s'appuyant sur des films, des plans et des maquettes. Point d'orgue de la visite, le sommet de la maison délivre une vue unique sur le massif des Albères.

Activités

PLAGE Farniente et activités nautiques
De la plage de la Marenda au nord à la délicieuse plage du Racou à l'extrémité

Plage du Racou, Argelès-sur-Mer

EMMANUEL DAUTANT ©

sud, les 7 km de plages d'Argelès offrent une généreuse bande de sable ponctuée de nombreuses zones surveillées et une multitude de possibilités d'activités nautiques : voile, kayak, planche à voile, paddle board…

BLUE BEAR Kayak et VTT
(**04 68 95 77 68, 06 20 25 49 97 ; www.blue-bear.org ; camping La Sirène ; demi-journée de kayak à partir de 30/26 € adulte/enfant, parcours VTT à partir de 38/35 € adulte/enfant).** Blue Bear propose des activités de kayak de mer pour découvrir l'anse de Paulilles, Collioure ou le cap Béar, mais aussi des circuits VTT accompagnés depuis Argelès ou de la location de vélo et de VTT.

ROUSSILLON CROISIÈRES Sorties en mer
(**04 34 55 22 84 ou 06 34 48 04 98 ; www.roussillon-croisieres.com ; quai Marco-Polo, port de plaisance ; sortie demi-journée randonnée aquatique adulte/enfant 25/20 €).** Une multitude de formules : randonnée aquatique, coucher de soleil, vision nocturne, pêche en mer et plusieurs destinations : Cadaquès, Rosas, Collioure, Banyuls ou Port-Bou.

Où se loger

LA SIRÈNE Hôtellerie de plein air €
(**www.camping-lasirene.fr ; rte de Taxo ; mobil-home 6 pers 29-149 €/nuit selon saison, camping 23-40 €/nuit selon saison ; avr-oct).** La Sirène ressemble un peu à un parc d'attractions avec sa végétation luxuriante, sa piscine aux allures de lagon et la foule d'activités proposées (équitation, tennis, golf miniature, tir à l'arc, beach-volley, football…). Mais ce camping, must de l'hôtellerie de plein air version Argelès-sur-Mer, est l'un des rares établissements à accueillir aussi les campeurs munis d'une simple tente. À moins de 900 m de la plage.

L'OASIS Hôtel-restaurant €
(**04 68 81 13 37 ; av. Torre-d'en-Sorra ; d 48-52 € ; avril-sept ; P).** Son ambiance familiale donne au lieu un charme quelque peu désuet. Mais les quelques chambres rustiques de cet hôtel-restaurant ont une situation idéale. L'établissement donne en effet directement sur la plage du Racou. Celles côté mer bénéficient d'un grand balcon commun.

Si vous aimez...
Les stations balnéaires

Le chapelet de stations balnéaires du Roussillon est le résultat d'une politique volontariste initiée dans les années 1960 et 1970 par la mission Racine pour développer l'activité touristique dans la région. Si le résultat, une succession de campings, de marinas et de barres d'immeuble en front de mer peut désappointer, ces stations balnéaires ont l'avantage d'offrir un large choix d'hébergements et d'activités en bordure d'une côte sablonneuse.

1 **PORT-BARCARÈS**

Symbole des stations créées *ex-nihilo* dans le département, adossée à l'étang de Leucate, Port-Bacarès est une cité lacustre moderne à l'architecture quelque peu anarchique (**www.vacancesportbarcares.fr**).

2 **TORREILLES-PLAGE**

Changement de décor : avec ses 4 km de plages sauvages parsemées de blockhaus, dissimulées derrière une belle barrière de dunes, Torreilles-Plage (**www.tourisme.torreilles.fr**) rappelle ce que fut le littoral du Roussillon avant le développement du tourisme.

3 **CANET-PLAGE**

Station la plus proche de Perpignan, Canet-Plage (**www.ot-canet.fr**), avec ses immeubles imposants qui longent le front de mer, n'a pas beaucoup d'autres charmes que ses 9 km de plage de sable fin.

4 **SAINT-CYPRIEN**

Au sud de l'étang du Canet, "Saint-Cyp" (**www.saint-cyprien.com**) est le plus important port de plaisance du golfe du Lion. Cette station familiale orientée vers le nautisme possède aussi de belles plages de sable fin.

CHÂTEAU DE VALMY Hôtel de luxe et domaine viticole **€€€**
(**04 68 95 95 25 ; chemin de Valmy ; www.chateau-valmy.com ; d à partir de 160 € avec petit-déj ; avr-nov ; P**). Ce château Art nouveau aux murs blancs et aux tuiles vernissées est une adresse d'exception. Il a retrouvé les fastes de son passé prestigieux grâce à ses propriétaires, Martine et Bernard Carbonell, qui l'ont entièrement réaménagé dans un esprit mêlant raffinement de l'ancien et mobilier contemporain. Adossé à un domaine viticole, le château de Valmy propose cinq chambres aux prestations très haut de gamme : lit king-size, piscine, massage, Jacuzzi... sans oublier une vue exceptionnelle sur la mer et les Pyrénées. Prix en conséquence.

Où se restaurer

LA VIEILLE CAVE Cuisine catalane et tapas **€**
(**04 68 56 58 02 ; 51 bis av. de la Libération ; assiette tapas 16 €, menu 13 € ; mars-déc mar-sam, juil-août tlj**). Connue pour ses tapas et ses parillades dans le vieux village d'Argelès, La Vieille Cave offre un cadre et un accueil chaleureux qui tranchent avec certains établissements du bord de mer. On y sert une cuisine catalane, simple mais préparée avec attention, en salle ou sur une agréable terrasse qui se remplit vite les jours de marché. La Vieille Cave porte aussi bien son nom puisqu'elle propose une sélection des meilleurs vins du département.

MENJE ECAILLE Catalan créatif **€€**
(**04 68 81 41 23 ; 29 av. Torre-d'en-Sorra ; plats 18-35 € ; mai-oct 12h-15h et 19h-23h**). Avec son ambiance de brocante chic savamment entretenue et sa terrasse protégée par des cannisses, l'établissement affiche une décontraction qui se marie bien avec l'atmosphère du quartier du Racou. Mais dans l'assiette, c'est du sérieux ! La présentation sur une grande ardoise lue par Renaud tient de la poésie gastronomique, avec sa succession de

plats originaux qui subliment les produits locaux : asperges vertes au Serrano et au vinaigre de la Guinelle, rougets de roche, gambas de Rosas... À noter : une très belle sélection de vins naturels. L'endroit est aussi parfait pour siroter un mojito en terrasse.

BAR À HUÎTRES Saveurs de la mer **€€**
(**04 68 98 10 22 ; 54 av. Torre-d'en-Sorra ; mai-oct).** Tout au bout de la route du Racou, cette coquette petite adresse propose des assiettes de fruits de mer et de crustacés à déguster sur place ou à emporter. Dans le même esprit, l'établissement propose un ou deux plats, comme des tartares de coquilles Saint-Jacques ou des carpaccios de thon, à accompagner d'un blanc local. Pour les amoureux des saveurs iodés.

Renseignements

Office du tourisme (**04 68 81 15 85 ; www.argeles-sur-mer.com ; pl. de l'Europe)**

Collioure

Difficile de le nier, cet ancien village de pêcheurs possède un charme fou. Son château royal, les ruelles pittoresques du quartier du Mouré et son église accolée à un clocher bâti sur une ancienne tour de guet médiévale font de Collioure un petit bijou. Si l'on ajoute à cela ses plages en plein centre-ville, Collioure a toutes les chances de vous séduire. Pas étonnant si certains des plus grands peintres du XXe siècle – Matisse, Derain, Braque, Dufy ou encore Picasso – y ont posé leurs valises et leurs chevalets. Tous ont été éblouis par ce site où les roches schisteuses prennent le soir des reflets incandescents.

À voir

QUARTIER DU MOURÉ Promenade
Pour s'y rendre, le plus simple et de prendre le boulevard Boramar qui longe la plage de sable du même nom avant de s'engouffrer dans ses ruelles pentues au niveau de l'**église Notre-Dame-des-Anges**. Rue Bellevue ou rue du Mirador, la glycine et la végétation débordent sur des façades colorées, mais malgré leurs appellations prometteuses, les points de vue sur la mer restent rares. C'est dans ces ruelles que Matisse peignit sa toile *Les Toits de Collioure*, en 1905. Si le quartier a su garder un peu de son charme à l'écart du flot touristique, les ateliers d'artistes implantés dans le bas du quartier ne proposent pas tous des œuvres dignes de Matisse, loin s'en faut !

CHÂTEAU ROYAL Résidence royale
(**04 68 82 06 43 ; quai de l'Amirauté ; tarif plein/réduit 4/2 € ; oct-mai 9h-17h, juin-sept 10h-18h**).

Église Notre-Dame-des-Anges
EMMANUEL DAUTANT ©

Fièrement dressé sur son rocher battu par les vagues, le château royal de Collioure fut construit sur les restes de constructions romaines par les rois de Majorque afin de servir de résidence d'été à la Cour. Les bâtiments furent complétés par les Habsbourg (Charles Quint et Philippe II), puis par Vauban après l'intégration du Roussillon dans le royaume de France. Ses terrasses offrent une magnifique vue sur le port et les plages du centre-ville. N'hésitez pas à opter pour la visite guidée (comptez entre 1h30 et 2h) qui apporte un vrai plus dans ce dédale de salles et d'escaliers pas toujours très parlant.

ÉGLISE NOTRE-DAME-DES-ANGES Art gothique catalan

(bd du Boramar ; 9h-18h). Le clocher de cette église construite en 1684 à l'initiative de Vauban au pied du quartier du Mouré est un ancien phare. Sa sobriété extérieure tranche avec un intérieur richement décoré, marqué par l'influence du baroque espagnol. On compte pas moins de neuf retables à l'intérieur. Le plus remarquable est celui du maître-autel, dédié à Notre-Dame-de-l'Assomption et recouvert de feuilles d'or. Il fut sculpté par le maître du baroque catalan, Joseph Sunyer, à la fin du XVIIe siècle.

On accède à l'église par une digue qui longe la plage Saint-Vincent. Ne manquez pas de marcher jusqu'à la **chapelle Saint-Vincent**. Cet ancien ermitage perchée sur un rocher offre un magnifique panorama sur le littoral.

MUSÉE D'ART MODERNE Musée

(04 68 82 10 19 ; musee@collioure.net ; rte de Port-Vendres ; tarif plein/réduit 2/1,50 € ; mer-lun 10h-12h et 14h-18h). Créé en 1930 par l'artiste Jean Peské, ce musée, situé dans le cadre verdoyant de la villa Pams, accueille des collections du début du siècle et des œuvres plus

À gauche : Port de Collioure et château royal ;
Ci-dessous : Chapelle Saint-Vincent
(À GAUCHE ET CI-DESSOUS) EMMANUEL DAUTANT ©

contemporaines, mais aussi des expositions temporaires de renom en lien avec l'histoire picturale de Collioure. Sa collection permanente rassemble des œuvres de Léopold Survage, André Masson, Henri Matisse, Jean Peské et Balbino Giner. Il sert aussi de résidence à de jeunes artistes européens qui investissent l'atelier du musée pendant un an. En partant, les artistes laissent une œuvre qui vient enrichir le fonds du musée.

MOULIN À VENT Curiosité

On y accède en traversant une plantation d'oliviers, par un chemin qui serpente au-dessus de la villa Pams (musée d'Art moderne) en direction du fort Saint-Elme. Du sommet, le panorama sur Collioure et le massif des Albères laisse pantois. Rénové par la mairie de Collioure, cet imposant moulin datant du Moyen Âge sert aujourd'hui à la fabrication d'huile d'olive.

FORT SAINT-ELME Monument défensif

(☎ 06 64 61 82 42 ; www.fortsaintelme.fr ; tarif plein/réduit 6/3 € ; 🕒 avr-sept 10h30-19h, visites guidées 15h, 16h, 17h, 18h, oct-nov 14h30-17h, visites guidées 15h, 16h). Construite autour d'une tour médiévale par Charles Quint au XVIe siècle, au temps de la domination espagnole, cette forteresse à six branches fut renforcée par Vauban au XVIIe siècle. La raison de cet intérêt ? Une position stratégique incomparable, qui permet d'observer la plaine d'Elne et Perpignan au nord, et la route de Barcelone au sud. Aujourd'hui restauré, le fort Saint-Elme dévoile aux visiteurs ses impressionnants chemins de ronde et une belle collection d'armes. Accès possible à pied (comptez 20 minutes d'ascension depuis le parc de la villa Pams) ou en voiture.

Les Fauves à Collioure

Arrivé à Collioure au printemps 1905, Henri Matisse est tellement séduit par le village catalan qu'il décide de s'y installer. Son ami André Derain ne tarde pas à le rejoindre. Sur place, les deux artistes travaillent avec frénésie et s'attellent, le temps d'un été, à repenser leur peinture. Tournant le dos au néo-impressionisme qui fait autorité à Paris, les deux peintres s'aventurent dans des recherches chromatiques audacieuses. Les couleurs, la lumière exceptionnelle et l'activité des habitants de la Côte Vermeille sont leurs meilleures sources d'inspirations. C'est l'éveil d'un nouveau courant pictural, le fauvisme.

Pour marcher sur les traces de ces deux grands artistes, suivez un parcours jalonné d'une vingtaine de reproductions d'œuvres réalisées en 1905 et installées à l'emplacement où furent peints les originaux. Renseignements à **l'Espace Fauve** (**04 68 98 07 16 ; av. Camille-Pelletan ; avr-oct 10h-12h et 15h-18h).**

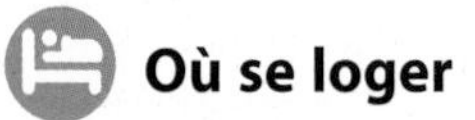

Où se loger

LES TEMPLIERS Hôtel-restaurant **€€**
(**04 68 98 31 10 ; www.hotel-templiers.com ; 12 quai de l'Amirauté ; d 50-130 €, demi-pension 123-165€; fév-dec;**). Cette institution au cœur de la ville est à la fois un hôtel, un bar, un restaurant mais aussi un musée, les artistes fréquentant Collioure ayant participé à la décoration de l'établissement en laissant des tableaux au patron de l'établissement, Jojo Pous. Au total, ce sont près de mille œuvres originales qui sont accrochées dans le bar, les couloirs et les escaliers de l'établissement. Les chambres situées au-dessus du restaurant sont confortables et décorées avec goût, celles de l'annexe sont réputées plus bruyantes et moins confortables. Même si vous ne séjournez pas aux Templiers, ne manquez pas de faire un tour au bar, avec ses murs remplis de tableaux jusqu'au plafond et son comptoir se terminant par une proue de bateau en bois sculpté.

LA CASA PAÏRAL Central **€€€**
(**04 68 82 05 81 ; www.hotel-casa-pairal.com ; impasse des Palmiers ; d 89-225 € ; mars-nov ;**). Ce bel hôtel trois étoiles établi dans une demeure familiale du XIXe siècle ne manque pas de cachet : céramiques catalanes, patio fleuri à l'ombre d'un magnolia centenaire, piscine chauffée et chambres à la décoration personnalisée. Sa proximité du centre en fait un havre de paix en plein cœur de Collioure. Parking payant 16 €.

VILLA MIRANDA Chambres d'hôtes **€**
(**04 68 98 03 79 ; www.villamiranda.fr ; 15 rte du Pla de las Fourques ; d à partir de 102 € avec petit-déj pour 2 pers ;**). Perchée sur les hauteurs de Collioure, la Villa Miranda est entourée d'un jardin qui permet de rejoindre le centre-ville par un petit escalier et d'oublier sa voiture, peu pratique dans les ruelles de Collioure. Les cinq chambres aux teintes catalanes sont colorées et spacieuses. Le plus : un des deux salons de la villa s'ouvre sur une merveilleuse terrasse panoramique dominant toute la baie de Collioure. Réputée pour son calme, cette adresse doit aussi beaucoup à la gentillesse et au sens de l'accueil de Michel et Céline, les propriétaires.

Où se restaurer

LA CUISINE COMPTOIR Bar à tapas **€**
(**04 68 81 14 40 ; 2 rue Colbert ; tapas 3-10 €; tlj midi et soir).** Dans une ruelle étroite et typique, juste derrière le bar des Templiers, Victoria préparent des tapas inspirées que l'on déguste sur de petites tables à l'extérieur ou dans la salle minuscule, dans une ambiance

typiquement catalane. Côté boissons, ne passez pas à côté de la sangria maison.

COCOLIBERIS Panoramique **€€**
(**04 68 88 86 65 ; 17 rue Jean-Bart ; plats 14-29 € ; avr-oct tlj**). Installé depuis 2010 dans le quartier du faubourg, cet établissement dirigé par Valérie et Élise offre, avec sa terrasse en bord de mer, une des plus belles vues sur le château royal et l'église-phare. Il est spécialisé dans les produits de la mer et les poissons y sont cuisinés à la plancha selon les arrivages du jour avec une cuisson toujours parfaite. Mieux vaut réserver.

LE 5e PÉCHÉ Gastronomique **€€€**
(**04 68 98 09 76 ; 18 rue de la Fraternité ; menus midi 18/24 €, soir 34/55 € ; juin-sept mar-dim**). Iijima Masashi est un chef japonais passé par les plus grandes maisons françaises (les frères Pourcel, Michel Bras). Installé à Collioure, il adapte et sublime la cuisine méditerranéenne et catalane avec une touche japonisante. Un résultat étonnant pour les papilles. La salle est petite et courue ; il est donc prudent de réserver. Le rapport qualité/prix est tout simplement exceptionnel.

Achats

DOMAINE LA TOUR VIEILLE Vins
(**04 68 82 44 82 ; www.latourvieille.com ; 12 rte de la Madeloc ; avr-oct 10h30-12h30 et 16h-19h30**). La réputation de ce domaine situé à l'entrée de Collioure dépasse largement les frontières du Roussillon. Ses vins marient deux appellations : collioure (rouge, blanc et rosé) et banyuls (vin doux naturel). Petite merveille, le vin de méditation, un vin doux hors d'âge élaboré selon une méthode de vinification andalouse. Vente au domaine.

ANCHOIS ROQUE Fabrique d'anchois
(**04 68 82 04 99 ; www.anchois-roque.fr ; 17 rte d'Argelès : avr-oct lun-sam 8h-19h30, dim 9h-12h et 14h-19h ,nov-mars lun-sam 8h-19h**). En 1870, Alphonse Roque s'établit à Collioure comme tonnelier-saleur. 140 ans plus tard, l'entreprise familiale est toujours là. Les amateurs d'anchois salés, à l'huile, de crème d'anchois ou d'olives farcies aux anchois, peuvent même observer le délicat travail des anchoïeuses à l'étage pendant leurs horaires de travail. Boutique sur place, dégustation gratuite.

Hôtel-restaurant Les Templiers, Collioure

EMMANUEL DAUTANT ©

Façade peinte vantant les anchois des établissements Roque, Collioure

EMMANUEL DAUTANT ©

Renseignements

Office du tourisme (☎ 04 68 82 15 47 ; www.collioure.com ; chemin du Port-Saint-Elme)

Port-Vendres

À la fois port de commerce et port de plaisance, Port-Vendres s'étire le long de ses larges quais, d'où des "rampes" conduisent dans la vieille ville assoupie. Si la pêche ne cesse de décliner, le port reste un lieu de transit important, notamment pour les fruits tropicaux en provenance d'Afrique du Nord. Mais Port-Vendres ne se résume pas à son activité portuaire et cache aussi de coquettes plages de sable au pied de sa jetée et de belles possibilités de randonnées en direction du cap Béar et de l'anse de Paulilles.

Activités

SPORT PULSION PLONGÉE Plongée sous-marine
(☎ 04 68 82 55 55 ou 06 14 05 20 23 ; www.plongeepulsion.com ; 7 quai de la République). Basée à côté du port de commerce, cette école de plongée propose baptêmes, cours et sorties dans les réserves marines de Banyuls-Cerbère (voir l'encadré p. 290) et de Cap Creus, en Espagne.

Où se restaurer

LA CÔTE VERMEILLE Gastronomique **€€€**
(☎ 04 68 82 05 71 ; www.restaurantlacotevermeille.com ; quai du Fanal ; menus 37/48 € ; ⏲ tlj midi et soir sauf dim midi). Installé dans l'ancien marché à la criée de Port-Vendres, cet établissement bénéficie d'un emplacement idéal sur les quais. Le chef Philippe Bessière y décline deux ambiances. Au rez-de-chaussée, le restaurant **La Côte Vermeille**, gastronomique et raffiné, est reconnu localement pour l'excellence de ses plats à base de poissons sauvages et de crustacés. À l'étage, **Côté terrasse** (☎ 04 68 88 85 05 ; ⏲ lun-dim midi ; menu 27 €) propose une cuisine du jour à moindre coût, moins travaillée, dans un cadre décontracté, sur une grande terrasse faisant face à Port-Vendres.

LE POISSON ROUGE Paillote €€
(☎ 04 68 98 03 12 ; http://lepoissonrouge66.free.fr ; rte de la Jetée ; menus 22 (midi)/35 € ; 🕒 avr-oct tlj midi et soir). À la périphérie de Port-Vendres, après le port de commerce, se cache une adresse pleine de charme. On y mange quasiment les pieds dans l'eau, au bord d'une petite plage de galets, dans une belle crique située à côté du phare de Port-Vendres. Dans l'assiette, des plats d'inspiration méditerranéenne (poissons grillés, tajines) ou ibérique (gaspacho, tapas). Pensez à vous munir d'espèces, l'établissement n'acceptant pas les cartes bleue.

Achats

LA GUINELLE Vinaigrerie artisanale
(☎ 04 68 98 01 76 ; www.levinaigre.com ; Cosprons ; gratuit ; 🕒 lun-ven 9h-12h et 14h-18h). De ses barriques sort un élixir qui redonne ses lettres de noblesse au métier de vinaigrier. Depuis 1999, date où elle a testé sa première barrique, Nathalie Lefort (voir p. 261) produit du vinaigre à partir de vin doux naturel de Banyuls. Aujourd'hui, elle collabore avec de grands chefs étoilés et invente de nouvelle textures de vinaigre : vinaigre perlé, aromatisé (safran, cannelle, clou de girofle), à râper... La visite de sa vinaigrerie, nichée dans un vallon verdoyant, est passionnante, et permet de saisir comment, après plusieurs mois dans ces barriques ouvertes à l'air libre, l'alcool se transforme progressivement en acide acétique. Visite et dégustation sur place. Pour s'y rendre, prendre la direction de l'anse de Paulilles, puis de Cosprons depuis Port-Vendres et suivre les panneaux. La Guinelle a aussi une boutique dans le centre de Banyuls (☎ 04 68 85 54 12 ; rue Saint-Sébastien ; 🕒 mar-sam 9h30-12h30 et 15h-19h).

Renseignements

Office du tourisme (☎ 04 68 82 07 54 ; www.port-vendres.com ; 1 quai François-Joly). Une carte des randonnées autour de Port-Vendres est en vente au prix de 1,50 €.

Anse de Paulilles

Bien que située sur la commune de Port-Vendres, l'anse de Paulilles constitue un endroit à part, à la fois site naturel et lieu de mémoire ouvrière. Le site, concentré autour de trois superbes plages de sable, celle de Bernardi au nord, de Mitg au centre et du Fourrat au sud, a échappé à un projet pharaonique de marina dans les années 1980, grâce à la mobilisation de la population locale. Aujourd'hui propriété du Conservatoire du littoral, il est géré par le Conseil général des Pyrénées-Orientales.

Port-Vendres
EMMANUEL DAUTANT ©

À voir

SITE DE PAULILLES Patrimoine industriel
L'inventeur de la dynamite, Alfred Nobel, installa ici en 1870 une dynamiterie qui accueillit des générations d'ouvriers catalans – jusqu'à 400 personnes y travaillaient dans les années 1960. Ce site de 32≈ha, ouvert au public en 2008, est aujourd'hui un vaste parc adossé à un littoral protégé. Autour de la **Maison du site** (04 68 95 23 40 ; www.cg66.fr ; RD914 ; gratuit ; juil-août 9h-20h, avr-juin et sept-oct 9h-13h et 14h-19h, nov-mars 9h-12h et 14h-17h), point de départ de visites guidées et lieu d'exposition, il est conseillé de se hisser au sommet de l'imposante vigie, qui offre une belle vue sur l'anse. À proximité, un vaste hangar accueille l'**Atelier départemental de restauration des barques catalanes** (anse de Paulilles ; gratuit ; juin-sept 9h-18h). Un parcours permet de traverser l'atelier et d'admirer de près le travail des charpentiers de marine. Le long du parcours, des panneaux expliquent l'histoire des barques catalanes. Parking gratuit sur place.

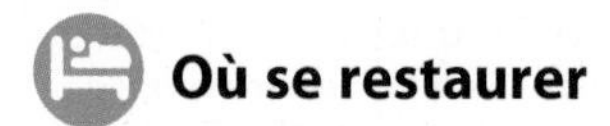

Où se restaurer

LE SOLE MIO Cuisine méditerranéenne €€
(04 68 82 35 62 ; www.solemiorestaurant.com ; plage de Paulilles ; plats 12-25 €). Sous les cannisses, les pieds pratiquement dans l'eau, ou derrière une véranda lorsqu'il fait un peu plus frisquet, Le Sole Mio propose une cuisine méditerranéenne d'inspiration iodée : morue gratinée à l'aïoli, pistou de poulpes ou poisson du jour à la plancha. Le restaurant est situé peu après Le Clos des Paulilles, en venant de Port-Vendres.

LE CLOS DES PAULILLES Ferme-auberge €€€
(04 68 98 07 58 ; www.clos-de-paulilles.com ; anse des Paulilles ; menu unique 39 € ; tlj midi et soir juin-sept). À deux pas de la plage de Bernardi, le domaine viticole du Clos des Paulilles abrite une ferme-auberge chic, à la terrasse protégée par de petits murets en pierre sèche. La formule du menu unique, inchangée depuis des années, reste alléchante : chaque plat, de l'entrée au dessert, est servi avec une sélection de vins des trois couleurs du domaine. Les amateurs d'accord mets et vins seront comblés.

Banyuls-sur-Mer

Blottie dans une baie à l'abri de la tramontane, Banyuls est ordonnée autour d'une large plage de sable prolongée par le port de plaisance. Les quelques rues commerçantes qui s'échappent du front de mer concentrent l'essentiel de l'animation. Banyuls est associé à un vin doux à la robe sombre, consommé à l'apéritif ou au dessert. La plupart des producteurs de banyuls ont un point de

Anse de Paulilles
EMMANUEL DAUTANT ©

Vaut le détour
La route des crêtes entre Collioure et Banyuls

Attention, l'itinéraire sinueux de 12 km entre Collioure et Banyuls nécessite d'avoir un bon coup de volant. La D86 est étroite par endroits et bordée de pentes vertigineuses. Pour goûter son charme, prenez la direction de la route des crêtes à la sortie de Collioure. Celle-ci longe d'abord sur la gauche l'**ermitage de la Consolation** (**☎ 04 68 82 17 66 ; d 55-75 € ; ⏲ avr-oct**) qui loue quelques chambres d'inspiration monacale dans un cadre verdoyant. Sa petite chapelle du XVe siècle est célèbre pour ses pittoresques ex-voto marins. Après avoir dépassé le col de Serre, la route grimpe jusqu'au balcon de la Madeloc. D'ici, les plus courageux pourront monter à pied en une vingtaine de minutes jusqu'à la **tour Madeloc** (656 m) qui domine toute la plaine du Roussillon et la Côte Vermeille. On peut aussi se contenter d'admirer du bord de la route un beau panorama sur les vignobles de l'appellation banyuls, cultivés en terrasses avec la mer en toile de fond. La route redescend ensuite à travers les vignes et les amandiers jusqu'à **Notre-Dame-de-la-Salette**. Depuis cette chapelle vénérée par les Banyulencs, dont la frêle silhouette blanche évoque les îles grecques, il ne vous reste plus qu'à vous laisser glisser jusqu'au centre de Banyuls.

vente dans le village. Dominée par la chapelle Notre-Dame de la Salette, Banyuls est aussi la patrie du sculpteur Aristide Maillol et le point de départ ou d'arrivée du GR 10, la grande traversée des Pyrénées à pied. Au sud de Banyuls, les vignes en terrasses s'étendent jusqu'à la mer, où alternent petites falaises et criques minuscules qui font le bonheur des estivants.

À voir

MUSÉE MAILLOL Sculpture

(**☎ 04 68 88 57 11 ; www.museemaillol.com ; vallée de la Roume ; tarif plein/réduit 5/4 € ; ⏲ mai-sept 10h-12h et 16h-19h, oct-avr 10h-12h et 14h-17h**). C'est dans cette ancienne métairie, isolée en pleine nature, qu'Aristide Maillol, l'enfant du pays, installa son atelier à partir de 1910. Ce fut aussi la demeure où il mourut en 1944. L'endroit vaut plus par l'atmosphère générale qu'il dégage, avec les effets personnels du sculpteur, que par le nombre des œuvres exposées. On y découvre quelques lithographies et des bronzes, dont *La Méditerranée*, magnifique ode à la beauté de la femme, qui orne la tombe de l'artiste sous d'imposants cyprès. Le lieu sert aussi l'été de cadre à des expositions temporaires, ce qui permet d'étoffer un peu la visite. Plusieurs sculptures de Maillol sont également visibles à Banyuls, notamment son *Monument aux morts pacifiste*, derrière la mairie, ou encore la *Jeune Fille allongée* et *La Statue de l'Île de France sans bras*, le long des allées Maillol. Le musée se trouve à 4 km du centre de Banyuls. Depuis la mairie, prendre l'avenue du Général-de-Gaulle et suivre les indications.

JARDIN DU MAS DE LA SERRE Essences méditerranéennes

(**☎ 04 68 88 73 39 ; www.biodiversaruim ; lieu-dit Mas Reig ; tarif plein/réduit 5/2,5 € ; ⏲ juil-août tlj 9h-13h et 14h-19h, fév-sept tlj 9h-12h et 14h-18h30, visite guidée 16h30**). Ouvert en 2010, ce jardin botanique de 3 ha rassemble près de 300 espèces

La réserve naturelle marine de Cerbère-Banyuls

La première réserve marine de France, créée en 1974, s'étend sur près de 6,5 km de rivage et 2 km vers le large, entre Banyuls et Cerbère. Elle est divisée en deux secteurs : un espace protégé, où les activités humaines sont réglementées (pêche, plongée et mouillage), et une zone de protection stricte à hauteur du cap Rédéris. Ses fonds sous-marins abritent de nombreuses espèces rares ou protégées, comme la grande nacre, mollusque dont la taille peut dépasser un mètre, la grande cigale, le grand dauphin, la tortue caouanne, le corail rouge, le mérou ou l'hippocampe moucheté. L'été, un **point d'information de la réserve marine** accueille les visiteurs et les plaisanciers sous les arcades du port de Banyuls (**04 68 88 09 11 ; www.cg66.fr ; 5 rue Roger-David ; point info juil-août sur le port de Banyuls**) et au départ du **sentier sous-marin** de la plage de Peyrefite (voir ci-dessous).

méditerranéennes plantées en terrasses en surplomb de la vallée de Baillaury. Un sentier de découverte permet de reconnaître les essences grâce à de petites ardoises. Les meilleures périodes pour visiter le jardin sont le printemps et l'automne, qui correspondent au pic de floraison des plantes.

Activités

PLONGÉE BLEUE Plongée sous-marine
(**06 78 16 67 51, 06 81 35 96 49 ; www.plongeebleue-sud.com ; 10 quai Georges-Petit ; baptême 40 €, plongée encadrée 29 €**). Depuis le port de plaisance, Delphine et Julien proposent des départs quotidiens sur certains sites autorisés des réserves marines de Cerbère-Banyuls (voir l'encadré ci-dessus) et de cap Creus en Espagne, mais aussi des plongées sur épave dans le secteur. Ils proposent également des stages de formation et des plongée au Nitrox.

ALEOUTES KAYAK Kayak
(**04 68 88 34 25, 06 08 27 93 27 ; www.kayakmer.net ; 13 rue Jules-Ferry ; sorties de 17 € (1h30) à 60 € pour les bivouacs ; tte l'année**). Une multitude de formules, de la petite balade de 1 heure 30 jusqu'à la soirée bivouac pour découvrir le littoral sauvage de la Côte Vermeille à coups de pagaie.

SENTIER SOUS-MARIN DE LA RÉSERVE MARINE Balade sous-marine
(**Point d'information de la réserve marine, plage de Peyrefite ; location palmes, masque, tuba FM (7 €), environ 45 minutes ; juil-août**). Sur la plage de Peyrefite, le sentier sous-marin de la réserve marine (voir l'encadré ci-dessus) propose une expérience ludique et étonnante, à l'aide d'un tuba FM. Sur un parcours de 250 m, les nageurs évoluent entre plusieurs stations d'observation, matérialisées par des bouées, qui présentent les différents écosystèmes de la réserve : herbier de posidonie, faille et tombants, galets. Le tout en écoutant la douce voix d'Astrée, petite étoile de mer qui vous chuchotera à l'oreille les noms des habitats marins et des espèces rencontrées.

Où se loger

HÔTEL LES ELMES Sur la plage **€€**
(**04 68 88 03 12 ; www.hotel-des-elmes.com ; plage des Elmes ; d 54-132 €, demi-pension 132-210 € pour 2 pers ; tte l'année ;**). Surplombant la plage des Elmes, l'hôtel bénéficie d'une situation idéale, pour ne pas dire idyllique. L'accueil, familial et professionnel, a depuis longtemps fait la réputation de l'établissement. Parmi ses 31 chambres de tailles différentes, préférez celles qui donnent côté mer,

plus agréables que celles donnant côté route. Pour un réveil en douceur, le restaurant où se prennent les petits-déjeuners est situé sur une immense terrasse, face à la mer. Un petit spa est à la disposition des clients dans la cour de l'hôtel.

Où se restaurer

LA LITTORINE Gastronomique **€€€**
(☎ 04 68 88 03 12 ; www.hotel-des-elmes.com ; plage des Elmes ; menus 27/38/49 €). Le restaurant de l'Hôtel Les Elmes (voir ci-contre) pourrait se contenter de son cadre idyllique, face à une plage de sable à l'entrée de Banyuls, pour attirer sa clientèle, mais il n'en est rien. Si, après dix-huit ans de règne, le chef Jean-Marie Patrouix a passé la main à son second Gérald Desmulliers, le credo culinaire reste inchangé : une cuisine catalane revisitée avec un brin de créativité, à base de produits frais. Si le temps le permet, préférez la belle terrasse donnant directement sur la plage à la salle, où la décoration contemporaine est un peu froide.

EL XADIC DEL MAR Restaurant et bar à vins **€**
(☎ 04 68 88 89 20 ; 11 av. Puig-del-mas ; plats 6-18 €, vin au verre 3-4 € ; ⏲ mar-dim midi et soir, juil-août lun-dim). Dans le centre de Banyuls, les habitués se retrouvent à midi dans une ambiance bon enfant pour déguster la cuisine de Manu. Ici, le produit frais est roi et le congélateur banni. On sert de très belles portions de tapas ou de copieux plats du jour préparés devant vous : salade russe au curry, *Cecina de Léon* (viande de bœuf fumée), queue de lotte et ses légumes de saison. Manu, très pointu sur les vins naturels, se fera un plaisir de vous conseiller le breuvage idéal pour accompagner vos plats.

Achats

BANYULS L'ÉTOILE Cave coopérative
(☎ 04 68 88 00 10 ; www.banyuls-etoile.com ; 26 av. du Puig-del-Mas ; ⏲ lun-ven 8h-12h et 14h-18h, sam-dim 10h-12h30). Ouverte en 1921, la Cave de l'Étoile est la plus ancienne coopérative de Banyuls. Sa boutique, adossée à la cave, permet de déguster

Sentier sous-marin de la réserve marine

EMMANUEL DAUTANT ©

une large collection de vins doux naturels en AOP (banyuls, banyuls Grand Cru et collioure), mais aussi du vinaigre et du marc de Banyuls, tous estampillés de la fameuse étoile rouge. La cave propose aussi, de manière plus anecdotique, des vins secs dans les trois couleurs. Possibilité de visiter la cave qui jouxte la boutique, sur rendez-vous.

LA CAVE SAINT-JACQUES Vins
(**04 68 88 11 97 ; www.cave-saintjacques.com ; 25 av. Puig-del-Mas ; lun-sam 9h-12h30 et 15h-19h**). Pour être sûr d'avoir le choix ! Dans sa coquette boutique, Guy propose une très large sélection de vins de Collioure, de Banyuls et du Roussillon à tous les prix. Également une sélection de vins doux naturels pour les inconditionnels et un petit rayon épicerie fine.

Renseignements

Office du tourisme (**04 68 88 31 58 ; www.banyuls-sur-mer.com ; av. de la République**). Un dépliant gratuit recense plusieurs itinéraires de randonnées autour de la ville.

Cerbère

Ce petit port niché dans une anse abritée est la dernière escale avant la frontière espagnole et Port-Bou. Cerbère est avant tout connu pour sa gare et son important centre de triage. Le bruit des trains et des annonces sur les quais de la gare résonne d'ailleurs dans tout le village.

Activités

CAP CERBÈRE Plongée sous-marine
(**04 68 88 41 00 ; www.capcerbere.com ; rte d'Espagne ; baptême 40 €, sortie encadré 29 € ; tte l'année**). Le club est situé sur le port de Cerbère et possède une annexe l'été sur la plage de Peyrefite, à côté du départ du sentier sous-marin. Le club organise de nombreuses sorties, notamment vers le Cap Creus, en Espagne.

Où se loger

HÔTEL LA VIGIE Panoramique **€€**
(**04 68 88 41 84 ; www.hotel-lavigie.fr ; 3 rte d'Espagne ; d 69-86 selon confort et saison ; avr-oct**). Difficile de rater cet établissement, souvent fréquenté par des groupes de cyclistes ou de randonneurs. Perché sur les falaises qui surplombent le port, ce bâtiment construit à la fin des années 1950, dont la forme rappelle un paquebot, semble flotter dans les airs. Ses 20 chambres ont toutes une vue plongeant sur le port depuis une baie vitrée ou un balcon.

VALLESPIR

La vallée la plus méridionale de l'Hexagone a longtemps été marquée par l'activité de ses forges

Vigne à Banyuls
EMMANUEL DAUTANT ©

et de ses mines d'argent. Les stations thermales (Amélie-les-Bains, La Preste) et le tourisme ont ensuite pris le relais pour maintenir son économie à flot. Le Vallespir a été modelé par le Tech, qui prend sa source au roc Colom, à la frontière franco-espagnole et se jette dans la Méditerranée, quelque 80 km plus loin. En remontant ce fleuve impétueux, les vergers coincés en fond de vallée laissent progressivement la place aux forêts de chênes-lièges et aux châtaigniers, puis aux alpages. En amont de Céret, dynamique capitale de la vallée, le haut Vallespir comblera les amateurs de randonnée et de nature.

Céret

Capitale de la cerise pour les gourmands, Céret est aussi connue des amateurs d'art comme un des hauts lieux du cubisme. Picasso, Braque et bien d'autres artistes y ont posé leur chevalet au début du XXe siècle, trouvant dans ce bourg catalan un environnement idéal pour leurs recherches. Aujourd'hui encore, cette cité bien méridionale séduit avec ses rues bordées de platanes et ses fontaines où coule l'eau des Pyrénées. Parmi les raisons de s'y rendre : un remarquable musée d'Art moderne, des traditions festives qui battent leur plein lors de la fête de la Cerise ou le Céret de Toros (voir p. 43 et 44), de même que le marché du samedi matin, spectacle à ciel ouvert où se donnent rendez-vous les producteurs des vallées environnantes. Pour mieux en profiter, évitez de vous aventurer dans les rues du centre-ville en voiture.

Si vous aimez... Les randonnées en bord de mer

La côte découpée entre Argelès-sur-Mer et Cerbère offre de multiples possibilités de randonnées, à la recherche de criques et de plages. Un topoguide détaillé est vendu dans les offices de tourisme de la Côte Vermeille au prix de 4 €. Un conseil : n'oubliez pas votre maillot de bain.

1 **DU RACOU À LA PLAGE DE L'OUILLE**

Depuis la plage du Racou à Argelès, le sentier s'engage sur la côte rocheuse des Albères en longeant de petites falaises, puis débouche sur la plage de l'Ouille, à Collioure. Comptez une heure de marche.

2 **SENTIER DU CAP BÉAR**

Après le port de commerce de Port-Vendres, le départ du sentier du cap Béar peut vous mener jusqu'à la plage Bernardi au nord de l'anse de Paulilles. À mi-chemin se trouve le phare, haut de 27 m et bâti en 1905. Comptez 2 heures 45 de marche pour rejoindre l'anse de Paulilles.

3 **LA BAIE DE PAULILLES**

Entre la plage de Bernardi au nord et la plage du Fourat au sud, le sentier longe l'anse et son ancien site industriel. Comptez 45 minutes de marche facile.

4 **SENTIER DE LA RÉSERVE MARINE**

Depuis Banyuls-sur-Mer, le sentier serpente en balcon dans les parcelles de vignes jusqu'à l'aire de stationnement du cap Rédéris, où l'on peut généralement déguster des vins de Banyuls. Il redescend ensuite vers la plage de Peyrefitte en surplombant le sentier sous-marin de la réserve. Comptez 2 heures de marche.

MUSÉE D'ART MODERNE DE CÉRET Art moderne et contemporain
(**04 68 87 27 76 ; www.musee-ceret.com ; 8 bd du Maréchal-Joffre ; tarif plein/réduit 6/3,5 € ; juil-sept tlj 10h-19h, oct-juin mer-lun 10h-18h**). Créé par les peintres Pierre Brune et Franck Burty-Haviland en 1950, ce musée expose une superbe collection où figurent des œuvres de Picasso, Chagall, Masson ou Soutine. Tous ont séjourné à Céret, que le critique André Salmon avait désignée comme "La Mecque du

Un samedi matin au marché de Céret

EMMANUEL DAUTANT ©

cubisme" (voir l'encadré p. 295). Le bâtiment massif et lumineux s'intègre bien au bâti céretan. On est accueilli dès l'entrée par un dyptique géant d'Antoni Tàpies sur des plaques de laves émaillées grises, qui fut commandé à l'artiste lors de la rénovation du musée, en 1993. Les salles d'exposition sont organisées sur deux niveaux, autour de deux patios auxquels l'on peut aussi accéder. À ne pas manquer, une série de céramiques figurant des scènes tauromachiques offerte par Picasso au musée et les vues de Céret par Soutine ou Masson. La collection d'art contemporain comprend notamment des œuvres d'Antoni Tápies et de Ben. Le musée organise d'importantes expositions temporaires ou rétrospectives tous les ans, le plus souvent en lien avec des artistes ayant séjourné à Céret.

MUSÉE DU PATRIMOINE FRANÇOISE-CLAUSTRE Patrimoine local

(**☎04 68 87 31 59 ; www.maisondupatrimoine-ceret.fr, pl. Picasso ; tarif plein/réduit 2,5/1,5 €, visites guidées juil-août 5 € ; ⏲juil-août tlj 10h-13h et 15h-19h, reste de l'année lun-ven 10h-12h et 14h-17h,).** Nommé en hommage à l'archéologue qui fit de nombreuses fouilles dans la région, le musée, situé dans une tour des anciens remparts de la ville, présente des objets de provenance locale, des urnes protohistoriques de la nécropole de Céret et des poteries du néolithique.

PONT DU DIABLE Art roman

Difficile à rater en venant de Perpignan, ce formidable ouvrage d'art médiéval (1321) enjambe le Tech grâce à une seule arche de 45 m d'ouverture. La légende raconte qu'il fut construit par le diable en échange de l'âme du premier être vivant qui franchirait le pont.

Où se loger

HÔTEL VIDAL Central **€**

(**☎04 68 87 00 85 ; www.hotelceret.com ; 4 pl. Soutine ; d 44-55 € ; ⏲avr-oct).** En plein cœur de Céret, niché dans une ancienne résidence épiscopale du XVIIIe siècle, cet hôtel est apprécié pour sa terrasse ombragée par une pergola naturelle et son décor rustique. Une étape de charme à petit prix.

La Mecque du cubisme

Céret est l'un des lieux clefs de l'art moderne. Dans la première moitié du XXe siècle, ce petit bourg catalan a attiré la fine fleur des avant-gardistes de Montmartre et de Montparnasse. Invité par le sculpteur Manolo Hugué, Picasso y fait de longs séjours entre 1911 et 1913, en compagnie de ses amis Georges Braque, Max Jacob ou Juan Gris. Dans l'atelier de la maison Delcros, Picasso crée près de trois cents œuvres qui représentent un apport capital pour le cubisme. L'idylle entre Céret et les artistes se prolonge dans les décennies suivantes avec la venue d'autres grands peintres (Marc Chagall, Chaïm Soutine, André Masson…) pour ne s'interrompre qu'à la fin de la Seconde Guerre mondiale. Le musée d'Art moderne regroupe de nombreuses œuvres de cette période.

Où se restaurer

LA PRALINE Salon de thé-restaurant **€€**
(04 68 87 71 21 ; www.lapraline.net ; 15 bd du Maréchal-Joffre ; plats 10-19 € ; sept-mai mar-sam 10h-19h, été tlj 10h-19h). Une adresse gourmande tout en délicatesse pour déguster un thé parmi la cinquantaine de variétés proposées ou pour une halte déjeuner (salades, tartes salées, plats du jour). Le tout dans une agréable salle ou à l'ombre des immenses platanes du boulevard Joffre. Le patron, d'origine belge, propose aussi une sélection de chocolats ou de marrons glacées. Pratique : La Praline est situé juste en face du musée d'Art moderne.

RESTAURANT DEL BISBE Cuisine catalane **€€**
(04 68 87 00 85 ; www.hotelceret.com ; 4 pl. Soutine ; menus 18/26/38 € ; avr-oct). Le restaurant de l'Hôtel Vidal ne promet pas autre chose que de la cuisine catalane traditionnelle dans une ambiance feutrée ou sous la treille en terrasse. Pensez à réserver pour la terrasse.

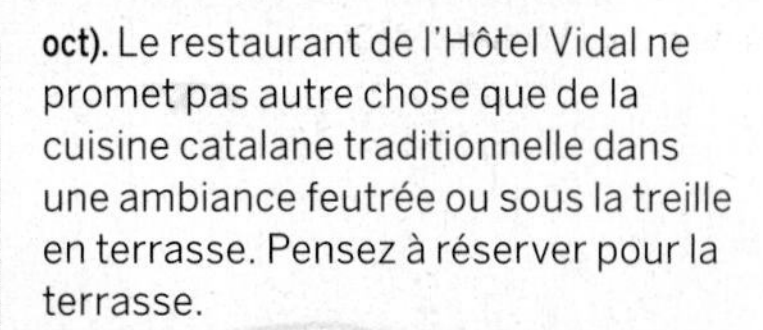

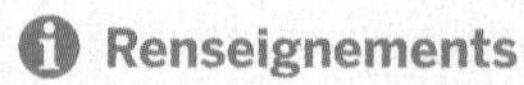

Renseignements

Office du tourisme (04 68 87 00 53 ; www.ot-ceret.fr ; bd Georges-Clemenceau). L'office du tourisme propose un intéressant parcours sur les traces des peintres avec des reproductions *in situ* d'une vingtaine d'œuvres d'artistes (Picasso, Braque, Soutine…) dans les rues de la ville et un autre itinéraire sur le patrimoine historique de Céret.

Arles-sur-Tech

Arles-sur-Tech s'est développé autour d'une abbaye bénédictine à la confluence du Tech et du Riuferrer (la rivière du fer). Si le village n'a pas le charme de Céret, l'abbaye Sainte-Marie d'Arles est un véritable joyau qui attire de nombreux visiteurs. Non loin du village, les spectaculaires gorges de la Fou passent pour les plus étroites du monde.

À voir

ABBAYE SAINTE-MARIE D'ARLES Art sacré
(Le Palau ; tarif plein/réduit 4/3 € ; avr-oct lun-sam 9h-19h et dim 14h-18h, reste de l'année lun-sam 9h-12h et 14h-18h). Construite à partir du Xe siècle, cette abbaye bénédictine est l'une des plus belles de Catalogne. Son cloître gothique en marbre blanc de Céret et en pierre de Gérone date de la seconde moitié du XIIIe siècle ; c'est l'un des premiers édifices bâtis dans ce style dans la région. L'église abbatiale renferme un riche mobilier. On y découvre les "mistéris", représentations de la Passion du Christ sorties le Vendredi saint lors de la procession de la Sanch. À l'entrée, un sarcophage paléochrétien de marbre blanc du VIe siècle, la *Sainte Tombe*, laisse

s'écouler une eau à laquelle on prête des vertus miraculeuses. Il aurait abrité les reliques de deux saints kurdes, Abdon et Sennen, ramenées depuis Rome par l'abbé Arnulphe. L'entrée se fait par l'office du tourisme. Visite guidée possible.

MOULIN DES ARTS Village artisanal
(rue du 14-Juillet ; ⏲ avr-oct lun-sam 10h-18h). Établi au bord du Tech dans l'ancienne usine des tissages catalans, le Moulin des Arts est une belle vitrine des savoir-faire locaux. Une galerie d'art, une exposition permanente de produits artisanaux et des ateliers d'artisans (forgeron, coutelier, céramique, travail du cuir) redonnent vie à cet espace.

GORGES DE LA FOU Curiosité naturelle
(☎ 04 68 39 16 21 ; www.tourisme-haut-vallespir.com ; tarif plein/réduit 9,5/5,5 € ; D115). À 2 km d'Arles-sur-Tech en direction de Prats-de-Mollo, ce défilé étroit offre une promenade spectaculaire entre des parois verticales hautes de 150 m au pied desquelles s'écoule la Fou. Les hautes parois qui surplombent ce torrent se resserrent jusqu'à ne laisser qu'un mètre de passage. La visite se fait sur un parcours de passerelles métalliques sécurisées, au milieu d'une végétation luxuriante. Un casque est fourni à l'entrée ; aucun autre équipement n'est demandé. Comptez 1 heure 30 pour effectuer le parcours de 3 km, qui s'effectue sans guide.

Où prendre un verre

LES GLYCINES Hôtel-restaurant **€**
(☎ 04 68 39 10 09 ; rue du Jeu-de-Paume ; d 49-53 €, demi-pension 73-77 € par pers ; ⏲ mars-oct). L'établissement ne brille pas par sa créativité gastronomique et la décoration mériterait un coup de neuf. Mais sa terrasse, ornée d'une immense glycine, est idéale pour prendre un verre à l'ombre de ce délicieux toit végétal. Pour l'anecdote,

À gauche : Abbaye Sainte-Marie-d'Arles ; **Ci-dessous :** Gorges de la Fou
(À GAUCHE) EMMANUEL DAUTANT © ; (CI-DESSOUS) SEBASTIAN P/FOTOLIA ©

Charles Trenet, dont le père fut maire d'Arles-sur-Tech, aimait venir s'y attabler et pousser la chansonnette sous la glycine.

Renseignements

Office du tourisme (☎ 04 68 39 11 99 ; www.tourisme-haut-vallespir.com ; immeuble Le Palau)

Prats-de-Mollo

La première vocation de ce village fortifié, niché dans un cirque de montagne verdoyante, fut de surveiller les cols du haut Vallespir et la frontière franco-espagnole. Il accueille aujourd'hui de nombreux randonneurs et des curistes venus profiter des eaux thermales de La Preste, rattachée à la commune depuis 1956. Fondé au XIIIe siècle par Jacques Ier d'Aragon, Prats-de-Mollo a vu sa position défensive complétée par les ouvrages de Vauban, notamment l'imposant fort Lagarde qui surplombe le village.

À voir

VILLAGE FORTIFIÉ Promenade

La meilleure façon de découvrir la cité est de flâner dans ces ruelles. On y accède par deux portes monumentales, la porte de France ou la porte d'Espagne. Devant la **porte de France**, notez la présence d'une sculpture métallique, le **monument de la Sardane**, érigé pour rappeler le rôle de Prats-de-Mollo dans le renouveau de cette tradition catalane. À l'intérieur des remparts, la place Josep-de-la-Trinxeria, où trône l'ancienne maison consulaire, est aujourd'hui occupée par la mairie. Rue Sainte, la coquette **chapelle Saintes Juste et Ruffine** est dédiée à deux martyres andalouses, saintes patronnes de la commune. Elle fut construite au XVIIe siècle pour l'accueil des fidèles en cas de mauvais temps. Ses murs sont tapissés de jolies peintures naïves et de

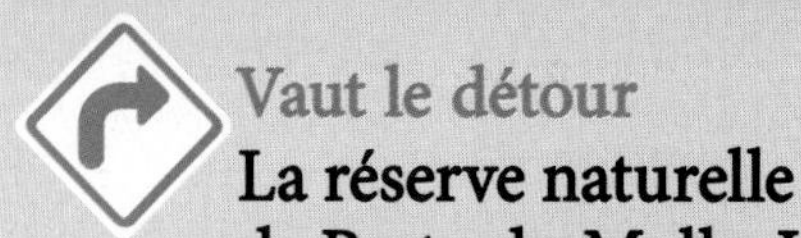

Vaut le détour

La réserve naturelle de Prats-de-Mollo-La Preste

Nul doute que les randonneurs trouveront leur bonheur dans ce magnifique territoire protégé de 2 300 ha, qui s'étend sur la haute vallée du Tech entre le pic de Costabonne et le Pla Guilem. Il n'est pas rare d'y observer des espèces animales emblématiques de la haute montagne comme l'aigle royal, l'isard, l'hermine ou le gypaète barbu.

L'ascension du **pic de Costabonne** (2 464 m), randonnée exigeante au départ du Chalet de las Conques (1 530 m) est un bon moyen de découvrir les paysages naturels de la réserve, de l'étage subalpin colonisé par le pin à crochets jusqu'aux pelouses des sources du Tech. N'hésitez pas à regarder sous vos pieds lors de l'ascension, la géologie de la réserve ménage de nombreuses surprises : gneiss érodés par le gel sur le Pla de Las Eugues, quartz des Esquerdes de Rotja, granit du Costabonne à proximité du col Del Pal ou encore des marbres blancs veinés de cristaux verts. Comptez 7 à 8 heures de marche aller-retour depuis le **Chalet de Las Conques** (**06 72 70 40 69, 04 11 930 733 ; chalet http://lechalet-lasconques.blogspot.fr ; juin-sept**) qui fait à la fois gîte d'étape, restaurant et bar. Pour le rejoindre depuis Prats-de-Mollo, comptez 30 minutes de voiture. Prenez la D115 jusqu'à La Preste, puis continuez jusqu'au parking du Chalet.

vitraux contemporains. Un peu plus haut, surplombant le village, l'**église Saintes Juste-et-Ruffine** a été initiée au XIIIe mais achevée seulement quatre siècles plus tard. Elle abrite de beaux retables des XVIIe et XIXe siècle. De là, les plus courageux pourront prendre le sentier qui grimpe jusqu'au **fort Lagarde**.

FORT LAGARDE Architecture militaire
(**04 68 39 70 83 ; www.pratsdemollolapreste ; tarif plein/réduit 3,5/2,5 € ; juil-août 10h30-13h, avr-juin et sept-oct 14h-18h**). Construit en partie par Vauban au XVIIe siècle autour d'une ancienne tour à signaux médiévale, l'édifice s'organise autour d'une trentaine de pièces : chapelles, cuisine, casernes, salle d'armes... Une centaine de soldats pouvaient s'y tenir en garnison. D'avril à octobre, des visites guidées ou contées sont organisées par l'office du tourisme.

Activités

MONTOZ'ARBRES Parcours aventure
(**04 68 22 43 55 ; www.montozarbres.com ; entrée 23 €, parcours enfant 7 € ; mai-oct**).
L'originalité de Mont Oz'Arbres est de pouvoir proposer à la fois parcours aventure en forêt et via ferrata sur le même site. Entre une tyrolienne de 400 m de long ou l'ascension de parois rocheuses, à vous de choisir.

INEXTREMIS AVENTURA Canyoning
(**04 68 39 71 94 ; www.inextremis-aventura ; à partir de 35 €/pers ; avr-sept**). Installé dans le centre de Prats-de-Mollo, Jean Vilallongue propose de découvrir les gorges du Vallespir ou du Conflent grâce à des parcours allant de l'initiation au canyoning extrême.

Où se loger

MAISON MAURO Chambres et table d'hôtes **€€€**
(**06 14 62 63 21 ; www.maisonmauro.fr ; 1 rue du Jardin-d'Enfants ; d avec petit-déj 90-95 €, plats 15-26 €**). Ouverte en 2012, à deux pas de la place El Firal, la Maison Mauro est une bien belle adresse. Derrière une façade grise,

trois chambres d'hôtes spacieuses ne souffrent d'aucune fausse note : salles de bains en tadelakt, coin salon et jolie terrasse pour l'une des chambres. Dans les pièces communes, les œuvres d'art côtoient les meubles de récupération ; une bibliothèque et un piano complètent une ambiance cosy. Aux fourneaux, Jean-Bernard est un vrai chef, que ce soit pour un casse-croûte, des tapas cuisinées ou une côte de bœuf, que l'on déguste dans une agréable salle à manger vitrée ou sur la terrasse dominant le Tech. Bon point, la maison pratique le droit de bouchon, moyennant 5 €.

HÔTEL BELLEVUE Hôtel-restaurant **€€**

(☎ **04 68 39 72 48 ; www.hotel-le-bellevue.fr ; s/d 43-60/53-76 €, d demi-pension 92-132 € ; ⏲ mars-oct ; wifi**). Situé devant la porte du village, le Bellevue accueille essentiellement des curistes. Il offre de belles prestations et une propreté sans reproche dans ses 17 chambres. Certaines disposent d'une terrasse avec vue sur la place du village et la montagne.

MONT OZ'ARBRES Au milieu des bois **€€**

(☎ **04 68 22 43 55 ; www.montozarbres.com ; d petit-déj 55/85 €, village de carbets 39 € ; ⏲ avr-oct**). Envie de changer de décor le temps d'une nuit et de tutoyer les cimes à 800 m d'altitude ? Mont Oz'Arbres (voir aussi p. 298) vous propose de vivre une expérience unique en dormant au milieu des bois, dans des cabanes sur pilotis auxquelles on accède par des escaliers. Beaucoup plus rustique, le village de carbets permet de passer une nuit en bivouac dans des hamacs brésiliens au milieu de la nature.

Où se restaurer

PORTELLA Cuisine picturale catalane **€€**

(☎ **04 68 85 44 79 ; 11 rue Porte-de-France ; menu 19,5 €, plats 12-25 € ; ⏲ avril-oct**). Gérard, le chef du Portella, est un artiste culinaire. Chaque assiette sortie de ses fourneaux est décorée au pinceau avec des vinaigres teintés naturellement. Ces tableaux éphémères ne font pas oublier une très

Prats-de-Mollo

EMMANUEL DAUTANT ©

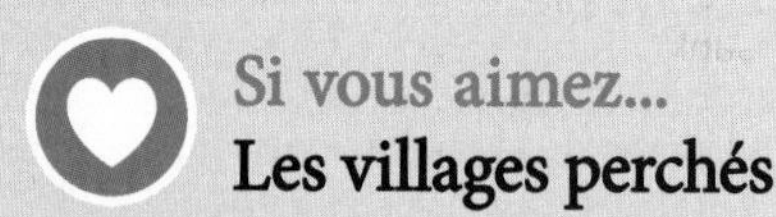

Si vous aimez... Les villages perchés

Si vous aimez les villages perchés comme Castelnou (p. 275), ne manquez pas non plus :

1 EUS

Impossible de rater Eus en venant de Perpignan, 6 km avant Prades. Les ruelles de ce magnifique village dominant la Têt, surplombé par une église, se découvrent à pied. Laissez votre voiture au pied d'Eus et grimpez jusqu'à la placette située au centre du village, parfaite pour prendre un verre et admirer le Canigou. Très fréquenté, Eus est parfois victime de son succès en été.

2 MOSSET

Niché dans la vallée de la Castellane à 12 km de Prades, Mosset garde les traces de son passé montagnard et féodal avec ses hautes murailles. Son église a conservé de beaux retables baroques et une étrange curiosité : un pin sylvestre aventureux pousse sur le sommet de son clocher.

3 ÉVOL

À 2 km d'Olette dans le Haut-Conflent, Évol est surtout remarquable pour l'homogénéité architecturale de ses maisons mêlant murs de schiste et toits en lauzes.

4 MANTET

Le bout du monde ou presque ! Pour vous y rendre, il faudra passer le col de Mantet à 1 761 m d'altitude par une route (très !) sinueuse, inaugurée en 1964, avant de redescendre vers ce minuscule hameau. Construit en terrasses au milieu des alpages et classé en réserve naturelle, Mantet est aussi le point de départ de nombreuses randonnées. Renseignements sur place auprès de la **Maison de la nature** (☎ 04 68 05 00 75). À 23 km de Villefranche-de-Conflent par la D6.

bonne cuisine à base d'ingrédients frais mixant des produits de la mer (le poisson à la plancha) à ceux de la montagne, sans oublier des desserts maison, comme la mousse de *turrón*. Bon accueil, aimable et attentionné.

BELLAVISTA Gastronomique **€€**
(☎ 04 68 39 72 48 ; www.hotel-le-bellevue.fr ; menus 20/29/40 € ; ⏲ mars-oct).
Le restaurant de l'Hôtel Bellevue (p. 299) est sans doute le plus raffiné du village. Ambiance agréable, malgré un cadre strict, avec une jolie terrasse donnant sur le village. Denis Visellach et son épouse Patricia mitonnent une cuisine du terroir réfléchie et excellente.

ℹ Renseignements

Office du tourisme (☎ 04 68 39 70 83 ; www.pratsdemollolapreste.com ; pl. El-Firal). Vend des fiches détaillant des randonnées (1 €) et des circuits en VTT (1,25 €). Depuis le centre de Prats-de-Mollo, une randonnée permet de rejoindre l'ermitage de Notre-Dame du Coral par le col de la Guille. Comptez 6 heures de marche aller-retour. Autre possibilité depuis la maison forestière de Can Got à 2 km du centre-ville (route du col d'Arès), rejoindre la tour du Mir, ancienne tour militaire située à la lisière de l'Espagne. Comptez 4 heures de marche aller-retour.

LE CONFLENT

Le Conflent est un pays de contrastes. Dans sa partie basse, c'est un immense verger (pêchers, abricotiers et pommiers), arrosé par des canaux d'irrigation dont certains datent du Moyen Âge, avec en toile de fond la silhouette triangulaire du Canigou. Mais après le verrou de Villefranche-de-Conflent, changement de décor ! La Têt se faufile dans un défilé montagneux aux paysages austères. La route longeant le fleuve s'élève, doublée par le tracé du Train Jaune et ses impressionnants ouvrages d'art. Le Conflent reste aujourd'hui une importante voie de communication entre la France, l'Espagne et Andorre. Pour fuir la civilisation, engagez-vous dans les vallées des affluents de la

Têt à la découverte de chefs-d'œuvre de l'art roman ou à l'assaut des montagnes du Haut Conflent.

Ille-sur-Têt

Si elle ne présente pas à première vue d'intérêt majeur, cette bourgade établie au bord de la Têt abrite des ruelles tortueuses où il fait bon flâner. On peut aussi y visiter l'hospice Saint-Jacques, devenu un lieu d'exposition, et surtout découvrir le site géologique des orgues en bordure de la Têt.

ORGUES D'ILLE-SUR-TÊT Site naturel

(04 68 84 13 13 ; site des Orgues ; tarif plein/réduit 4/3 €, enfant 2,5 € ; juil-août 9h-20h, mai et juin 9h-13h et 14h-19h, avr, oct et sept 9h-13h et 14h-18h, nov-mars 9h-12h et 14h-17h). Dominé par le Canigou, le site géologique des orgues d'Ille-sur-Têt, sculpté par la Têt, rappelle les parcs de l'Ouest américain avec ses cheminées de fée dont la couleur varie du blanc à l'ocre. La formation de ces étranges colonnes résulte de l'érosion de roches tendres, constituées d'argile et de sable. Le site se visite grâce à un sentier d'interprétation qui slalome entre les orgues. Depuis Ille-sur-Têt suivre la direction de Montalba-le-Château, puis les panneaux sur la droite de la route. En continuant en direction de Montalba, d'autres formations d'une couleur plus ocre apparaissent depuis la route.

HOSPICE D'ILLE-SUR-TÊT Art catalan

(04 68 84 83 96 ; 10 rue de l'Hôpital ; tarif plein/réduit 4/3 € ; juil-août tlj 10h-13h et 14h-18h, sept lun-mar et jeu-dim 10h-13h et 14h-18h, fév-mars et oct-nov lun-mar et jeu-ven 14h-18h, avr-juin lun-mar et jeu-dim 14h-18h). Ce centre de ressources et de valorisation du patrimoine catalan présente, dans la chapelle et les alcôves de cet ancien hospice, une collection permanente et des expositions temporaires. L'exposition permanente montre des fresques du XIIe siècle issues de la chapelle de Casesnoves, village abandonné au XVIIe siècle, situé à 2 km de l'Ille-sur-Têt, ainsi que des peintures et des sculptures des XVIIe et XVIIIe siècles.

Orgues d'Ille-sur-Têt

EMMANUEL DAUTANT ©

Où se restaurer

LA CASA DEL RAM Cuisine catalane **€€** (☎ 04 68 59 15 79 ; 6 pl. del Ram ; plats 13-29 € ; ⏲ été tlj le midi et soir, sept-juin lun-mar midi, jeudi-dim midi et soir). Le plus dur est d'y arriver ; suivez le parcours fléché. Adossée à l'église Saint-Étienne sur une agréable placette, La Casa del Ram dresse quelques tables en extérieur en plus de sa salle. L'ardoise propose des spécialités catalanes, comme l'escalivade, et d'ailleurs (tajines). Viande et poissons sont cuisinés à la plancha (brochette de lotte, gambas, entrecôte charolaise...). En desserts : tiramisu aux framboises ou crème brûlée aux zestes d'orange confits. Mieux vaut réserver le soir.

Renseignements

Office du tourisme (☎ 04 68 84 02 62 ; square de la Poste)

Prades

Prades, capitale du Conflent, vaut surtout pour sa position stratégique au carrefour des rivières de la Castellane, du Nohèdes et du Cady, à proximité des abbayes du Conflent, du prieuré de Serrabone et du massif du Canigou. Un cocktail naturel et culturel, auquel on doit ajouter quelques coquetteries bienvenues, à l'image des fontaines, porches et trottoirs en marbre rose de Conflent, qui ornent les rues. L'activité de Prades se concentre essentiellement autour de la place de l'église, où trône un beau clocher de style lombard. C'est sur cette placette que se déroule le marché tous les mardis matin. Surtout animée l'été, Prades célèbre Pablo Casals au cours d'un festival de musique de chambre réputé. Un petit musée honore la mémoire du grand violoncelliste.

À voir

ÉGLISE SAINT-PIERRE Art religieux (⏲ juin-oct mar-sam 10h-12h et 14h-17h30). L'église est bâtie sur les bases d'une église romane dont il ne reste aujourd'hui que le clocher de style lombard datant du XIIe siècle, le reste du bâtiment, dont la grande nef flanquée de quatorze chapelles, date du XVIIe siècle. Ne passez pas à côté de ses retables baroques et surtout celui du maître-autel réalisé par le sculpteur catalan Joseph Sunyer de 1696 à 1699. Il s'agit d'un des plus grands de France. Ce splendide travail de sculpture sur bois est dédié à saint Pierre, le patron de la ville, dont la vie est relatée à travers six tableaux comprenant pas moins de cent statues et bas-reliefs.

Où se loger et se restaurer

LE 225 Chambres d'hôtes **€€** (☎ 04 68 05 52 79 ; www.225prades.com ; 225 av. du Général-de-Gaulle ; d 55-75€ avec petit-déj ; ⏲ tte l'année ; 🏊 📶 🅿). Derrière une belle façade, cette ancienne maison de maître cache un endroit d'exception où l'accueil n'est pas un vain mot. Declan et Sharon, un couple irlandais prennent grand soin de leurs hôtes. Les parties communes et chambres ont été rénovées avec goût et les chambres spacieuses à la décoration sobre et élégante jouissent de très belles vues sur le Canigou. Un petit jardin à l'arrière permet de se détendre après un plongeon dans la piscine... Le tout à 500 m du centre de Prades.

EL TALLER Restaurant et atelier culturel **€€** (☎ 04 68 05 63 35 ; www.bar-restaurant-el-taller.weebly.com ; Taurinya ; menus 18/26,50/35 € ; ⏲ tte l'année jeu-mar midi et soir, hiver fermé le dim soir). Situé à 5 km de Prades, à deux pas de l'abbaye de Saint-Michel de Cuxa, le restaurant El Taller détonne par son architecture contemporaine. Cette structure de verre et d'acier tranche avec le paisible village de Taurinya. Mais la cuisine n'y souffre d'aucun reproche, que ce soit pour une halte sur le pouce ou pour un repas copieux dans un cadre bucolique. El Taller accueille également des expositions et des concerts sur sa belle terrasse ouverte sur la vallée. Une adresse coup de cœur.

Renseignements

Office du tourisme (04 68 05 41 02 ; www.prades-tourisme.fr ; 10 pl. de la République)

Saint-Michel-de-Cuxa

Cette **abbaye** (04 68 96 15 35 ; http://abbaye.cuxa.monsite-orange.fr ; rte de Taurinya ; tarif plein/réduit 5/3 € ; matin 9h30-11h, après-midi mai-sept 14h-18h et oct-avril 14h-17h) qui émerge au-dessus d'une petite vallée couverte de vergers regroupe un ensemble architectural exceptionnel. C'est l'un des très rares témoins de l'art préroman dans l'Hexagone. Elle comprend une grande église consacrée en 974, un clocher roman-lombard du XIe siècle de quatre étages – un second ne résista pas à un tremblement de terre – et les restes d'un cloître roman en marbre rose du Conflent du XIIe siècle. Autour de l'an mille, l'abbaye, alors sous la protection des comtes de Cerdagne, devint un important foyer culturel. Des moines de toute l'Europe y affluaient pour étudier. Elle perdit ensuite peu à peu de son importance et tomba en ruine après la Révolution française. Au début du XXe siècle, plusieurs chapiteaux et colonnes du cloître furent même démontés et installés dans une annexe du Metropolitan Museum of Art de New York. Depuis 1965, quelques moines de la congrégation bénédictine de Subiaco, en Espagne, vivent dans l'abbaye.

La visite commence par la **crypte dite du Pessebre** (la crèche en catalan), un ensemble de couloirs souterrains voûté menant à une rotonde soutenue par un pilier massif en forme de palmier. Remarquez les morceaux de coffrage en bois, ayant servi à la construction du pilier, encastrés dans le mortier de chaux. Placé sous la protection de la Vierge, ce lieu chargé de mystère évoquerait la grotte de la Nativité. La visite du **cloître**, de taille imposante, vaut surtout par l'ornementation exceptionnelle de ses chapiteaux, qui regorgent de motifs

Abbaye Saint-Michel-de-Cuxa

végétaux, animaliers ou monstrueux. Ces sculptures comptent parmi les premières de style roman dans le Roussillon. La visite se termine par l'**église**, un des rares exemples d'édifices préromans en France avec sa nef en fer à cheval d'inspiration wisigothique.

Vernet-les-Bains

Au pied des contreforts boisés du massif du Canigou, Vernet-les-Bains est réputée pour sa station thermale mais aussi comme point de départ pour de magnifiques randonnées. C'est une base idéale si vous comptez vous mesurer au fameux pic du Canigou ou marcher jusqu'à la magnifique abbaye Saint-Martin-du-Canigou.

À voir

ABBAYE SAINT-MARTIN-DU-CANIGOU Art monastique

(**☎ 04 68 05 50 03 ; Casteil ; www.stmartinducanigou.org ; tarif plein/réduit 5/3,50 € ; ⏲ visites guidées uniquement : juin-sept lun-sam 7 visites/j, dim et fêtes 10h et 12h30 ; oct-mai 5 visites/j, dim et fêtes 10h et 12h30).** Posée tel un nid d'aigle à flanc de montagne, l'abbaye Saint-Martin-du-Canigou fut fondée en 1005 par le comte Guifred de Cerdagne. Elle connut des fortunes diverses au cours des siècles (pillages, tremblement de terre...) et tomba en ruine après la Révolution française. Entre 1902 et 1918, l'évêque de Perpignan, opiniâtre, entreprit des travaux de restauration de l'abbaye. Elle est aujourd'hui habitée par la communauté des Béatitudes. La visite guidée permet de découvrir deux basiliques superposées, l'église inférieure à demi enterrée dédiée à "Notre-Dame-sous-Terre" et l'église supérieure consacrée à Saint-Martin. La visite de l'édifice se termine par le cloître et son impressionnante galerie sud ouverte sur la montagne. L'accès à l'abbaye se fait à pied depuis le village de Casteil, situé à 3 km de Vernet-les-Bains (on ne peut pas y accéder en voiture). Comptez 40 minutes de marche.

Vernet-les-Bains

Le Canigou, montagne mythique

Comme l'Etna ou le Fuji-Yama, le Canigou appartient à cette catégorie de sommets qui se voient de très loin. Ses 2 784 m lui ont longtemps valu d'être considéré comme le point culminant des Pyrénées. Avec sa forme pyramidale caractéristique, cette montagne est aussi l'un des berceaux de l'identité catalane. Tous les ans, les drapeaux aux couleurs sang et or envahissent son sommet lors de la nuit de la Saint-Jean et un brasier géant est allumé à son sommet avec la flamme sacrée del Canigo, entretenue toute l'année dans la tour du Castillet à Perpignan.

Son ascension, relativement facile, s'effectue le plus souvent depuis le **refuge des Cortalets** (**☎ 06 70 65 55 58/ 04 68 96 36 19 ; www.cortalets.com ; nuit 16 €/pers, demi-pension 38 €/pers)** que l'on peut rejoindre à pied (4 heures 30 heures de marche par le col des Voltes depuis Vernet-les-Bains), en voiture par la piste du Balatg (21 km de piste cabossée) ou grâce à des taxis 4x4 – s'adresser à Jean-Paul Bouzan des **Jeeps du Canigou** (**☎ 04 68 05 99 89)**, recommandé par l'office du tourisme de Vernet-les-Bains. Depuis le refuge des Cortalet (2 150 m), comptez encore deux heures de marche pour atteindre le sommet.

Une autre solution consiste à rejoindre le **refuge de Marialles** (**☎ 04 68 05 57 99 ; www.refugedemarialles.fr ; nuit 17 €/pers, demi-pension 38,5 €/pers)** à 1 700 m d'altitude à pied (3 heures de marche depuis Vernet-les-Bains) ou en voiture par une piste depuis le col de Jou. Là aussi, la circulation est réglementée, renseignez-vous avant de l'emprunter. Depuis le refuge de Marialles, le sommet se trouve à 4 heures de marche.

N'oubliez pas que l'ascension du Canigou est une randonnée de haute montagne, veillez donc à partir tôt le matin et renseignez-vous sur la météo. Si vous voulez effectuer la totalité de l'ascension à pied, il est conseillé d'y consacrer deux jours. L'ascension de cette masse minérale, plus facile depuis le refuge des Cortalets, se termine par un escarpement rocheux formant de hautes marches naturelles, "la cheminée", où il est nécessaire de s'aider des mains si l'on emprunte l'itinéraire du refuge de Marialles. Vous trouverez tous les renseignements pratiques sur l'ascension dans la brochure gratuite *De Vernet-les-Bains au pic du Canigou* disponible à l'office du tourisme de Vernet-les-Bains.

Activités

CARAVANIGOU Balade en âne
(**☎ 06 02 29 34 54 ; hameau de la Coume ; accès aux Cortalets ; www.caravanigou.fr ; à partir de 50 €, itinérant 75-150 €)**. Fabien Boyer propose des randonnées itinérantes sur plusieurs jours autour du pic du Canigou au départ de Baillestavy ou Valmanya. L'été, Caravanigou peut aussi vous aider à organiser l'ascension du Canigou, en vous proposant les services d'un âne pour accéder au refuge des Cortalets.

Renseignements

Office du tourisme (**☎ 04 68 05 55 35 ; pl. de la République ; www.vernet-les-bains.fr)**. Une foule d'informations sur les différentes voies d'accès pour l'ascension du Canigou et les randonnées au départ de Vernet-les-Bains dans la vallée du Cady. Des "fiches randos" détaillant ces itinéraires sont en vente au prix de 1 €.

Villefranche-de-Conflent

Cernée par les montagnes, cette petite cité a fière allure derrière ses hauts remparts et ses échauguettes de brique rouge. Fondée au XIe siècle, Villefranche-de-Conflent a longtemps représenté un verrou stratégique, à l'heure où la France et l'Espagne se disputaient le Roussillon. Au XVIIe siècle, Vauban complète le système défensif et créé le fort Libéria en surplomb du village.

Le charme de Villefranche est toutefois gâché par l'afflux des visiteurs et les nombreuses échoppes de souvenirs en tout genre. Il faut dire qu'avec ses fortifications Vauban classées au patrimoine mondial de l'Unesco, ses grottes et sa gare ferroviaire, point de départ du Train Jaune, Villefranche concentre beaucoup d'attraits.

À voir

Privilégiez le début de la matinée ou la fin de l'après-midi pour arpenter Villefranche-de-Conflent, lorsque la cité retrouve son calme. En flânant dans ses ruelles, vous vous apercevrez que le marbre rose du Conflent est partout : sur les places pavées, sur les arcades des portes de la ville ou sur le magnifique portail roman de l'**église Saint-Jacques** du XIe siècle, qui possède également quelques intéressants retables.

FORTIFICATIONS DE VAUBAN Site classé à l'Unesco

La **visite des remparts** (04 68 96 22 96 ; 2 rue Saint-Jean ; tarif plein/réduit 4/3 € ; tlj juin-sept 10h-19h, mars-mai et oct 10h30 à 12h et de 14h à 18h, fév et nov 10h30 à 12h30 et de 14h à 17h) permet de cheminer sur les fortifications médiévales consolidées par Vauban en suivant l'ancien chemin de ronde. Le départ de la visite se fait au niveau de la porte d'Espagne en suivant un parcours fléché (comptez une heure de visite).

Vous pourrez aussi grimper à l'assaut du fort Libéria en empruntant le **souterrain des mille marches** (en réalité 734). Construit au milieu du XIXe siècle, il relie Villefranche au fort Libéria, 180 m plus haut, par un escalier

Abbaye Saint-Martin-du-Canigou (p. 304)

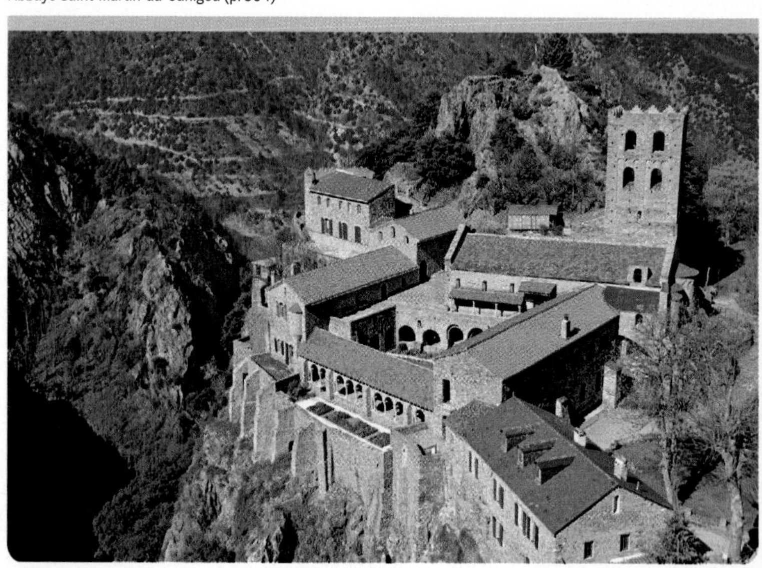

YVANN K/FOTOLIA ©

EMMANUEL DAUTANT ©

À ne pas manquer **Le Train Jaune**

Construit pour désenclaver le Capcir et la Cerdagne au début du XXe siècle, la ligne du Train Jaune, qui relie Villefranche-de-Conflent et Latour-Carol, est à la fois une prouesse technique (650 ouvrages d'art et 19 tunnels ponctuent son parcours) et un symbole. Le choix de wagons jaune rayé de rouge ne doit, bien sûr, rien au hasard.

Jugée non rentable, la ligne doit sa survie au combat de cheminots qui luttèrent à partir de 1968 contre son abandon. Depuis les années 1980, forte de son attractivité touristique (400 000 voyageurs par an), elle semble définitivement sauvée. Sur la soixantaine de kilomètres du trajet, la partie basse entre Villefranche et Mont-Louis est de loin la plus grisante, surtout l'été avec les wagons panoramiques. Depuis Villefranche, le ruban jaune escalade les gorges de la Têt en s'accrochant à d'étroites corniches, enjambe la Têt grâce à d'imposants ouvrages d'art, comme le pont Séjourné ou le pont Gisclard, avant de déboucher sur le plateau cerdan. Il serpente ensuite de village en village en s'élevant progressivement jusqu'à la gare de Bolquère, la plus haute de France, à 1 593 m, et rejoint Latour-de-Carol, son terminus. Grimpeur hors pair ce petit train gravit près de 1 200 m de dénivelé entre son point de départ et son point d'arrivée. Si vous voulez faire un aller-retour dans la journée et éviter un trajet éprouvant, il est conseillé de faire soit la portion Villefranche-Mont-Louis pour découvrir les gorges de la Têt, soit la portion Mont-Louis-Latour-de-Carol en Cerdagne.

INFOS PRATIQUES

(04 68 96 63 62 ; gare de Villefranche-de-Conflent ; www.trains-touristiques.sncf.com ; jusqu'à 6 trains par jour en juil-août, 3 trains par jour l'hiver). Le Train Jaune part de la gare de Villefranche-de-Conflent. Comptez 20 €/pers (demi-tarif pour les enfants de 4 à 12 ans) pour rejoindre Latour-de-Carol et 3 heures de trajet et 9,80 €/pers pour rejoindre Mont-Louis en 1 heure 20 (demi-tarif pour les enfants de 4 à 12 ans). N'oubliez pas que dans les gares secondaires, le conducteur ne s'arrête que si vous le lui demandez.

en marbre rose du Conflent. Vous pouvez aussi rejoindre le fort par un sentier (20 minutes de marche) ou en empruntant une navette 4x4 payante (3 €) dont le départ se fait devant le café Le Canigou.

Le **fort Libéria** (☎ 04 68 96 34 01 ; www.fort-liberia.com ; tarif plein/5-11 ans 7/3,80 € ; ⏲ tlj juil-août 9h-20h, mai-juin 10h-19h, reste de l'année 10h-18h) est un ouvrage défensif construit sur trois niveaux par Vauban. À la fin du XVIIe siècle, plusieurs femmes y furent emprisonnées pour leur implication dans l'affaire des Poisons, une retentissante histoire de magie noire qui mit la cour de Versailles sens dessus dessous. Après la visite des geôles et des casernes, n'oubliez pas de vous attarder sur le joli chemin de ronde et sa vue plongeante sur Villefranche.

GROTTES Concrétions calcaires (☎ 04 68 05 20 20 ; www.3grottes.com ; route de Vernet-les-Bains). À quelques centaines de mètres de la cité médiévale, trois grottes ont été aménagées pour la visite. Celle des **Grandes Canalettes** (tarif plein/réduit 10/6 € ; ⏲ avr-juin 10h-18h, juil-août 10h-19h30, sept-oct 10h-17h30, nov-mar sam, dim et jours fériés et vacances scolaires) est la plus vaste mais aussi la plus impressionnante avec ses cristallisations féeriques évoquant Angkor ou la Sagrada Familia.

ℹ Depuis/vers Villefranche-de-Conflent

TRAIN JAUNE La gare de Villefranche-de-Conflent est le terminus de cette ligne touristique, qui rejoint Latour-de-Carol à travers les magnifiques paysages du Haut-Conflent et de Cerdagne (voir l'encadré p. 307).

Mont-Louis

Perchée à 1 600 m d'altitude, Mont-Louis est une ville fortifiée créée de toutes pièces par Vauban pour sécuriser la frontière franco-espagnole

À gauche : Four solaire de Mont-Louis (p. 309) ;
Ci-dessous : Chemin de ronde, Villefranche-de-Conflent

(À GAUCHE) EMMANUEL DAUTANT © (CI-DESSOUS) IGAUWEB/FOTOLIA ©

redessinée par le traité des Pyrénées (1659). Mont-Louis a gardé sa vocation de ville de garnison ; une partie de la citadelle est encore occupée aujourd'hui par un centre d'entraînement de l'armée de terre. Derrière ses murailles et ses échauguettes, Mont-Louis offre une atmosphère reposante aux portes de la Cerdagne, du Conflent et du Capcir.

À voir

FORTIFICATIONS DE VAUBAN — Site classé à l'Unesco

Nommée en hommage au Roi Soleil, la place forte de Mont-Louis était une pièce majeure du système défensif créé par Vauban pour sécuriser les Pyrénées. Élevées entre 1679 et 1681, les fortifications devaient comprendre trois espaces distincts : la ville basse, qui ne fut jamais construite, la citadelle, encore aujourd'hui occupée par l'armée, et la ville haute, qui correspond au Mont-Louis actuel, cerné de remparts, auquel on accède par l'imposante porte de France surveillée par une guérite. L'office du tourisme organise des **visites guidées de la citadelle** (tarif plein/réduit 5/2 €) au cours desquelles on peut observer l'ingénieux **puits des Forçats** et sa roue d'écureuil, un système de collecte et de distribution d'eau.

FOUR SOLAIRE DE MONT-LOUIS — Patrimoine scientifique

(04 68 04 14 89 ; résidence Vauban ; www.four-solaire.fr ; tarif plein/réduit 6,5/5,5 € ; juil-août visite ttes les 30 min 10h-18h, reste de l'année ttes les heures 10h-17h). Pas étonnant de trouver ce four dans la région la plus ensoleillée de France. Si aujourd'hui le four de Mont-Louis ne sert plus qu'à cuire de

la céramique fabriquée sur place, il fut installé dans un but scientifique par le professeur Félix Trombe, en 1947, pour tester la résistance des matériaux à l'énergie solaire. Aujourd'hui, les expérimentations proposées autour de ces deux miroirs, dont un suit minutieusement la course du soleil, restent très impressionnantes. La chaleur produite par les miroirs peut atteindre les 3 000°C.

Où se loger

CAMPING DU PLA DE BARRES Camping €
(**04 68 04 26 04 ; rte des Bouillouses ; www.mont-louis.net/camping.htm ; tente + voiture juil-août 6 €, juin et sept 4,50 €, adulte/enfant juil-août 2,80/1,50 €, juin et sept 2,50/1,30 € ; juin-sept).** Idéal pour les amateurs de VTT, de randonnées et de pêche, le camping communal du Pla de Barrès est situé sur le site classé des Bouillouses (voir p. 316), au cœur de la forêt de Barrès, en bordure de la Têt.

LA VOLUTE Chambre d'hôtes €€
(**04 68 04 27 21, 06 21 58 01 80 ; http://lavolute.monsite.wanadoo.fr ; 1 pl. d'Armes ; d 65 € ; tte l'année).** Voilà une adresse sympathique, idéalement située sur les remparts de la citadelle de Mont-Louis. À la fois gîte de charme mais aussi chambre d'hôtes, La Volute est sise dans l'ancienne demeure du gouverneur de Louis XIV. Outre un beau jardin posé sur les remparts, d'où l'on aperçoit les montagnes de Cerdagne, La Volute met à disposition une cuisine pour ses hôtes et les conseils avisés de Martine, la propriétaire, sur les possibilités d'excursions dans la région.

Où se restaurer

LE DAGOBERT Cuisine catalane €
(**04 68 04 14 32 ; 8 bd Vauban ; menu 16,50 € ; tte l'année mar soir-dim midi).** Rien d'exceptionnel mais une formule "Train Jaune" qui a fait ses preuves et un bon rapport qualité/prix dans un cadre agréable adossé au pied des rempart. Pour vous y rendre, prenez à droite dès que vous entrez dans la citadelle. Réservation conseillée.

Renseignements

Office du tourisme (**04 68 04 21 97 ; www.mont-louis.net ; 3 rue Lieutenant-Pruneta)**

Depuis/vers Mont-Louis

Train Jaune La gare de la Cabanasse, à Mont-Louis, permet de prendre le Train Jaune en direction de Villefranche-de-Conflent ou de Latour-de-Carol. Voir aussi l'encadré p. 307.

Fortifications, Mont-Louis
YVANN K/FOTOLIA ©

HAUTS PLATEAUX CATALANS

Formés par la Cerdagne et le Capcir, les hauts plateaux catalans dévoilent des paysages surprenants au regard de leur altitude (entre 1 200 m et 1 500 m), ceux de plateaux agricoles encore marqués par l'élevage et l'exploitation forestière. Leur topographie plane bute sur des pentes abruptes et boisées qui mènent vers les hauts sommets pyrénéens. Soutenus par l'économie touristique, ces plateaux sont aussi des voies de communication importantes : la Cerdagne offre un passage privilégié vers l'Espagne et la Catalogne. Quant au Capcir, il permet de rejoindre la haute vallée de l'Aude.

Cerdagne

Cette région frontalière coupée en deux entre la France et l'Espagne, si l'on excepte l'enclave espagnole de Llívia, occupe le bassin d'un ancien lac glaciaire à une altitude moyenne de 1 200 m. Dominées par les hauts sommets du Carlit, du Puigmal et du Cambre d'Aze, les prairies du plateau cerdan restent profondément marqué par l'agriculture. Centrée autour de la dynamique station de Font-Romeu, la Cerdagne française est aussi l'une des régions les plus ensoleillées de France, paradis des randonneurs l'été et des skieurs l'hiver.

Font-Romeu

Lieu de pèlerinage depuis le XIIIe siècle, Font-Romeu a vu son destin bouleversé par l'apparition des sports d'hiver. L'histoire commence avec l'inauguration en 1913 du Grand Hôtel construit par la Société des chemins de fer et hôtels de montagne. Ses prestations uniques – casino, piscine, théâtre, cinéma – attirèrent une clientèle fortunée venue s'initier aux joies des sports d'hiver. Depuis, la station a poursuivi son développement de manière un peu anarchique. Les hôtels et barres d'immeubles masquent souvent des paysages exceptionnels et Le Grand Hôtel, divisé en appartements, n'est plus qu'une relique des premières heures de la station.

Font-Romeu cultive aujourd'hui son image sportive, avec le Centre national d'entraînement en altitude (CNEA) où viennent se préparer les athlètes de toutes disciplines, et s'affiche aussi comme une station estivale.

À proximité de Font-Romeu, de nombreux villages comme **Dorres** à

Si vous aimez... Les eaux chaudes naturelles

En Cerdagne et dans le Haut-Conflent, plusieurs sources d'eau sulfureuses permettent de se baigner en intérieur et en extérieur dans des eaux chaudes naturelles qui sortent de terre à plus de 35°.

1 BAINS DE DORRES

À 10 minutes de Font-Romeu, en plein air, au milieu des arbres avec un panorama somptueux sur les sommets du Puigmal, l'eau sulfureuse sort du granit et remplit une petite piscine en arc de cercle (☎ 04 68 04 66 87 ; **www.bains-de-dorres.com ; entrée 4 € ; tlj 9h-19h45).**

2 BAINS DE LLO

Ici, l'entrée inclut hammam, sauna et espace de relaxation ainsi que l'accès à plusieurs piscines extérieures et des bains couverts (☎ 04 68 04 74 55 ; **www.bains-de-llo.com ; rte des gorges ; tarif plein/réduit 11/8,5 € ; tlj 10h-19h30).**

3 BAINS DE SAINT-THOMAS

L'eau sulfureuse sort à 58°C des gorges de la Têt et est refroidie entre 36° et 38°C dans deux bassins et une pataugeoire à ciel ouvert. Hammam, Jacuzzi et espace bien-être sur place (☎ 04 68 97 03 13 ; **www.bains-saint-thomas.fr ; tarif plein/réduit 5,50/4 €, hammam 12 € ; tlj 10h-19h40).**

l'ouest et **Eyne** (voir l'encadré p. 300) au sud combleront ceux qui sont à la recherche d'un peu plus d'authenticité.

À voir

CHAPELLE DE L'ERMITAGE Art religieux

(**04 68 30 68 30 ; rte de Mont-Louis ; visites guidées possibles, s'adresser à l'office du tourisme).** Édifiée sur le site de la découverte d'une statue de la Vierge, la chapelle de l'Ermitage a été construite au XVIIe siècle sur un sanctuaire plus ancien. L'église possède trois remarquables retables dont celui du maître-autel (XVIIIe siècle), œuvre du sculpteur catalan Josep Sunyer. Ne manquez pas de gravir l'escalier qui conduit au somptueux **camaril**, petite chambre à la décoration baroque signée par l'incontournable Sunyer. Durant l'été, la Vierge de l'Invention, en bois doré (début XIIIe siècle), est exposée dans l'église avant d'être transportée lors d'une procession à l'église d'Odeillo, où elle passe l'hiver.

GRAND FOUR SOLAIRE D'ODEILLO Patrimoine scientifique

(**04 68 30 77 86 ; www.foursolaire-fontromeu.fr/ ; 7 rue du Four-Solaire, Odeillo ; tarif plein/réduit/7-18 ans 7/6/3,50 €, -7 ans gratuit ; juil-août 9h30-19h et 14h-19h, sept-juin 10h-12h30 et 14h-18h).** Après avoir créé un prototype de four solaire à Mont-Louis (p. 309), l'équipe du physicien Félix Trombe vit plus grand en bâtissant, entre 1962 et 1968, ce grand four solaire d'une puissance thermique de 1 000 kilowatts. Le centre d'information Héliodyssée vous fera découvrir les multiples applications de l'énergie solaire et les recherches menées par l'équipe du CNRS implantée sur le site, par ailleurs classé aux monuments historiques.

Activités

AVENTURE PYRÉNÉENNE Sports de montagne

(**04 68 04 96 59 ; av. E.-Brousse ; www.aventure-pyreneenne.com).** Tous les sports de montagne vous sont proposés dans ce bureau des guides : canyoning, VTT, Via Ferrata, randonnée, escalade...

Chevaux en estive, lac des Bouillouses (p. 316)

EMMANUEL DAUTANT ©

DOMAINE SKIABLE DE FONT-ROMEU Glisse

(www.font-romeu.fr ; forfait journée tarif plein/réduit 32,50/27,50 €). Situé entre 1 700 et 2 210 mètres d'altitude, le domaine skiable de Font-Romeu se trouve au cœur de la Cerdagne. Il est entouré des sommets les plus emblématiques des Pyrénées-Orientales, comme le pic Carlit. Doté d'équipements ultramodernes, il comprend 43 pistes de tous niveaux. Un espace de 20 ha est réservé aux enfants et aux débutants tandis qu'un snow park attend les amateurs de free-style. Vous y trouverez aussi deux pistes de luge, des possibilités de balades en raquettes et de ski de fond.

Où se loger et se restaurer

LA FERME DES LLOSES Restaurant et fromagerie €€

(04 68 04 79 51 ; 3 av. Maréchal-Joffre ; plats 13,50-28 € ; mar-sam le midi). En plein centre de Font-Romeu, la ferme des Lloses n'a rien de très excitant vue de l'extérieur mais l'intérieur a plus d'allure. Agréablement décorée, sa salle située à l'arrière offre une belle vue sur le plateau cerdan. À la fois fromagerie, épicerie fine et restaurant, La Ferme ne sert que des produits fermiers sélectionnés. Dans l'assiette : crozets au sarrasin au fromage des Pyrénées, magret au miel de Cerdagne, assiette de Pata Negra Bellota... En dessert, Alain propose notamment une glace artisanale à la crème de lait de vache de Cerdagne. On en salive encore !

CALXANDERA Restaurant et chambres d'hôtes €€

(04 68 04 61 67 ; 49 rte de Font-Romeu, Angoustrine ; www.calxandera.com ; menus 18/24 €, d 62 €, demi-pension 84 € ; restaurant mer midi-dim midi, sauf vacances scolaires tlj midi et soir ; P). Cette auberge s'est établie dans une ferme du XVIIIe siècle rénovée avec goût dans le village d'Angoustrine, à 12 km de Font-Romeu. Au menu, une cuisine traditionnelle catalane servie dans une salle aux murs en pierre nue et aux poutres apparentes où trône l'indispensable cheminée. Également 5 chambres d'hôtes tout confort. Idéal pour les amateurs de randonnée ou pour une pause gourmande.

Touts schuss !

Un immense domaine skiable s'étend du Haut-Conflent à la Cerdagne et au Capcir, perché entre 1 600 et 2 700 m d'altitude. Il compte 198 pistes pour 265 km de piste et 10 snow parks. Un seul forfait permet de changer de station sur les 8 domaines des stations des **Neiges Catalanes** **(www.neigescatalanes.com ; forfait 6 jours adultes/enfant 190/167 €)** : Font-Romeu Pyrénées 2000, Cambre d'Aze, Cerdagne Puigmal 2900, Porté-Puymorens, Les Angles, La Quillane, Formiguères et Puyvalador. Les amateurs de ski nordique se retrouvent plus volontiers en Capcir dans les paysages sauvages des stations de Formiguères, La Llagone ou Puyvalador.

Renseignements

Office du tourisme (04 68 30 68 30 ; www.font-romeu.fr ; av. E.-Brousse). Connexion Internet gratuite sur place. En vente, une carte des sentiers de randonnée pédestre (4 €) autour de Font-Romeu, une carte des itinéraires VTT (4 €) et une carte des parcours de trail (3 €).

Llívia

Ce confetti d'Espagne en territoire français résulte d'une bizarrerie historique. En 1659, conformément au traité des Pyrénées, l'Espagne dut céder à la France 33 villages. Mais Llívia, alors considérée comme une ville, et son territoire de 13 km², restèrent la propriété de la couronne d'Espagne. Aujourd'hui, bien

qu'enclavée en France, Llívia est une petite ville cent pour cent espagnole, un peu plus animée que les villages voisins.

À voir

Llívia offre au visiteur en mal d'Espagne l'occasion de flâner dans son petit cœur médiéval.

Le **Museu Municipal** (10 C. dels Forns ; 3 €), rouvert en 2012 après une longue fermeture, renferme la plus ancienne pharmacie d'Europe. Fondée en 1415, la Farmacia Esteva, au décor d'apothicaire, ne ferma ses portes qu'en 1926.

Au-dessus du musée, l'**Església de Nostra Senyora dels Àngels**, église gothique du XVe siècle, mérite une rapide visite. On peut aussi monter de l'église jusqu'aux ruines du **Castell de Llívia** où, durant la courte période de domination musulmane dans les Pyrénées, le gouverneur arabe Manussa aurait eu une liaison secrète avec Lampègia, fille du duc d'Aquitaine.

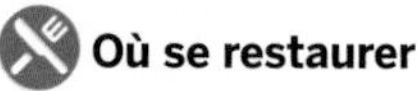

Où se restaurer

Can Ventura Catalan **€€**
(972 896 178 ; Plaça Major 1 ; menu 25 € ; mer-dim). Ce restaurant, situé dans une belle bâtisse en pierre datant de 1791, sert une délicieuse cuisine catalane traditionnelle. Parmi ses classiques : la viande d'agneau mijotée au four pendant 12 heures.

Capcir

Avec ses forêts de pins et ses lacs reflétant les pics environnants, le plus haut plateau pyrénéen a un petit air de Canada. À l'écart des grands flux touristiques, ses villages préservés comme **Matemale**, ou ses stations familiales comme **Formiguères**, séduiront ceux qui aiment le calme et la nature. Les amateurs de ski alpin se retrouveront plus volontiers dans la station des Angles, qui surplombe le lac de Matemale.

À gauche : Descente du pic Carlit ; **Ci-dessous :** Cairn

(À GAUCHE) YVANN K/FOTOLIA © (CI-DESSOUS) EMMANUEL DAUTANT ©

Formiguères

Ce village de montagne traditionnel a conservé son authenticité. Fréquenté dès le Moyen Âge par les rois de Majorque, il comble aujourd'hui les mordus de ski l'hiver et les adeptes de randonnée aux beaux jours.

Où se restaurer

LA TAPENADE Auberge de montagne €

(04 68 04 35 10 ; 5 rte de Mont-Louis ; menus 15/26 € ; fermé en nov, jeu-mar midi et soir, ouvert tlj pendant les vacances scolaires). Cette cantine montagnarde située au centre de Formiguères rassemble habitués et touristes de passage. C'est l'endroit idéal pour déguster une poêlée Capcir (tomme de Formiguères, pommes de terre, salade et boudin grillé) après une bonne journée de marche ou de ski. Pizzas et spécialités fromagères et catalanes remplissent une carte pas forcément portée vers la diététique mais proposant un des meilleurs rapports qualité/prix de la région. Accueil sympathique.

Renseignements

Maison du Capcir Haut-Conflent (04 68 04 49 86 ; www.capcir-pyrenees). Isolée entre Mont-Louis et Matemale à proximité du col de la Quillane, vous y trouverez une bonne documentation sur le secteur. Depuis Mont-Louis et la N116, prendre la direction de Formiguères.

Les Angles

Au pied du mont Llaret (2 377 m), Les Angles est le plus haut village du Capcir (1 655 m). Il mêle les pierres d'un village millénaire et les constructions géométriques d'une station de sports d'hiver, créée en 1964. Entouré de forêts, il domine les eaux tranquilles du lac de Matemale cernées de pelouses vertes l'été ou recouvertes par une épaisse couche de glace l'hiver.

Si vous aimez... La nature à l'écart du monde

En Capcir, Cerdagne et Haut-Conflent, la nature est aussi créatrice de formes géologiques surprenantes ou de vallées oubliées à découvrir à l'abri de la foule.

1 CHAOS DE TARGASSONNE

À 4 km à l'ouest de Font-Romeu, sur la D618, un paysage envoûtant de chaos granitique dans lequel on peut s'aventurer librement. Ces énormes blocs suspendus sur les prairies sont aussi un des sites les plus réputés de bloc (escalade) en France.

2 GROTTE DE FONTRABIOUSE

(04 68 30 95 55 ; www.fontrabiouse.fr ; tarif des visites guidées tarif plein/réduit 9,20 €/5,90 €). Cette grotte découverte en 1958 grâce aux travaux d'extraction d'une carrière d'onyx présente de multiples concrétions et une rivière souterraine. Fontrabiouse se trouve à 6 km au nord de Formiguères.

3 GORGES DE LA CARANÇA

Au départ de Thuès-Entre-Valls, dans le Haut-Conflent, ces gorges acérées se découvrent par un sentier spectaculaire taillé dans la roche. Plusieurs itinéraires pour les randonneurs aguerris ayant le pied sûr. Informations à l'office du tourisme de Mont-Louis (p. 310).

4 VALLÉE D'EYNE

Rebaptisée la vallée des fleurs, elle recèle de nombreuses espèces endémiques ou rares. Renseignements sur les randonnées à la **maison de la Vallée** (04 68 04 97 05 ; **exposition et jardin 3 € ; mi-juin-mi-sept 9h30-12h30 et 14h-18h**), qui possède un joli jardin ethnobotanique et à l'**office du tourisme** (04 68 04 63 57 ; www.cambre-d-aze.com).

À voir

PARC ANIMALIER DES ANGLES Faune pyrénéenne

(**04 68 04 17 20 ; tarif plein/réduit 13/11 € ; juil-août tlj 9h-19h, le reste de l'année 9h-17h, fermé en novembre**). Pour faire partie du club très fermé des espèces de ce parc en pleine nature, une seule condition : avoir vécu ou vivre encore dans les Pyrénées. On retrouvera donc sans surprise sangliers, cerfs, isards, mais aussi rennes, ours, bisons d'Europe et loups. Deux circuits de 1,5 et 3,5 km passent d'un enclos à l'autre.

Lac des Bouillouses

Classé depuis 1976, le site naturel des Bouillouses comprend 27 lacs d'altitude cernés de pins à crochets et traversés par une multitude de sentiers pédestres. Les paysages de ce "petit Canada pyrénéen" avec les contours du Carlit en toile de fond sont tout simplement extraordinaires. Les lacs, qui communiquent presque tous entre eux, sont profonds et poissonneux, la truite, par exemple, s'y trouve en abondance. On y croise aussi fréquemment des chevaux sauvages en estive et des marmottes.

Activités

Les lacs se découvrent grâce à plusieurs boucles au départ du barrage des Bouillouses, dont la production en électricité alimente le Train Jaune.

Deux variantes permettent de marcher à l'assaut des lacs qui s'étalent au pied du pic Carlit : la **boucle des 9 lacs** (2 heures 30 de marche) ou la **boucle des 12 lacs** (5 heures de marche). Autre possibilité : le **tour du lac d'Aude** (4 heures), ou vers le sud une boucle facile autour des **étangs des Esquits** (2 heures).

Les plus courageux se lanceront à l'assaut du point culminant des

Lac des Bouillouses

EMMANUEL DAUTANT ©

Pyrénées-Orientales, le **pic Carlit** à 2 921 m d'altitude. Comptez 900 m de dénivelé et 6 heures aller-retour depuis le barrage.

Renseignements

Depuis quelques années, la circulation est réglementée en juillet et en août pour l'accès aux Bouillouses. La RD 60 est interdite à la circulation entre 7h et 19h. Ceux qui veulent s'y rendre avec leur propre véhicule devront donc se lever tôt. Pour compenser cette interdiction, un système de **navettes de bus** (☎ 04 68 04 21 97 ; tarif plein/réduit 5/3,5 € ; départ toutes les 15 min de 7h à 19h) depuis l'aire d'accueil du Pla de Barès à Mont-Louis permet de s'y rendre. Autre solution, rejoindre Les Bouillouses par le télésiège de Font-Romeu (tarif plein/réduit 8/5 € ; juil-août 8h30-12h45 et 13h15-17h45).

Languedoc-Roussillon

En savoir plus

Paysage des Corbières

Le Languedoc-Roussillon aujourd'hui

Le soleil brille fort en Languedoc-Roussillon. Il brille tant qu'il nourrit le plus grand territoire viticole du pays depuis des centaines d'années ; il brille tant que sa conversion en électricité est à la pointe dans le monde de l'énergie solaire ; il brille tant qu'il attire ici chaque année des dizaines de milliers de nouveaux résidents. Et même s'il ne brille pas également pour tous les habitants, le soleil est le moteur essentiel d'une région tournée autant vers la mer que vers la terre.

Secteurs de l'agriculture régionale
(surfaces cultivées en milliers d'hectares)

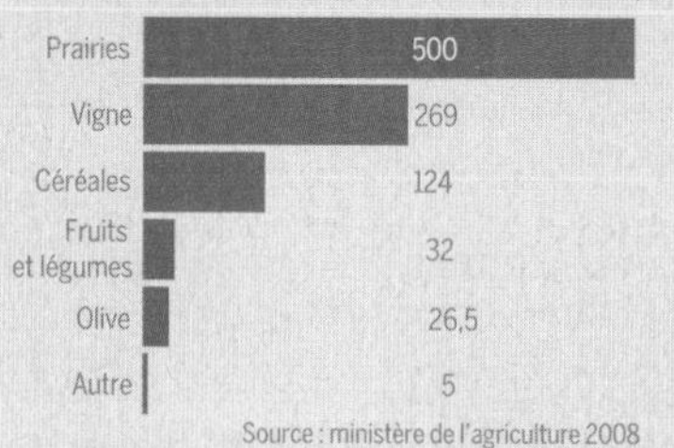

Sites touristiques les plus visités du Languedoc Roussillon
(en nombre de visiteurs)

Source : observatoire du comité régional du Tourisme 2010

Retour de plage à La Grande-Motte

Une croissance démographique à double tranchant

Le Languedoc-Roussillon tient depuis plusieurs années le record de croissance démographique en France métropolitaine. La région ne le doit pas à son taux de natalité – inférieur à la moyenne nationale – mais à l'extrême attractivité qu'elle exerce grâce à son climat et à sa situation littorale. Quatre des cinq départements qui composent cette région de 27 376 km² bordent la Méditerranée. Or, le cinquième, la Lozère, pays montagneux, est le département le moins peuplé de France. Ce sont bel et bien les côtes, ainsi que les trois agglomérations de Montpellier, Nîmes et Perpignan, qui attirent chaque année, estime-t-on, plus de 30 000 nouveaux résidents, pour l'écrasante majorité venus d'autres régions françaises.

OLIVIER MAYNARD/OFFICE DE TOURISME DE LA GRANDE-MOTTE ©

Le soleil et la mer ne suffisent malheureusement pas à faire du Languedoc-Roussillon un eldorado en termes d'emploi. Le chômage touche 13,7 % de la part active de ses 2 636 350 habitants, pourtant déjà réduite par la proportion importante de seniors, un taux bien au-dessus de la moyenne nationale.

Dotée du plus fort taux de création d'entreprises de la métropole, la région n'a cependant plus à prouver son dynamisme... ni ses contradictions.

Sea, Snow and Sun

L'héliotropisme n'a pas pour seule conséquence l'installation permanente de nouveaux habitants dans la région. Le développement de l'activité estivale et touristique a pris des formes socio-économiques variées, de la multiplication des résidences secondaires et des campings, dont le Languedoc-Roussillon occupe respectivement les seconde et première marches du podium national par le nombre, au maintien exceptionnel du chiffre d'affaires saisonnier malgré la crise économique. Une stabilité remarquable, quand celui des autres régions traditionnellement touristiques déclinait voire plongeait.

Il faut dire que la politique de développement d'infrastructures balnéaires de masse dans la région, initiée par le gouvernement dans les années 1960 pour enrayer la transhumance des vacanciers français vers les côtes espagnoles, a porté ses fruits : plus abordable et populaire que la Côte d'Azur, le littoral du Languedoc-Roussillon est, chaque été, avant tout alimenté par les capitaux des vacanciers français.

Longtemps hors de l'intérêt des touristes hormis les sites majeurs de Carcassonne, de Nîmes et du pont du Gard, l'arrière-pays n'est pas en reste. Un département comme la Lozère, foyer du parc national des Cévennes, riche de superbes paysages et des riches faune et flore qui s'y épanouissent, attire désormais un contingent croissant de randonneurs et d'amoureux de la nature. La neige y offre en outre, l'hiver venu, des pistes de ski appréciées.

Les Pyrénées catalanes attirent elles aussi nombre d'amateurs de sports d'hiver, venus pour l'essentiel des régions proches, autour de stations renommées telles que Font-Romeu ou Les Angles, ainsi que les amateurs de thalassothérapie. L'air pur des sommets catalans a une autre vertu, exploitée depuis les années 1960 : celle d'optimiser la conversion des rayons du soleil en énergie par leur réflexion. Le four solaire d'Odeillo (p. 312) est unique en son genre en France. Un laboratoire du CNRS mène différentes recherches énergétiques grâce à ce miroir parabolique de 1 830 m^2.

Histoire

Site mégalithique du Cham des Bondons (p. 197)

EMMANUEL DAUTANT

Le Languedoc-Roussillon d'aujourd'hui apparaît comme le fruit d'une histoire mouvementée, qui vit son centre de gravité passer de Rome à Toulouse, de Barcelone à Paris, quand des villes comme Narbonne ou Perpignan ne formaient pas elles-mêmes les capitales de royaumes germaniques, musulmans ou hispaniques. Une véritable épopée internationale qui fit de la région le théâtre de luttes politiques et religieuses, mais aussi le terreau ensoleillé de développements cosmopolites dont les traces sont omniprésentes.

Doyens de la préhistoire

La présence de l'homme dans l'actuel Languedoc-Roussillon ne date pas d'hier, ni même d'avant-hier, puisque c'est à Lézignan-la-Cèbe, dans l'Hérault, que l'on a découvert en 2008 les plus anciennes traces d'hominidés de France et d'Europe occidentale. Les centaines d'ossements appartenant à plus de vingt espèces animales et les outils trouvés sur place font désormais remonter à 1,6 million d'années la

200 millions d'années

Le Languedoc est recouvert par l'océan. La roche sédimentaire s'érodera pour former le chaos de Montpellier-le-Vieux et le cirque de Mourèze.

fréquentation de la région par l'homme, et surtout attestent de sa pratique de la chasse ainsi que de son art pour tailler le silex, le basalte et des galets. Ces traces sont rattachées à la "civilisation du galet", vraisemblablement née en Afrique un million d'années plus tôt. L'homme de Tautavel, avec ses 450 000 ans d'âge, passe en comparaison pour un jeune homme. Le musée (voir p. 272) né de la découverte de cet *Homo erectus* dans une grotte des Pyrénées-Orientales, au cours des années 1970, nous met pourtant face au plus âgé de nos ancêtres européens dont on puisse contempler le crâne, dans un exceptionnel état de conservation.

Dès 90 000 ans avant notre ère, la côte méditerranéenne est régulièrement occupée par l'homme de Néandertal, qui y pratique la chasse. Avec l'effacement progressif des chasseurs-cueilleurs au profit de populations sédentaires domestiquant bétail, graines et plantes à la sortie de l'ère glaciaire, la main de l'homme sur le paysage commence à s'imprimer. Le site du Cham des Bondons, en Lozère (voir p. 197), porte la plus spectaculaire de ces empreintes : plus de 150 menhirs granitiques réunis sur une surface de 10 km², formant la seconde concentration mégalithique d'Europe après Carnac. Ils sont vieux de plus de 4 000 ans et leur érection est contemporaine de la maîtrise de la production d'espèces de céréales, de pois, de haricots et de lentilles.

Les meilleurs… Sites antiques

1 Nîmes antique, p. 124

2 Pont du Gard, p. 138

3 Villa Loupian, p. 82

4 Oppidum d'Ensérune, p. 96

5 Horreum, Narbonne, p. 248

Cultures grecques et *Pax Romana*

L'olive et la vigne font leur apparition dans les cultures à la faveur des échanges commerciaux avec les Grecs de Phocée, lesquels établissent à cette époque différents comptoirs marchands le long des côtes méditerranéennes, et fondent plusieurs colonies, parmi lesquelles Agatha Tyché – c'est-à-dire Agde. Le développement économique de la côte et de l'arrière-pays va de pair avec la création de villages permettant notamment d'engendrer des réserves communes de denrées. Le modèle de l'oppidum – village situé sur un promontoire naturel ou artificiel pour en faciliter la défense – est fort décliné dans la région, favorisé par le relief : Ucetia (Uzès) et Carsac (Carcassonne) sont, avant même la conquête romaine, des oppidums importants. Celui d'Ensérune (Hérault ; voir p. 96), aujourd'hui un site archéologique, est habité en continu jusqu'au Ier siècle.

1,6 million d'années
Première occupation attestée d'hommes préhistoriques dans la région.

14 000-7 500 av. J.-C.
Les parois des grottes sont décorées de la main de l'homme d'animaux dessinés au charbon de bois puis peints à l'oxyde de manganèse.

Ve siècle avant J.-C.
Établissement sur la côte de comptoirs marchands par des Grecs de Phocée, qui introduisent les olives et la vigne dans la région.

L'emprise de la République romaine sur la région, à partir de 122 av. J.-C., va lui ouvrir une longue période de prospérité, dont Narbonne est la principale bénéficiaire. Nommée en hommage au dieu Mars, Narbo Martius voit son destin étroitement lié à celui de Rome : fondée en 118 av. J.-C., elle est sous la République un port commercial florissant, exportant le blé, l'olive et le vin – très apprécié des Romains – produits par l'arrière-pays. Pendant la guerre des Gaules, elle bénéficie de son ralliement immédiat à Jules César, qui en fait l'une de ses principales bases d'appui. Rome devenue empire, la Gaule est découpée en provinces, et Narbonne devient la capitale de… la Narbonnaise. Son aire d'influence englobe le Midi de la France depuis Toulouse jusqu'à l'embouchure du Var et remonte la vallée du Rhône jusqu'à Genève. Narbonne est en outre le carrefour de deux artères stratégiques : la *via Aquitana* la connectant aux actuelles Toulouse et Bordeaux, et la *via Domitia*, reliant Rome à la péninsule Ibérique. Puis, au IVe siècle, à mesure que Rome perd de son influence face aux Barbares, la province Narbonnaise est découpée en trois nouvelles provinces, la Narbonnaise première (Provincia Narbonnensis Prima) – dont Narbonne reste la capitale – la Narbonnaise secondaire (Provincia Narbonnensis Secunda) et la Viennoise (Provincia Viennesis), avant d'être pour de bon envahie par les Wisigoths au début du Ve siècle, peu avant que Rome ne chute…

Maison carrée, p. 127

118 av. J.-C.

Narbonne devient capitale de la province romaine appelée Gaule narbonnaise (Provincia Gallia Narbonnensis).

Ier siècle ap. J.C.

Sous l'égide de l'empereur Auguste, Nemeausus (Nîmes) se pare de monuments, parmi lesquels un amphithéâtre et un aqueduc

Il reste peu de chose de l'architecture romaine à Narbonne, si ce n'est l'*horreum* – des galeries souterraines aujourd'hui aménagées en musée (p. 248) – et pas davantage à Béziers (Baeterrae) d'ailleurs, pourtant garnison militaire de premier plan, poste de ravitaillement de la *via Domitia* et lieu de production vinicole. La récente découverte des traces d'un gigantesque chenal maritime, au sud de Narbonne, témoigne à la fois de l'importance de l'ancienne métropole romaine, et des trésors archéologiques qu'il reste probablement à y découvrir. Nîmes, la Nemausus d'alors, paraît avoir gardé pour elle et ses environs l'ensemble des trésors hérités de l'ère romaine. Il faut dire que son fondateur, l'empereur Auguste, l'a gâtée, en la dotant notamment d'un aqueduc, d'un amphithéâtre et d'un temple, dont la splendeur est d'autant plus admirable qu'elle a traversé les siècles insolemment intacte.

Les invasions barbares

Après un équilibre politique long d'un demi-millénaire, la Gaule narbonnaise pâtit de sa situation de carrefour, qui en fait la proie d'envahisseurs d'horizons lointains.

Venus de Scandinavie, les Vandales, qui pillèrent la Gaule au début du Ve siècle avant de gagner la péninsule Ibérique et l'Afrique du Nord, ne s'installent cependant pas dans la Narbonnaise. À l'inverse, les Wisigoths, eux, s'y établissent quelques années après avoir mis, en 410, Rome à sac. Ils y fondent un royaume, qui a Toulouse pour capitale, mais dont ils sont chassés en 507 par Clovis, premier roi des Francs... Les Wisigoths se retranchent alors sur Narbonne, dont ils font la capitale de leur royaume amputé, et connu aujourd'hui sous le nom de Septimanie. Étrange destin que celui de Narbonne, capitale de province romaine avant de devenir capitale d'un royaume germanique... Pour devenir, moins de 200 ans plus tard, capitale d'une province musulmane. Car, dès 719, l'irrésistible poussée des Sarrasins venus d'Afrique du Nord et ayant déjà soumis la péninsule Ibérique, traverse les Pyrénées et atteint l'Aquitaine ; Narbonne devient leur capitale "française". Quarante ans plus tard, l'armée de Pépin le Bref repoussera définitivement de l'autre côté des Pyrénées les envahisseurs, qui avaient déjà essuyé de sévères attaques de la part des troupes de Charles Martel... Lesquelles troupes avaient, à la même époque, dévasté Nîmes et Béziers. Aux IXe et Xe siècles, rebelote : Vikings puis Normands et Hongrois pillent ponctuellement la région...

C'est cependant au cours de ces deux mêmes siècles que la Septimanie connaîtra de nouveau une certaine stabilité politique, avec son intégration à l'Empire carolingien, à la suite des victoires de Pépin le Bref. Le fils de ce dernier, Charlemagne, étend la limite méridionale des possessions franques aux Pyrénées en formant la Marche d'Espagne, protégeant le reste de l'empire des royaumes arabes installés dans la péninsule Ibérique. Cette zone tampon, qui comprend l'actuel département des Pyrénées-Orientales, déterminera au cours des siècles suivant l'évolution dans deux sphères culturelles distinctes de ce qui deviendra le Languedoc d'une part, et le Roussillon d'autre part... La mort de Charlemagne

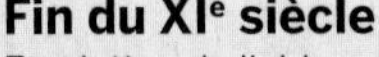

507-714
Les Wisigoths règnent sur la Septimanie.

795
Charlemagne repousse les frontières du royaume franc en créant la Marche hispanique, qui s'étend au sud jusqu'à Barcelone.

Fin du XIe siècle
Fondation de l'abbaye Fontfroide qui va progressivement rayonner sur une grande partie du Languedoc.

se grec, musée de l'oppidum
Ensérune

signera la dislocation de son empire, mais à partir du rattachement de la Septimanie à la sphère d'influence franque, celle-ci n'en bougera plus, gouvernée sous le régime de fiefs, de duchés et de comtés héréditaires, tandis que le rattachement de Perpignan à la couronne d'Aragon en 1172 marquera le début de 500 ans d'appartenance hispanique.

Une guerre religieuse de cent ans

La (relative) stabilité politique des duchés et comtés francs méridionaux y favorise le développement d'une culture et d'une langue propres, l'occitan (voir p. 337). Ce renouveau artistique, encouragé par la paix, est concomitant d'un renouveau religieux influencé par les relations commerciales avec l'Orient, et dont l'esprit comme la ferveur se diffusent rapidement dans le sud-ouest de la France. Cette nouvelle doctrine, pacifique dans le principe, mènera pourtant à un siècle de luttes acharnées et de massacres en pays occitan suite à la volonté de la papauté, qui la considère comme hérétique, de l'éradiquer ; comme ce sont les vainqueurs qui écrivent l'Histoire, ce sera le nom donné par les croisés chrétiens à leurs ennemis qui restera : les cathares.

La Garde-Guérin (p. 199) a été fondée au Xe siècle pour protéger la voie Regordane
EMMANUEL DAUTANT ©

1208
Le pape Innocent III lance une croisade contre l'hérésie cathare.

Château d'Arques (p. 239)
EMMANUEL DAUTANT ©

1226
Une grande partie du Languedoc est rattachée au domaine royal.

Les plus belles... Cités fortifiées

1 Carcassonne, p. 216

2 Aigues-Mortes, p. 156

3 Villefranche-de-Conflent, p. 306

4 Mont-Louis, p. 308

5 La Garde-Guérin, p. 199

Signifiant "purs" ou "parfaits" (comme ils visaient eux-mêmes à l'être), ce terme de cathares ne doit pas faire oublier que le Vatican les considérait par là comme de parfaits... hérétiques. Venue d'Arménie et des Balkans, la doctrine cathare emprunte également beaucoup au manichéisme – religion originaire de Perse basée sur la distinction entre la part éclairée (spirituelle, divine, immortelle) du monde et de l'homme, et sa part ténébreuse (corporelle, mortelle). Antimatérialiste, le catharisme prône une certaine forme d'ascèse physique pour se rapprocher de l'éternité de Dieu. Cette proximité recherchée avec la pureté de l'esprit sain était avant tout basée sur une interprétation du Nouveau testament... évidemment différente de celle de l'Église officielle, dont elle récusait le modèle hiérarchique, et avant tout l'exercice d'un pouvoir matérialiste, opulent et ostentatoire, en contradiction avec le sens de l'Évangile. Rome, évidemment, n'a guère apprécié cet affranchissement de son autorité à la fois spirituelle et temporelle...

L'assassinat en 1208 d'un légat du pape, Pierre de Castelnau, à son retour d'une rencontre à Saint-Gilles avec Raymond VI, comte de Toulouse et soutien des Cathares, mit le feu aux poudres. Une croisade – la première sur le sol européen – est lancée par le pape Innocent III, qui mandate Arnaud Amaury, abbé de Cîteaux, près de Dijon, à sa tête. En 1209, Raymond VI retourne sa veste et rallie les croisés qui s'apprêtent à descendre sur l'Occitanie... La conséquence est dramatique pour le Languedoc, car si le ralliement de Raymond VI épargne de facto Toulouse de la croisade, il fait de la vicomté de Béziers et Carcassonne la cible de l'expédition punitive dirigée par Amaury. Le coup porté sera particulièrement dramatique à Béziers, où des milliers d'habitants, sans distinction d'âge, de sexe, ni même de religion, seront massacrés en juillet 1209. La tradition rapporte une parole d'Amaury restée fameuse : "Tuez-les tous, Dieu reconnaîtra les siens." Bien que vraisemblablement apocryphe, la phrase reflète la violence aveugle des croisés qui, censément venus défendre la foi chrétienne, tuent catholiques comme cathares. Un mois plus tard, Carcassonne assiégée se rend dans des conditions plus pacifiques, mais les termes de la reddition obligent les habitants à quitter la ville en laissant tout effet personnel derrière eux.

La soumission de Béziers et Carcassonne est une bonne affaire pour Simon de Montfort, croisé de la première heure qui avait participé à la quatrième croisade en Terre sainte, et à qui est attribué la vicomté défaite ; la croisade est l'occasion pour ce noble venu du nord d'accroître ses possessions au sud. Le nouveau vicomte

1240
Saint-Louis pose les fondations d'Aigues-Mortes, d'où il s'embarquera pour sa dernière croisade en 1270.

1289
Création de l'université de Montpellier par le pape Nicolas IV.

1278-1344
Perpignan est la capitale du royaume de Majorque.

poursuivra la "croisade contre l'Albigeois" – Albi devenant la nouvelle égarée à remettre dans le droit chemin, avec de nouveau Toulouse – y compris à l'intérieur du Languedoc, menant une guerre incessante aux bastions cathares, vaincus les uns après les autres après une âpre résistance, et parfois de nouvelles exactions. À Bram, Montfort martyrise ses prisonniers en les mutilant "pour l'exemple", mais ne fera qu'attiser la résitance cathare ; il meurt au siège de Toulouse en 1218, sans avoir réellement éradiqué la religion cathare... Le Languedoc revient à son fils, Amaury de Montfort qui, en 1224, incapable de poursuivre la lutte, abandonne les terres au roi de France, Louis VIII.

L'entrée du Languedoc dans le royaume de France débute par une nouvelle croisade, dirigée par le roi lui-même à partir de 1226. Sans plus de succès que les Montfort père et fils avant lui, Louis VIII meurt trois ans plus tard. Le pape Grégoire IX, face à ces échecs répétés, recourt en 1232 à un autre type d'intervention : l'Inquisition. Le clergé séculier, chargé de l'opération, n'y va pas de main morte et se livre volontiers aux "méthodes" qui ont fait la triste réputation de l'Inquisition : invitations à la délation, aveux sous la torture, persécutions systématiques, autodafés... Avec la révolte du Languedoc, en 1240, s'ouvre le dernier chapitre militaire de l'éradication cathare. Réfugiés dans des forteresses telles que Montségur, les cathares résistent jusqu'en 1255, date à laquelle les derniers châteaux de Niort-de-Sault et Quéribus cèdent aux assaillants. L'Inquisition, qui a son siège à Narbonne, se chargera de l'abjuration et de l'élimination des derniers cathares pendant le demi-siècle suivant. Le dernier des Cathares, Guilhem Bélibaste, périt en 1321 sur le bûcher d'un petit village près de Carcassonne.

Sous la prospère protection de l'Aragon

Deux grandes cités de la région, Montpellier et Perpignan, sont épargnées par la crise cathare. À cela, une raison simple : elles appartiennent, tout le temps que dure le conflit, à la couronne d'Aragon. Les deux villes ont un destin longtemps lié, depuis leurs naissances contemporaines au Xe siècle, au bond prodigieux que connaissent leurs développements respectifs à partir de leur entrée dans la sphère d'influence aragonaise.

L'Aragon, sous domination franque depuis la création de la Marche d'Espagne par Charlemagne, s'affranchit de cette tutelle en 987 lorsque la dynastie capétienne remplace la carolingienne. La couronne d'Aragon exercera dès lors une influence importante dans le paysage féodal occitan, en cherchant à étendre de l'autre côté des Pyrénées ses possessions.

C'est chose faite en 1204 à l'occasion du mariage de Marie de Montpellier et Pierre II d'Aragon. La seigneurie de Montpellier ne sera espagnole qu'un siècle et demi – plus exactement jusqu'en 1349, date à laquelle elle est vendue au roi de France – mais cette période lui sera extrêmement profitable. Non seulement la ville prospère grâce au commerce des épices et du textile, mais elle devient un pôle intellectuel majeur en Europe. Les facultés de droit et de médecine, fréquentées à la fois par les Français, et les Juifs et les

Milieu du XIVe siècle
La première épidémie de peste noire en Europe dévaste la région. D'après des estimations prudentes, 40 % de la population aurait été décimée.

1362
Le Lozérien Guillaume de Grimoard devient le sixième pape à Avignon, sous le nom d'Urbain V.

1379
À Montpellier, Béziers, Lodève et Alès, les paysans se révoltent contre le fouage exorbitant imposé pour financer la guerre de Cent Ans.

Maures de la péninsule Ibérique, sont élevées au rang d'université par la papauté à la fin du XIIIe siècle, ce qui en fait aujourd'hui l'une des plus anciennes en activité d'Europe.

Perpignan, intégrée à la couronne d'Aragon peu avant Montpellier, en 1172, deviendra quant à elle capitale royale lorsque Jacques Ier d'Aragon, né à Montpellier, donne en partage ses possessions à ses deux fils, Pierre et Jacques. Ce dernier règne donc à partir de 1276 sur le royaume de Majorque – englobant le Roussillon, la Cerdagne, les îles Baléares et la seigneurie de Montpellier – et fait de Perpignan sa capitale. Le palais des rois de Majorque et la cathédrale Saint-Jean-Baptiste sont les brillantes traces du faste et de l'importance politique et religieuse que connaît alors Perpignan, au centre jusqu'en 1344 d'une puissance méditerranéenne.

En 1349, alors que Montpellier est vendue au roi de France, Perpignan réintègre pleinement le royaume d'Aragon. Perpignan devient un satellite de Barcelone et conjuguera le futur en catalan, tandis que Montpellier, sortie de sa bulle, jouera son rôle dans l'histoire de France. Le destin des deux cités, vertueusement liées par l'union aragonaise, va ironiquement connaître le même sort dès leur séparation : celui d'un déclin sur tous les plans – politique, commercial et intellectuel – considérablement aggravé par l'épidémie de peste noire qui frappe durement l'Europe au milieu du XIVe siècle.

Palais des rois de Majorque (p. 267), Perpignan

EMMANUEL DAUTANT ©

1593

La faculté de médecine de Montpellier, en activité depuis le XIIe siècle, s'enrichit du premier jardin des Plantes de France, sous l'impulsion d'Henri IV.

1659

Le traité des Pyrénées trace de manière définitive la frontière entre la France et l'Espagne.

Plaque apposée sur l'Hôtel d'Alfonce, Pézenas (p. 87)

CAROLE HUON ©

Épidémie, guerres et révoltes paysannes

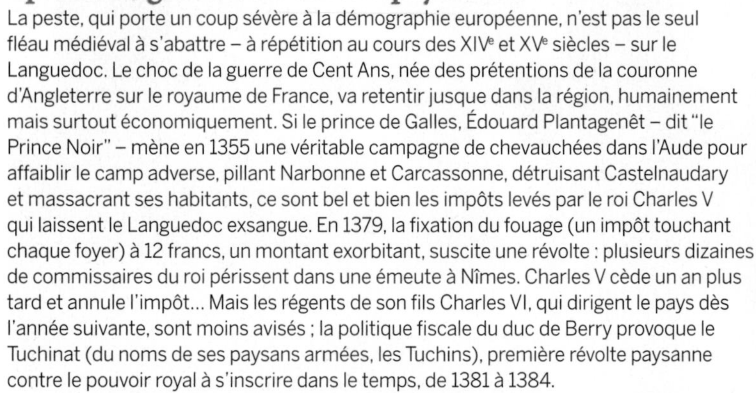

La peste, qui porte un coup sévère à la démographie européenne, n'est pas le seul fléau médiéval à s'abattre – à répétition au cours des XIVe et XVe siècles – sur le Languedoc. Le choc de la guerre de Cent Ans, née des prétentions de la couronne d'Angleterre sur le royaume de France, va retentir jusque dans la région, humainement mais surtout économiquement. Si le prince de Galles, Édouard Plantagenêt – dit "le Prince Noir" – mène en 1355 une véritable campagne de chevauchées dans l'Aude pour affaiblir le camp adverse, pillant Narbonne et Carcassonne, détruisant Castelnaudary et massacrant ses habitants, ce sont bel et bien les impôts levés par le roi Charles V qui laissent le Languedoc exsangue. En 1379, la fixation du fouage (un impôt touchant chaque foyer) à 12 francs, un montant exorbitant, suscite une révolte : plusieurs dizaines de commissaires du roi périssent dans une émeute à Nîmes. Charles V cède un an plus tard et annule l'impôt… Mais les régents de son fils Charles VI, qui dirigent le pays dès l'année suivante, sont moins avisés ; la politique fiscale du duc de Berry provoque le Tuchinat (du noms de ses paysans armées, les Tuchins), première révolte paysanne contre le pouvoir royal à s'inscrire dans le temps, de 1381 à 1384.

Car il y en aura d'autres. L'histoire du Languedoc est en effet marquée, à partir du XVIe siècle, par différentes rébellions régionales, pour des motifs cette fois-ci religieux. La Réforme trouva un fort écho dans le Languedoc, et en particulier à Nîmes où les tensions entre catholiques et protestants débouchèrent sur l'un des plus importants massacres survenus au cours des guerres de Religion (1562-1598), la Michelade. En 1567, le jour de la Saint-Michel, paysans et soldats protestants mirent violemment à mort une vingtaine de moines et clercs catholiques à la suite d'une émeute. En retour, plusieurs persécutions furent organisées par les catholiques à l'encontre des protestants, jusqu'à ce que l'édit de Nantes en 1598 apaise, pendant presque un siècle, les tensions religieuses. Sa révocation par Louis XIV en 1685 donne une autre échelle aux persécutions, qui recommencent : celles-ci ne sont en effet plus (seulement) le fait de tensions régionales, mais sont des expressions du pouvoir absolu du roi.

Le siècle de Louis XIV

Le règne du Roi-Soleil a en effet une incidence déterminante, mais extrêmement contrastée, sur l'histoire de la région.

Dans les Cévennes, l'époque laisse un souvenir meurtri mais héroïque. Dans la foulée de l'édit de Fontainebleau, qui interdit l'exercice de la religion protestante, des soldats du roi, les dragons sont envoyés pour "convertir" les protestants. En fait de conversion, ces dragonnades sont des sommations d'abjuration joignant la menace physique à son exécution immédiate en cas de refus. Étendues à l'ensemble du territoire français, elles provoquent soit des abjurations de façade, soit des exils massifs des huguenots. Dans les Cévennes, elles conduisent à une véritable guérilla : l'abbé du Chayla, archiprêtre des Cévènes, qui torture des protestants dans sa maison du Pont-de-Monvert, est poignardé une nuit de juillet 1702 par une cinquantaine de huguenots vêtus d'une simple chemise

1667-1681

Le canal du Midi est creusé de Toulouse jusqu'à la mer Méditerranée.

Canal du Midi

1685

La révocation de l'édit de Nantes prive les huguenots de la liberté de culte dont ils jouissaient depuis sa promulgation en 1598.

– qui donnera aux insurgés leur nom de camisards. Ces protestants cévenols, pas plus de 3 000, depuis leurs repaires montagnards préfigurant les maquis, tinrent tête durant plusieurs années aux 30 000 soldats envoyés par le roi pour les mater. Organisés en bandes de centaines d'individus d'une vingtaine d'années, leurs chefs furent des héros dont les noms, Jean Cavalier, ou Pierre Laporte, dit Rolland, résonnent encore dans les montagnes des combats héroïques qu'ils y menèrent. Le fin mot de cette guerre, qui s'éteignit lentement plutôt qu'elle ne s'acheva ? C'est peut-être Stevenson, lors de son voyage dans la région en 1879, qui le résume le mieux : "Camisards noirs et Camisards blancs, miliciens et miquelets et dragons, prophète protestant et cadet catholique de la Croix Blanche, tous avaient sabré et fait le coup de feu, brûlé, pillé et assassiné, le cœur ivre de passion et de courroux et là même, cent soixante-dix ans après, le protestant était toujours protestant, le catholique toujours catholique, dans une mutuelle tolérance et douce amitié de vie."

Le règne de Louis XIV ne se résume cependant pas, dans le Languedoc, aux dragonnades et à la guerre des camisards, loin de là. C'est lui tout d'abord qui redonne à la région une certaine unité politique et géographique, en rattachant le Roussillon et une partie de la Cerdagne au territoire français. La signature du traité

Escalier à balustres de l'hôtel de Fontfroide, construit au XVIIe siècle, dans le vieux Nîmes

OFFICE DE TOURISME DE NÎMES/VA ©

1702-1704

Au cours de la guerre des Camisards, les protestants des Cévennes sont pourchassés et 450 villages rasés par les troupes royales.

1764

La bête du Gévaudan massacre bétail et habitants de l'actuelle Lozère ; l'affaire remonte jusqu'à la Cour.

1787

L'édit de Versailles rétablit la liberté de culte en France et met fin aux persécutions religieuses.

Les meilleurs... Musées d'histoire

1 Espace muséographique du Pont du Gard, p. 139

2 Musée du Désert, Mialet, p. 176

3 Musée du Biterrois, Béziers, p. 92

4 Musée Auguste-Jacquet, Beaucaire p. 148

des Pyrénées, en 1659, met fin à près de trente années de guerre entre l'Espagne et la France : Perpignan devient définitivement française. Sous l'impulsion de Vauban, le Roussillon se dote alors de plusieurs forteresses et en consolide d'anciennes pour tenir la nouvelle frontière. L'installation du pouvoir français ne se fait pas sans heurts : l'instauration de la gabelle sur le Roussillon provoque la colère des paysans, qui se soulèvent contre le roi lors de la révolte dite des Angelets en 1667. Elle ne sera totalement réprimée, et dans le sang, qu'en 1675.

C'est encore la rivalité avec l'Espagne qui conduira Louis XIV à mettre en œuvre le projet, que lui présente l'ingénieur Pierre-Paul Riquet, d'un canal reliant la mer Méditerranée à l'océan Atlantique afin d'éviter aux navires français le contournement de la péninsule Ibérique et le coûteux passage par Gibraltar. Le chantier du canal s'étale sur quinze ans (1666-1681), ce qui est relativement rapide lorsque l'on considère les 241 km de sa longueur totale, et surtout la quantité d'écluses et d'ouvrages d'art – ponts-canaux, tunnel, moulins à eau, épanchoir – qui jalonnent son parcours. Le canal contribua significativement au développement économique de la région, en particulier celui du vin, dont l'acheminement est facilité. Le "Canal Royal", rebaptisé canal du Midi à la Révolution, est aujourd'hui classé à l'Unesco.

Enfin, le siècle de Louis XIV fut aussi celui de Molière. Avant que le Roi-Soleil ne devienne son mécène, Molière fit de Pézenas, dans l'Hérault, le terreau de son talent et de sa renommée. Sa troupe de théâtre s'y produit plusieurs fois, entre 1645 et 1656, y effectue de longs séjours et, surtout, séduit le prince de Conti, ce qui lance son aventure royale ; à tel point que Marcel Pagnol écrira : "Jean-Baptiste Poquelin est né à Paris ; Molière est né à Pézenas. "

Succès et accidents industriels

Le découpage du Languedoc-Roussillon tel que nous le connaissons actuellement est dessiné, au niveau départemental, à la Révolution : le Roussillon se fond dans les Pyrénées-Orientales ; le Languedoc est dissocié de Toulouse, où il avait son Parlement. La région traverse la Révolution et les changements de régime à répétition du XIXe siècle au même rythme que le reste du territoire français ; les tensions chroniques entre catholiques et protestants se doublent désormais de tensions entre royalistes et républicains. C'est le cas

1790
Le Languedoc est subdivisé en plusieurs départements. Le Roussillon est intégré aux Pyrénées-Orientales.

Années 1850
Le phylloxéra ravage les vignobles et une épidémie de pébrine met à terre la sériciculture cévenole.

Août 1893
À Aigues-Mortes, huit travailleurs italiens sont tués lors d'une rixe avec les ouvriers locaux.

lors de "la bagarre de Nîmes" où l'affrontement des deux camps fera en 1790 plus de 300 morts. Le XIXe siècle reste cependant avant tout celui de la grande mutation industrielle... et de ses revers.

L'arrivée du train dans la région, dès 1839, permet un spectaculaire développement de l'activité industrielle ; elle permet à Nîmes d'étendre la diffusion de sa production textile, déjà florissante. La postérité d'un tissu extrêmement solide fabriqué par ses manufactures et acheté par un certain Levi Strauss, sera telle que l'on parle aujourd'hui de jeans "denim". Les mines de charbon des Cévennes profitent également de la ligne ouverte, la même année, entre Beaucaire et Grand-Combe ; elles figurent alors parmi les premières de France. Le chemin de fer transporte en outre les clients et les patients des stations thermales qui se multiplient dans les Pyrénées, riches en sources aux vertus curatives.

La seconde partie de ce siècle industriel accumule en revanche les désastres. La culture des vers à soie, prospère dans les Cévennes depuis le XVIIe siècle, est mise à genoux par une brutale épidémie de pébrine. Louis Pasteur, installé en 1865 afin d'étudier la maladie, parviendra à l'éradiquer, mais il sera trop tard pour une production dépassée par la concurrence chinoise. La même région verra bientôt ses châtaigneraies rongées par la maladie de l'encre. Le virus touchant le plus durement la région est cependant le phylloxéra, qui va mettre à mal l'un des principaux secteurs économiques de la région. Elle aussi galvanisée par le chemin de fer à partir de 1853, la production viticole est touchée seulement dix ans plus tard par le virus venu d'Amérique. C'est dans le Gard que le puceron commet, en Europe, ses premiers ravages. Ils seront considérables. En dix ans, sur 220 000 ha de vignes, le seul département de l'Hérault en perdit 173 000. La reconstitution du vignoble se fera au prix de l'introduction d'un cépage plus résistant et de meilleur rendement, mais aussi de moindre qualité.

Et c'est dans ces mêmes vignobles que va germer, près d'un demi-siècle plus tard, en 1907, la plus grande manifestation de la Troisième République. Plus d'un demi-million de personnes, tous courants politiques confondus, sont réunies à Montpellier ; c'est le point d'orgue de la révolte des vignerons languedociens. Ces derniers pâtissent de vendanges tellement supérieures à la normale qu'elles rendent le prix de l'hectolitre ridicule, et surtout d'une concurrence déloyale de la part de vins produits ailleurs par chaptalisation (augmentation artificielle du degré d'alcool) et mouillage (ajout d'eau). Les vignerons ont le soutien de la population, des politiques locaux et même du clergé. Le président du Conseil, Georges Clemenceau, fait appel à l'armée pour mater la révolte, qui menace de se transformer en mouvement de sécession du Midi. Des affrontements mortels entre l'armée et la foule ont lieu à Narbonne ; la préfecture de Perpignan est incendiée ; un régiment d'infanterie se mutine et rallie les insurgés à Béziers. En fin de compte, Clemenceau cède, et des lois protégeant les vins dits "naturels" de la concurrence déloyale sont votées.

1907
Des milliers de vignerons se rassemblent à Narbonne pour protester contre les prix dérisoires des vins d'importation.

Janvier 1939
Exode massif des républicains espagnols en France. Les Pyrénées-Orientales accueillent la majorité d'entre eux.

Novembre 1942
Le Languedoc-Roussillon, jusqu'alors en zone libre, est envahi par les troupes allemandes. La région est libérée en août 1944 par les Forces françaises libres.

En 1962, de nombreux Français d'Algérie ont débarqué à Port-Vendres (p. 278), sur la Côte Vermeille

Une terre d'immigration

La situation géographique du Languedoc-Roussillon lui valut plus souvent qu'à son tour, dans l'Histoire, d'être prise en étau par les ambitions conquérantes des grandes puissances qui l'avoisinaient. C'est la même raison qui fera d'elle, dès la fin du XIXe siècle, une destination privilégiée pour des ouvriers venus d'Espagne et d'Italie ; le rapport de la région à sa population immigrée était, déjà, complexe et contrasté. Si les vignerons languedociens et étrangers font corps lors de la révolte de 1907 au point de traduire en italien et en espagnol les décisions du comité de grève, le "massacre des Italiens", à Aigues-Mortes, en 1893, résonne comme une exaction xénophobe d'autant plus grave que la justice n'inquiéta jamais les ouvriers locaux qui l'avaient perpétrée.

C'est toujours sa situation géographique qui fit du Languedoc-Roussillon, au milieu du XXe siècle, le réceptacle d'exodes soudains et massifs. En quelques décennies, la région accueille sur son territoire des dizaines de milliers d'émigrants qui contribueront de manière importante à son identité contemporaine.

Le premier grand mouvement est la "Retirada" à l'issue de la guerre civile espagnole : des centaines de milliers de républicains fuient les troupes franquistes

1962
La population de Montpellier augmente de 10% en quelques jours avec l'arrivée massive des rapatriés d'Algérie.

1970
Mise en service du plus grand four solaire du monde (à l'époque) à Odeillo, dans les Pyrénées-Orientales.

1991
Création du CAPES (diplôme d'enseignant) d'occitan.

victorieuses au début de l'année 1939, et arrivent dans les Pyrénées-Orientales. Le destin de ces réfugiés sera souvent funeste, du fait des conditions d'improvisation totale de leur accueil, mais beaucoup d'entre eux, venus en majorité de Catalogne, resteront dans les Pyrénées-Orientales et injecteront une forte "catalanité" dans la culture du département.

Le second mouvement est l'onde de choc provoquée par l'indépendance algérienne : à l'été 1962, ce sont – là encore – des centaines de milliers de personnes qui débarquent sur les côtes méridionales françaises. Essentiellement composés de pieds-noirs, c'est-à-dire de Français nés en Algérie, les arrivants sont parfois mal accueillis par la métropole. Cet exode provoque une très forte poussée démographique dans la région, concentrée essentiellement dans les secteurs de Perpignan et Montpellier. Si les pieds-noirs qui ont choisi de rester dans le Languedoc-Roussillon s'intègrent en fin de compte plutôt bien en participant grandement à son dynamisme économique, le sort réservé aux harkis, Algériens restés fidèles au gouvernement français durant la guerre d'indépendance, constitue un scandale d'État qui mettra plusieurs décennies à être reconnu par la république.

L'impact de ces arrivées dans la région va être tel que le paysage politique va se redessiner, tout au long de la seconde partie du XXe siècle, en fonction du changement de mentalités qu'elles provoquent. Un homme politique comme Georges Frêche illustre à la fois le fin calcul électoral mais aussi les dérapages suscités par la présence d'une importante immigration venue d'Afrique du Nord. D'obédience socialiste mais n'hésitant pas à afficher sa nostalgie de l'Algérie française, les pieds-noirs formant une tranche non négligeable de son corps électoral, Frêche, durant ses dernières années d'activités, défraya la chronique nationale par ses propos peu amènes concernant les harkis, mais aussi la proportion de populations immigrées ou issues de l'immigration dans la société contemporaine.

2007

Le catalan est reconnu comme langue officielle par le conseil général des Pyrénées-Orientales, qui s'engage à promouvoir sa diffusion et son apprentissage.

Culture et patrimoine

Abbaye de Valmagne (p. 89)

CAROLE HU(

En 2004, la région, sous l'impulsion de son président Georges Frêche, faillit troquer son nom de Languedoc-Roussillon contre celui de Septimanie, datant du haut Moyen Âge. Massivement rejetée par la population du Roussillon parce qu'elle risquait d'occulter la part d'identité catalane de la région, l'initiative fut abandonnée. Cette polémique illustre la fierté et la sensibilité des deux cultures qui composent le Languedoc-Roussillon, forgées par des langues et des sentiments d'appartenance proches, mais distincts, et à l'héritage admirable.

Langues et traditions

La langue d'oc et son héritage

Le Languedoc-Roussillon est l'unique région française dont le nom porte la trace de la séparation linguistique qui existait naguère entre le nord et le sud du pays. Au Moyen Âge, dans l'espace européen qui fut l'Empire romain, le latin vulgaire s'efface progressivement au profit des différentes formes locales de son évolution. En France, on distingue les deux principales langues issues de cette évolution au moyen du mot employé pour dire "oui" : la langue d'*oïl*, et la langue d'*oc*. La première, parlée au Nord et subissant aussi bien des influences celtiques que germaniques, donnera le français moderne. La seconde, parlée au sud de Poitiers et enrichie d'influences méditerranéennes à la faveur du cosmopolitisme commercial de la région, est aujourd'hui connue comme l'occitan. La monarchie française, à mesure qu'elle unifie son territoire et centralise au Nord son pouvoir politique, emploie naturellement la langue d'oïl, qu'elle va imposer. Avec l'ordonnance de Villers-Cotterêts, édictée par François Ier en 1539, le français devient la langue officielle du royaume. C'est ainsi qu'à l'orée de la Renaissance, l'occitan, langue à la forte dimension littéraire et poétique cultivée par les troubadours, va se marginaliser.

Le Languedoc contemporain n'est donc, historiquement, qu'une petite portion du territoire où l'on parlait la langue d'oc ! Celle-ci couvrait une aire géographique allant de la Gascogne au Piémont italien. C'est au sein de cette aire que les formes actuelles de l'occitan sont parlées. Faute de pouvoir politique fort et uni en langue occitane, celle-ci s'est en effet colorée de graphies, d'accents et de vocabulaires différents selon les endroits, donnant naissance à différents dialectes, parmi lesquels le gascon, l'auvergnat, et même... le languedocien ! Le plus illustre d'entre eux, le provençal, a même été distingué d'un prix Nobel sous la plume de Frédéric Mistral : on est au début du XXe siècle, et après plusieurs campagnes initiées au XVIIIe siècle pour éradiquer les "patois", considérés par le pouvoir comme des obstacles à la raison et au patriotisme, on redécouvre la beauté de l'occitan, et la fierté de le parler. Les langues d'oc sortent des oubliettes, et entament une lente marche vers une reconnaissance discrète, mais salvatrice, prenant depuis plusieurs années la forme d'affichages publics bilingues, et surtout d'enseignements spécifiques dans le primaire et le secondaire.

Le Roussillon et la "catalanité"

Le catalan est l'autre incontournable langue vernaculaire de la région, bien qu'elle soit "doublement" en minorité : par rapport au français, mais aussi par rapport à l'occitan, puisqu'on ne la parle que dans le seul département des Pyrénées-Orientales. Son usage est toutefois resté courant à une époque beaucoup plus avancée que l'occitan : jusque dans les années 1960, si le français était la langue officielle de l'administration, c'est en catalan que l'on parlait dans les rues et les maisons de Perpignan. Très proche du languedocien, le catalan du Roussillon a cependant son centre de gravité de l'autre côté des Pyrénées : une influence qui s'explique par le rattachement tardif du territoire à la France – jusqu'au traité des Pyrénées, en 1656, le Roussillon fait partie du royaume d'Espagne – et qui s'est trouvée renforcée par l'immigration provoquée par la guerre civile espagnole à la fin des années 1930. C'est une autre immigration, celle des harkis et des pieds-noirs notamment suite à l'indépendance de l'Algérie dans les années 1960, mais aussi la volonté de la génération du baby-boom de désenclaver le Roussillon pour l'intégrer davantage à la France, qui affermiront significativement l'emprise du français dans le parler roussillonnais. La pratique du catalan disparaîtra au même rythme que les générations qui la privilégiaient. C'est, une fois de plus, une impulsion politique qui lui redonnera droit de cité dans l'aire géographique où elle prospérait naguère : en 2007, le conseil général des Pyrénées-Orientales prend en main le retour dans l'espace public de sa langue millénaire en signant la "Charte en faveur du catalan", qui encourage son apprentissage et sa diffusion.

Cette défense et illustration de la catalanité dans le Roussillon va de pair avec l'entretien des traditions liées à la langue : une soixantaine d'écoles enseignent ainsi la **sardane**, danse folklorique née au tout début du XXe siècle en Catalogne espagnole, et introduite dans le Roussillon par les républicains chassés par le régime franquiste. Sur une musique interpétée par le *cobla*, un ensemble instrumental spécifiquement catalan, les danseurs se réunissent en cercle, vêtus ou non – en fonction de l'occasion – de costumes traditionnels, et entament, selon l'air joué, une chorégraphie de pas courts ou de pas longs.

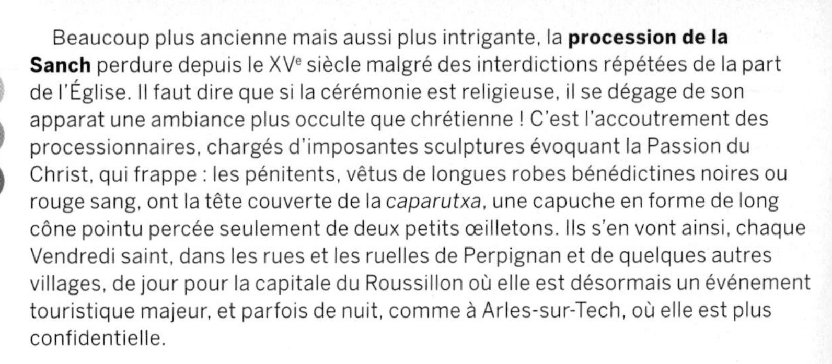

Beaucoup plus ancienne mais aussi plus intrigante, la **procession de la Sanch** perdure depuis le XVe siècle malgré des interdictions répétées de la part de l'Église. Il faut dire que si la cérémonie est religieuse, il se dégage de son apparat une ambiance plus occulte que chrétienne ! C'est l'accoutrement des processionnaires, chargés d'imposantes sculptures évoquant la Passion du Christ, qui frappe : les pénitents, vêtus de longues robes bénédictines noires ou rouge sang, ont la tête couverte de la *caparutxa*, une capuche en forme de long cône pointu percée seulement de deux petits œilletons. Ils s'en vont ainsi, chaque Vendredi saint, dans les rues et les ruelles de Perpignan et de quelques autres villages, de jour pour la capitale du Roussillon où elle est désormais un événement touristique majeur, et parfois de nuit, comme à Arles-sur-Tech, où elle est plus confidentielle.

Arts et lettres

Sculpture

L'Aude et les Pyrénées-Orientales permettent de contempler plusieurs œuvres de trois sculpteurs ayant vécu et travaillé dans la région, et que séparent plusieurs siècles. Ils incarnèrent, chacun à leur époque, la quintessence de leur art. Le premier, anonyme, est aujourd'hui connu comme le "maître de Cabestany". Actif au XIIe siècle, il a donné à la région, et au-delà, de somptueux ouvrages religieux de style roman... et personnel (voir l'encadré p. 227). Des moulages de toutes les sculptures qui lui sont attribuées sont visibles à Cabestany.

Une tauromachie à deux vitesses

Polémique jusqu'au bout des cornes, la tauromachie n'a pas fini de faire parler d'elle. Encore faut-il savoir de quelle tauromachie on parle. Le Languedoc est en effet le foyer privilégié de deux types de tauromachie qui, sans être incompatibles, n'en sont pas moins l'expression de deux histoires et de deux philosophies bien différentes. La plus connue est la **corrida**. Sa forme actuelle, née au XVIIIe siècle en Andalousie, est importée en France au XIXe. Les trois ferias annuelles de Nîmes sont les plus populaires de France – celle de la Pentecôte atteignant en moyenne le million de visiteurs – et, dans le monde de la corrida, les plus importantes après celles de Madrid et Séville. Sur le parvis des arènes, où se déroulent les corridas nîmoises, une statue à l'effigie de Christian Montcouquiol, dit Nimeño II, rend hommage au célèbre matador mort en 1991, en même temps qu'elle cristallise l'importance prise dans la ville par la course andalouse. Jugée cruelle et rétrograde par ses détracteurs, elle est élevée au rang d'art et de tradition inaliénable par ses aficionados. La balance penche clairement depuis peu, au niveau du droit et de la reconnaissance, au niveau de ces derniers : inscrite au patrimoine immatériel de la France en 2011, la corrida a de surcroît échappé à la menace de l'interdiction en septembre 2012.

La **course camarguaise** est l'autre expression de la tauromachie dans la région. Remontant au XVIe siècle, si ce n'est plus loin, la tradition est non seulement plus ancienne, mais surtout propre au Gard et à l'Hérault, où elle est née. Contrairement à la corrida, elle ne s'achève pas par la mise à mort de l'animal, et surtout a une vocation plus ludique, son principe consistant pour les joueurs à attraper la cocarde accrochée aux cornes du bovin. La course la plus importante, dans le Languedoc, se déroule à Beaucaire chaque été.

Le second, Joseph Sunyer, est une figure majeure du baroque catalan, qui s'épanouit des deux côtés des Pyrénées aux XVIIe et XVIIIe siècles. On peut notamment admirer de lui trois magnifiques retables dans l'église Notre-Dame-des-Anges à Collioure (voir p. 281), l'église Saint-Pierre à Prades (voir p. 302) et la chapelle de l'Ermitage à Font-Romeu (voir p. 312).

Le troisième, Aristide Maillol, fut non seulement à cheval entre le XIXe et le XXe siècle, mais surtout entre le classicisme et la modernité en sculpture. Si la majorité de ses œuvres sont visibles à Paris, dans le musée qui porte son nom et dans le jardin du Carrousel notamment, les villes de Perpignan et de Banyuls-sur-Mer, où il naquit et eut son atelier (voir p. 289), permettent de contempler (en plein air) son approche épurée et sensuelle du corps humain.

Peinture

Maillol fut également un peintre talentueux ; quelques-unes de ses toiles sont exposées à Perpignan, au musée Hyacinthe-Rigaud (voir p. 267), nommé ainsi en hommage au portraitiste surdoué et emblématique de Louis XIV, né également à Perpignan. Pablo Picasso, Raoul Dufy et Jean Cocteau séjournèrent à plusieurs reprises dans l'hôtel particulier accueillant le musée. Mais c'est au sein de deux petits bourgs catalans, non loin de Perpignan, que cette mythique génération de peintres sera la plus créatrice et novatrice au début du XXe siècle, avec pour chefs de file Picasso, Braque et Matisse. Le fauvisme est né à Collioure de l'inspiration de ce dernier, qui y convia rapidement Derain, en 1905. La lumière si particulière qui y règne l'été fut leur principale muse. Les rues et les places du petit village côtier permettent aujourd'hui, sur le "chemin du fauvisme", de découvrir vingt reproductions de toiles des deux artistes placées en regard des sites qui les inspirèrent. L'été, des visites guidées sont organisées le long de ce parcours (voir p. 284).

Le cubisme élira quant à lui Céret comme vivier créatif. Braque et Picasso y réaliseront, jusqu'à la Première Guerre mondiale, de nombreuses œuvres,

Course camarguaise, Beaucaire
EMMANUEL DAUTANT ©

suscitant jusqu'à nos jours un véritable pèlerinage jusqu'à cette Mecque du cubisme, puisque le musée d'Art moderne de la ville leur fait la part belle (voir p. 295). L'art continue également à vivre, à Céret, grâce aux galeries qui y sont toujours actives.

Plus récemment, hors de la Catalogne française mais toujours dans le Languedoc-Roussillon, c'est le port de Sète qui servit de berceau à un mouvement pictural : la figuration libre. Né dans les années 1980 sous l'impulsion de deux enfants du pays, Robert Combas et Hervé Di Rosa, ce courant par excellence postmoderne en ce qu'il rompt toute hiérarchie entre les arts et les cultures qu'il fait figurer sur la toile, servit de rampe de lancement au street art. C'est dans le même esprit anti-élitiste et cosmopolite que Di Rosa a fondé en 2000 le MIAM – musée international des Arts Modestes –, à Sète toujours (voir p. 75).

Musique et paroles

C'est dans la langue d'oc que naît et prospère, à partir du XIIe siècle, l'art des troubadours. Plus qu'un genre, c'est toute une esthétique que créent ces artistes à la fois poètes et musiciens, créateurs et interprètes. Les ballades, satires, aubades et récits épiques nés de leur plume feront les grandes heures des cours seigneuriales méridionales, tandis que leur *fin' amor*, ou amour courtois, forgera en profondeur le concept de sentiment romanesque.

Faut-il s'étonner alors de ce que le Languedoc-Roussillon, riche d'une telle tradition littéraire, ait jusqu'à aujourd'hui donné naissance à des chanteurs aimant autant manier la musique que les mots, voire les bons mots ? Les villes où sont nés les trois plus illustres d'entre eux leur ont toutes consacré un musée et un festival respectifs.

Né à Narbonne, Charles Trénet a gardé toute sa vie un lien fort avec la ville de son enfance. Outre qu'il a écrit l'un de ses plus grands succès, *La Mer*, dans le train entre Perpignan et Montpellier, toutes les chansons qu'il a consacrées à sa région natale sont marquées par la nostalgie : il se rappelle, *À la gare de Perpignan*, les rêves qui étaient les siens au moment où le train qui le mènera pour la première fois à Paris quitte le quai provincial ; la *Route nationale 7* célèbre l'avant-goût du bonheur de prendre la route "qui conduit (...) vers les rivages du Midi (...) qu'on aille à Rome, à Sète" ; *Narbonne mon amie*, "pays des songes du temps de mon enfance", se conclut sur un adieu au "cimetière où dort tante Émilie"... où il repose désormais.

La *Supplique pour être enterré sur la plage de Sète* n'est pas seulement l'une des chansons les plus célèbres de son auteur, qui s'y décrit comme un "humble troubadour" : elle témoigne de l'attachement que conserva toute sa vie Georges Brassens pour le port où, de sa naissance à son départ pour Paris, il passa vingt années qui irrigueront ses textes, et elle annonce sa dernière demeure – en partie seulement puisque bien qu'il soit inhumé à Sète, sa tombe se trouve au cimetière du Py.

Boby Lapointe fait davantage que citer sa ville natale, Pézenas, dans sa chanson *Framboise* qu'il interprète dans *Tirez sur le pianiste !* de François Truffaut : orfèvre du calembour et ami intime de Brassens dont il partage la richesse d'écriture derrière une simplicité apparemment bon enfant, c'est d'abord par l'accent si caractéristique du Languedoc avec lequel il chante ses textes que Boby Lapointe est peut-être le plus moderne héritier des troubadours.

Le Languedoc-Roussillon a, aujourd'hui encore, la voix qui porte dans tout l'Hexagone, à travers deux chanteurs populaires : le Perpignanais Cali, dont le dernier album, sorti en 2012, *Vernet-les-Bains*, porte le nom d'une commune des Pyrénées-Orientales... où le chanteur se présenta à deux reprises aux élections municipales (sans succès). Le premier grand succès d'Olivia Ruiz, née à Carcassonne, *J'traîne des pieds*, évoque l'enfance de la chanteuse dans le petit village de Marseillette, où le clip fut d'ailleurs tourné.

Une terre littéraire

Le Languedoc-Roussillon a inspiré bon nombre de grands écrivains, à commencer par ceux qui y virent le jour. Né à Sète, Paul Valéry est incontestablement le plus renommé des poètes de la région. Son poème *Le Cimetière marin* (1920) aura un tel retentissement que la municipalité rebaptisera le cimetière St-Charles en son honneur. Le grand ami de Valéry, André Gide, raconte quant à lui ses souvenirs familiaux à Uzès et à Montpellier dans son autobiographie *Si le grain ne meurt* (1924).

C'est cependant au XIXe siècle que les œuvres les plus emblématiques sur la région furent écrites. Le Nîmois Alphonse Daudet peint de manière tour à tour sévère et attendrie son Languedoc natal dans son roman autobiographique *Le Petit Chose* (1868) puis dans ses fameuses *Lettres de mon Moulin* (1869). La Catalogne française a elle aussi inspiré un classique de la littérature française : Prosper Mérimée ancre sa nouvelle fantastique *La Vénus d'Ille* (1835) aux confins du territoire français, à Ille-sur-Têt, sous le patronage plus grand que nature du Canigou.

Le regard du cinéma sur la région

Au XXe siècle, c'est naturellement le cinéma qui documente le plus la région. Si Truffaut tourne *L'homme qui aimait les femmes* (1977) à Montpellier pour le motif que les femmes y sont à ses yeux les plus belles de France, d'autres grands noms du septième art français ont tourné dans le Languedoc des histoires étroitement associées à la région.

Bien que né à Pessac, près de Bordeaux, c'est à Narbonne que Jean Eustache vivra son adolescence. Il en tirera deux films à la forte dimension autobiographique : *Le Père Noël a les yeux bleus* (1966), dédié à Charles Trénet, où l'on suit les combines foireuses de Jean-Pierre Léaud pour se faire un peu d'argent et draguer les jeunes Narbonnaises, le tout filmé dans un style très cinéma direct, et *Mes petites amoureuses* (1974) chronique douce-amère vue à travers l'éveil à la sexualité du jeune héros d'une Narbonne voluptueusement ensommeillée.

C'est également l'adolescence qui a mené Agnès Varda à Sète, et la nostalgie qui l'y ramène, accompagnée d'une caméra : elle y tourne, en 1954, son premier long-métrage, *La Pointe Courte* (1954) du nom du quartier de pêcheurs où le héros du film, interprété par Philippe Noiret (dont c'est aussi le premier film), retourne vivre avec son épouse. Dans un style documentaire précurseur de la Nouvelle Vague, Varda filme les fameuses joutes nautiques, au cours desquelles deux adversaires tout de

La randonnée devenue document historique

En 1879, l'Écossais Robert Louis Stevenson publie *Voyage avec un âne dans les Cévennes*. L'auteur de *L'Île au trésor*, accompagné d'une ânesse qu'il baptise Modestine, raconte son périple "à six jambes" du Gévaudan au Haut-Languedoc ; conscient de se trouver à une époque charnière, il décrit avec d'autant plus d'émotion la beauté de la nature qu'il arpente, que la première voie ferrée de la région est alors en construction, et que le phylloxéra dévaste le vignoble. Les différents personnages qu'ils croisent lui inspirent des remarques ironiques – il faudrait parler selon lui non pas de *la* bête, mais *des* bêtes du Gévaudan... – ou admiratives sur les populations du Languedoc, dont la plus touchante est à ses yeux celle descendant des camisards, encore marquée des violentes guerres de Religion ayant fait rage 170 ans plus tôt. Le GR 70 permet aujourd'hui de partir sur le "chemin de Stevenson" Voir aussi p. 197.

Les plus beaux...

Châteaux

1 Château Comtal, Carcassonne, p. 219

2 Château de Peyrepertuse, p. 244

3 Château de la Baume, p. 202

4 Château de Flaugergues, Montpellier, p. 66

blanc vêtus, et debout sur une barque menée par une dizaine de rameurs sur le canal de Sète, tentent de faire tomber l'autre dans l'eau. Elle filmera la même tradition ludique plus d'un demi-siècle plus tard dans *Les Plages d'Agnès* (2008), et consacrera en 2011 tout un épisode de la série *Agnès de ci de là Varda*, qu'elle tourne pour Arte, au port, consacrant un long passage au peintre Pierre Soulages, vivant et travaillant à Sète depuis de nombreuses années. Le film d'Abdellatif Kechiche, *La Graine et le Mulet* (2007), distingué par le César du meilleur film et par un prix du jury à Venise, a également été tourné à Sète.

Les trois volets de *Profils Paysans* (2001, 2005 et 2008) de Raymond Depardon, dont le tournage s'est étalé sur dix années, forment un témoignage unique sur un mode de vie dont le documentaire capte en même temps le chant du cygne. Ils ont été filmés dans trois départements de moyenne montagne. Les séquences tournées en Lozère – département le moins peuplé de France – donnent à voir les paysages les plus envoûtants de la série… et ses protagonistes les plus isolés.

Architecture

On peut être frappé, en parcourant le Languedoc-Roussillon, par la proportion d'ouvrages monumentaux qui jalonnent les paysages et peuplent les villes : la région témoigne par son architecture de sa situation frontalière et de son histoire secouée par de violents conflits.

Antiquité

L'Empire romain a plus que de beaux restes dans le Languedoc : les monuments qui demeurent à Nîmes et ses alentours, pour l'essentiel bâtis au premier siècle de notre ère, sont parmi les mieux conservés du monde. Si le nom de Maison carrée (voir p. 127), à Nîmes, ne rend guère justice à son statut originel de temple, l'édifice lui-même est la réalisation du genre demeurée la plus intacte de toute l'Antiquité romaine ; il en va de même, avec les arènes (voir p. 126), pour les amphithéâtres. Les Romains étaient également de formidables ingénieurs des ponts et chaussées, ce que la région rappelle tout aussi grandiosement : plus haut pont-aqueduc romain avec une hauteur de 49 m, le pont du Gard (voir p. 138) permettait d'acheminer l'eau jusqu'à Nîmes sur une distance de plus de 50 km ! Construite au IIe siècle avant J.-C., la *via Domitia* était l'artère majeure de la Gaule, et avait pour but de faciliter l'accès des légionnaires romains à la péninsule Ibérique. Narbonne, en tant que première colonie romaine du sud de la Gaule, fut naturellement sa première étape : un court tronçon y est visible en centre-ville. La voie a laissé quelques ponts, notamment à St-Thibéry, tandis qu'à Pinet, non loin de l'étang de Thau, il est possible de suivre un itinéraire balisé sur plusieurs centaines de mètres.

Un roman florissant

L'art roman a connu dans le Languedoc-Roussillon une vitalité teintée de nombreuses originalités. Il a été influencé par l'Antiquité romaine mais également marqué par les ouvriers lombards qui contribuèrent à la construction de nombreux édifices ; les églises et les abbayes conjuguent souvent le ravissement avec l'étonnement. L'abbaye Saint-Gilles dans le Gard, aujourd'hui classée à l'Unesco et renfermant le tombeau du

saint nourri au lait de biche, fut un haut lieu de pèlerinage au Moyen Âge ; son porche de la forme d'un arc de triomphe, aligne colonne et pilastres cannelés de style romain, tandis que d'autres éléments de la façade empruntent à l'art corinthien. L'abbaye de Fontfroide (voir p. 251), près de Narbonne, qui mêle arts roman et gothique, est l'une des mieux conservées de la région, tandis que le site de celle de Saint-Martin-du-Canigou (voir p. 304), juchée à plus de 1 000 m d'altitude et bâtie au bord d'un profond précipice, sert de cadre spectaculaire à ce véritable musée de la sculpture romane version catalane. Le Roussillon à lui seul compte en effet une centaine d'églises, de prieurés et d'abbayes édifiés par des architectes, maçons et sculpteurs ayant œuvré sur l'un et l'autre versant des Pyrénées à une époque où la Catalogne n'était pas écartelée. On compte par ailleurs deux ponts romans dans l'Hérault : l'un situé à Saint-Jean-de-Fos (voir p. 111), l'autre à Olargues (voir p. 99). Ils portent le même nom de "pont du Diable". Le premier, datant du XIe siècle et classé à l'Unesco, est le plus vieux pont de style roman encore debout.

Citadelles et forteresses

Le sud du Languedoc-Roussillon est constellé de places fortes, et non des moindres. Les plus anciennes d'entre elles, connues sous le nom de "châteaux cathares", furent les théâtres de sièges et d'affrontements parfois épiques durant la fameuse croisade qui déchira la région au début du XIIIe siècle, mais leur fondation remonte pour la plupart au IXe ou au Xe siècle. Perchés sur des pitons rocheux, comme ceux de Quéribus et de Puilaurens, ou bâti sur une crête calcaire dans le cas de celui de Peyrepertuse, ces châteaux semblent sortir de livres de contes mettant en scène chevaliers et dragons. Ce serait oublier leur rôle stratégique, même après la fin de l'ère cathare, lorsque la frontière avec l'Espagne passe juste au sud de Carcassonne, dont ils dépendent alors.

La restauration de la citadelle de Carcassonne, justement, qui s'étale sur un demi-siècle, la fera pour de bon sortir d'un livre de contes ! Viollet-le-Duc, chargé par

Pont du Diable, Olargues (p. 99)
CAROLE HUON ©

Napoléon III de rendre à la ville son lustre d'antan, prend le parti d'une restauration très libre, n'hésitant pas à coiffer les tours de la citadelle de toits en cône, un contresens total eu égard à l'usage dans le Languedoc, et qui fera couler beaucoup d'encre dès son achèvement au début du XXe siècle ! On regardera les autres "restaurations" signées Viollet-le-Duc dans la région – notamment l'hôtel de ville et le palais épiscopal de Narbonne – davantage comme des relectures romantiques que comme des reconstitutions scientifiques.

Vauban a lui aussi laissé une empreinte déterminante dans la région. Avec le rattachement du Roussillon à la France en 1659, la nouvelle frontière avec l'Espagne doit à son tour être fortifiée : le plus célèbre architecte et urbaniste de Louis XIV bâtit deux forts, l'un à Villefranche-de-Conflent et l'autre à Prats-de-Mollo, crée ex nihilo une ville fortifiée, Mont-Louis (classée à l'Unesco), et reprend différentes forteresses déjà existantes, dont la forteresse de Salses, le château royal de Collioure et le palais des rois de Majorque. Celui-ci, construit à la fin du XIIIe siècle dans le style gothique, fait à raison l'orgueil de sa ville, Perpignan laquelle a cependant pour emblème un autre monument, le Castillet, unique vestige des fortifications qui enserraient la cité médiévale, et dont la silhouette élancée de briques roses se dresse aujourd'hui au milieu de la ville.

Cinquante ans de transformations

À partir des années 1960, le Languedoc-Roussillon connaît une poussée de fierté, qui se manifeste par différents projets architecturaux monumentaux. Le plus pharaonique d'entre eux est l'irruption d'une ville entière nommée La Grande-Motte en bord de mer. Pharaonique, le projet l'est assurément, de l'assèchement d'un marécage infesté de moustiques pour y bâtir une station balnéaire de masse, au choix de l'architecte Jean Balladur d'y multiplier les immeubles de forme pyramidale. Si l'ensemble encourage certains visiteurs à tourner le regard vers la mer, il n'en a pas moins reçu, en 2010, le label "Patrimoine du XXe siècle".

Carré d'art, Nîmes (p. 126)

Non loin de La Grande-Motte, à Montpellier, les immenses transformations urbaines initiées dans les années 1970 par le maire Georges Frêche demeurent tout aussi controversées, c'est-à-dire, au choix, grandioses ou grotesques. Des quartiers entiers sortent de terre sous l'impulsion de "l'Empereur de Septimanie", qui voit grand en effet, et nomme lesdits quartiers à l'avenant : Antigone, Millénaire, Odysseum... Ce dernier est toujours en construction.

Plus récemment, les villes du Languedoc-Roussillon ont démontré des ambitions à l'échelle plus modeste, mais à l'étiquette plus prestigieuse, en faisant appel à de grands noms de l'architecture contemporaine pour la construction ou la rénovation d'édifices centraux. Au milieu des années 1980 l'appel, de la part de la municipalité de Nîmes, à Philippe Starck pour redessiner l'emblème de la ville, planté sous formes de clous dorés dans les rues du centre, ou pour y concevoir une œuvre de "Mobilier urbain" – L'Abribus – est à ce titre symptomatique. Norman Foster a signé en 1993 le "Carré d'art" (voir p. 126) dont le nom et la forme répondent à l'antique Maison carrée qui lui fait face. Jean Nouvel, qui avait, toujours à Nîmes, dessiné l'immeuble Nemeasus 1, a réalisé un hôtel de ville bleu en forme de cube pour Montpellier en 2010, et inauguré l'année suivante à Perpignan le théâtre de l'Archipel (voir p. 270), dont la partie la plus importante est rouge et en forme de galet.

Environnement

Paysage du mont Lozère (p. 196), parc national des Cévennes

EMMANUEL DAUTANT

Il suffit de regarder la carte du Languedoc-Roussillon pour deviner son exceptionnelle biodiversité : les milieux de haute et moyenne montagne, au sud et au nord, côtoient un littoral foisonnant d'écosystèmes marins et littoraux, au carrefour d'influences climatiques non seulement méditerranéennes, mais aussi continentales et atlantiques ! Un patrimoine protégé notamment par un parc national et trois parcs régionaux, mais qui demeure fragile.

Une mosaïque biogéographique

Le Languedoc-Roussillon jouit d'une situation unique en Europe car il est au carrefour de quatre ensembles biogéographiques : si le méditerranéen est le plus représenté, les ensembles du Massif central (région continentale) et des Pyrénées (région de type alpin) contribuent significativement à son identité naturelle, tandis que la région atlantique exerce son influence à l'ouest du territoire.

Quatre types de paysages dessinent le Languedoc-Roussillon, de la mer aux hauteurs. Les côtes sableuses forment l'essentiel du littoral, où des promontoires rocheux ont par ailleurs favorisé la formation de lagunes. Les plaines agricoles, situées entre le littoral et les premiers reliefs calcaires, concentrent l'essentiel des cultures, notamment du vin, lequel forge en grande partie le paysage en occupant 17% de la superficie régionale. Les garrigues et es piémonts sont une zone de transition vers les reliefs montagneux, et constituent un quart du territoire. Enfin, les reliefs qui marquent l'extrémité méridionale du Massif central (Causses, Montagne noire, Cévennes), et les Pyrénées au sud, donnent à la région ses plus hauts sommets, dont le point culminant est le pic Carlit, à 2 921 m.

Autre situation d'exception : le Languedoc-Roussillon possède trois grands bassins fluviaux – Garonne, Loire et Rhône – et quinze fleuves côtiers – parmi lesquels l'Aude et l'Hérault –, cas unique en France. Les Cévennes, dotées de trois lignes de partage des eaux, et source de grandes rivières, sont considérées comme le "château d'eau de la France".

Résultat d'une telle variété ? Une faune et une flore extrêmement dense et diverse, puisqu'on estime qu'environ deux tiers des espèces connues en France sont représentées sur ce territoire qui n'occupe qu'un vingtième du pays. Une richesse partagée uniquement avec la Corse et la région PACA. Mieux, parmi les 5 200 taxons de plantes abritées par la région, 78 sont endémiques, et 237 subendémiques. La région fait également partie de l'habitat sanctuarisé de plusieurs espèces de reptiles et d'amphibiens en zone pyrénéenne, comme le psammodrome d'Edwards, un lézard ; diverses espèces d'insectes ne se rencontrent que dans les Cévennes ; une vingtaine de crustacés ne sont répertoriés que sur le seul littoral languedocien. La mission de protection de la région à l'égard de ces espèces est primordiale, puisqu'elle est la seule garante de leur survie.

Des hommes et des parcs

Expression la plus visible de la sauvegarde par l'homme de la nature, les parcs naturels totalisent ici, plus qu'ailleurs, une très vaste superficie. Le Languedoc-Roussillon compte trois parcs naturels régionaux : le parc des Pyrénées catalanes, qui cumule 300 jours d'ensoleillement par an, est l'habitat d'isards, de chevreuils et de cerfs, qui gambadent dans un somptueux décor de tourbières, de lacs d'altitude et de forêts de pins à crochet. Celui du Haut-Languedoc, en zone de moyenne montagne, est le lieu de rencontre des influences climatiques atlantique et méditerranéenne ; on y rencontre, au détour de ses tourbières, landes, gorges, châtaigneraies, lacs et rivières, le scorpion languedocien, le faucon crécerellette, l'aigle de Bonelli et l'écrevisse à pattes blanches. Le parc naturel régional de la Narbonnaise

L'arbre à pain

Intimement lié au paysage des Cévennes, le châtaignier fut pendant des siècles le grand nourricier des familles cévenoles. Autour de 1850, il devint même la base de l'alimentation d'où son pseudonyme d'arbre à pain. "Pas un jour sans châtaignes dans l'écuelle du Cévenol" pouvait-on dire à l'époque. Les châtaignes sèches étaient conservées dans des coffres puis consommées en bouillie. Ses feuilles (fourrage, litière) et son bois imputrescible (charpentes, ruches) étaient aussi très utiles. Planté, taillé, greffé, cajolé par les paysans, le châtaignier a posé son empreinte sur les paysages des Cévennes avant que l'exode rural et la maladie ne freinent son extension, à la fin du XIXe siècle. Aujourd'hui près de 500 producteurs du Gard et de la Lozère perpétuent la tradition et produisent encore quelques 1 300 tonnes de châtaignes par an. Transformée, la châtaigne produit de délicieux mets : farine et gâteaux, confiture ou marrons glacés.

s'étire depuis un vaste complexe lagunaire jusqu'à la chaîne des Corbières, et accueille, au sein de ses zones humides et de sa garrigue sèche, une population cosmopolite de sangliers, renards, blaireaux qui fraient parmi les vignes, mais aussi des insectes au nom évocateur, comme la sauterelle "magicienne dentelée", la libellule "cordulie à corps fin" ou le papillon "Diane".

Le plus grand parc national de France est celui des Cévennes, en majorité établi sur le territoire du Languedoc-Roussillon (voir l'encadré p. 189). Occupant plus de 3 000 km², il recouvre des paysages très variés, des vallées cévenoles dotées de terrasses plantées de châtaigniers, aux plateaux calcaires percés de gorges que sont les causses, avec pour points culminants les monts Lozère et Aigoual, dominant de vastes forêts de hêtres. Ce qui fait la singularité de ce parc, le seul à être habité, c'est précisément la façon dont l'homme a marqué le paysage ; une spécificité qui lui vaut un classement au patrimoine mondial de l'Unesco depuis juin 2011. La tradition agropastorale séculaire des Causses et des Cévennes, ignorant l'agriculture mécanisée et caractérisée par l'élevage en pâturage, a en effet laissé des traces propres désormais protégées au même titre que la nature dans laquelle elles s'inscrivent : ce sont les bancels, ces terrasses étagées aux parois soutenues par des murets de pierre ; ce sont les lavognes, ces réserves d'eau douce destinées aux moutons, creusées en larges vasques ovales, dont la pente, très douce, est pavée d'une pierre étanchéifiée par de l'argile ; ce sont les jasses, ces bergeries estivales jalonnant monts et pentes ; et ce sont surtout les drailles, voies royales de la transhumance empruntées durant des siècles par les moutons, reprenant parfois le tracé d'anciennes voies romaines, et aujourd'hui offrant au randonneur des chemins ménageant des points de vue stupéfiants (GR6 et 66). Les agriculteurs sont moins nombreux que naguère à pratiquer l'élevage sur ce territoire, et préfèrent pour une écrasante majorité l'acheminement en camion jusqu'aux estives, du fait de l'augmentation de la taille des troupeaux. C'est aux entours des monts Lozère et Aigoual que la transhumance estivale se pratique encore de manière traditionnelle, pour un voyage durant parfois plus d'une semaine. Les fêtes de l'estive revêtent un caractère des plus pittoresques, avec défilé de moutons bariolés et assortis de pompons, démonstrations de tonte de laine et du savoir-faire des chiens de bergers.

Étang de Bages-Sigean
EMMANUEL DAUTANT

Espaces protégés, espèces menacées

Les parcs naturels ont également pour fonction d'offrir un habitat protégé à des espèces menacées ; c'est d'abord le cas de la flore dont la répartition est spécifiquement ou partiellement régionale, comme l'adonis des Pyrénées, le myosotis de Balbis ou l'ancolie des Causses, espèces subendémiques de la région. Les Causses, avec leurs paysages de steppes, comptent de nombreuses fleurs et plantes uniques au monde : le cheveu d'ange, l'armérie de Girard, la fétuque de Christian-Bernard sont aujourd'hui menacées par l'abandon du pastoralisme, qui favorise la progression des arbustes.

Plusieurs rapaces en danger ont fait leur nid dans le parc national des Cévennes, parmi lesquels l'aigle royal, le faucon pèlerin, le grand duc, les vautours moine et fauve, le circaète jean-le-blanc et le percnoptère. Dans la "vallée heureuse", au seuil des Albères, un parc animalier a été spécifiquement créé pour protéger une race en voie d'extinction, la tortue d'Hermann. Elle y côtoie quelques cousines, tandis que plus loin, les alentours de Banyuls sont le dernier lieu en France où l'on peut espérer apercevoir la carapace de l'émyde lépreuse.

Des espèces de mammifères qui avaient disparu de la région ont également été réimplantées artificiellement. C'est le cas de la loutre et du castor dans les Cévennes, du mouflon dans le Haut-Languedoc, mais aussi, évidemment, du loup. Quelle histoire, d'ailleurs : les loups du Gévaudan, anéantis entre 1920 et 1940 par l'usage de poisons violents comme la strychnine, et qui semblaient avoir payé le tribut de la fameuse bête du Gévaudan, sont désormais remplacés par des populations venues de Pologne, du cercle arctique, du Canada, de Sibérie et de Mongolie ! Les quelques 130 individus formant ce melting-pot se promènent et chassent en semi-liberté dans un parc consacré de 20 ha. Largement moins bienvenue, c'est une autre espèce de loup, celle du *Lupus canis* (ou loup vulgaire), qui a fait au début des années 1990 son apparition, ou sa réapparition, occasionnant depuis lors de véritables carnages en Lozère. En octobre 2012, l'administration du parc national des Cévennes a décrété l'installation du prédateur incompatible avec les activités agropastorales de la zone protégée.

Les meilleurs… Coins de nature sauvage

1 Route des lacs, Aubrac, p. 203

2 Causse Méjean, p. 185

3 Petite Camargue, p. 153

4 Pic de Burgarach, p. 240

5 Lac des Bouillouses, p. 316

Un autre immigré est devenu malgré lui le symbole de la réintroduction animale la plus médiatique, car la plus polémique : il se nomme Balou, et vient de Slovénie. Il fut déposé dans les Pyrénées en 2006 pour tenter de diversifier génétiquement la très faible population d'ours bruns des Pyrénées, elle aussi reconstituée artificiellement. Accusés d'attaquer le bétail, tous les ours des Pyrénées avaient été éradiqués au XXe siècle ; leur réintroduction est toujours l'objet de vifs mécontentements et de craintes de la part de certains éleveurs… qui expliquent peut-être le peu d'allant des autorités à défendre l'ours. En décembre 2012, une procédure d'infraction a d'ailleurs été lancée par la Commission européenne contre la France pour manquements à la protection de l'espèce.

Eaux de mer et eaux de source

La Méditerranée, espace naturellement riche, a donné à la zone littorale du Languedoc-Roussillon une très grande variété d'espèces, supérieure à sa voisine, la Côte d'Azur, notamment pour une raison très simple : les milieux y sont eux-mêmes plus divers.

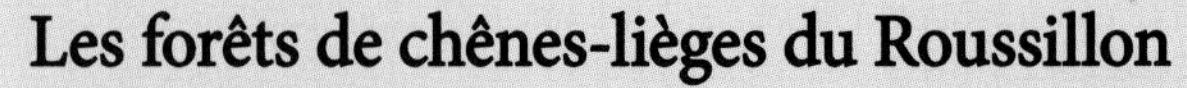

Les forêts de chênes-lièges du Roussillon

En Roussillon, les suberaies, ou forêts de chênes-lièges, couvrent le piémont du massif des Albères, frontalier de l'Espagne, et les Aspres ("arides" en catalan) sur les contreforts du Canigou. Ce sont des bois aérés, odorants, délicieux à parcourir. Ces arbres trapus, au feuillage persistant, y côtoient chênes verts et garrigues. Région viticole, le pays de Céret a longtemps exploité leur écorce épaisse et crevassée pour fabriquer des bouchons de liège. On en tire aussi un excellent isolant thermique et phonique sous forme de granulés. Quasiment disparue, cette filière sylvicole a été relancée et les chênes verts, présents depuis 6 500 ans, regagnent du terrain.

Le sable dessine l'essentiel de la ligne côtière de la région. Les formations dunaires – le lido – cachent, sous leur apparente simplicité, un écosystème très complexe alternant milieux secs et humides, salés ou doux, pouvant mobiliser différentes espèces végétales pour leur maintien. C'est le rôle des grandes touffes vertes d'oyats, aux profondes racines, et de l'épineux panicaut bleu, particulièrement remarquables sur la plage sauvage de l'Espiguette. On trouve également quelques côtes rocheuses de natures diverses dans la région : le promontoire volcanique du cap d'Agde, dont les fonds sont riches en gorgones blanches et en anémones de mer, la falaise sédimentaire du cap Leucate, les pentes calcaires du mont Saint-Clair. Il pousse dans ces milieux instables, humides et venteux, une flore spécifique, comme l'armérie du Roussillon, propre aux falaises des Pyrénées-Orientales.

L'un des paysages caractéristiques de la région se situe juste derrière les dunes de sable. Les étangs du Languedoc-Roussillon ont forgé l'histoire de villes comme Sète, Le Grau-du-Roi ou Aigues-Mortes, où les hommes ont lutté avec l'eau, l'ont acheminée par des canaux, ou retenue au moyen de digues. Parmi la vingtaine d'ensembles lagunaires que compte la région, certains sont des pôles essentiels de l'agroéconomie et de la biodiversité : c'est dans l'étang de Thau, plus exactement à Bouzigues, qu'est née la conchyliculture, en 1925 ; la Petite Camargue abrite une avifaune exceptionnelle, permanente ou saisonnière, des fameux flamants roses, dont la population est ici l'une des plus importantes au monde, aux garde-bœufs et hérons cendrés en passant par les aigrettes garzettes et les échasses blanches. Dans l'étang du Méjean, on observe même de plus en plus, depuis quelques années entre les mois d'octobre et de janvier, des cigognes ! Les lagunes d'une manière générale, disposent d'eaux riches et de formations végétales propices à l'hivernage, à l'alimentation et à la reproduction des oiseaux (mouettes et goélands compris), ainsi que des poissons : les anguilles, les dorades et les loups, passant de la mer aux étangs grâce aux graus – des brèche dans la ligne de dunes – y pondent leurs œufs dans ce milieu plus stable, et protégé. La Petite Camargue accueille par également des élevages très importants de taureaux et de chevaux camarguais, essentiels au folklore de la région.

Enfin, le Languedoc-Roussillon ne se contente pas de fournir les tables de France (et d'ailleurs) en vin : l'eau a ici des vertus thérapeutiques, mais aussi nourrissantes. Les sources de Salvetat-sur-Agoût dans le Haut-Languedoc, peu salées et riches en calcium, celles de Vernière, riche en bicarbonates, calcium et magnésium, celles de Quézac en Lozère, naturellement gazeuses et riches en sodium, sans parler de l'eau de Perrier, venue de la garrigue nîmoise, irriguent nos repas depuis, pour certaines d'entre elles, 150 ans...

Saveurs du Languedoc-Roussillon

Vignoble de Minerve

CAROLE HUON ©

Baigné d'eau et de soleil, le Languedoc-Roussillon en récolte les fruits. Si les cultures du vin et des produits de la mer forment la part la plus visible, et la plus diffusée, de la production locale, les nombreuses spécialités propres à des aires géographiques resserrées témoignent de l'importance d'un art de vivre fondé sur le terroir.

Le nouveau visage d'un vignoble antique

La culture dont la région s'enorgueillit le plus est celle du vin. À raison : avec ses 245 000 ha de vignes, le Languedoc-Roussillon n'est rien moins que la plus grande région viticole du monde. Malgré les crises chroniques malmenant le secteur, 25 000 vignerons perpétuent une culture enracinée depuis vingt-sept siècles dans les terroirs de schiste et de grès, qui fortifient les saint-chinian, côtes de Roussillon, coteaux du Languedoc et autres minervois. Le vignoble languedocien est aujourd'hui en pleine mutation ; la conversion des vignerons à l'agriculture biologique, qui couvre déjà plus de 30% des superficies vinicoles, s'inscrit dans un profond mouvement de réduction de la surface exploitée, au bénéfice d'une qualité

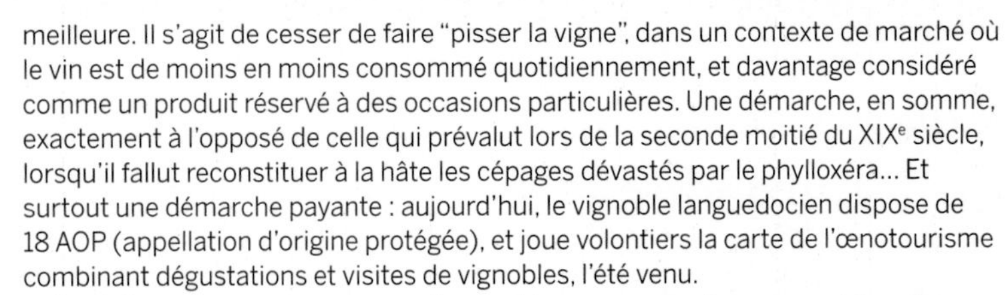

meilleure. Il s'agit de cesser de faire "pisser la vigne", dans un contexte de marché où le vin est de moins en moins consommé quotidiennement, et davantage considéré comme un produit réservé à des occasions particulières. Une démarche, en somme, exactement à l'opposé de celle qui prévalut lors de la seconde moitié du XIXe siècle, lorsqu'il fallut reconstituer à la hâte les cépages dévastés par le phylloxéra... Et surtout une démarche payante : aujourd'hui, le vignoble languedocien dispose de 18 AOP (appellation d'origine protégée), et joue volontiers la carte de l'œnotourisme combinant dégustations et visites de vignobles, l'été venu.

La région, pour accompagner cette montée en gamme et promouvoir les vins de son terroir, a lancé une 2006 une marque porteuse, nommée "Sud de France". Communiquant sur l'art de vivre et garantissant la qualité ainsi que les conditions de production des vins qu'elle met en avant, "Sud de France" donne une visibilité supérieure à la culture régionale, puisque les différentes campagnes promotionnelles et les stratégies de distribution ont non seulement contribué à accroître les ventes sur son territoire, mais surtout donné un coup de fouet à ses exportations vers l'étranger – notamment vers la Chine et l'Angleterre. Le dispositif profite à d'autres secteurs "traditionnels" de la production alimentaire, tels que les fromages, les fruits et les légumes frais, les viandes et les salaisons, et les produits de la mer ; en tout, ce sont actuellement plus de 6 000 produits agroalimentaires et 1 800 producteurs qui sont concernés par l'opération.

Les récoltes de la mer

Avant ses poissons, avant ses crustacés, la mer offre son sel. Le plus vieux salin de France s'étend au pied d'Aigues-Mortes et perpétue au cœur de la Camargue gardoise une culture remontant à l'Antiquité. Le milieu naturel de la Camargue, plus important centre de production de sel de France, profite d'ailleurs autant que l'homme de cette culture qui participe au maintien de la biodiversité et des zones humides. Les salins du Midi sont en outre à l'origine de l'un des plus fameux plats du Languedoc. Les terre-neuvas qui au début du XIXe siècle venaient s'approvisionner en sel à Aigues-Mortes pour la conservation de la morue, laissaient en guise de paye quelques caisses de poisson. Broyée dans un mortier, délayée dans du lait avec des huiles fines et assorties d'aromates des garrigues, la chair de la morue devint un mets emblématique : la

L'heure de l'apéro

Propres à la culture méridionale, les vins doux naturels sont des apéritifs produits essentiellement dans le département des Pyrénées-Orientales, et dont l'origine remonte au XIXe siècle. Le procédé de vinification du plus connu d'entre eux, le **muscat**, a été inventé par le Roussillonnais Arnaud de Villeneuve, doyen de l'université de médecine de Montpellier : le mutage consiste à interrompre la fermentation tout juste entamée du vin par l'addition d'une eau-de-vie, qui augmente son degré d'alcool tout en conservant la teneur en sucre du raisin. Le premier muscat de l'année, le muscat de Noël, est mis en bouteilles dès la fin des vendanges et proposé à la dégustation le troisième jeudi du mois, à Perpignan. C'est également dans le Roussillon et suivant un procédé analogue que le **Byrrh** est produit, à partir de malaga – un vin espagnol, fort – mêlé de quinquina. Plus au nord, c'est en 1813 que l'herboriste Joseph Noilly créa à Marseillan le **Noilly Prat**, un vermouth dont la puissance est le fruit du soleil et des embruns, auxquels on expose les barriques de vin blanc.

brandade nîmoise. À Sète – premier port de pêche français en Méditerranée – et ses alentours, c'est d'un mollusque qu'on a fait une spécialité : la rouille de seiche. Avant d'être roussie avec de l'ail, des oignons puis du coulis de tomate, la seiche est l'objet d'une pêche difficile, pratiquée à la lune noire, c'est-à-dire en l'absence de pleine lune, en janvier et en février. À Frontignan, où la récolte est la plus généreuse, on pêche également le poulpe, l'oursin et la rascasse. Le mollusque est au centre d'une autre spécialité sétoise, la tielle, une tourte que l'on peut également garnir avec du poulpe ou du calmar, rehaussée de sauce à la tomate.

La conchyliculture, dont les techniques ont été mises au point par Antoine-Louis Tudesq en 1925 dans le petit port de Bouzigues, est toujours importante dans l'étang de Thau. L'huître plate méditerranéenne y a été le plus souvent troquée contre l'huître creuse, portugaise, mais l'esprit de la fête de l'Huître, à la mi-août, reste le même dans le port. L'été, les places de Mèze, Bouzigues, Sète et Marseillan grillent la moule sur de la braise, et l'arrosent d'une sauce mêlant vin blanc (idéalement du frais et fruité picpoul de Pinet, lequel accompagne également la soupe de poisson sétoise), huile d'olive et herbes de Provence, au cours des festives et conviviales brasucades. Les moules de l'étang de Thau sont élevées à 10 km des côtes languedociennes. Sur celles du Roussillon, plus exactement à Collioure, c'est l'anchois qui a tiré son épingle du jeu, jusqu'à décrocher le label Indication géographique protégée. La préparation particulière du petit poisson bleu trouverait ses origines au Moyen Âge : l'anchois est d'abord salé, puis glacé, étêté, éviscéré manuellement, et enfin placé en maturation dans des fûts, avec du sel, pour plusieurs mois.

Plutôt sucré…

L'ambassadrice des sucreries languedociennes, même si elle bat désormais pavillon allemand (Haribo), est toujours produite dans le Gard (voir p. 143) : la réglisse, amatrice de terrains humides, s'est en effet remarquablement acclimatée en Camargue au milieu du XIXe siècle, d'où elle rayonna sous la marque Zan. À Nîmes,

La châtaigne est l'un des emblèmes du pays cévenol

B. PICCOLI/FOTOLIA ©

La bataille du cassoulet

Comme pour tous les grands plats populaires, l'origine du cassoulet se perd en récits semi-légendaires ; les villes de Carcassonne, Castelnaudary et Toulouse se disputent son invention, et surtout sa recette. Dans la capitale de la région Midi-Pyrénées, la viande maîtresse y est le confit de canard ; à Carcassonne, la perdrix rouge, et le mouton ; à Castelnaudary, le confit d'oie, mais accompagné de jarret ou d'épaule de porc, de saucisse et de couenne, le tout à base de haricots lingot, et assorti d'une carotte, de clous de girofle et d'un bouquet garni. Pendant la guerre de Cent Ans, dans cette dernière cité, les villageois assiégés auraient rassemblé leurs dernières vivres pour préparer un ragoût dans une cassole de terre : le cassoulet. Ce mythe-là est séduisant, mais il oublie que les haricots n'ont été importés d'Amérique du sud qu'au XVIe siècle... L'origine du cassoulet serait cependant bel et bien paysanne, et médiévale ; simplement, autrefois, on le cuisinait avec des fèves. Bref, au-delà des querelles de clocher, le plus important est que votre cassoulet soit mijoté longtemps, et roboratif... et accompagné d'un bon vin du cru. Mais quel cru ? Celui du coin de Toulouse, de Castelnaudary, ou de Carcassonne ?...

le pâtissier Villaret a donné son nom aux fameux croquants composés d'amandes et parfumés à la fleur d'oranger (p. 136). C'est le châtaignier qui, dans les Cévennes, pourvoit aux délices, même si l'arbre est moins cultivé depuis la maladie qui ravagea les châtaigneraies au XIXe siècle. On tire de ses fruits des confitures, de la crème de marrons, des gâteaux, et même des soupes (voir aussi l'encadré p. 347). Comparé à tous ces anciens, la zézette de Sète fait figure de petite jeunette. Créée dans les années 1970 par un rapatrié d'Algérie, elle doit sans doute son succès autant à sa recette (conjuguant vin blanc, sucre et arôme vanillé) qu'à son nom...

Les Pyrénées-Orientales se régalent encore – et ô combien ! – de spécialités catalanes dont l'ancien territoire espagnol a adopté, et adapté, les recettes. C'est le cas par exemple des tourons, galettes à base de miel et de pâte d'amandes, et des rousquilles, anneaux sucrés convoquant tour à tour les arômes du citron, de l'anis et de la vanille, tous deux aujourd'hui fabriquées à Cabestany et à Perpignan. Traditionnellement réservées pour le Mardi gras, les bougnettes sont des sortes de beignets aplatis, dorés et croquants dont la préparation est, en principe, familiale.

... salé...

On reconnaît l'histoire de la région à ses spécialités : ainsi, le Roussillon anciennement espagnol cuisine-t-il volontiers la paëlla, et cultive les recettes catalanes que sont les boulettes de picoulat (boules de viande accompagnées d'une sauce aux cèpes) et la cargolade (escargots grillés accompagnés d'aïoli et de saindoux), tandis que l'ancien pays cathare paraît avoir l'apanage du cassoulet (voir l'encadré ci-dessus) et que la petite Camargue prépare la délicieuse gardiane de taureau (la viande du bovin élevé en Camargue, jouissant d'une AOP, y est marinée dans une sauce au vin rouge). À plus petite échelle encore, la région a privilégié différentes cultures du terroir.

Arrivé avec la vigne par les bateaux grecs, l'olivier s'épanouit dans le Languedoc, où la production d'huile est très importante. Le Gard compte, à lui seul, 4 000 ha plantés d'oliviers ; les deux tiers de cette superficie sont dévolus à la picholine, une variété d'olives vertes tirant son nom de ses créateurs, les deux frères italiens

Picholini. Elle est fruitée et craquante, et sa couleur verte est le fruit d'un traitement la faisant passer successivement dans de la cendre et de la saumure aromatisée.

Vert également mais plus pâle, l'oignon doux des Cévennes est, lui, un miraculé. Après avoir failli disparaître au siècle dernier, il dispose désormais d'une AOP liée à son site de production, sur les terrasses de l'Aigoual ; on en fait d'excellents confits, beignets et tartes. Pays d'élevage, les Cévennes et les Causses sont par ailleurs le foyer de deux fromages AOC : le pélardon, un fromage de chèvre fabriqué de manière artisanale, et le bleu des Causses, au lait de vache et affiné en cave. Un succulent mets fabriqué dans l'Aubrac a pour base un autre fromage : l'aligot mélange purée de pommes de terre, tomme fraîche, crème, beurre et un peu d'ail.

Plus luxueuse, la truffe se cueille à de nombreux endroits dans le Languedoc-Roussillon. Elle représente 20 à 30 % de sa production française et s'y voit fêtée une bonne demi-douzaine de fois au mois de janvier : l'Aude y consacre plusieurs marchés et Villeneuve-Minervois lui a même dévolu un musée ; Uzès, dans le Gard, célèbre chaque année en sa cathédrale une Messe de la truffe ; la confrérie de la "Trufa Catalana" l'honore en musique, à Arles-sur-Tech, dans les Pyrénées-Orientales.

Il y a une "capitale du gras en Languedoc-Roussillon" – autoproclamée telle en tout cas. Il s'agit de Belpech, dans l'Aude ; ce petit village se vante de faire des foies gras et des magrets supérieurs même à ceux du Sud-Ouest. L'élevage du canard et de l'oie, outre qu'il fait partie de l'ADN de la localité, se perpétue avant tout dans la tradition : en plein air, et en petite quantité. Chaque année, la population de ce petit village de 1 200 âmes double voire triple à l'occasion du "marché au gras", où se retrouvent une cinquantaine de producteurs de la région. La manifestation a fait des émules, à Castelnaudary et à Carcassonne, entre autres.

… ou sucré-salé ?

Le petit pâté de Pézenas est peut-être la plus insolite de toutes ces spécialités. Importée par le cuisinier indien d'un lord anglais au XVIIIe siècle, cette pâtisserie combinant viande de mouton, sucre roux et citron, serait d'origine… écossaise. Il n'en reste pas moins que ce goûteux entremets est l'emblème gastronomique de Pézenas, où différents fabricants se réclament, eux seuls, de la recette originale… Il y eut également, dans le temps, des petits pâtés de Béziers (aujourd'hui disparus), et aujourd'hui encore les petits pâtés de Nîmes, mais ceux-ci sont exclusivement salés, et farcis de viande de veau ou de porc.

Sports et activités

La plage de La Franqui (p. 2
est l'eldorado des amateurs de kites

EMMANUEL DAUTAN

Gâté par la nature et bénéficiant d'un climat bienveillant, le Languedoc-Roussillon se laisse découvrir sur des sentiers de randonnée, sur des rivières en kayak, à bicyclette, accroché à une voile de kitesurf ou au fil de ses canaux... Grâce à une multitude de structures et un encadrement de qualité, sports et loisirs de plein air permettent d'approcher des espaces naturels encore vierges ainsi qu'un riche patrimoine historique.

La Grande Bleue

Plages et baignade

Vous n'aurez aucune difficulté à trouver une plage pour poser votre serviette. La région compte près de 220 km de littoral entre les dunes de la pointe de l'Espiguette, dans le Gard, et les criques de sable et de galets de la Côte Vermeille, dans les Pyrénées-Orientales. La température moyenne de l'eau atteint un pic en juillet et en août, qui oscille entre 21 et 23°C. Le littoral est majoritairement constitué de plages de sable adossées à des stations balnéaires construites dans les années 1960. Campings, infrastructures de loisirs et plages surveillés s'y concentrent, souvent à quelques kilomètres des principales agglomérations de la région (Montpellier, Perpignan, Narbonne). Si vous cherchez à éviter la foule, il vous faudra adapter vos horaires en partant plus tôt ou plus tard, ou faire quelques kilomètres pour trouver des plages désertes.

Le Languedoc-Roussillon est par ailleurs la première destination naturiste de France, tant en capacité d'hébergement qu'en fréquentation. Près de 600 000 personnes affluent chaque année, majoritairement d'Europe du Nord, pour pratiquer cet "art de vivre" pendant la période estivale. Pour vivre la nature à fleur de peau, vous pourrez profiter d'une capacité d'hébergement variée, du camping associatif à la résidence hôtelière, principalement le long du littoral. Des plages sont aussi réservées aux naturistes par arrêté municipal autour des communes du Grau-du-Roi, du Cap d'Agde, de Sérignan ou de Port-Leucate. Pour plus de renseignements, contactez l'**Association régionale de naturisme en Languedoc-Roussillon** (☎ 09 75 68 98 22 ; www.languedoc-naturisme.com ; 1 rue de la Nature ; Port-Leucate) ou la **Fédération française de naturisme** (www.ffn-naturisme.com).

Les meilleurs... Spots de baignade en rivière

1 Vallée de l'Orb, p. 98

2 Gorges de l'Hérault, p. 111

3 Gorges du Gardon, p. 140

4 Vasques du Tarn, p. 196

5 Gorges de Galamus, p. 243

Kitesurf

Ce sport spectaculaire est né des expériences de deux pionniers, Laurent Ness et Raphaël Salles, entre Palavas-les-Flots et La Grande-Motte au milieu des années 1990. À mi-chemin entre le snowboard et le surf, pour la position, et le cerf-volant et le parapente, pour l'utilisation de l'aile, il procure des sensations grisantes de glisse sur l'eau. Si les débutants auront du mal à enchaîner figures et sauts lors de leur première leçon, le littoral sablonneux du Languedoc, la présence régulière du vent et, surtout, la faible profondeur des étangs, sont autant d'atouts pour éviter trop de fatigue à chaque remontée sur la planche. La région propose une quinzaine de spots réputés : La Franqui (zone de kite sécurisée ; voir l'encadré p. 254), Marseillan, Gruissan (spot sur plan d'eau intérieur), la pointe de l'Espiguette, La Grande-Motte ou encore Port-Camargue. Des événements majeurs de la discipline s'y déroulent chaque année comme le **Mondial du vent** (www.mondial-du-vent.com ; avril) à Leucate-La Franqui. Le site de la **Ligue de vol libre Languedoc-Roussillon** (www.lvllr.net) présente une liste exhaustive des clubs et de la vingtaine d'écoles de kitesurf implantés dans la région. Sachez que, pour des raisons de sécurité, il est préférable de ne pas pratiquer l'activité seul. Pensez aussi à regarder les conditions de vent (www.surf-report.com) avant de sauter sur votre planche.

Sports nautiques

Au bord des étangs ou de la mer, vous pourrez louer de nombreuses embarcations à voile (planche à voile, catamaran et dériveur) ou à moteur (scooter des mers, ski nautique). Les étangs du littoral (étang de Thau, étang de Bages et de Sigean, étang de Leucate) sont connus pour leurs conditions de vent exceptionnelles, grâce à la tramontane et au vent d'autan, qui en font un rendez-vous des véliplanchistes expérimentés amateurs de vitesse. Vous trouverez la liste des clubs de voile sur le site de la **Ligue de Voile du Languedoc-Roussillon** (☎ 04 67 50 48 30 ; www.ffvoilelr.net). La plupart des ports de ports de plaisance du littoral proposent aussi la location de voilier avec ou sans skipper. Renseignez-vous auprès des offices du tourisme.

La plongée sans les bulles !

Alternative ludique à la plongée avec bouteille, idéals pour une approche pédagogique de la faune et la flore marine, les sentiers sous-marins se découvrent à la nage, seulement équipé de masque et tuba. Le littoral de la région compte deux sentiers de ce type : celui du Cap d'Agde (☎04 67 01 60 23 ; www.adena-bagnas.com ; Domaine du Grand Clavelet, Agde), et surtout **le sentier sous-marin de la baie de Peyrefite** (voir p. 290) géré par la réserve marine de Banyuls-Cerbère (☎04 68 88 09 11/04 68 88 56 87, plage de Peyrefite, Banyuls-sur-mer).

Plongée

Bonne nouvelle, on peut pratiquer la plongée sur pratiquement tout le littoral languedocien. Ceux qui voudront simplement faire un baptême pourront se contenter des côtes rocheuses situées à proximité du Cap d'Agde et de Sète, ou des bancs rocheux au large de Frontignan et de Palavas-les-Flots. Mais pour en prendre plein les mirettes, mieux vaut rejoindre le littoral de la Côte Vermeille et les splendides fonds sous-marins situés autour de la **réserve marine de Banyuls-Cerbère** (p. 290). Vous y observerez sans peine herbiers de posidonie, homards, langoustes et partirez en quête de mérous et murènes. Entre Argelès-sur-Mer et Cerbère, toutes les villes du littoral possèdent un ou plusieurs centres de plongée. Préférez les mois d'avant et d'après saison pour échapper à l'afflux estival. Certains clubs proposent aussi des sorties vers le **parc naturel du Cap Creus** en Espagne. Dans tous les cas, comptez en moyenne environ 40 € le baptême et entre 30 et 35 € pour une sortie encadrée. Restez vigilant sur les conditions de sécurité des prestataires : les accidents de plongée sont rares mais toujours graves. Pour plus de renseignements, adressez-vous au **Comité Midi-Pyrénées-Méditerranée de la FFESM** (☎05 31 61 53 73 ; www.ffessmpm.fr) ou directement à la **FFESM** (☎04 91 33 99 31 ; www.ffessm.fr).

Au rythme de la nature

Randonnées à pied

Son réseau de sentiers extrêmement dense fait du Languedoc-Roussillon un terrain rêvé pour les accros de la marche à pied. Des sommets pyrénéens aux paysages de garrigues de l'Hérault et du Gard, en passant par le littoral de la Côte Vermeille, les hauts plateaux de Lozère ou les chemins de halage du canal du Midi, la région présente une remarquable diversité de paysages. Certains itinéraires historiques et culturels connaissent un succès croissant à l'image de certains GR (sentiers de grande randonnée), balisés en rouge et blanc. Parmi eux, citons le **chemin de Stevenson** (GR 70 ; voir l'encadré p. 197), qui relie Le Puy-en-Velay à Alès, une portion de la **traversée des Pyrénées** (GR 10), le **chemin de Saint-Jacques-de-Compostelle** dans l'Aubrac (GR 65), le **chemin d'Arles par Saint-Gilles** (GR 653), ou encore le **sentier cathare** (www.lesentiercathare.com), qui relie Foix à Port-la-Nouvelle, dans l'Aude. D'autres parcours itinérants et limités à quelques jours de marche sont moins connus mais tout aussi remarquables. C'est le cas notamment du **tour du mont Aigoual** (GR 66), du **tour du pays Cévenol** (GR 67), de la **voie Régordane** (GR 700 ; du Puy-en-Velay à Saint-Gilles), du **tour du mont Lozère** (GR 68) ou des **tours du Capcir et de la Cerdagne**.

Par ailleurs, une multitude de randonnées d'une demi-journée ou d'une journée sont balisées dans les **réserves naturelles catalanes** (www.catalanes.reserves-naturelles.

org), le **parc national des Cévennes** (www.cevennes-parcnational.fr) ou le long du littoral de la Côte Vermeille (voir l'encadré p. 278). La région se prête également à de belles ascensions. Certaines sont très faciles, comme celle du pic de Nore (p. 230), point culminant de la montagne Noire, du pic de Finiels sur le mont Lozère (p. 196), ou du mont Caroux (p. 101) et du pic Saint-Loup (p. 115) dans l'Hérault. D'autres s'adressent à des randonneurs chevronnés, comme l'exigeante ascension du mont Canigou (p. 305), qui se fait le plus souvent en deux jours, celle du pic de Carlit (2 921 m) depuis le site des Bouillouses (p. 316) ou l'ascension de l'Aigoual par le sentier des 4 000 marches (p. 316).

Le site du **Comité régional de la randonnée pédestre du Languedoc-Roussillon** (☎ 09 72 19 52 86 ; http://lr.ffrandonnee.fr ; Maison régionale des sports, 1 039 rue Georges-Méliès, Montpellier) recense l'ensemble des topoguides sur la région. Les accompagnateurs et les guides de haute montagne, dont vous trouverez les coordonnées dans les offices du tourisme, organisent aussi des séjours thématiques d'une ou plusieurs journées. Si vous ne partez pas accompagné, gardez à l'esprit que les cartes les mieux adaptées à la randonnée, surtout en montagne, sont les cartes au 1/ 25 000 (1 cm = 250 m) éditées par l'IGN. Des applications consultables sur Smartphone comme iPhiGéNie qui mêle GPS et fonds de carte IGN peuvent aussi s'avérer utiles, dès lors que le réseau fonctionne !

Pour des renseignements sur le **chemin de Stevenson** (p. 197) accompagné d'un âne, contactez l'association **Sur le chemin de Robert Louis Stevenson** (☎ 04 66 45 86 31 ; www.chemin-stevenson.org ; Le Pont-de-Montvert).

Cyclotourisme

Il existe peu d'itinéraires spécifiquement dédiés aux cyclistes sur route dans la région, hormis autour des stations balnéaires du littoral, qui ont fait des efforts importants pour accueillir les amateurs de deux-roues. Il existe cependant une multitude d'itinéraires balisés pour VTT dans l'arrière-pays et en montagne.

Promenade avec des ânes dans les Cévennes
ADRT 30 ©

Les meilleures… Randonnées en famille

1 Chaos de Nîmes-le-vieux, p. 186

2 Mas Camargues, p. 196

3 Anse de Paulilles, p. 287

4 Sentier sculpturel des Mayronnes, p. 246

Parmi les prestataires, citons **Languedoc Nature** (☎ 04 67 45 00 67 ; www.languedoc-nature.com ; 24 rue des Charmettes, Saint-Georges-d'Orques) qui propose des séjours de cyclotourisme très variés (châteaux cathares, de la Méditerranée aux Cévennes, tour des monts d'Aubrac et de Margeride) et des circuits en VTT.

Randonnées à cheval

Les centres équestres sont bien implantés sur le territoire et proposent des cours et des séjours d'initiation ou de perfectionnement pour tous les niveaux et tous les âges, de même que des randonnées sur plusieurs jours. Les grands espaces des Cévennes et de la Lozère se prêtent particulièrement à la randonnée équestre et aux bivouacs. Des épreuves d'endurance d'envergure internationale y sont d'ailleurs organisées, comme les **160 km de Florac** (www.160florac.com).

Pêche

Mer, lacs, rivières… la région offre toute sorte d'occasions pour taquiner le poisson, avec des sites de pêche adaptés à tous les niveaux et à tous les types de pêche (pêche à la mouche, parcours no kill…). Deux départements sont en pointe : la Lozère, avec ses 2 700 km de rivière classés en première catégorie (consultez les sites www.lozerepeche.com et www.peche-autrement.com), et les Pyrénées-Orientales, qui comptent près de 60 lacs naturels (www.peche66.org). Vous trouverez aussi de beaux sites dans l'Aude (www.fedepeche11.fr) et dans l'Hérault (www.pecheherault.com). Les sites Internet des fédérations de pêche départementales présentent la réglementation en vigueur ainsi que les plans et cours d'eau où pêcher.

Tourisme fluvial

Ouverte de mars à novembre, la navigation sur le canal du Midi est aujourd'hui exclusivement dédiée au tourisme. Bordé de magnifiques allées de platanes, le Canal relie Castelnaudary à Mèze, sur près de 175 km (et 48 écluses !), le long d'un parcours ponctué de nombreux ouvrages d'art : écluses, pont-canal, tunnel… Un itinéraire au fil de l'eau qui peut se prolonger sur le canal du Rhône, à Sète, ou sur le canal de la Robine, vers Narbonne. Les **CDT** (comités départementaux du tourisme) et le site www.canalmidicom sont de véritables mines de renseignements. Pour naviguer sur ces eaux (très) calmes, sachez que les embarcations à louer ne requièrent pas de permis fluvial. Parmi les nombreux prestataires qui louent des bateaux, citons **Le Boat** (☎ 04 68 94 42 80 ; www.leboat.fr ; Le Grand Bassin, Castelnaudary), **Les Canalous** (☎ 03 85 53 76 74 ; www.canalous-plaisance.fr), ou **Belle du Midi** basé au Somail (☎ 04 68 93 53 94, 06 31 24 38 63 ; www.belledumidicruises.com ; Les Canalous).

Tout aussi paisibles, les sorties en barque sur le Tarn, en Lozère, proposées par les **bateliers de la Malène** (p. 193).

Sports d'aventure

Eau vive

Pagayer la tête en l'air au fil de l'eau, voilà un plaisir accessible à tous. Les itinéraires, allant d'une demi-journée à une journée, combinent souvent descente dans les rapides et exploration du patrimoine local. La région compte plusieurs sites phares

(mais aussi très fréquentés) pour les sports d'eau vive : les gorges du Tarn (p. 189), avec leurs villages accrochés aux falaises des causses ; la descente du Gardon (p. 141) pour le passage sous les arches du pont du Gard ; la vallée de la Cèze (p. 150) ou la vallée de l'Orb (p. 98), aux nombreux villages de caractère. L'Aude présente un profil rassurant en aval et plus tourmenté en amont, permettant même la pratique du raft et de l'hydrospeed autour d'Axat.

Notez enfin que le littoral de la Côte Vermeille autour du cap Béar et de la réserve marine de Banyuls-Cerbère est très adapté, sauf en cas de houle et de vents violents, à la pratique du kayak de mer (p. 279). Il permet de s'offrir le luxe d'acoster sur des plages et des criques secrètes accessibles uniquement par la mer. Pour plus de renseignements, contactez le **Comité régional de canoë-kayak du Languedoc-Roussillon** (☎ 04 67 82 16 63 ; www.crck.org/languedocroussillon).

Parapente

La plupart des sites d'envol se concentrent autour des sommets du Capcir et de la Cerdagne, autour du château de Peyrepertuse (voir p. 244) et d'Argeliers dans l'Aude, et autour de Mende en Lozère. Bien évidemment, si vous partez avec votre propre voile, renseignez-vous impérativement sur les conditions d'aérologie locale auprès des clubs locaux. Le site de la **Ligue de vol libre du Languedoc-Roussillon** (☎ 04 67 55 75 74 ; www.lvllr.net) propose une liste détaillée des clubs de la région.

Spéléologie, escalade, canyoning

La région est l'un des berceaux de la spéléologie française. Amateurs de gouffres, d'avens et de lacs souterrains, vous trouverez de nombreuses cavités propices à des explorations familiales. Des safaris souterrains plus sportifs sont organisés dans certaines grottes, comme le gouffre de Cabrespine (voir p. 231). Pour des prestations personnalisées en dehors des visites traditionnelles, renseignez-vous auprès des offices de tourisme ou auprès de l'**École française de spéléologie** (☎ 04 72 56 35 76 ; www.efs.ffspeleo.fr).

Pause devant le canal du Midi au Somail (p. 252)

Les meilleures... Sorties sous terre

1 Grotte des Demoiselles, p. 114

2 Grotte de Clamouse, p. 111

3 Mine témoin d'Alès, p. 171

4 Abîme de Bramabiau, p. 182

5 Aven Armand, p. 186

Pratiquer l'escalade est aussi possible grâce à de nombreuses voies s'adaptant à tous les niveaux. Citons les falaises de calcaire des gorges de la Jonte ou du Tarn, le cirque de Navacelles ou la haute vallée de l'Aude. Dans le Vallespir et le haut Conflent, de nombreux prestataires proposent également des sorties de canyoning. Partez accompagné car la plupart des itinéraires ne présentent pas d'échappatoire. Renseignez-vous auprès des offices du tourisme pour les prestataires locaux ou auprès des institutions régionales comme le **Comité régional Languedoc-Roussillon de la FFME** (☎ 04 67 41 78 16 ; www.crlr-ffme.fr).

Activités hivernales

Hormis la station audoise de Camurac, la grande majorité des stations de sports d'hiver de la région est situéee dans les Pyrénées-Orientales. Elles sont affiliées au **Domaine des neiges catalanes** (www.neigescatalanes.com), qui propose un forfait unique pour huit domaines (voir p. 313). N'ayant pas grand-chose à envier aux prestigieuses stations alpines, elles s'adaptent à tous les types de glisse : ski alpin, snowboard, snow-kite, ski de fond ou raquettes. **Font-Romeu** (p. 311), héritière des stations de sports d'hiver du début du siècle, est la station la plus réputée.

Il existe aussi deux stations de ski alpin familiales sur le mont Aigoual et le mont Lozère (voir p. 197). Les stations lozériennes (www.hiver-autrement.com) restent essentiellement orientées vers la pratique des raquettes, du ski de fond ou des promenades en traîneaux à chiens.

Carnet pratique

La route des crêtes sur la Côte Vermeille offre des vues inoubliables
EMMANUEL DAUTANT ©

Infos utiles

Achats

Le Languedoc-Roussillon recèle quelques spécialités qui tiendront facilement dans vos valises. En premier lieu, les vins et liqueurs avec une production importante et diversifiée dans toute la région : **muscat** de Rivesaltes, de Frontignan, de Lunel ou de Saint-Jean-du-Minervois, **vins doux naturels** de Banyuls, de Maury ou encore les fines bulles de la **blanquette de Limoux**. Certains vins d'apéritifs comme le **Byrrh** de Thuir et le **Noilly Prat**, le célèbre vermouth de Marseillan, font aussi la réputation de la région.

Longtemps considérés comme des vins de moindre qualité, les vins du Languedoc-Roussillon ont pris un virage qualitatif et quantitatif à partir des années 1980 et révèlent aujourd'hui de belles surprises. Des Costières de Nîmes dans le Gard encore associés aux vins de la vallée du Rhône jusqu'à Collioure et aux vins du Cabardès, la vingtaine d'AOC de la région témoigne de la diversité des terroirs et des cépages. Pour découvrir ce vignoble, qui représente un tiers de la production française, n'hésitez pas à pousser les portes des caves coopératives et à vous offrir une dégustation dans les caveaux des vignerons. Les offices du tourisme ont mis en place de nombreuses routes des vins qui vous permettront de flâner de cave en cave. Le site www.languedoc-wines.com est une mine d'informations (cépages, délimitation des appellations) sur le sujet.

Les villes portuaires font honneur aux produits de la mer. Dans les poissonneries, les halles, ou même directement sur les quais, au retour des bateaux, vous trouverez crustacés, coquillages et poissons. Difficile de faire plus frais et moins cher ! Des conserveries sont aussi présentes notamment à Collioure, où deux familles perpétuent la tradition de la **salaison des anchois** (anchois au sel, filets d'anchois en saumure, filets d'anchois à l'huile).

Parmi les autres spécialités culinaires de la région, citons l'**oignon doux des Cévennes**, les **pélardons** (plus difficiles à transporter car ils supportent mal les trajets en voiture) ou la **charcuterie de la montagne Noire**. Gardez à l'esprit que le cassoulet, dont vous trouverez de nombreuses conserves dans le Lauragais et autour de Carcassonne, n'est jamais aussi bon que dans une cassole tout juste sortie du four.

Parmi les spécialités artisanales, vous trouverez une importante concentration de **potiers** autour d'Anduze (p. 172) et de Saint-Quentin-la-Poterie (p. 146), dans le Gard. Dans le Lauragais, le travail de poterie est spécialisé dans les plats à cassoulet (cassoles). Vous trouverez quelques vêtements et tissus de **soie** à Saint-Hippolyte-du-Fort, où un musée associé à une unité de production perpétue la tradition du filage de la soie (p. 180).

Ce tableau ne serait pas complet si l'on ne mentionnait pas la créativité catalane. D'abord en citant ses **cristaux de grenat** taillés qui font de très beaux bijoux (bagues, colliers, pendentif). Une dizaine de joailliers sont encore spécialisés dans ce travail minutieux autour de Perpignan. Les **toiles catalanes** sont quant à elles devenues tendance. À la fois chics et colorées, elles servent de tissu d'ameublement ou de linge de maison (nappes, toiles transat) et n'habillent plus seulement les toiles des espadrilles, que vous trouverez facilement en Catalogne française.

Argent

Aucun problème pour retirer de l'argent dans les distributeurs automatiques de billets (DAB) dans les villes et les bourgs du Languedoc-Roussillon, même dans certains secteurs reculés, comme en Lozère.

Pour les voyageurs étrangers

Un séjour en Languedoc-Roussillon est soumis aux mêmes conditions que dans tout autre région française. À ce titre, Belges, Suisses et Canadiens n'ont pas besoin de visa pour une période maximale de 90 jours. Les Canadiens sont limités, quant à eux, à deux séjours de 90 jours par an. Les citoyens canadiens doivent présenter un passeport en cours de validité ; une simple carte d'identité suffit pour les Belges et les Suisses. Pour plus de précisions, ou pour d'autres nationalités, reportez-vous au site officiel du **ministère des Affaires étrangères français** (www.diplomatie.gouv.fr).

Le Languedoc-Roussillon vit au même rythme que le reste de la France. Il y a donc une heure (hiver) ou deux heures (été) d'avance par rapport à l'heure de Greenwich. Lorsqu'il est 14h à Montpellier, il est 8h à Montréal. L'heure est la même qu'en Suisse ou en Belgique. En France, les prises électriques ont deux fiches rondes (220 V, 50 Hz). Les Canadiens auront besoin d'un adaptateur.

AMBASSADES ET CONSULATS ÉTRANGERS EN FRANCE

- **Consulat de Suisse à Montpellier** (04 67 47 66 53 ; montpellier@honrep.ch ; 34430 Saint-Jean-de-Védas)
- **Consulat de Belgique à Perpignan** (04 68 35 46 65 ; consulat.de.belgique.perpignan@wanadoo.fr ; 26 rue Grande-La-Réal, 66000 Perpignan)
- **Consulat de Belgique à Montpellier** (04 67 10 77 77 ; consulatbelgique@chatelavocats.com ; 705 rue Saint-Hilaire, 34078 Montpellier Cedex 3)
- **Ambassade du Canada** (01 44 43 29 00 ; www.amb-canada.fr ; 35 av. Montaigne, 75008 Paris)

AMBASSADES ET CONSULATS DE FRANCE À L'ÉTRANGER

BELGIQUE

- **Ambassade** (02 548 87 11 ; www.ambafrance-be.org ; 65 rue Ducale, 1000 Bruxelles)
- **Consulat** (02 548 88 11 ; www.consulfrance-bruxelles.org ; 42 bd du Régent, 1000 Bruxelles)

CANADA

- **Ambassade** (0613 789 17 95 ; www.ambafrance-ca.org ; 42 Sussex Drive, Ottawa, Ontario)
- **Consulats Montréal** (0514 878 43 85 ; www.consulfrance-montreal.org ; 1501 McGill Collège, 10e étage, bureau 1000, Montréal (QC) H3A 3M8) ; **Québec** (0418 266 25 00 ; www.consulfrance-quebec.org ; 25 rue Saint-Louis, Québec (QC) G1R 3Y8)

SUISSE

- **Ambassade** (031 359 21 11 ; www.ambafrance-ch.org ; Schosshaldenstrasse 46, 3006 Berne)
- **Consulat général** (022 319 00 00 ; www.consulfrance-geneve.org ; 2 cours des Bastions, 1205 Genève ; service des visas 0900 847 237).

DOUANE

Si vous partez par bateau ou par avion vers un pays non membre de l'UE, vous ne pouvez pas emporter plus de 200 cigarettes, 2 litres de vin (ou autre boisson alcoolisée de moins de 22°) et un litre d'alcool (titrant plus de 22°).

TÉLÉPHONE

Pour appeler la France depuis l'étranger, composez le code d'accès international de votre pays (00 pour la Suisse et la Belgique, 011 pour le Canada) suivi de l'indicatif de la France 33.

Pour appeler l'étranger depuis la France, composez le code d'accès international 00, suivi de l'indicatif du pays (32 pour la Belgique, 41 pour la Suisse et 1 pour le Canada)

Bénévolat

La richesse du patrimoine bâti régional (châteaux, abbayes) est propice à de nombreux chantiers de volontariat. Parmi les associations organisatrices de chantiers de jeunes bénévoles, citons des associations nationales comme **Rempart** (☎ 01 42 71 96 55 ; www.rempart.com) ou **Concordia** (☎ 09 81 23 96 41 ; www.concordia-association.org) qui proposent des chantiers, dont la durée peut varier d'un week-end à trois semaines. Vous pouvez aussi contacter la délégation Languedoc-Roussillon de **Cotravaux** (☎ 04 67 98 34 23 ; www.cotravaux.org/Languedoc-Roussillon ; 24 cours Jean-Jaurès, Pézenas) qui assure le lien entre les différents organismes nationaux en région. Dans tous les cas, ne vous y prenez pas au dernier moment, si vous voulez donner un peu de votre temps en participant à la réhabilitation du patrimoine historique.

Météo France

Météo France (☎ 3250 ; http://france.meteofrance.com) propose des prévisions, département par département, pour les 7 jours à venir.

Vous pouvez aussi accéder directement aux différents bulletins des départements du Languedoc-Roussillon en appelant le ☎ 08 99 71 02 XX (n° du département concerné ; 1,35 €/appel + 0,34 €/min).

Cartes et plans

La carte routière IGN R17 au 1/250 000 (1 cm = 2,5 km) donne une excellente vision d'ensemble de la région et fait apparaître les points touristiques majeurs. Elle inclut également les départements de l'Aveyron et du Tarn.

Plus précises, les cartes départementales de Michelin rassemblent deux départements : Aude-Pyrénées-Orientales (n°344), Cantal-Lozère (n° 330), Gard-Hérault (n° 339), à l'échelle 1/150 000 (1 cm = 1,5 km) avec des suggestions d'itinéraires touristiques. Autre alternative, les cartes départementales orange de l'**IGN** (**Institut géographique national ; www.ign.fr**) au 1/200 000 (1 cm = 2 km) à vocation essentiellement routière : *Lozère* (D48), *Gard* (D30), *Hérault* (D34), *Aude* (D11).

Les cartes thématiques TOP 100 jaune de l'IGN au 1/100 000 (1 cm = 1 km) sont un peu plus précises et centrées autour des principales agglomérations : *Montpellier-Nîmes* (170), *Béziers-Castres* (169), *Béziers-Perpignan* (174).

Pour la randonnée, privilégiez des cartes encore plus précises éditées par l'IGN comme la série bleue TOP 25 au 1/25 000 (1 cm = 250 m). Une liste complète est disponible sur le site de l'IGN.

À signaler, une carte thématique originale sur les Cévennes et les gorges du Tarn : la carte touristique IGN TOP 75 au 1/75 000 (1 cm = 750 m), *Cévennes-Gorges du Tarn* (TOP 75011). La carte inclut 5 zooms au 1/25 000 pour les randonneurs. Autre carte thématique de l'IGN, la carte au 1/25 000 (1 cm = 250 m) *Balades en forêt de l'Aigoual* (82 094) éditée en partenariat avec l'Office national des forêts (ONF).

L'éditeur de cartes Rando Edition propose aussi une série de cartes transfrontalières dédiées à la randonnée dans les Pyrénées-Orientales et l'Aude sur des fonds IGN au 1/50 000 : *Roussillon* (n°11), *Puigmal-Costabona* (n°20), *Le sentier cathare* (n°9), *Canigou* (n°10), *Cerdagne-Capcir* (n°8), *Cerdagne-Capcir* (n°8).

Climat

L'arc languedocien et le Roussillon sont soumis dans leur très grande majorité au climat méditerranéen. Le relief en gradins tourné vers la Méditerranée encadre une vaste plaine marquée par des étés très chauds, voire suffocants, et des hivers doux. Seules exceptions : les hauts plateaux et les causses de la Lozère, soumis à des influences continentales avec des hivers rigoureux, et le massif pyrénéen au climat marqué par l'élévation du relief.

Souvent à caractère orageux, les précipitations se produisent pour l'essentiel aux intersaisons, printemps et automne, sous forme d'averses violentes. En comparaison, il pleut ainsi davantage à Montpellier qu'à Paris et à peine moins qu'à Brest mais sur des périodes beaucoup plus concentrées. La violence des "épisodes cévenols", ces orages très violents qui déversent un déluge d'eau sur une petite zone, peut entraîner des crues torrentielles aux conséquences catastrophiques, comme à Nîmes en 1988, à Rennes-les-Bains en 1992, ou à Sommières en 2002.

Les vents qui affectent la région sont le mistral et la tramontane. À Perpignan, celle-ci souffle près de 120 jours par an à plus de 60 km/h. Ces vents de terre, qui font la joie des véliplanchistes, sont associés à des invasions d'air froid. Ils peuvent considérablement faire baisser les températures ressenties ainsi que la température de la mer lorsqu'ils se mettent à souffler. Les zones littorales, elles, sont sous l'influence de brises marines humides qui tempèrent les fortes chaleurs estivales. La Cerdagne ou le Vallespir sont connus pour leur ensoleillement exceptionnel toute l'année, comme l'illustre l'implantation des fours solaires de Mont-Louis et d'Odeillo.

Désagréments et dangers

La région n'est pas connue pour ses excès en matière de délinquance. Vous ne serez cependant pas à l'abri de vols, comme dans toute région touristique, surtout en été dans les stations du littoral ou autour des agglomérations de Nîmes et de Montpellier. Sans être paranoïaque, de simples précautions suffiront à les éviter : ne laissez aucun objet de valeur dans votre voiture, ou dans votre chambre d'hôtel (sauf si l'établissement met un coffre à votre disposition), gardez votre sac à main près de vous et ne laissez pas votre smartphone en évidence aux terrasses des cafés.

Lors de vos baignades dans les torrents, soyez prudent. Depuis quelques années, on note une recrudescence des accidents autour des rivières et des torrent du Gard et de Lozère, à la suite de plongeons ou de canyoning "sauvage". Respectez les consignes de sécurité et partez encadré si vous voulez suivre le cours des torrents. Les escapades au bord des cours d'eau et en montagne nécessitent impérativement de consulter la météo avant de vous y aventurer. Par ailleurs, la randonnée est déconseillée lors des épisodes de vents violents (tramontane ou mistral) en raison des risques d'incendie, notamment dans les garrigues et les pinèdes.

Douane

Vous serez peut-être tenté d'aller faire quelques emplettes du côté de l'Espagne, dans ses villes frontalières comme La Jonquera, où les supermarchés abondent, ou en Andorre. La réglementation européenne vous autorise à rapporter, sans déclaration particulière aux douanes, cinq cartouches de cigarettes, 10 litres de boissons spiritueuses (gin, vodka, whisky...), 20 litres de produits intermédiaires (porto, madère...), 90 litres de vin ou 110 litres de bière. Ces quantités s'entendent par moyen de transport individuel ou par personne âgée de plus de 17 ans en cas d'utilisation d'un transport collectif (au-delà de 9 personnes transportées, chauffeur compris).

Enfants

Le Languedoc-Roussillon est une région idéale pour passer des vacances avec des enfants. Vos chérubins seront ici comme chez eux. En été, prévoyez toujours une bouteille d'eau, une crème solaire (à renouveler plusieurs fois par jour), un T-shirt, des lunettes de soleil et un chapeau. Malgré quelques coups de vent, les étangs qui bordent le littoral et la mer Méditerranée restent moins dangereux pour les enfants que l'océan. Préférez cependant les plages surveillées et ne laissez jamais vos enfants seuls dans la mer ou dans une piscine.

L'été, de nombreuses activités nautiques sont organisées par des clubs ou des bases nautiques sur les plages du Languedoc : voile, kitesurf (poids minimum 35 kg), planche à voile... Renseignez-vous aussi auprès des offices du tourisme.

Le vrai plus de la région pour les enfants, c'est le nombre de parcs réservés à la faune sauvage avec les réserves animalières de Lozère ou la réserve africaine de Sigean mais aussi le nombre impressionnant de grottes, cavernes et avens qui fascinent toujours les plus petits. Plusieurs aquariums (Montpellier, Le Grau-du-Roi, Saint-Jean-du-Gard, Cap d'Agde) rencontrent aussi un franc succès.

Dans les musées, monuments et autres curiosités, les enfants bénéficient de tarifs réduits. Les sites historiques font souvent l'objet de visites ou d'espaces adaptés aux enfants (arènes de Nîmes, pont du Gard) où sont suffisamment impressionnants (cité de Carcassonne, châteaux cathares) pour que les enfants soient passionnés. Enfin, les sentiers de randonnée vous promettent de belles échappées en famille.

Côté équipements, les hôteliers, les restaurateurs et les propriétaires de chambres d'hôtes ont l'habitude de recevoir les familles et proposent des prestations adaptées (lit supplémentaire dans les chambres, etc.). Les agences de location de voiture pourront vous fournir des sièges auto, parfois gratuitement (renseignez-vous avant). La plupart des restaurants, même haut de gamme, proposent des menus enfant de 6 à 13 € (pour les moins de 10 ou 12 ans), même s'il est difficile de sortir de l'éternel "jambon-frites-glace" (mais les enfants adorent !).

Handicapés

Une trentaine de plages sont accessibles pour certains types de handicap, illustrant les efforts de certaines municipalités. La plupart des musées et quelques grottes ont prévu des accès et une circulation adaptés, de même que certains hôtels. Renseignez-vous par téléphone auparavant.

Les comité départementaux de tourisme éditent tous une brochure spécialisée sur le handicap. Le département de l'Aude a même un site Internet dédié : http://handicap.audetourisme.com.

L'**APF (Association des paralysés de France : ✆ 08 00 80 07 66 ; www.apf.asso.fr ; 17 bd Auguste-Blanqui, 75013 Paris)** peut vous fournir d'utiles informations sur les voyages accessibles.

Un site Internet dédié aux personnes handicapées comporte une rubrique consacrée au voyage qui peut constituer une bonne source d'information. Il s'agit de **Yanous** (www.yanous.com).

Hébergement

La gamme des hébergements est particulièrement diversifiée en Languedoc-Roussillon. Vous devriez trouver votre bonheur, quels que soient vos attentes et votre budget.

CAMPING

Il existe une forte densité de campings, particulièrement le long du littoral. Ils sont généralement ouverts de Pâques à fin octobre. Du simple terrain équipé de sanitaires aux prestations luxueuses, il y a du choix pour toutes les bourses. La solution la plus rentable reste évidemment la tente, mais la location à la semaine d'un mobil-home entièrement équipé vous reviendra toujours moins cher qu'un hôtel, surtout si vous êtes en famille. Certaines stations balnéaires, comme Argelès-sur-Mer, sont particulièrement à la pointe pour ce type de location.

Enfin, le "camping à la ferme" est une formule originale et bon marché : on plante sa tente sur une parcelle d'une exploitation agricole, près de la bâtisse principale. Vous trouverez quelques adresses de camping à la ferme sur www.bienvenue-a-la-ferme.com.

CHAMBRES D'HÔTES

De plus en plus appréciées, les chambres d'hôtes se multiplient et sont souvent de très bonne qualité. Le prix, l'accueil et le style varient énormément d'une adresse à l'autre, mais les prestations que vous y trouverez seront de toute façon toujours supérieures à celles d'un hôtel. Certaines font également table d'hôtes : l'occasion de faire plus ample connaissance avec les propriétaires et pourquoi pas de tisser des liens amicaux qui vous pousseront à revenir !

Si vous n'êtes pas sûr de la qualité d'une adresse, consultez les sites des **Gîtes de France** (www.gites-de-france.com) et de leur concurrent **Clévacances** (www.clevacances.com) ou celui des **éditions Samedi Midi** (www.samedimidi.com) et du label **Fleurs de Soleil** (www.fleursdesoleil.fr). Ils garantissent en général le respect de normes de sécurité et de confort. Le prix des chambres d'hôtes inclut toujours le petit-déjeuner. Pour une chambre double avec petit-déjeuner, comptez entre 70 et 110 € sur le littoral, un peu moins dans l'arrière-pays. Les offices du tourisme vous remettront une liste complète des chambres d'hôtes implantées dans leur secteur. Notez que la quasi-totalité des chambres d'hôtes n'accepte que les paiements par chèque ou en espèces.

GÎTES ET MEUBLÉS

GÎTES RURAUX

Destinés en principe aux randonneurs, les gîtes d'étape font également le bonheur des voyageurs à petit budget, qui y trouvent une excellente alternative au camping et à l'hôtel. Ces structures, privées ou gérées par les mairies, sont installées dans des villages traversés par des sentiers de randonnée. Ils proposent un hébergement en dortoir, de capacité variable, avec des sanitaires communs. Leur niveau de confort est généralement très satisfaisant.

MEUBLÉS

Les meublés de tourisme désignent des studios, des appartements et des villas équipés, loués à la semaine. Les tarifs sont très variables selon le site et la saison. Vous pouvez aussi contacter les offices du tourisme, qui possèdent la liste des hébergements locaux. Comptez une moyenne de 350 à 800 € la semaine en haute saison. Une partie de ces hébergements sont affiliés aux **Gîtes de France** (www.gites-de-France.com). Vous pouvez réserver un gîte par Internet sur l'un des sites départementaux des Gîtes de France : www.gites-de-france-herault.asso.fr, www.gites-de-france-gard.fr, www.gites-de-france-aude.com, www.gites-de-france-66.com, www.gites-de-france-lozere.fr.

HÔTELS

Le parc hôtelier est vaste et diversifié et les prix restent raisonnables. La majorité des établissements sont des deux ou des trois-étoiles au confort standard et convenable. Les tarifs sont étroitement liés à l'emplacement (en bord de mer ou non) et au cachet de l'établissement. En règle générale, ils s'appliquent pour la chambre, et la distinction simple/double est assez peu usitée. Dans les stations balnéaires, certains hôtels imposent la demi-pension pendant la période estivale (bien que cette pratique soit illégale) et ont un fonctionnement saisonnier, généralement de Pâques à octobre. D'autres hôtels, ouverts à l'année sur le littoral languedocien et la Côte Vermeille, pratiquent des tarifs en fonction de la saison. Mieux vaut donc bien étudier ses dates de séjour, à quelques jours près, les différences de prix peuvent être importantes.

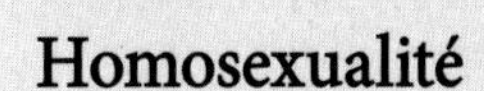

Homosexualité

Les grandes villes comme Nîmes et Montpellier ont un réseau gay et lesbien relativement bien implanté, avec bars et clubs. Dans les villes de moindre importance, les lieux gays se font rares. Certaines plages ont les faveur des gays et des lesbiennes, comme la plage des Aresquiers, près de Montpellier (naturisme toléré), et constituent autant de lieux de rendez-vous. Vous trouverez une mine d'informations utiles (chambres d'hôtes, lieux de sortie, adresses bien-être...) grâce au guide Languedoc-Roussillon du site Internet de l'association **Gay Provence** (☎ 04 91 84 08 96 : www.gay-provence.org ; 14 rue Berioz, 13006 Marseille).

Offices du tourisme

Les offices du tourisme et les syndicats d'initiative disposent de brochures et proposent parfois des visites guidées ou font office de point Internet. Certains ouvrent toute l'année, d'autres seulement pendant la saison touristique.

Les comités départementaux du tourisme (CDT) et le Comité régional du tourisme mentionnés ci-après restent de très bonnes sources d'informations et proposent souvent d'excellentes brochures thématiques (bien-être, golf, pêche, handicap, patrimoine, sports d'hiver, types d'hébergements...).

Aude (☎ 04 68 11 66 00 ; www.audetourisme.com ; allée Raymond-Courrière ; 11855 Carcassonne Cedex 9)

Gard (☎ 04 66 36 96 30 ; www.tourismegard.com ; 3 rue Cité-Foulc, 30010 Nîmes)

Hérault (☎ 0 825 34 00 34 ; www.herault-tourisme.com ; av. des Moulins, 34184 Montpellier)

Lozère (☎ 04 66 65 60 00 ; www.lozere-tourisme.com ; BP 4 14 bd Henri-Bourillon ; 48001 Mende Cedex)

Pyrénées-Orientales (☎ 04 68 51 52 53 ; www.tourisme-pyreneesorientales.com ; 16 av. des Palmiers, 66005 Perpignan)

Comité régional du tourisme Languedoc-Roussillon (☎ 04 67 200 220 ; www.sunfrance.com ; 954, av. Jean-Mermoz, 34000 Montpellier)

Téléphone et Internet

Les réseaux de téléphonie mobile couvrent l'ensemble du territoire du Languedoc-Roussillon même si quelques zones isolées captent mal. C'est le cas par exemple dans quelques villages de l'extrémité nord du Gard, dans certains secteurs reculés de l'Aude, des Pyrénées-Orientales ou de Lozère. Dans ce guide, la présence d'une connection Wi-Fi dans un hôtel ou une chambre d'hôtes est indiquée par le pictogramme 📶.

Voyager en solo

Les voyageurs solitaires devront s'attendre à quelques déconvenues, surtout en haute saison, où tout semble avoir été pensé pour les couples et les familles. La tarification en "simple" n'est pas courante. En revanche, les prestataires accoutumés à la fréquentation de randonneurs facturent les nuitées par personne.

Transports

Depuis/vers le Languedoc-Roussillon

AVION

L'**aéroport de Montpellier-Méditerranée** (☎ 04 67 20 85 00 ; www.montpellier.aeroport.fr) dessert une quinzaine de destinations dont plusieurs villes françaises (Paris, Lille, Nantes, Strasbourg). Il est implanté à 7 km du centre-ville de Montpellier, sur la commune de Mauguio (sortie 29 de l'A9).

L'**aéroport de Nîmes- Alès-Camargue-Cévennes** (☎ 04 66 70 49 49 ; www.nimes-aeroport.fr) est situé à 10 minutes en voiture de Nîmes (sortie n°2 de l'A54 Nîmes-Garons), au sud de l'agglomération. Lors de la rédaction de cet ouvrage, **Ryanair** (www.ryanair.com) était la seule compagnie aérienne desservant l'aéroport, vers Bruxelles, Londres et Liverpool.

L'**aéroport de Béziers-Cap d'Agde** (☎ 04 67 80 99 09 ; www.beziers.aeroport.fr) dessert plusieurs villes d'Europe du Nord ainsi que Paris-Beauvais avec Ryanair. Il existe des navettes de bus à l'arrivée et pour le départ de chaque vol, qui rejoignent la gare SNCF de Béziers.

L'**aéroport de Perpignan** (☎ 04 68 52 60 70 ; www.aeroport-perpignan.com) dessert notamment Nantes, Paris et Bruxelles. Pour le rejoindre depuis l'A9, prendre la sortie 41 Perpignan-Centre puis suivre les panneaux.

L'**aéroport de Carcassonne** (☎ 04 68 71 96 46 ; www.aeroport-carcassonne.com) dessert notamment Paris et Bruxelles. L'aéroport est accessible depuis la sortie 23 (Carcassonne-Ouest) de l'A61. Il est situé à 10 minutes en voiture du centre-ville de Carcassonne.

TRAIN

La région est traversée par les TGV qui empruntent la vallée du Rhône avant de rejoindre les grandes villes du Languedoc-Roussillon. Depuis

Si vous venez de l'étranger

DEPUIS LA BELGIQUE

En avion : la compagnie low cost **Ryanair** (www.ryanair.com) opère des vols directs depuis l'aéroport de Bruxelles-Charleroi vers Montpellier (1h40), Nîmes (1h40) et Carcassonne (1h45).

En train : des TGV relient quotidiennement Bruxelles à Montpellier (trois fois par jour, 5h30), Nîmes (deux fois par jour, 5h10) et Perpignan (une fois par jour) en 7h20. Horaires et tarifs auprès de la **SCNB Europe** (www.b-europe.com).

En bus : la société **Eurolines** (www.eurolines.fr) permet par exemple de relier Bruxelles depuis Montpellier, Nîmes et Perpignan.

DEPUIS LA SUISSE

En train : un TGV circule une fois par jour entre Genève et Montpellier (3h40) via Nîmes (3h10). Renseignez-vous auprès de la **CCF** (www.cff.ch).

Il n'existe pas de vols directs depuis la Suisse vers le Languedoc-Roussillon.

DEPUIS LE CANADA

En avion : il n'existe pas de vols directs du Canada vers le Languedoc-Roussillon mais la compagnie **Air Transat** (www.airtransat.com) propose des vols directs depuis Montréal et Québec pour Marseille (environ 8 heures de trajet), d'où vous pourrez rejoindre rapidement la région. Vous devrez autrement faire escale en région parisienne avant de prendre une correspondance pour le sud de la France.

Paris, comptez 3 heures pour rejoindre Nîmes, 3 heures 20 pour Montpellier, 4 heures 20 pour Béziers, 4 heures 30 pour Narbonne et 5 heures 20 pour Perpignan. Comptez au minimum 5 heures 20 pour rejoindre Carcassonne depuis Paris avec une escale ou 7 heures 30 en train de nuit direct. Il existe des formules intéressantes à prix réduits avec **IDTGV** (www.idtgv.com) vers Perpignan, Montpellier et Nîmes depuis Paris-Gare de Lyon.

VOITURE

La région est desservie par un réseau d'autoroutes denses (A9, A61, A75), rendant la région facilement accessible des quatre coins de l'Hexagone. Elle est située sur un axe important reliant la péninsule ibérique au reste de l'Europe. En provenance de Paris, comptez 6 heures 20 pour rejoindre Nîmes, 6 heures 40 pour Montpellier, 7 heures 30 pour rejoindre Perpignan et 7 heures pour Carcassonne. Pour rejoindre Perpignan, il vous faudra compter 9 heures 30 depuis Lille.

Voyages organisés

Les agences vendent généralement deux formules : un voyage en groupe avec un guide accompagnateur ou un voyage en liberté avec des hébergements réservés et un carnet de route donné au départ. Certaines agences proposent également des voyages en famille accompagnés.

Allibert (☎ 04 76 45 50 50 ; www.allibert-trekking.com ; Paris ☎ 01 44 59 35 35 ; 37 bd Beaumarchais, 75003 Paris)

Akaoka (☎ 0 825 000 840, 0,15 € TTC/min ; www.akaoka.com ; hameau de la Combe, 30440 Saint-Laurent-Le- Minier)

Chamina Sylva (☎ 04 66 69 00 44 ; www.chamina-voyages.com ; Naussac - BP 5 F Langogne, 48300 Langogne)

Club Aventure (☎ 0826 882 080, 0,15 €/min ; www.clubaventure.fr ; 18 rue Séguier, 75006 Paris)

Terres d'Aventure Paris (☎ 0825 700 825, 0,15 €/ min ; www.terdav.com ; 30 rue Saint-Augustin, 75002 Paris) ; Lyon (04 78 37 15 01 ; 5 quai Jules-Courmont, 69002 Lyon)

Grand Angle (☎ 04 76 95 23 00 ; www.grand-angle.fr ; ZA, 38112 Méaudres)

La Burle (☎ 04 75 37 07 83 ; www.laburle.com ; 07510 Sainte-Eulalie)

Nomade Paris (☎ 0 825 701 702, 0,15 €/min ; www.nomade-aventure.com ; 40 rue de la Montagne-Sainte-Geneviève, 75005 Paris)

Des petites structures installées en Languedoc-Roussillon proposent également des séjours randonnées, à pied et à vélo, ou des séjours d'activités de plein air. C'est le cas d'**In Extremis** (☎ 04 34 10 42 80 ; www.inextremis-aventura.com), basé à Prats-de-Mollo, ou de **Randonades** (☎ 04 68 96 16 03 ; www.randonades.com), à Prades, au pied du Canigou.

Comment circuler

BUS

Bonne nouvelle : tous les départements de la région, à l'exception de la Lozère, pratiquent des tarifs de ticket à l'unité qui oscillent entre 1 € et 1,50 €.

Si vous n'avez pas de voiture pour vous déplacer, le bus constitue donc une option intéressante, à condition de le combiner avec le train si vous souhaitez rayonner sur plusieurs départements. Chaque département possède une compagnie de bus qui dépend directement du conseil général, intéressante pour vous déplacer, Renseignez-vous auprès des agences de chaque département :

HÉRAULT

(☎ 04 34 888 999 ; www.herault-transport.fr)

GARD

Edgard (☎ 0 810 33 42 73 ; www.edgard-transport.fr)

LOZÈRE

Vous trouverez les coordonnées des différents autocaristes et les itinéraires des lignes de Lozère sur le **guide des transports en Lozère** disponible sur le site du conseil général (www.lozere.fr). Les 11 lignes gérées par le département sont dédiées en premier lieu aux transports scolaires. Les tarifs varient en fonction des lignes et des destinations.

AUDE

Keolis Aude (☎ 04 68 25 13 74 ; www.keolisaude.com)

PYRÉNÉES-ORIENTALES

(☎ 04 68 80 80 80 ; www.cg66.fr ; ticket à l'unité 1 €)

TAXIS

Toutes les agglomérations de taille moyenne comptent des services de taxis, notamment au départ des gares ferroviaires et des aéroports. Citons à :

MONTPELLIER

- **Taxi Bleu du Midi** (☎ 04 67 10 00 00 ; www.taxibleudumidi.fr)

NÎMES

- **Taxi Radio Artisans Nîmois** (☎ 04 66 29 40 11 ; www.taxinimes.fr)

PERPIGNAN

- **Accueil Perpignan Taxi** (☎ 04 68 35 15 15 ; www.accueilperpignantaxi.fr)

TRAIN

De nombreuses lignes de **TER** (www.ter-sncf.com) desservent les gares des villes secondaires dans des parcours parfois pittoresques. À noter que la région a mis en place des billets à 1 € (non échangeables et non remboursables) sur cinq lignes : Nîmes-Le Grau-du-Roi, Perpignan-Villefranche-Vernet-les-Bains, Carcassonne-Quillan, Marvejols-Saint-Laurent et Béziers-Ceilhes.

VOITURE ET MOTO

La voiture et la moto sont les moyens de transport les plus adaptés a la découverte du Languedoc-Roussillon. Tout est prévu pour le confort du conducteur : le réseau routier est dense et le fléchage des sites et des infrastructures touristiques est excellent. La région est densément reliée par un réseau d'autoroutes payantes et gratuites. L'A9 longe l'arc languedocien et dessert les principales villes, d'est en ouest : Nîmes, Montpellier, Sète, Béziers, Narbonne et Perpignan. L'A61 permet depuis Narbonne de rejoindre Carcassonne, Castelnaudary et Toulouse. L'A75 appelée aussi "la Méridienne" relie Béziers à Clermont-Ferrand. Elle est gratuite sauf sur le

DISTANCES ROUTIÈRES (KM)

	Béziers	Carcassonne	Montpellier	Mende	Narbonne	Nîmes	Perpignan	Pont du Gard
Carcassonne	90							
Montpellier	69	149						
Mende	206	293	199					
Narbonne	28	61	94	236				
Nîmes	119	199	52	149	141			
Perpignan	95	115	155	296	65	202		
Pont du Gard	144	224	77	147	167	27	227	
Sète	58	138	36	214	80	83	141	109

tronçon du **viaduc de Millau (voiture simple tarif été/hiver 8,60/6,70 € ; moto 4,40 € toute l'année)**, ce qui en fait un axe intéressant pour rejoindre le nord de la Lozère depuis la plaine du Languedoc.

Avec un véhicule à deux ou à quatre roues, vous accéderez à toutes les richesses du littoral, alors que bus et trains ne desservent pas toutes les localités. Seul point noir : les bouchons dans les zones balnéaires en haute saison et les difficultés de circulation sur l'autoroute A9, récurrentes autour de Montpellier et Nîmes.

Méfiez-vous aussi de certaines routes reculées de Lozère, des Cévennes, des Pyrénées-Orientales ou de l'Aude. La circulation peut y être délicate après le passage d'un orage violent, d'une tempête de neige ou obstruée par des obstacles.

LOCATION

Vous trouverez sans mal des sociétés de location à proximité des gares, des aéroports et dans le centre des principales villes de la région. Renseignez-vous au préalable sur les prestations incluses dans le prix (kilométrage illimité ou non, taxes, assurance, rachat de franchise, etc.) et sur votre responsabilité en cas de problème. Mieux vaut, en tout état de cause, souscrire une assurance complète couvrant les bosses et éraflures que pourrait subir la carrosserie. Demandez des précisions à votre propre assureur, notamment si vous disposez de la carte Premier.

Quelle que soit la période, il est préférable de réserver. Les tarifs sur Internet sont souvent plus avantageux qu'aux guichets. Outre les loueurs cités ci-après, une autre solution consiste à contacter avant votre départ les agences en ligne **Autoescape** (☎ 0892 46 46 10 ; www.autoescape.com), **Locationdevoiture** (☎ 0800 733 333, numéro vert gratuit ; www.locationdevoiture.fr) ou **easycar** (www.easycar.fr), qui permettent de comparer les tarifs et de réserver en ligne. Voici les coordonnées de plusieurs agences qui comportent des succursales en Languedoc-Roussillon :

Ada (☎ 0825 169 169 ; www.ada.fr)

Avis (☎ 0820 050 505 ou 3642 ; www.avis.fr)

Budget (☎ 0825 003 564, 0,15 €/min ; www.budget.fr)

Europcar (☎ 0825 358 358, 0,15 €/min ; www.europcar.fr)

Hertz (☎ 0825 342 343 ; www.hertz.fr)

Rent a car (☎ 0891 700 200 ; www.rentacar.fr)

Sixt (☎ 0820 00 74 98 ; www.sixt.fr)

En coulisses

Un mot des auteurs

EMMANUEL DAUTANT

Une pensée pour toutes les bonnes étoiles qui m'ont guidées sur les routes du Languedoc-Roussillon : Brigitte Donnadieu pour son enthousiasme et sa connaissance de la Lozère ; Georges Bartoli, photographe émérite qui m'a fait découvrir le Lagavulin au pied du pic de Carlit ; Renaud, du restaurant Manje e Caille et Christine Campadieu pour leurs conseils avisés, Manu Desclaux, Nathalie Lefort, Caroline Fernandez, Pascale Gorry, Myriam Fillaquier, Anne Collard, Carole Bedou, Bernard Dautant, la maison Mauro à Prats-de-Mollo, la famille Mouliade Sunyer à Nasbinals et enfin Philippe Berto pour l'intérêt qu'il a porté à ce guide.

Merci aussi à toute l'équipe de Lonely Planet, à Didier, pour sa confiance renouvelée, et à Nicolas qui, grâce à un mix de zen attitude et de remarques pertinentes, a su rendre possible la réalisation de ce guide. Enfin, une dernière pensée pour ceux qui supportent ma présence au quotidien, de même que mes absences sur les routes parfois sinueuses du Languedoc-Roussillon.

CAROLE HUON

Un grand merci à tous les Héraultais d'origine ou de cœur rencontrés en chemin et qui m'ont ouvert leur carnet d'adresse, en particulier à Chloé Etienne à Montpellier, et à Claudine et William Stephens à Péret. Merci également au personnel des offices du tourisme. Mes profonds remerciements vont à toute l'équipe de Lonely Planet, et en particulier à Didier Férat, à Nicolas Guérin et à Dominique Spaety.

Crédits photographiques

Photographie de couverture : Carcassonne, © Sylvain Sonnet/Hemis/Getty Images.
Photographie de dos : Pont et cathédrale de Béziers © Azam/Stock Images/Getty Images

À propos de cet ouvrage

Cet ouvrage est la première édition du guide Languedoc-Roussillon. Emmanuel Dautant et Carole Huon sont partis sillonner la région, à la découverte de ses plus beaux sites, à la recherche de ses bonnes adresses, toujours à l'affût d'un bon plan ou d'une maison d'hôte cachée. Rodolphe Bacquet s'est pour sa part consacré à la rédaction des chapitres culturels. Vous trouverez leur biographie à la fin du guide.

Direction éditoriale Didier Férat
Coordination éditoriale Nicolas Guérin
Responsable pré-presse Jean-Noël Doan
Maquette Pierre Brégiroux
Cartographie Afdec (Martine Marmouget et Bertrand de Brun)
Couverture Annabelle Henry
Fabrication Céline Premel-Cabic
Photogravure Axiome
Merci à Dolorès Mora pour sa relecture attentive ainsi qu'à Charlotte Bories pour son travail de référencement. Un grand merci à Dominique Spaety pour son soutien et à toute l'équipe du bureau de Paris. Enfin, merci à Clare Mercer, Tracey Kislingbury, Joe Revill et Luan Angel du bureau de Londres, ainsi qu'à Darren O'Connell, Chris Love, Craig Kilburn, Carol Jackson, Sally Darmody et Jacqui Saunders du bureau australien.

VOS RÉACTIONS ?

Vos commentaires nous sont très précieux et nous permettent d'améliorer constamment nos guides. Notre équipe lit toutes vos lettres avec la plus grande attention. Nous ne pouvons pas répondre individuellement à tous ceux qui nous écrivent, mais vos commentaires sont transmis aux auteurs concernés. Tous les lecteurs qui prennent la peine de nous communiquer des informations sont remerciés dans l'édition suivante, et ceux qui nous fournissent les renseignements les plus utiles se voient offrir un guide.

Pour nous faire part de vos réactions, prendre connaissance de notre catalogue et vous abonner à Comète, notre lettre d'information, consultez notre site Internet : **www.lonelyplanet.fr**

Nous reprenons parfois des extraits de notre courrier pour les publier dans nos produits, guides ou sites web. Si vous ne souhaitez pas que vos commentaires soient repris ou que votre nom apparaisse, merci de nous le préciser. Pour connaître notre politique en matière de confidentialité, connectez-vous à : **www.lonelyplanet.fr/confidentialite/index.cfm**

NOTES

NOTES

NOTES

Index

A

B

C

Les cartes sont indiquées en **gras**

D

E

F

G

H

I

J

K

L

M

N

Les cartes sont indiquées en **gras**

T

U

V

Z

Comment utiliser ce livre

Ces symboles vous aideront à identifier différentes rubriques :

- À voir
- Activités
- Circuits organisés
- Où se loger
- Où se restaurer
- Où prendre un verre
- Où sortir
- Shopping

Ces symboles vous donneront des informations essentielles au sein de chaque rubrique :

- Numéro de téléphone
- Horaires d'ouverture
- Parking
- Non-fumeurs
- Climatisation
- Accès Internet
- Wi-Fi
- Piscine
- Végétarien
- Familles bienvenues
- Animaux acceptés
- Bus
- Ferry
- Tube (Londres)
- Tram
- Train

Les pictos pour se repérer :

GRATUIT Des sites libres d'accés

Les adresses écoresponsables

Nos auteurs ont sélectionné ces adresses pour leur engagement dans le développement durable – par leur soutien envers des communautés ou des producteurs locaux, leur fonctionnement écologique ou leur investissement dans des projets de protection de l'environnement.

Légende des plans

À voir
- Plage
- Temple bouddhiste
- Château
- Église/cathédrale
- Temple hindou
- Mosquée
- Synagogue
- Monument
- Musée/galerie
- Ruines
- Vignoble
- Zoo
- Centre d'intérêt

Activités
- Plongée/snorkeling
- Canoë/kayak
- Ski
- Surf
- Piscine/baignade
- Randonnée
- Planche à voile
- Autres activités

Se loger
- Hébergement
- Camping

Se restaurer
- Restauration

Prendre un verre
- Bar
- Café

Sortir
- Spectacle

Achats
- Magasin

Renseignements
- Poste
- Point d'information

Transports
- Aéroport/aérodrome
- Poste frontière
- Bus
- Téléphérique/funiculaire
- Piste cyclable
- Ferry
- Métro
- Monorail
- Parking
- Subway
- Taxi
- Train/rail
- Tramway
- Tube
- U-Bahn
- Autre moyen de transport

Routes
- Autoroute à péage
- Autoroute
- Nationale
- Départementale
- Cantonale
- Chemin
- Route non goudronnée
- Rue piétonne
- Escalier
- Tunnel
- Passerelle
- Promenade à pied
- Promenade à pied (variante)
- Sentier

Géographie
- Refuge/gîte
- Phare
- Point de vue
- Montagne/volcan
- Oasis
- Parc
- Col
- Aire de pique-nique
- Cascade

Population
- Capitale (pays)
- Capitale (État/province)
- Grande ville
- Petite ville/village

Limites et frontières
- Pays
- Province/État
- Contestée
- Région/banlieue
- Parc maritime
- Falaise/escarpement
- Rempart

Hydrographie
- Rivière
- Rivière intermittente
- Marais/mangrove
- Récif
- Canal
- Eau
- Lac asséché/salé/intermittent
- Glacier

Topographie
- Plage/désert
- Cimetière (chrétien)
- Cimetière (autre religion)
- Parc/forêt
- Terrain de sport
- Site (édifice)
- Site incontournable (édifice)

Les guides Lonely Planet

Une vieille voiture déglinguée, quelques dollars en poche et le goût de l'aventure, c'est tout ce dont Tony et Maureen Wheeler eurent besoin pour réaliser, en 1972, le voyage d'une vie : rallier l'Australie par voie terrestre via l'Europe et l'Asie. De retour après un périple harassant de plusieurs mois, et forts de cette expérience formatrice, ils rédigèrent sur un coin de table leur premier guide, *Across Asia on the Cheap*, qui se vendit à 1 500 exemplaires en l'espace d'une semaine. Ainsi naquit Lonely Planet, qui possède aujourd'hui des bureaux à Melbourne, Londres et Oakland, et emploie plus de 600 personnes. Nous partageons l'opinion de Tony, pour qui un bon guide doit à la fois informer, éduquer et distraire.

Nos auteurs

Emmanuel Dautant

Les meilleurs itinéraires, Pays nîmois et Petite Camargue, Lozère et terres cévenoles, Aude et pays cathare, La Catalogne française, Sports et activités, Carnet pratique. Son nom aurait-il quelque chose à voir avec le vent d'autan qui souffle parfois violemment dans le Languedoc-Roussillon et qui, paraît-il, peut rendre fou ? La question reste posée. Journaliste et photographe installé à Marseille, Emmanuel Dautant travaille pour la presse et l'édition. Spécialisé dans le tourisme, il travaille régulièrement avec la presse nationale et la presse régionale basée dans le grand Sud. Il a par ailleurs collaboré à plusieurs guides Lonely Planet (*Provence, Côte d'Azur, Corse, Maurice et Rodrigues*).

Carole Huon

L'Hérault, entre mer, vignes et garrigue. Passionnée par le "slow travel", Carole aime avant tous les grands espaces qui, de l'Argentine à la Mongolie, en passant par la Bretagne où elle habite, et le Languedoc-Roussillon, balaient d'un coup de vent vos certitudes. Éditrice, Carole est également coauteur des guides Lonely Planet *Bretagne Nord* et *Bretagne Sud*, *Normandie*, *L'Essentiel de la Bretagne*, et *1 000 Idées de vacances en France*.

Contributeur

Rodolphe Bacquet

Le Languedoc-Roussillon aujourd'hui, Histoire, Culture, Environnement, Saveurs du Languedoc-Roussillon. Après des études de lettres et de cinéma à l'ENS de Lyon, une expérience d'enseignement à l'université Lumière et la réalisation de documentaires, Rodolphe réside désormais à l'étranger. Ayant passé une partie de son enfance à Perpignan, au sixième étage d'un immeuble face au Canigou, il s'est consacré avec grand plaisir à la rédaction des chapitres culturels de ce guide.

L'essentiel du Languedoc-Roussillon
1re édition

Dépôt légal Mars 2013
ISBN 978-2-81613-077-5
Imprimé par La Tipografica Varese, Italie

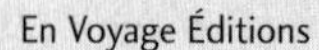

un département